今日からはじめる

Blender3 入門講座

友 著

SB Creative

本書に関するお問い合わせ

この度は小社書籍をご購入いただき誠にありがとうございます。小社では本書の内容に関するご質問を受け付けております。本書を読み進めていただきます中でご不明な箇所がございましたらお問い合わせください。なお、お問い合わせに関しましては下記のガイドラインを設けております。恐れ入りますが、ご質問の際は最初に下記ガイドラインをご確認ください。

ご質問の前に

小社 Web サイトで「正誤表」をご確認ください。最新の正誤情報をサポートページに掲載しております。

- 本書サポートページ URL
  https://isbn2.sbcr.jp/11910/

ご質問の際の注意点

- ご質問はメール、または郵便など、必ず文書にてお願いいたします。お電話では承っておりません。
- ご質問は本書の記述に関することのみとさせていただいております。従いまして、○○ページの○○行目というように記述箇所をはっきりお書き添えください。記述箇所が明記されていない場合、ご質問を承れないことがございます。
- 小社出版物の著作権は著者に帰属いたします。従いまして、ご質問に関する回答も基本的に著者に確認の上回答いたしております。これに伴い返信は数日ないしそれ以上かかる場合がございます。あらかじめご了承ください。

ご質問送付先

ご質問については下記のいずれかの方法をご利用ください。

▶ Web ページより

上記のサポートページ内にある「この商品に関する問い合わせはこちら」をクリックすると、メールフォームが開きます。要綱に従って質問内容を記入の上、送信ボタンを押してください。

▶郵送

郵送の場合は下記までお願いいたします。

〒 106-0032　東京都港区六本木 2-4-5
SB クリエイティブ　読者サポート係

はじめに

この本は、Blenderを全く触ったことのない方、少し触ってみたけどよく解らなかったという方、そもそも3DCG自体全く作ったことがないという方へ向けた入門書として書かれています。簡単な練習モデル数点の制作過程を追ってもらうことでまず簡単な操作方法に慣れてもらい、最後に本番用の作例としてキャラクターの作成を行うことで、Blenderの機能をなるべくまんべんなく、多岐にわたって習得していただくという流れになっています。上級者の方にとっても、知らなかったようなテクニックが含まれているかもしれません。途中でつまずいたり挫折したりといったことが無いよう、極力懇切丁寧に詳細な画像付きで解説してまいります。

もしかしたら簡単すぎて、途中で飽きちゃうかもしれません。そんな方は、作例に自分でオリジナルのアレンジを加えたり、自分好みの全く別のモデルを作ることに挑戦をしてもらっても構いません。

逆に、途中で投げてしまうこともあるかもしれません。そんな時は、ちょっと時間を置いてもいいのでまた戻ってきてみてください。そもそも3DCGとは時間のかかるものです。焦らず、諦めなければ必ず完成しますし、理解も出来るようになります。

最初は不格好なものしか出来ないかもしれません。だとしても決して自分に才能が無いなんて思わないでください。誰しもみんな最初は上手くいきません。楽しく作り続けていれば、いつの間にか上達しているものです。

本書がそんなみなさんの出発点になることができれば幸いです。

2022年5月
友

本書を読み進めるにあたって

本書の対応バージョンについて

この本は、Blender のバージョン 3.0 に対応した内容で解説を行っています。とはいえ、Blender はその前後数バージョンではそれほどインターフェースが変化しませんので、ある程度進んだバージョン、あるいは少々過去のバージョンでもそれほど問題も生じることなく学習を進めていただけるかと思います。

ただし本書で使用・ご紹介する機能が 3.0 より前のバージョンでは欠けている可能性もあることをご留意ください。なので、可能な限り使用するバージョンは 3.0 以降をご使用していただき、もし完全に同じものでなければ不安という場合は、3.0 をお使いください（Blender は過去の全てのバージョンをいつでもダウンロード可能です）。

Blender のバージョンの進み方について

Blender は、バージョン 2.93 以前は 2.90 → 2.91 → 2.92 といった具合に小数点第二位ずつ進んでいき、バージョン 3.0 以降は 3.1 → 3.2 → 3.3 といった具合に小数点第一位ずつ進んでいきます。通常、バージョンアップによる変化はいくつかの新機能の追加とバグの修正になり、隣り合ったバージョン同士ではそれほど大きな変化はございません。ただし Blender は過去、バージョン 2.50 と 2.80 の二回で大幅なメジャーアップデートを行っています。つまり、バージョン 2.79 以前になりますと本書で扱うバージョンとはインターフェイスが大幅に異なってしまうため、ご使用は推奨できません。

逆に言えば、バージョン 2.80 以降であれば本書の内容にある程度沿ったものになっていますのでご参考にしていただけるかと思います。もちろん、他のソフトやアドオンとの連携といった特殊な事情が無い限りは過去バージョンではなく、ご使用時点での最新バージョンを使用することを推奨致します。

Blender の最小必要環境と推奨環境

以下が、Blender の最小必要環境と推奨環境になります。本書は、最小環境寄りでも問題無い内容となっています。

最小必要環境	推奨環境
・SSE2 をサポートする 64bit クアッドコア CPU ・8GB RAM ・フル HD ディスプレイ ・マウスまたはトラックパッドまたはペン + タブレット ・2GB RAM、OpenGL4.3 を搭載したグラフィックカード ・経過 10 年未満のハードウェア	・64bit8 コア CPU ・32GB RAM ・2560×1440 ディスプレイ ・3 ボタンマウスまたはペン + タブレット ・8GB の RAM を搭載したグラフィックカード

本書の読み方

本書は以下のような構成で解説を行っております。

3DCG サンプル制作解説

右画像のように手順を細かく追っていけるよう解説と画像に手順の番号を記載しております。
解説にある手順に従って3DCG の制作を進めてみてください。

❶ 反対側の面も S で少し小さめに縮めます❶。
次に最初に押し出した方の面も Shift を押しながら選択することで両方選択された状態にします❷。
そして左側のツール群から［**スケール**］を選択します❸。
表示されたマニピュレーターから緑色の軸をドラッグして Y 方向の両面の近さを調節します❹。

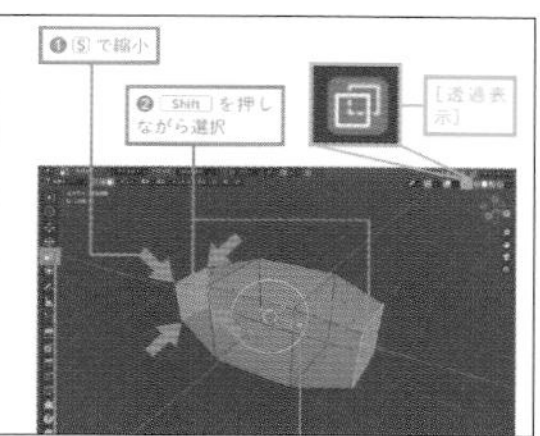

テクニックの解説

おさえておきたいテクニックについて右画像のように使用する目的や使い方や解説を行っています。
テクニックについて理解を深めながら3DCG 制作を進めていくことでしっかりとしたスキルを身につけることが出来ます。

● スケール
各面を G の移動で位置を調節する方法だけではなく、スケールによって複数面の位置を同時に調整することによって全体的なバランスを見ながら効率よく形を作っていくことができます。この時、右上のツール群から［**透過表示**］を選択すると見やすくなります（もちろん慣れてきたら、マニピュレーターを出す方法だけではなく S → Y のようにショートカットキーで操作してしまえば更に素早く調整することができます。

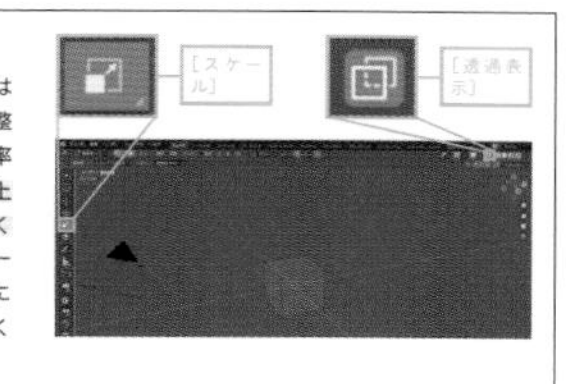

POINT

制作を進めてるにあたって意識してほしいことを POINT としてまとめています。
手順解説、テクニックの解説と併せてご活用ください。

POINT
この左側のメッシュには頂点や辺の表示が無く、直接編集することが出来ません。これはオブジェクトの中央を基点に鏡像を作る**ミラーモディファイアー**という機能で、編集できる方のメッシュを動かせば、同じように反対側のメッシュも鏡のように動いてくれます。左右対称な形を作る場合にはこの**ミラーモディファイアー**を使えば、作業量を半分にすることが出来ます。

鏡像

MEMO

3DCG 制作を進めるうえで知っていたら便利な知識を MEMO としてまとめています。

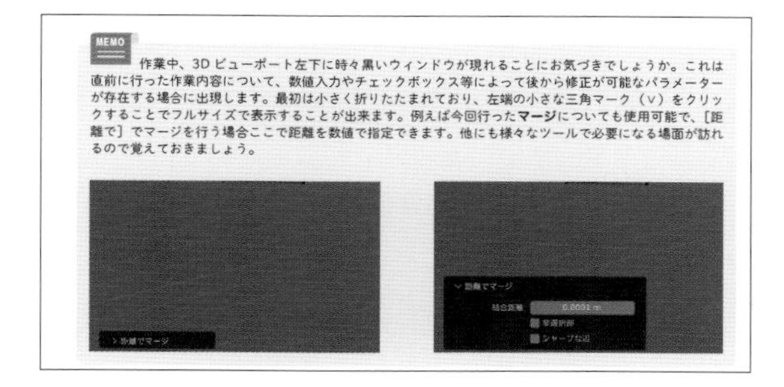
MEMO
作業中、3D ビューポート左下に時々黒いウィンドウが現れることにお気づきでしょうか。これは直前に行った作業内容について、数値入力やチェックボックス等によって後から修正が可能なパラメーターが存在する場合に出現します。最初は小さく折りたたまれており、左端の小さな三角マーク（v）をクリックすることでフルサイズで表示することが出来ます。例えば今回行った**マージ**についても使用可能で、［距離で］でマージを行う場合ここで距離を数値で指定できます。他にも様々なツールで必要になる場面が訪れるので覚えておきましょう。

サンプルファイルについて

本書の節見出し上部に右の記載があるものは解説している成果物の完成形サンプルを提供しております。作成したサンプルのクオリティチェック等にご活用ください。

サンプルファイル　samplefile/chapter2/2-1

サンプルファイルのダウンロードはこちらから！
URL https://isbn2.sbcr.jp/11910/

contents

Blenderの基本を学ぼう

この章では、Blenderのセットアップから簡単な基本操作方法まで、できるだけ要点に絞った説明のみを行います。実際の製作作業に入る前の最低限の準備と、最低限覚えておいてほしいことをまとめました。

Blender を学ぶ準備をしよう

Blender とは

Blender は、Blender Foundation によりオープンソースで開発されている統合型 3DCG ソフトウェアです。ライセンス料無料で誰でも自由に使うことが出来、アマチュア、プロ問わず世界中で広く普及してきています。

三次元上での形を制作する**「モデリング」**、そのモデルに色や質感を与える**「マテリアル」**、更にそれへ動きを与える**「アニメーション」「シミュレーション」**、静止画や動画へ出力する**「レンダリング」「コンポジット」**等、おおよそ 3DCG に関連する制作環境をあますことなくカバーし、最先端のプロコンテンツ制作にも耐えられる強力なツールとなっています。

▶ モデリング

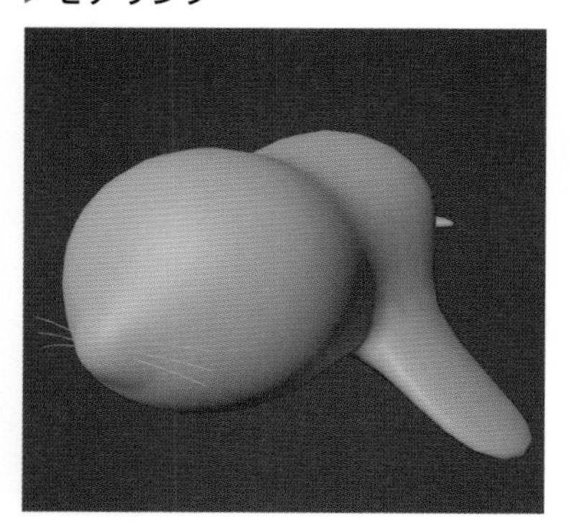

▶ マテリアル

▶ アニメーション

▶ 破壊シミュレーション

▶ 流体シミュレーション

▶ 布シミュレーション

▶ レンダリング

最近では3Dプリンターにより自分で制作したモデルを現実に出力したり、バーチャル空間で使用するアバターの作成といったアーマチュアによるちょっとしたホビーユースにもライセンス料無料であることから気軽に手を出せるソフトとして重宝されていたり、逆に本格的な商業使用の現場でも他のデファクトスタンダードとなっている3DCGソフトウェアに引けを取らない機能を有していながらライセンスによる制約がないために、クラウド使用やリモートワーク環境への適応に優れていたりと、あらゆる環境で魅力的な選択肢としてBlenderが注目されています。

その反面として、以前はその機能の複雑さ、操作のとっつき辛さ等が囁かれていたこともありましたが、バージョンを重ね3.0となった今現在、とても親切でわかりやすく、更にユーザーも増えることによって巷にBlenderの情報が溢れ、手を出しやすいソフトに成長しました。

更にBlenderはその成長を留めること無く、最先端の技術をどんどん取り入れながら、そして独自の技術もどんどん生み出しながら、これからも活発に開発が続けられていくことでしょう。

Blenderをインストールしよう

最初にBlenderをインストールするための手順を解説していきます。

Blenderのダウンロード手順

❶ Blender公式サイト（https://www.blender.org/）からBlenderをダウンロードします❶。

［Download Blender］と書かれたボタン、または画面最上部の［Download］の文字をクリックし、次に表示されたページの［Download Blender 3.X］をクリックして（Xの数字はその時の最新バージョンのものになります）少し待つとダウンロードが始まります❷。

URL Blender公式サイト（https://www.blender.org/）

❷ 下の［macOS, Linux, and other versions］プルダウンメニューから、ポータブルバージョン、Microsoft Storeバージョン、Steamバージョンや、Windows以外のOS用のBlenderをダウンロードすることも出来ますので、ご使用の環境に合ったものをダウンロードしてください❶。

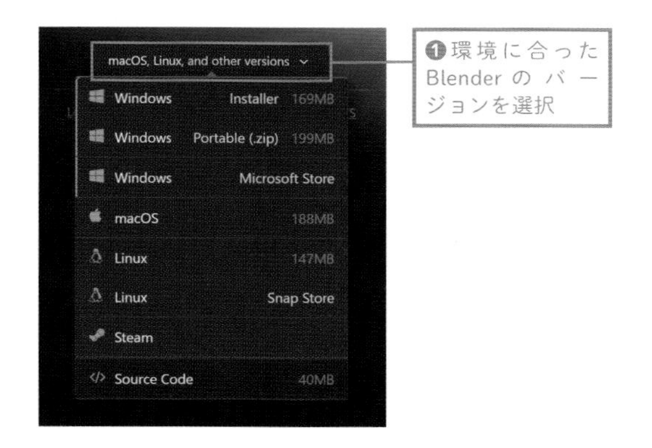

❶環境に合ったBlenderのバージョンを選択

Blenderのインストール手順

以下は、[Download Blender 3.X] をクリックしてWindowsインストーラ版をダウンロードした場合の手順を説明します。

POINT

全ての過去バージョンはhttps://download.blender.org/release/ からダウンロードすることが可能です。

URL Blender公式サイト（https://download.blender.org/release/ ）

❶ ダウンロードが完了したら「blender-3.X.0-windows-x64.msi」※を実行します。するとセットアップ画面が表示されます❶。

表示されたセットアップ画面の［Next］をクリックします❷。

※：ここではBlender 3.1のインストーラとして「Blender-3.1.0-windows-x64.msi」を実行させています。

❶「blender-3.X.0-windows-x64.msi」を実行

❷［Next］をクリック

❷ 次の画面では、ライセンスが表示されます。条項に同意するチェックボックスにチェックを入れ、［Next］をクリックします❶。

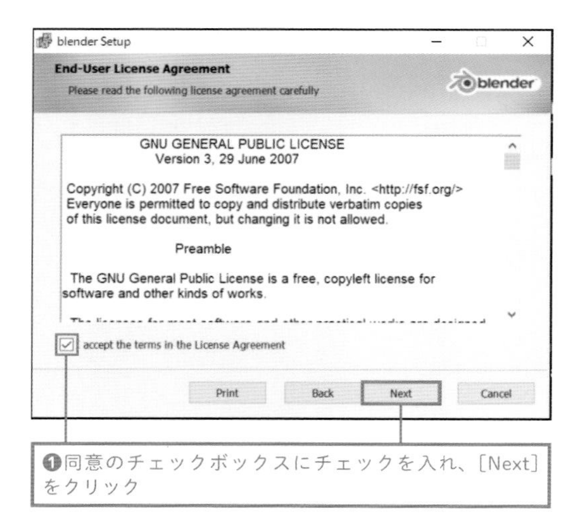

❸ 次の画面ではカスタムセットアップを設定します。大抵の場合はそのまま［Next］をクリックして大丈夫ですが、インストール先を変更したい場合は［Browse...］をクリックしてインストール先を指定します❶。

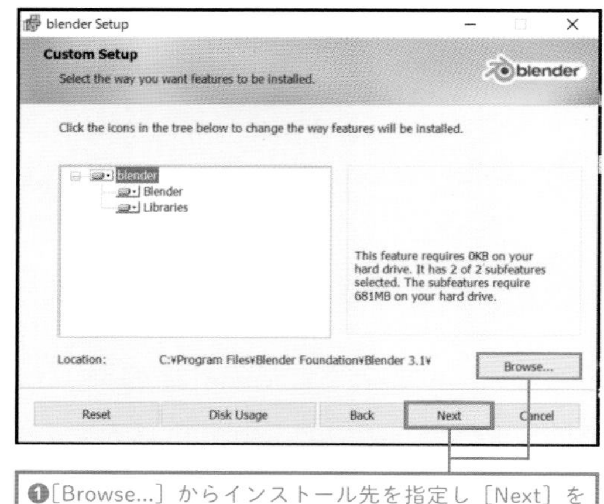

❹ 次の画面で［Install］をクリックすると、インストールが開始されます。途中でセキュリティソフトが起動した場合は、コンピューターへの変更を許可してください❶。

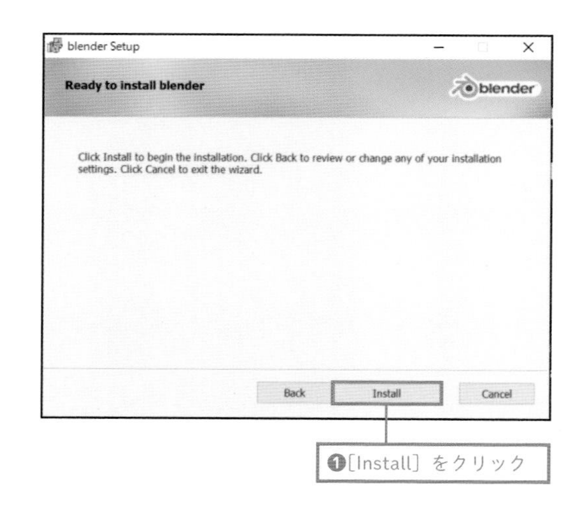

❺ Completed the Blender Setup Wizard画面が表示され、[Finish] ボタンをクリックすればインストールは完了です❶。

デスクトップ及びスタートメニューにBlenderが追加されます。

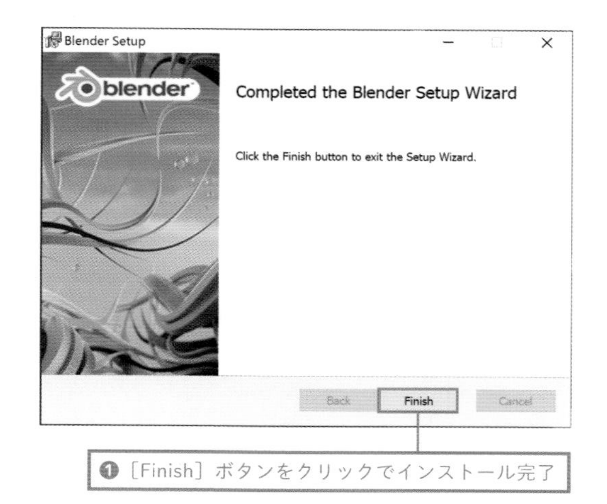

❶ [Finish] ボタンをクリックでインストール完了

Blender 触ってみよう

Blender のインストールが完了したらいよいよ実際に Blender に触れていきましょう。

初回設定を行う

では早速、Blender を起動してセットアップを始めてみましょう。

Blender の起動

❶ 初回起動時のみ、クイックセットアップ（Quick Setup）ウィンドウが中央に表示されます（ここに表示される画像は Blender のバージョンによって違います)。このウィンドウの、［Language］プルダウンメニューから［日本語（Japanese)］を選択します❶。
　Blender が日本語化されたことを確認したら、右下の［次（Next)］をクリックします❷。

❶ Language プルダウンメニューから日本語（Japanese）を選択

❷ 右下の［次（Next)］をクリック

MEMO
もし過去のバージョンの Blender を既に使用したことがある場合、このクイックセットアップ（Quick Setup）ウィンドウの一番下に［Load ○．○○ Settings］というボタンが表示されます。こちらをクリックすると、そのバージョンの設定を現在の Blender へ引き継ぐことが出来ます。

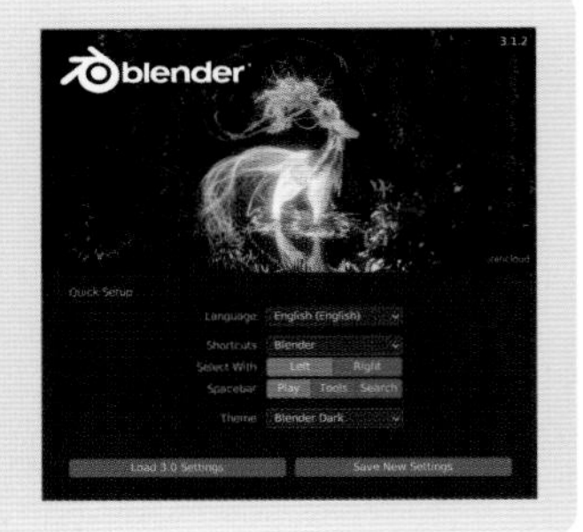

❷ 次に表示されるウィンドウは**「スプラッシュ画面」**といい、こちらは毎回起動時に表示されます（ここに表示される画像は Blender のバージョンによって違います)。このウィンドウ以外の領域をクリックすることで表示を消すことが出来ます❶。

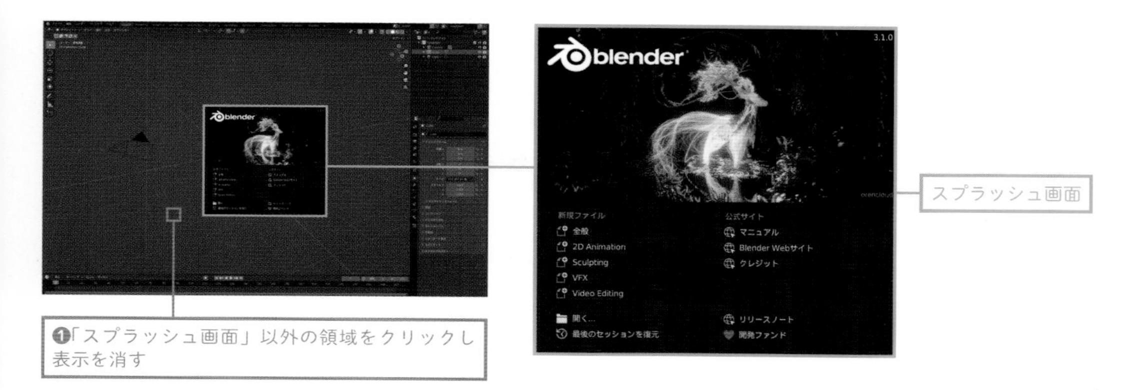

Blender の環境設定

画面の説明を行う前に、まずは Blender を扱いやすくする設定を先に行ってしまいましょう。いきなり全ての設定を詳しく見ていくのは時間がかかってしまいますので、これだけはやっておいた方が良いという最低限のおすすめ設定をご紹介します。

❶ 設定を行うには、画面上部のヘッダーにある［編集］メニューから［プリファレンス］を選択します❶。

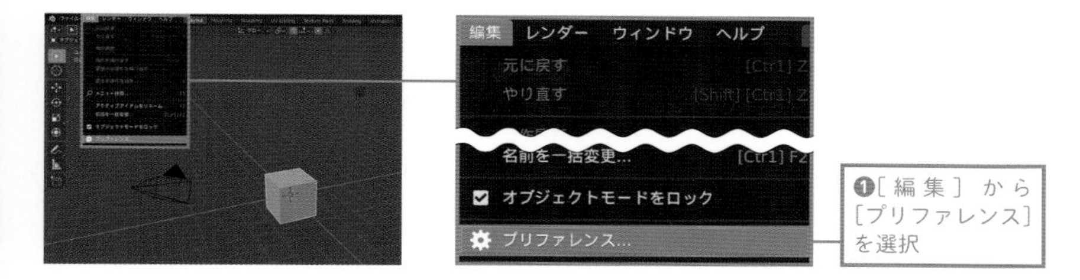

❷ まずは左側のリストの**［入力］**の項目を見ていきます。Blender では、視点操作にテンキーを多用することになります。もしお使いの環境にテンキーが無かった場合は、ここの**［テンキーを模倣］**にチェックを入れておきましょう❶。

これで、通常のキーボード上部にある数字キーがテンキーの替わりに使用できるようになります。また、Blender ではマウスのホイールやホイールボタン（以降、中ボタンと呼称します）も多用することになります。出来ればこれらのあるマウスを使うことを推奨しますが、もし無かった場合はここの**［3 ボタンマウスを再現］**にチェックを入れておきます❷。

これで、Alt + 左クリックで中クリックを再現することができるようになります。

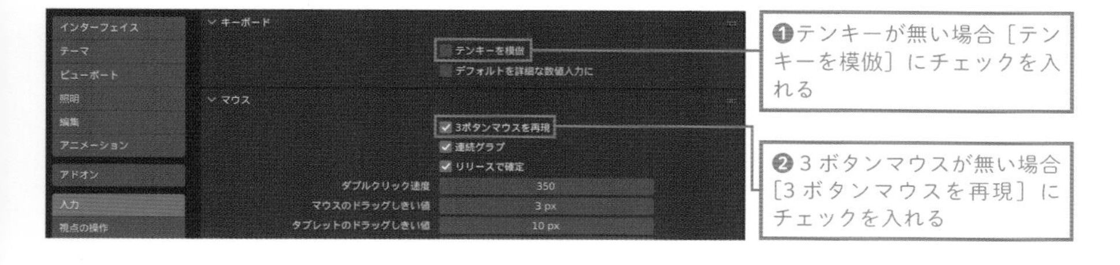

③ 次に、左のリストから **［視点の操作］** を選択します。ここの、**［選択部分を中心に回転］** にチェックを入れ、**［透視投影］** のチェックを外します❶。

これらはもしかしたら好みによってそのままの方が良いという人もいるかも知れませんが、大抵の場合こちらの方が操作がしやすくなるかと思います。ある程度 Blender を触ってみて、慣れてきた頃に改めてまたこのあたりの操作設定を見直してみて、自分好みの設定を検討してみてください。

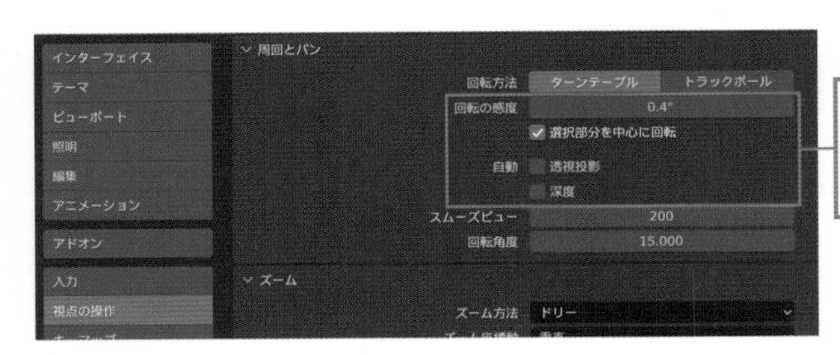

❶［視点の操作］の項目で［選択部分を中心に回転］にチェックを入れ、［透視投影］のチェックを外す

プリファレンスを自動保存

通常は、設定が完了したらその設定内容を保存しなければなりません。設定画面左下のハンバーガーボタン（☰）を押すと、**［プリファレンスを自動保存］** にデフォルトでチェックが入っています。このため、設定が変更されるとその設定は自動保存され、能動的に保存する必要は無く、このまま設定画面を閉じてしまっても問題ありません。もし初期状態の設定に戻したい場合は **［初期プリファレンスを読み込む］** を選択します。能動的に保存したい場合は **［プリファレンスを保存］** で保存することができます。

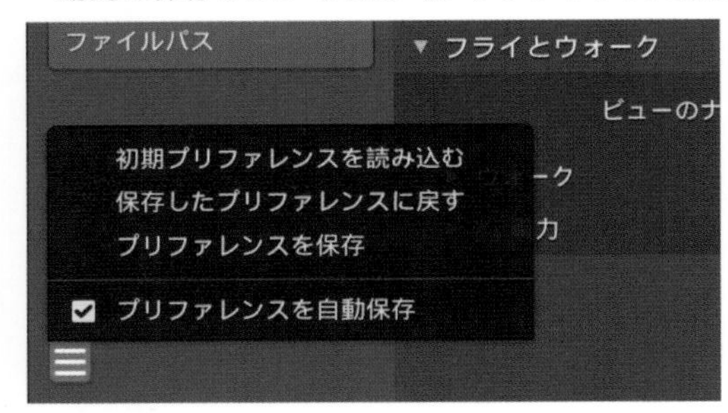

Blender の画面説明

Blender は一般的なグラフィカルインターフェースとは少し異なり、複数のエリアの組み合わせによって 1 つのウィンドウが形成されています。デフォルトでは、5 つのエリアが設定されています。

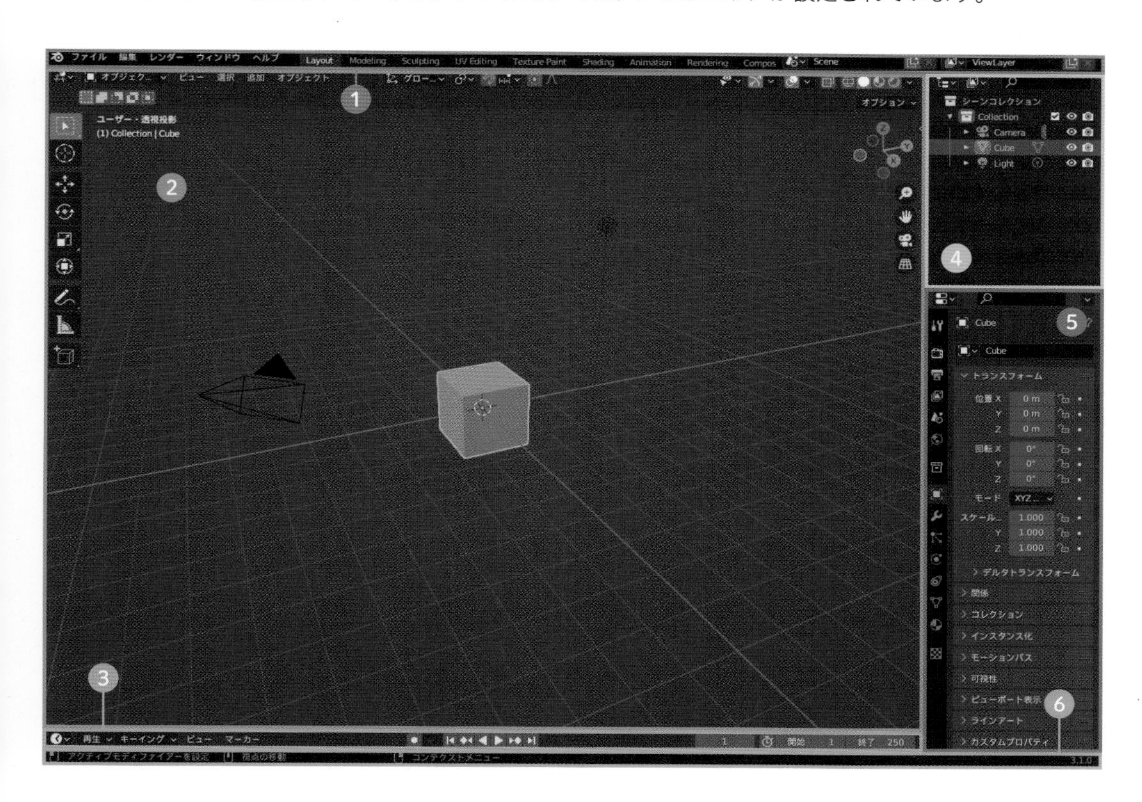

❶ **ヘッダー** … Blender 全体に関わるメニュー等が収まっています。

❷ **3D ビューポート** … Blender のメインとなる画面です。3D オブジェクト、カメラ、ライト等が 3D 空間上に配置されている状態を表示し、左サイドにツール群が表示されています。

❸ **タイムライン** … 時間に関わる操作を行います。アニメーションを作成する時に使用します。

❹ **アウトライナー** … Blender 内に作成された 3D オブジェクトを始めとする様々なデータを、リスト形式で表示しています。ここで直接データを編集することも可能です。

❺ **プロパティ** … Blender 内で現在選択されているオブジェクトの詳細なプロパティを表示、編集することが出来ます。

❻ **ステータスバー** … Blender 全体に関わるステータスを表示します。また、現在使用できる操作のショートカットコマンド等を表示してくれます。

POINT

Blender には様々なショートカットコマンドがありますが、それぞれのエリアタイプによって同じコマンドでも違う効果をもたらすことがあります。入力されたコマンドがどのエリアに対するものであるかを判断するために、Blender は“現在マウスカーソルがどのエリアに乗っているか”を参照しています。例えば、3D ビューポート上で何らかのショートカットコマンドを入力したいとなった時、マウスカーソルをしっかりと 3D ビューポートエリアの上に置いておく必要があります。

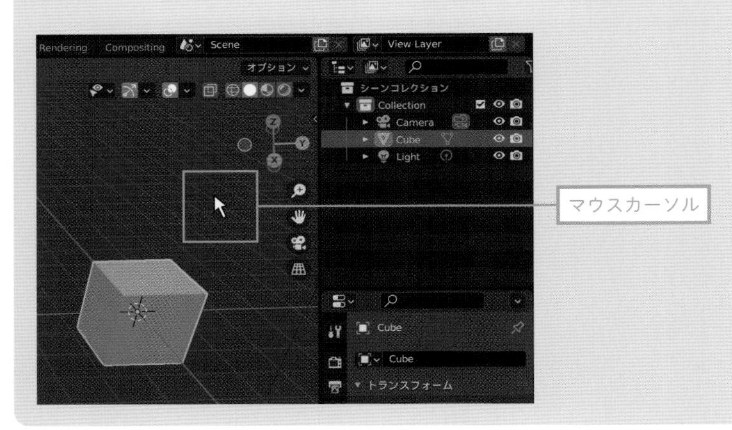

3D ビューポートの視点操作

3D ビューポートエリア内では、主にマウスとキーボードのショートカットキーにより視点操作を行います。

視点の回転

視点操作を行う際、マウスカーソルは 3D ビューポートエリア内に置いておく必要があります。

マウスの中ボタンドラッグで、視点の回転を行います。設定で［3 ボタンマウスを再現］にチェックを入れていた場合は、Alt + 左ボタンドラッグでも同じ動作を再現します。デフォルトでは 3D 空間の中心（原点）を中心にして回転しますが、設定で［選択部分を中心に回転］にチェックを入れていた場合は選択要素を中心にして回転します（選択については後述 P.27 します）。

注意：Blender のバージョンによっては、日本語（全角）入力モードになっているとショートカットを受け付けないことがあります。もし入力を受け付けなかった場合は、入力モードを確認してみてください。

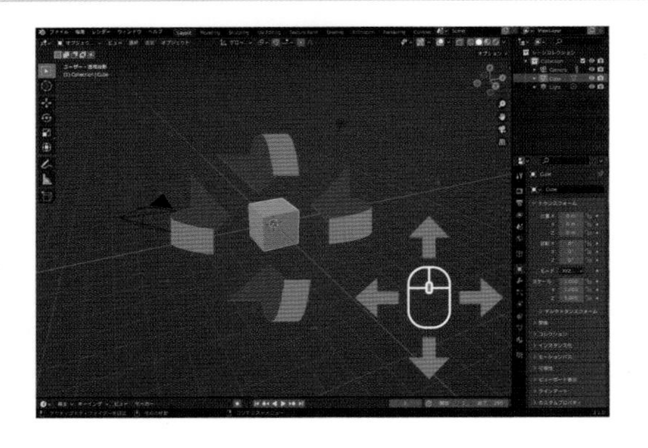

3ボタンマウスを再現 ― Alt + 左ボタンドラッグでも同じ動作を再現

視点のズームイン / ズームアウト

マウスのホイール回転で、視点のズームイン / ズームアウトを行います。または、Ctrl を押しながら中ボタンドラッグ上下でも同じ動作を行います。設定で [3 ボタンマウスを再現] にチェックを入れていた場合は、Ctrl+Alt+ 左ボタンドラッグ上下でも同じ動作を再現します。

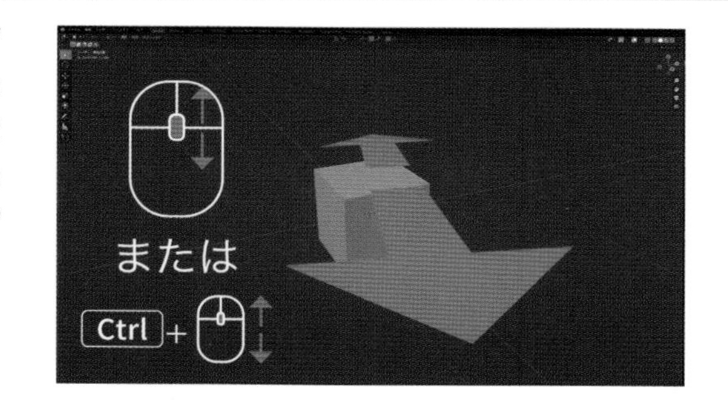

3ボタンマウスを再現 — Ctrl+Alt+ 左ボタンドラッグ上下でも同じ動作

視点のスライド

Shift を押しながらマウスの中ボタンドラッグで、視点のスライドを行います。設定で［3 ボタンマウスを再現］にチェックを入れていた場合は、Shift+Alt+ 左ボタンドラッグでも同じ動作を再現します。

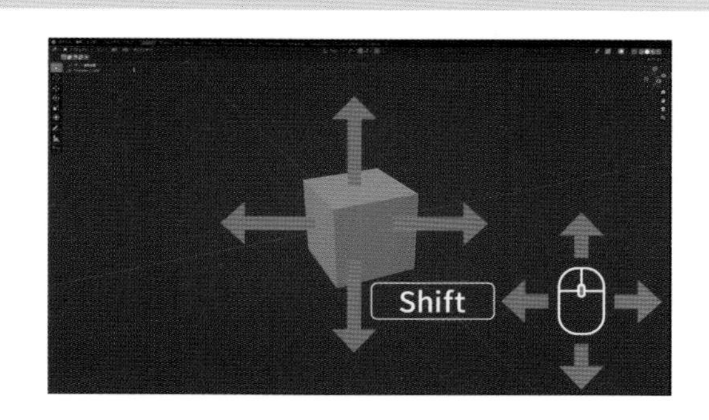

3ボタンマウスを再現 — Shift+Alt+ 左ボタンドラッグでも同じ動作を再現

POINT

Blender に限らず、3D ソフトではこれらのような“視点操作”が最も頻繁に行うことになる操作です。よって、Blender では Shift が最も頻繁に押すことになるキーになります（2 ボタンマウスでは Alt も）。左手小指を常に Shift に乗せるように構え、これらの操作はなるべく早く慣れてしまいましょう。

テンキーによる視点操作

Blender では、テンキーを使用すると視点操作を直感的に素早く行うことが出来ます。テンキー5を中心として十字を切る2、4、6、8で、それぞれ下、左、右、上へ 15° 視点を回転させることが出来ます。

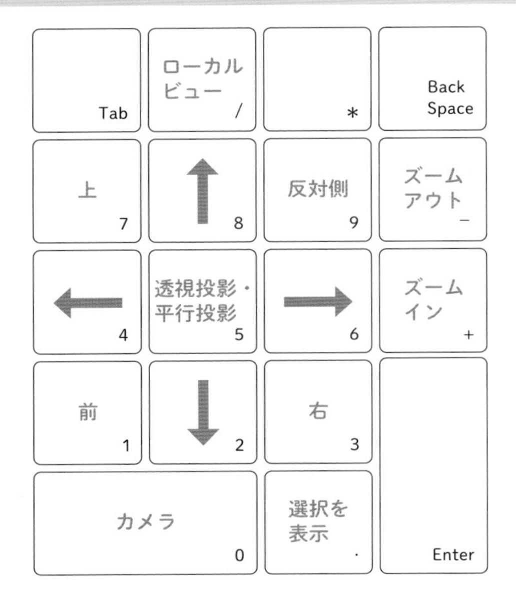

また、1、3、7でそれぞれ前方、右、上からの視点に切り替わり、その逆にCtrlを押しながら1、3、7でそれぞれ後方、左、下からの視点に切り替わります。9では現在の視点から真逆の方向からの視点に切り替わり、0ではカメラからの視点に切り替わります。5を押すたび、**透視投影（パース有り）／平行投影（パース無し）**が切り替わります。

.を押すと、現在選択中の要素を中心に捉えるように視点が移動します。/を押すと、現在選択中の要素のみを表示する**［ローカルビュー］**へ移行します。再び/を押すことで元に戻ります。

+、−で、ズームイン、ズームアウトを行います。

キー	操作
5	透視投影（パース有り）／平行投影（パース無し）の切り替え
2	下へ 15° 視点を回転
4	左へ 15° 視点を回転
6	右へ 15° 視点を回転
8	上へ 15° 視点を回転
1	前方視点に切り替え
3	右視点に切り替え
7	上視点に切り替え
9	現在の視点真逆の視点に切り替え
Ctrl + 1	後方視点に切り替え
Ctrl + 3	左視点に切り替え
Ctrl + 7	下視点に切り替え
.	選択中の要素が中心になる視点に切り替え
/	ローカルビューに切り替え
+	ズームイン
−	ズームアウト

視点の確認

現在の視点がどういう状況になっているかは、3Dビューポートの左上にテキストで表示されています。特にローカルビューになっているかどうかは混乱しやすいので、こちらを参照するようにしましょう。

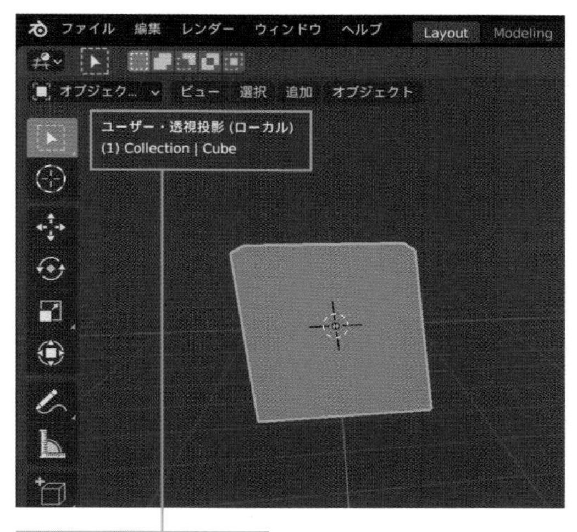

視点の情報が表示される

テンキーの模倣

設定で［テンキーを模倣］にチェックを入れていた場合、テンキーではない通常の数字キーの方がテンキーを押したときと同じ効果を持つようになります。

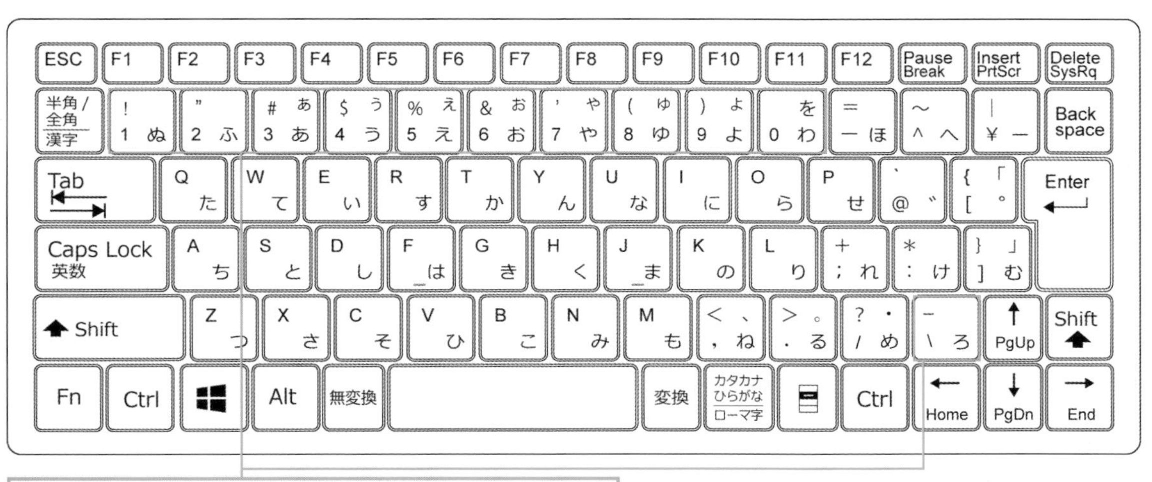

・［テンキーの模倣］
テンキーの効果を上記の画像で囲ったキーに持たせることができる

MEMO

Blender には他にも視点操作の方法が山程ありますが、まずは最低限覚えておきたい、最も素早く効率的に操作できるものに絞ってお伝えしました。熟練してくればテンキー無し、3 ボタンマウス無しというミニマムな環境でも対応出来ないこともないのですが、やはりテンキーの方が直感的ですし、[3 ボタンマウスを再現] は Alt を使用する他の一部の機能が使えなくなってしまうという欠点があります。

初心者であればあるほど、操作環境はフル装備であったほうが Blender に慣れ親しみやすくなるかと思います。もしどうしてもキー操作以外でも視点操作がしたいという場合、3D ビューポート右上にある 3 軸を表現したアイコンの **[X] [Y] [Z]** を押すとそれぞれの軸からの視点に出来たり、このアイコンの上で左ドラッグを行うと視点回転が出来ます。また、その下の **[虫眼鏡] [手] [カメラ] [格子]** のアイコン上で左ドラッグや左クリックを行うと視点の拡縮、スライド、カメラへ切り替え、透視／平行投影切り替えができます。また、3D ビューポートヘッダーメニューの **[ビュー]** からは、Blender 上で出来る全ての視点操作を選択することが出来ます。

モード切り替え

3D ビューポートの一番左上にある **[オブジェクトモード]** と書かれたプルダウンメニューをクリックすると、様々なモード名が書かれたメニューが開きます。6 つのモード名が表示されていますが、まず最初は、**[オブジェクトモード]** と **[編集モード]** のみを覚えていただければ大丈夫です。Blender では、主にこの 2 つのモードを行き来しながら制作していくことがメイン の作業となります。デフォルトでは [オブジェクトモード] になっています。

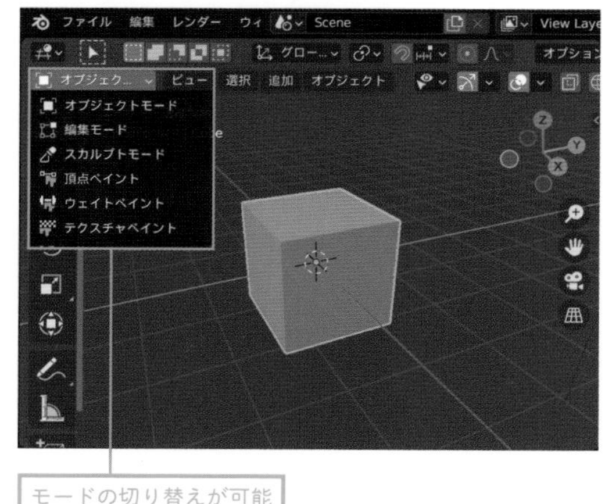

モード切り替えと編集モードの特徴

この［**オブジェクトモード**］と［**編集モード**］は、いちいちこのプルダウンメニューから選択するのは非常に手間なので、Tab を押すたびに行き来することが出来るようになっています。

オブジェクトモードでは立方体が単純な平面の組み合わせで出来ているように表示されていましたが、編集モードに切り替えると立方体の各頂点にドットが追加されたような表示になります。このドットのことを、「**頂点**」と呼びます。

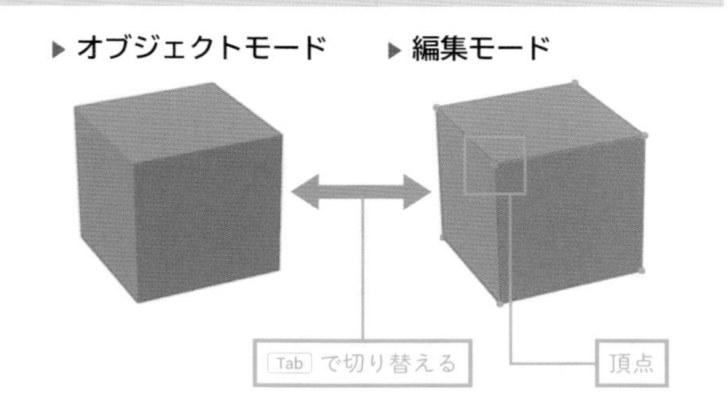

選択操作

3D ビューポート上には、最初は立方体の**メッシュオブジェクト**、**カメラオブジェクト**、**ライトオブジェクト**の 3 つが置かれています。Blender 起動時は中心の立方体オブジェクトの輪郭線がオレンジ色に表示されています。これは、このオブジェクトが現在選択状態であることを示しています。試しに、破線の円が重なったような見た目をしているライトオブジェクトにマウスカーソルを合わせて左クリックしてみましょう。すると今度はこちらのオブジェクトがオレンジ色に表示されるようになり、こちらに選択が移ったことがわかります（この操作はオブジェクトモードで行ってください）。

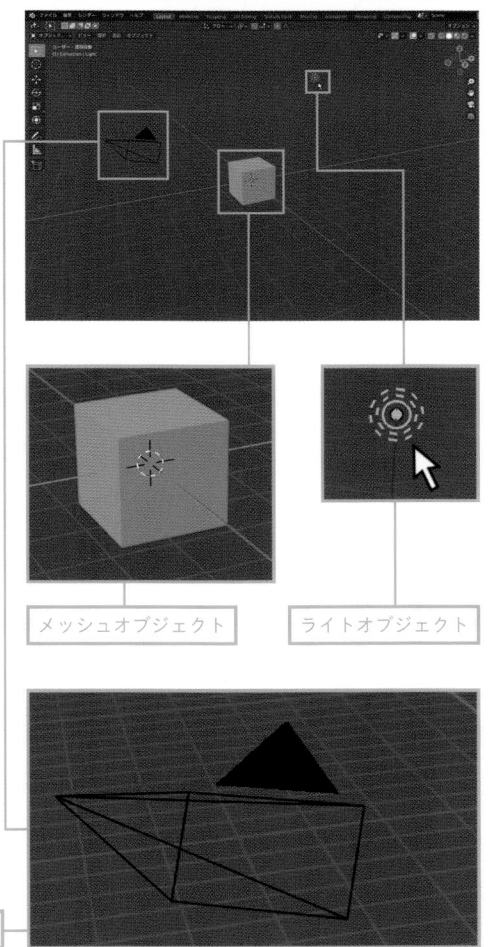

複数オブジェクトの同時選択

複数のオブジェクトを同時に選択するには、Shift を押しながら左クリックで選択していくことで複数選択を行います。Windows の標準的な追加選択動作である Ctrl を押しながらではなく Shift であることに注意してください。

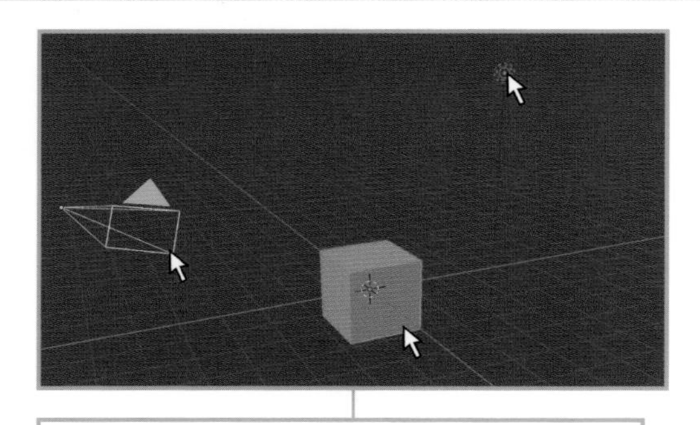

Shift ＋左クリックでオブジェクトの複数選択が可能

アクティブなオブジェクト

オブジェクトを複数選択してみると、一番最後に選択したものだけオレンジではなく明るいオレンジで表示されます。これは、選択されたものの中でも更に代表の選択要素になっていることを示しています。この時のこのオブジェクトは**「アクティブなオブジェクト」**と表現されます。

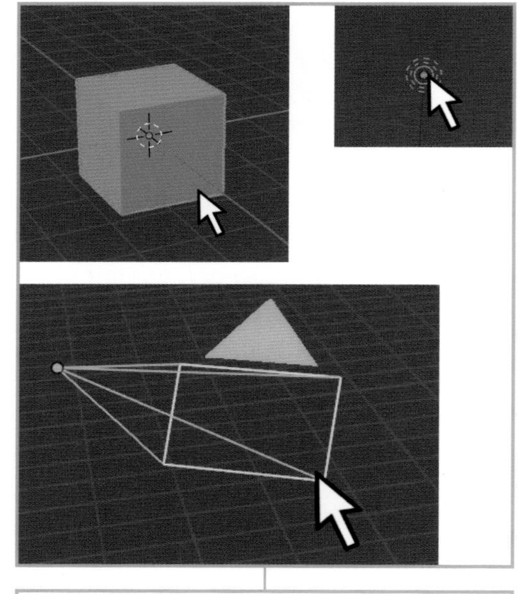

アクティブなオブジェクト（一番最後に選択されたオブジェクト）は明るいオレンジになる

オブジェクトの選択解除

選択解除をするには、A を素早く２回押すか、3Dビューポート上の何も無い所で左クリックを押します。

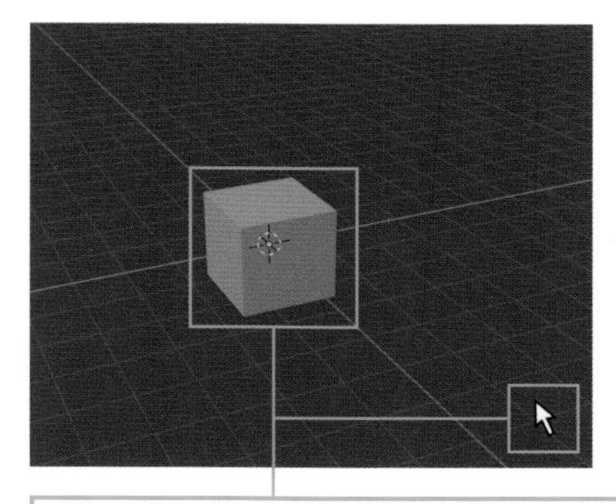

A → A もしくは3Dビューポートのオブジェクトが無い領域をクリックし選択を解除

MEMO

立方体オブジェクト選択時は Tab を押すことで［編集モード］へ移行できますが、カメラやライトを選択した状態では Tab を押しても何も起こりません。このように、オブジェクトの中には［編集モード］へ移行できるタイプのものと出来ないタイプのものがあります。

1-3 オブジェクトのトランスフォーム

Blender の基本的な操作としてオブジェクトの操作があります。これは次章以降で解説する項目を学ぶ上で必須の知識になるのでしっかり押さえましょう。

オブジェクトの操作方法

オブジェクトの操作として主に**「移動」「回転」「サイズ変更」**と**「オブジェクトの追加」**について解説します。

オブジェクトの移動

オブジェクトを選択した状態で G を押し、マウスを移動させるとそのオブジェクトを視点に対して平行に移動させることが出来ます。

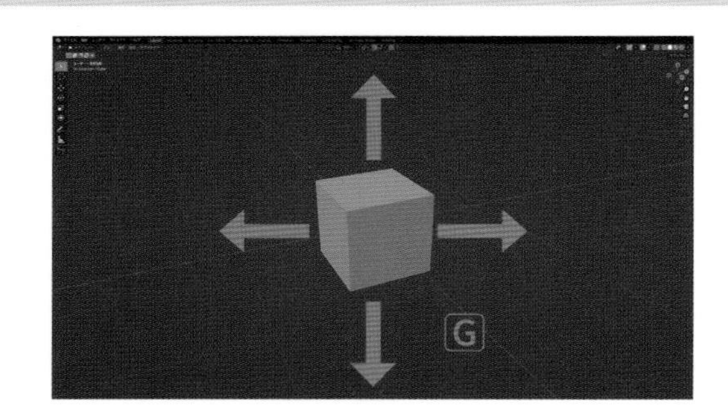

オブジェクトの回転

オブジェクトを選択した状態で R を押し、マウスを移動させるとそのオブジェクトを視点に対して平行に回転させることが出来ます。また、もう一度 R を押すと視点軸に制限されない３軸回転をさせることが出来ます。

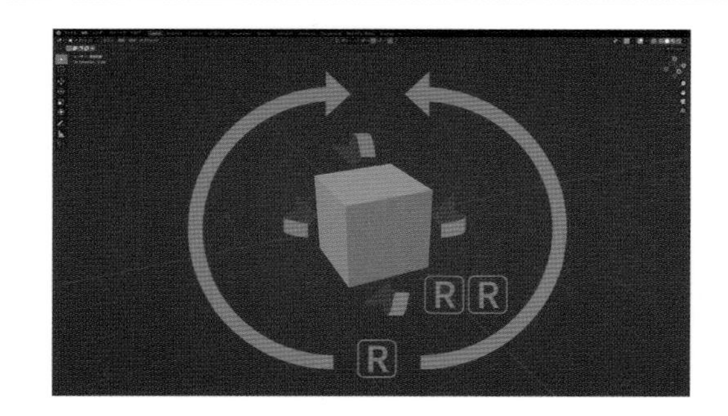

オブジェクトのサイズ変更

オブジェクトを選択した状態で S を押し、マウスを移動させるとそのオブジェクトのサイズを変更することが出来ます。

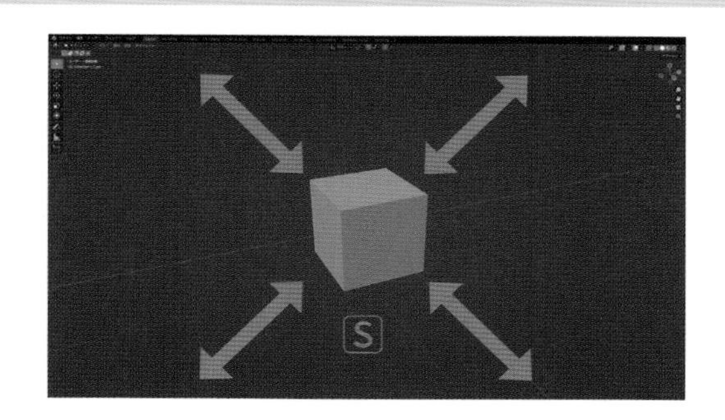

トランスフォーム

これら G、R、S の操作はまとめて**「トランスフォーム」**と呼ばれます。これらのキーを押すとオレンジ色だったオブジェクトの輪郭は白色に変化し、トランスフォームを受け付ける状態へと移行します。この状態で左クリックまたは Enter でトランスフォームを決定、右クリックまたは Esc でトランスフォームをキャンセルします。また、この受け付け状態中に X、Y、Z のいずれかを押すと、トランスフォームの対象を X 軸、Y 軸、Z 軸に限定することが出来ます。Blender では、横方向が X 軸、奥行方向が Y 軸、高さ方向が Z 軸となっています。

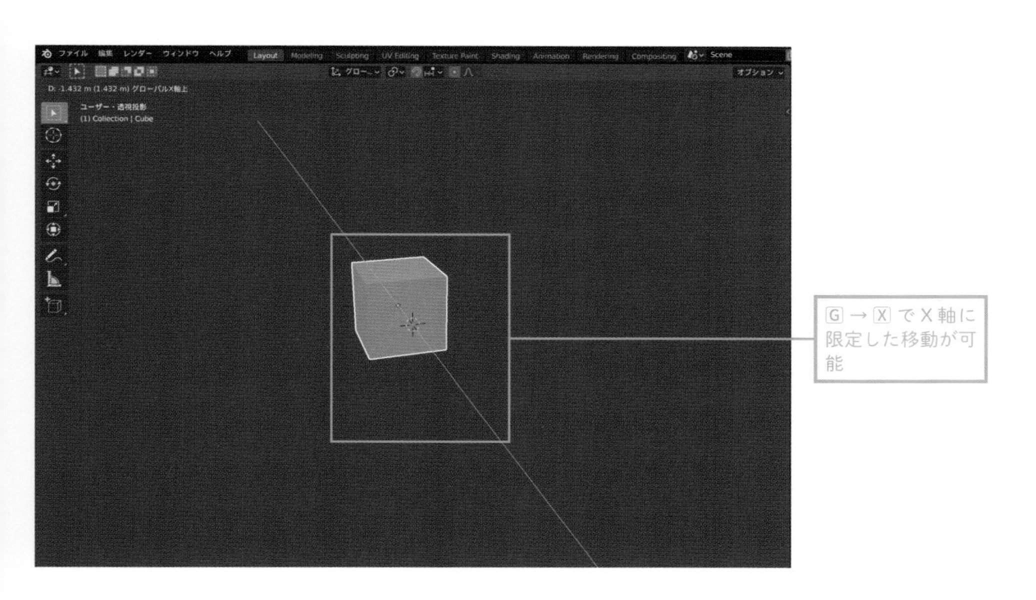

G → X で X 軸に限定した移動が可能

MEMO

この G、R、S は、Blender では Shift や Tab や Enter に次いでよく使う定番のキーになるので、最低限覚えてしまった方が良いキーとなります。なお、こちらも視点操作と同じく他の方法も用意されています。3D ビューポート左側に位置している縦に並んだアイコン群のうち、上から 3 ～ 6 番目のものはこのトランスフォームに関連したツールボタンになります。上から移動、回転、拡縮、全部のトランスフォームマニピュレーターを表示するボタンになっていて、このうち赤い部分をドラッグすると X 軸、緑では Y 軸、青は Z 軸、白は全軸トランスフォームを行うことが出来ます。

トランスフォームの操作を操作に関わるツールのアイコン

オブジェクトの追加

新たなオブジェクトを追加するには、ヘッダーメニューの **[追加]** から行います（ショートカットキー：Shift+A）。例えばデフォルトで中央に置かれている立方体は **「メッシュオブジェクト」** というタイプになりますので、[メッシュ] > [立方体] で追加することができます。また、このメッシュには立方体以外にも様々な種類のものが用意されていますので他の形のメッシュの追加も試してみてください。デフォルトで 3D ビューポート上に置かれている他の種類のオブジェクト、例えばカメラやライトもこの [追加] メニューから追加することが可能です。何らかのオブジェクトを追加すると、左下に小さな **[フローティングウィンドウ]** が出現します。このウィンドウ左端の三角マーク（▶）を押すと、直前に追加したオブジェクトの [編集] メニューが表示され、サイズや角の数等、形の細かい調整が出来るようになっています。このウィンドウは、F9 で表示することもできますが、オブジェクトを追加した直後でなければならず、オブジェクトを移動させる等の変更を行ってしまうとこのメニューを表示することはできなくなります。

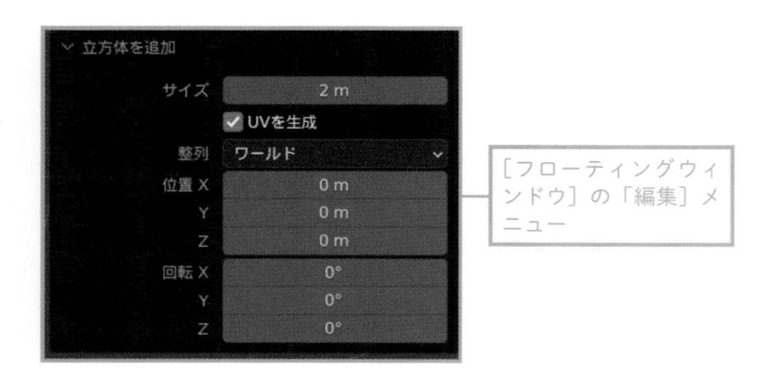

[フローティングウィンドウ] の「編集」メニュー

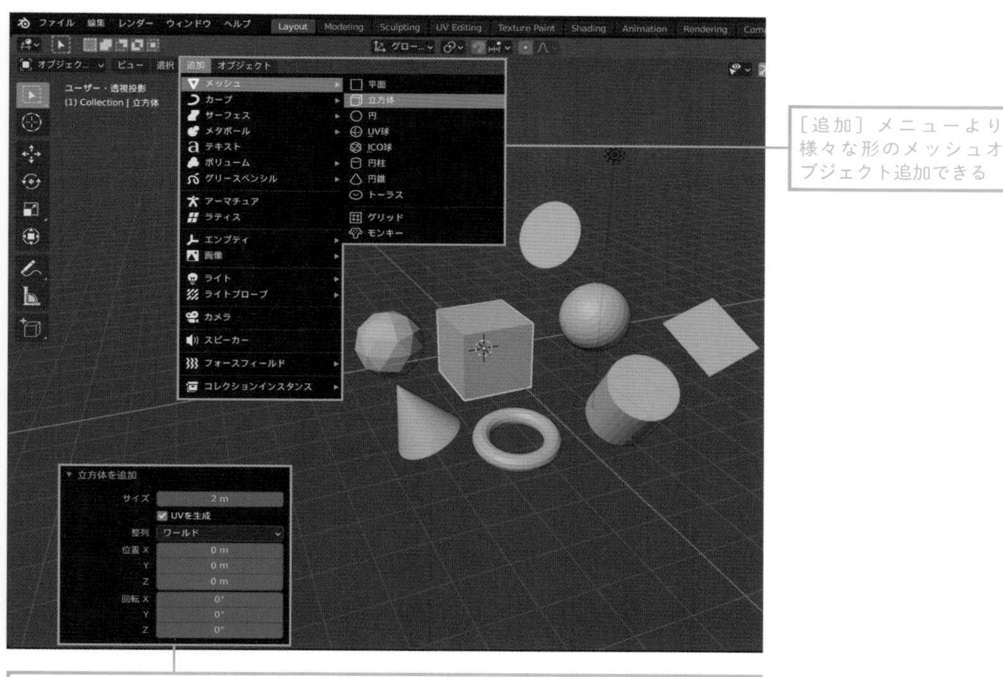

オブジェクトの複製と削除

オブジェクトの複製と削除は、マウス右クリックのメニューから実行することができます。ただし、この2つのコマンドは非常に使用頻度が多くなりますので、複製は Shift +D、削除は Delete または X というショートカットキーを覚えてしまうことをおすすめします。

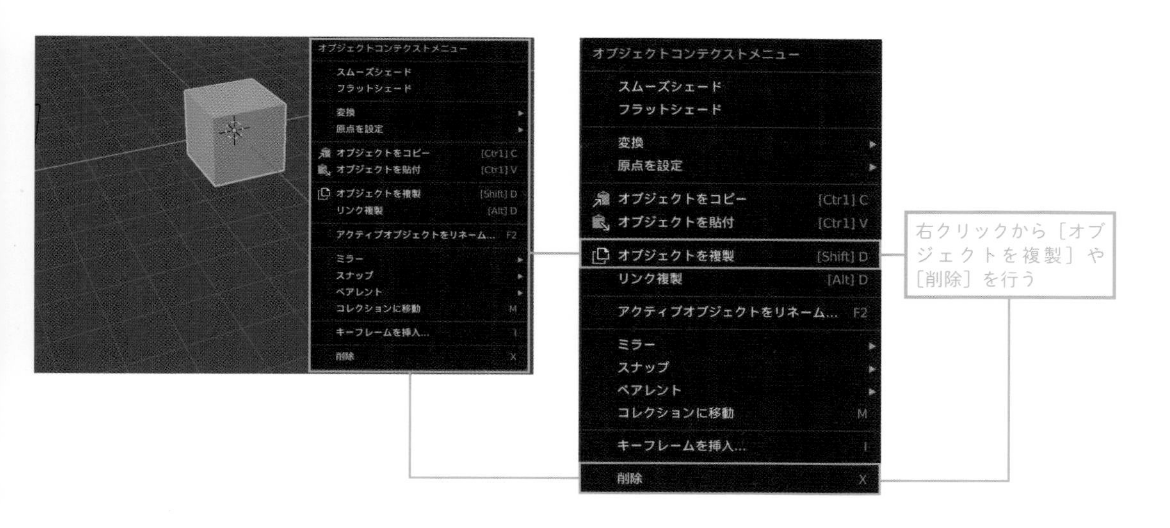

1-4 ファイル操作

最後にファイルの保存や読み込みについて解説します。

ファイルの操作方法

ファイルの保存は、ヘッダーメニューの **[ファイル]** から保存を選択します。また、保存したファイルを開くには **[開く]** を選択します。上書きではなく別名で保存するには、**[名前をつけて保存]** を選択します。

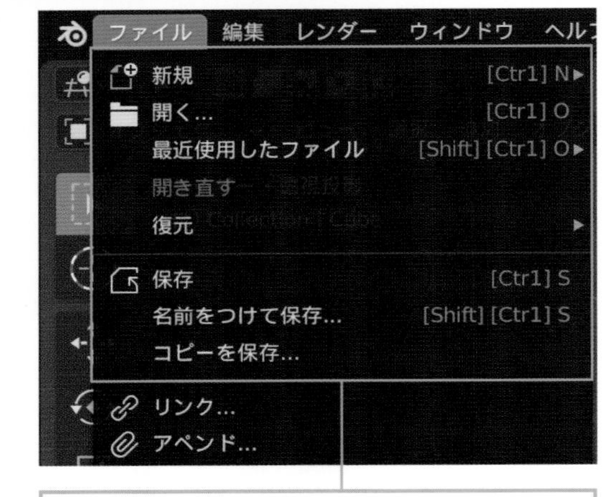

[ファイル] メニューからファイルを開いたり、保存などに関する操作が可能

[開く] の場合も [保存] の場合も、Blender では専用のファイルブラウザウィンドウが開きます。このウィンドウの左側のリストからディレクトリを選択し、下のフォームに名前を入力してその右のボタンでファイルの展開または保存を行います。または、中央に表示されているファイルのアイコン（サムネイル）をダブルクリックすることでも展開または保存が可能です。

▶ **ファイルブラウザウィンドウ**

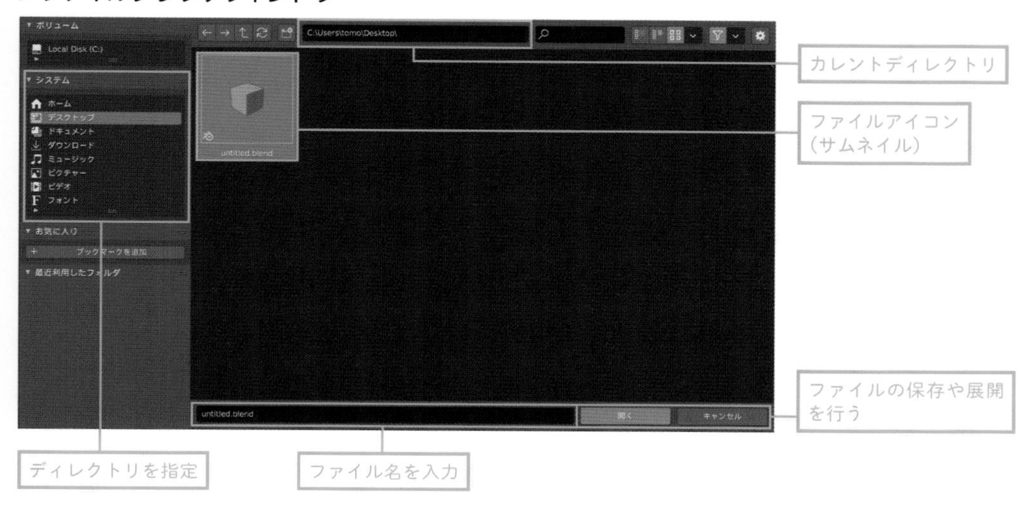

上書き保存

2 度目以降の保存では、このファイルブラウザが開かれること無く上書き保存されます。保存は頻繁に行うことになるので、そのショートカットキー Ctrl+S だけは覚えておいてしまいましょう。また、上書き保存を行った時、保存した Blender ファイルと同ディレクトリに「.blend1」、「.blend2」というファイルが作成されます。これはバックアップファイルで、末尾の 1 や 2 を削除して使うと上書き保存前のファイルを通常の Blender ファイルと同じように使用することが出来るようになっています。

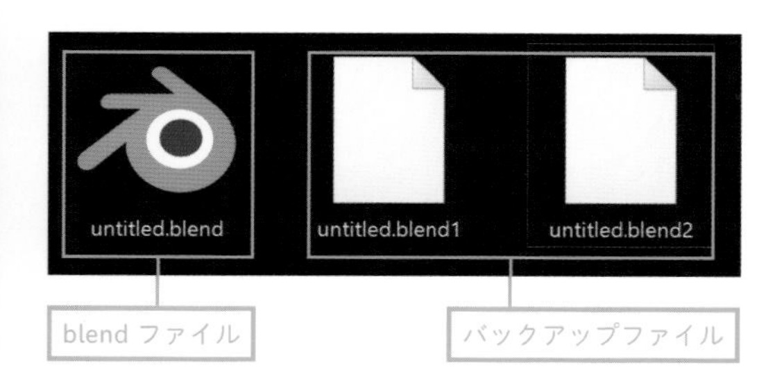

MEMO

もし誤って保存せずに Blender を終了してしまった場合、次回起動時にヘッダーの［ファイル］から［復元］>［最後のセッション］を実行することで、終了前の状態を復元することが出来ます。

また、Blender は 2 分ごとに自動的にバックアップファイルを保存しており、もし Blender がフリーズしてしまったりと不測の事態が発生した場合も、ヘッダーの［ファイル］から［復元］>［自動保存］を選択でバックアップファイルを読み込むことができ、作業内容を救済できる可能性があります。

ショートカットのおさらい

ここで、今まで登場したショートカットキーをおさらいしてみましょう。Blender には数多くのショートカットキーが存在しますが、この章で登場したものはその中でも特に重要な、最低限覚えておいた方が良いショートカットキーに厳選したものになっています（このまとめではそこから更に厳選しています）。

キー	操作
マウス中ドラッグ	視点回転
マウスホイール回転	視点ズーム
Shift + マウス中ドラッグ	視点スライド
テンキー 2、4、6、8	視点上下左右 15° 回転
テンキー 1、3、7	視点前、右、上
Ctrl + テンキー 1、3、7	視点後、左、下
テンキー 0	カメラビュー
テンキー 5	パース切り替え
テンキー .	選択へ注目
テンキー /	ローカルビュー
テンキー +、−	ズーム
Tab キー	オブジェクトモード／編集モード切り替え
左クリック	選択
Shift + 左クリック	追加選択
A キー２回	選択解除
G、R、S キー	移動、回転、拡縮
Ctrl + S	保存

Chapter 02

モデリングをしてみよう

いよいよモデルの制作作業に入ります。制作を通して、出来るだけ広範囲にわたり様々なBlenderの制作用ツールに触れていきます。実際に使ってみることで操作方法を覚えていきましょう。

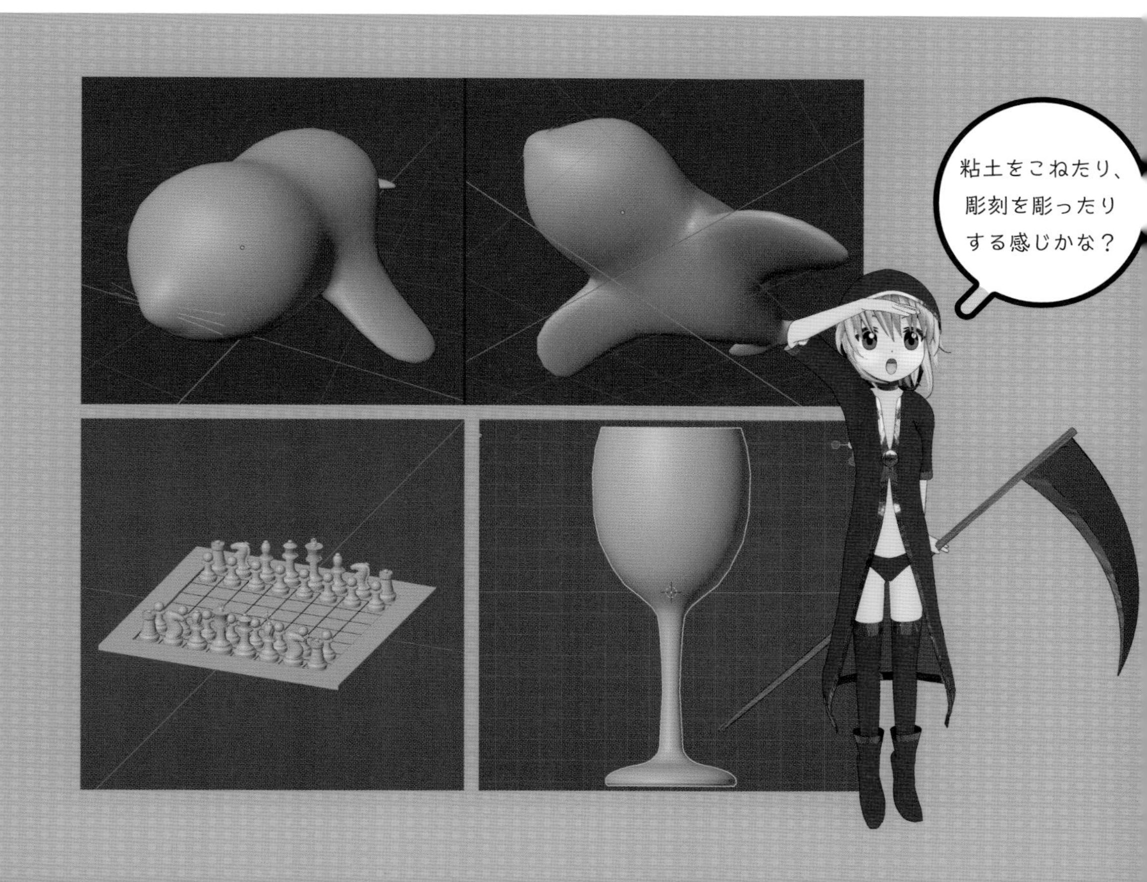

サンプルファイル　samplefile/Chapter2/2-1

2-1 アザラシをつくろう

最初に、アザラシのようなキャラクターを作成してみます。Blender の基本的な機能に慣れていきましょう。いきなり複雑な形に見えるかもしれませんが、一つひとつ手順を踏んでいけば誰でも簡単に作成することが出来るのでご安心を。

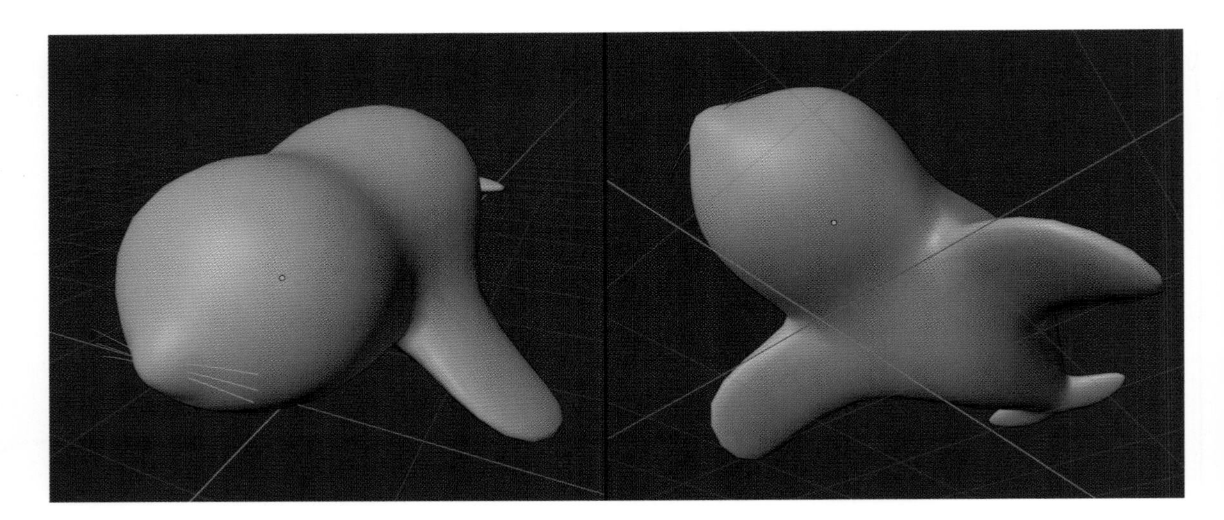

せっかく中央に立方体が置いてあるので、これを利用してしまいましょう。もし消してしまった場合は Shift +A から［メッシュ］＞［立方体］を選択して追加します。

立方体の加工をはじめよう

アザラシを作るにあたって手順に沿って立方体を加工していきます。

メッシュの頂点を選択する

❶ Tab を押してこの立方体の［**編集モード**］に入ります❶。
そして手前側の四隅の頂点を Shift を押しながら左クリックで 1 つずつ選択します❷。

POINT
このとき、Y 軸前面方向の面を選択しておいてほしいので、立方体の両脇から赤い軸線（X 軸）が出ていることを確認してください。

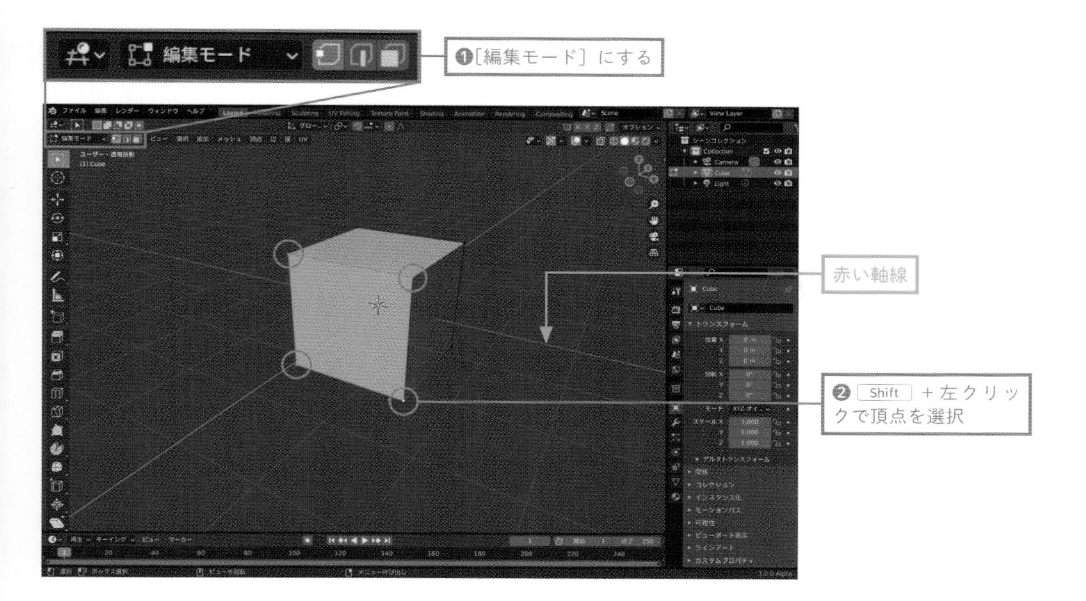

キューブを押し出す

❶ 手前側の面が選択された状態になったことを確認し、このまま左側にあるツール郡の中から［押し出し］のアイコンをクリックします❶。

すると、選択中の面から＋マーク付きのマニピュレーターが表示されるようになります。

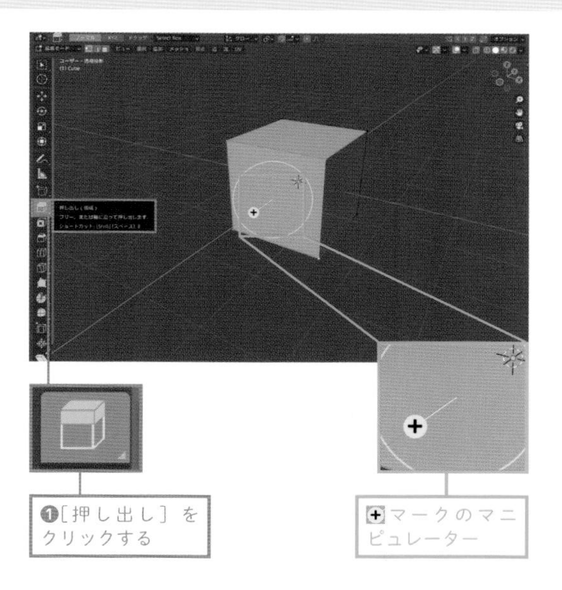

❷ ⊞マーク付きのマニピュレーターを左ドラッグで動かしてみましょう❶。

　このツールはその名の通り、選択した部分を押し出すように面を生成してくれます。

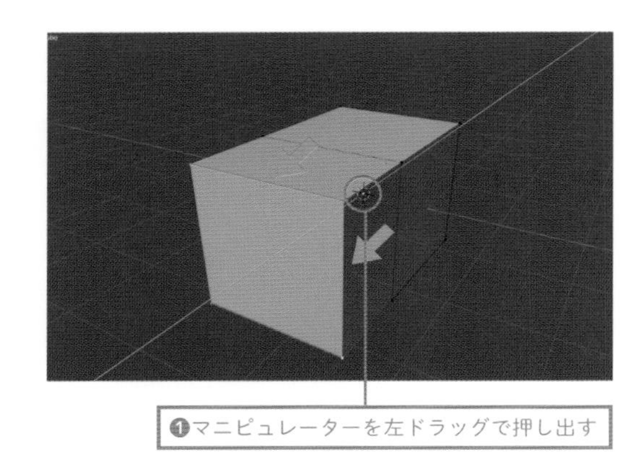

❶マニピュレーターを左ドラッグで押し出す

押し出した面を縮小する

次に先ほど押し出した面を縮小していきます。

頂点の移動、回転、拡縮

［**編集モード**］では［**オブジェクトモード**］と同じくG、R、Sで移動、回転、拡縮が可能です。ただしそれは頂点に対して行うので、頂点そのものが回転や拡縮されるわけではなく、複数の頂点の位置関係に対して回転、拡縮をかけるというイメージになります（頂点は角度、サイズといった概念を持っていません）。この際、その効果の中心は、選択中の頂点全ての位置の中心になります。つまり、今回のケースでは現在選択中の4頂点の中心に向かって全ての頂点の位置を集中させる、または拡散させるといった動作をさせることになります。

❶ まずSを押します❶。

　そのまま、4頂点の位置関係を縮小します❷。

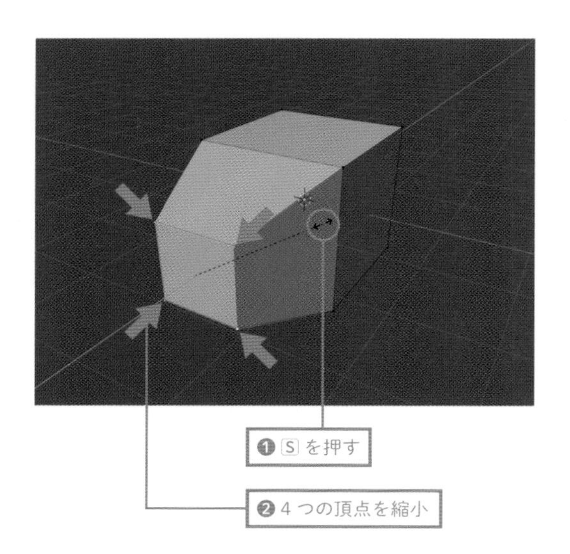

❶ Sを押す

❷ 4つの頂点を縮小

[面選択モード]で押し出しをする

次は視点をくるっと反対側に回転させて、立方体の逆側も同じように押し出してみましょう。結果としては同じことをするのですが、今度は少し違う手順で進めてみます。

頂点選択モード、辺選択モード、面選択モード

3Dビューポートの左上、ヘッダーの中に四角のような記号が描かれたボタンが3つ並んでいるものがあります。左からドット、線、面が塗りつぶされたような絵が描かれており、左から[頂点選択モード]、[辺選択モード]、[面選択モード]へ切り替えることが出来るボタンになっています。このボタン群は[編集モード]時のみに表示されます。

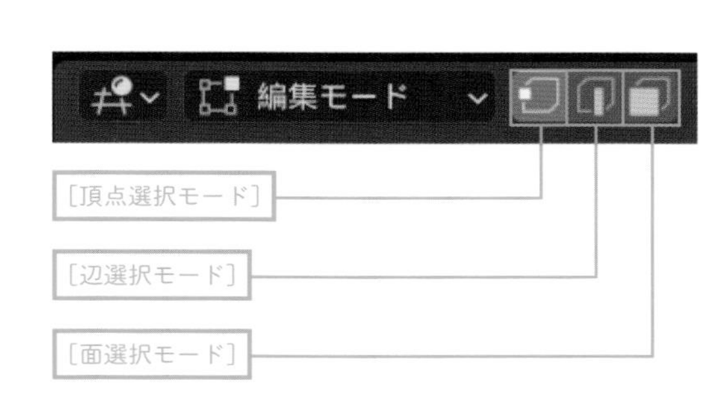

❶ [頂点選択モード][辺選択モード][面選択モード]の中から、一番右の[面選択モード]ボタンをクリックしてみましょう❶。

すると3Dビューポート中央に置かれていたメッシュの頂点からドット表示が消え、線のみで構成された多面体となります。

この時、先程のように頂点を選択するのではなく、面の中央付近で左クリックすることで面を選択することが出来ます❷。

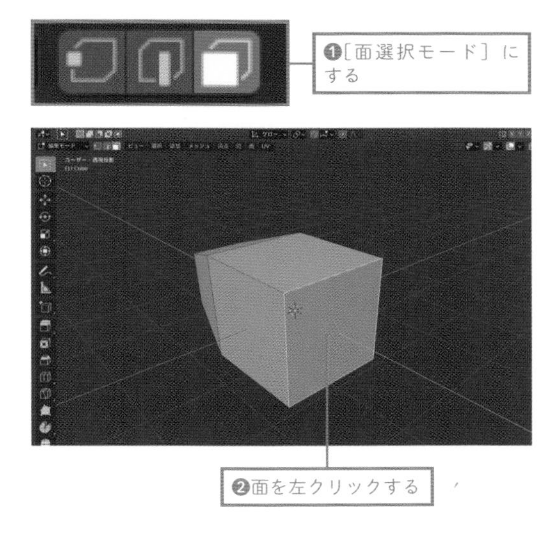

POINT

いちいち四隅の頂点を選択することで面選択の状態にするのが面倒な場合、このように逐一選択モードを切り替えていくことで素早く選択作業をすることが出来るようになります。

❷ そしてこのまま、E を押しマウスを動かし[押し出し]を行います❶。

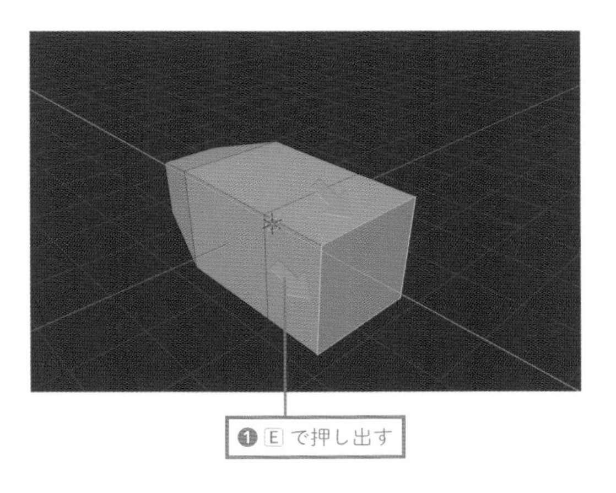

POINT

Blenderでは左列にあるツールボタン群でツールを選択し実行する手段と、このようにショートカットキーでツールを呼び出す手段と両方用意されています。一般的に、後者のショートカットキーによる操作の方が素早く作業を進めることが出来ます。

スケールで面の位置を調整する

ここではスケールという、要素のサイズを変更出来るツールを使用して作業を進めます。

スケール

各面を G の移動で位置を調節する方法だけではなく、[スケール] によって複数面の位置を同時に調整することによって全体的なバランスを見ながら効率よく形を作っていくことができます。この時、右上のツール群から **[透過表示]** を選択すると見やすくなります（もちろん慣れてきたら、マニピュレーターを出す方法だけではなく S → Y のようにショートカットキーで操作してしまえば更に素早く調整することができます。

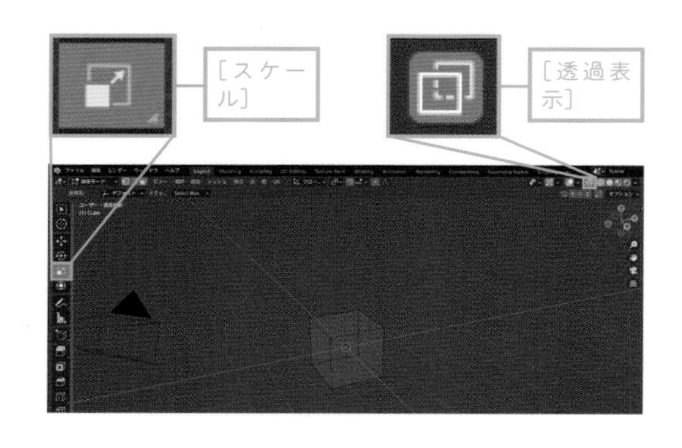

❶ 反対側の面も S で少し小さめに縮めます❶。

次に最初に押し出した方の面も Shift を押しながら選択することで両方選択された状態にします❷。

そして左側のツール群から［**スケール**］を選択します❸。

表示されたマニピュレーターから緑色の軸をドラッグして Y 方向の両面の近さを調節します❹。

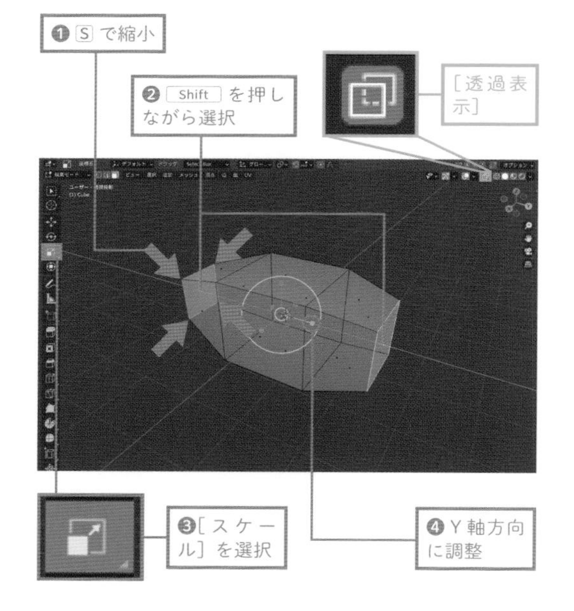

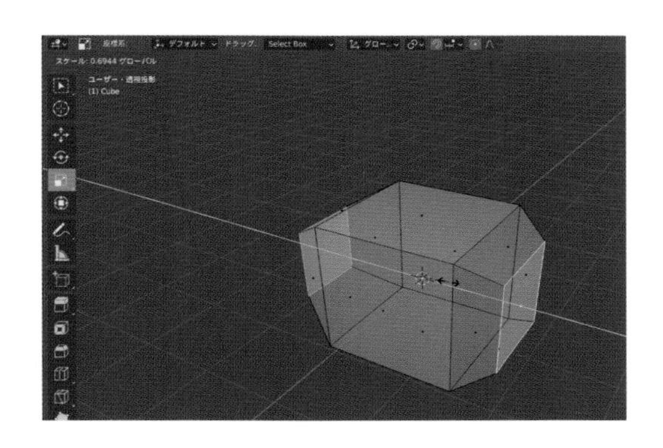

押し出しと拡大・縮小で胴体のベースをつくる

次に、胴体にあたる部分を作っていきます。

❶ 今選択していた２つの面のうち、Y 軸の奥側にある方のみを選択状態にし以下のように進めていきます。

E で押し出し→ S で拡大❶

E で押し出し→ S で縮小❷

E で押し出し❸

という具合に、E と S の繰り返しで大雑把に形を作っていきます。

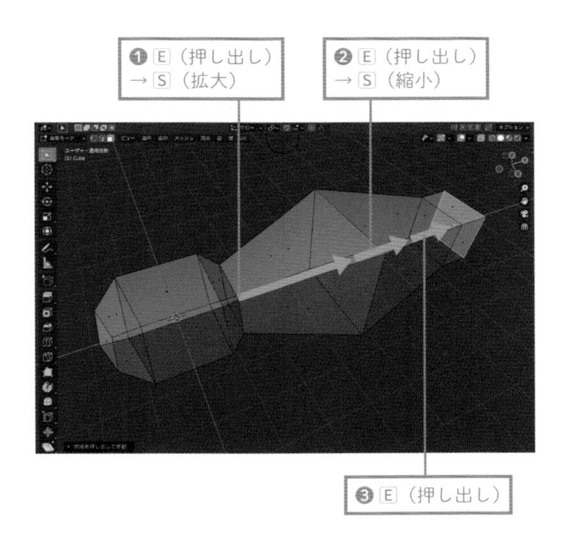

左右対称モデリングを行う

次に、胴体にあたる部分を作っていきます。ここから先は、全体を左右対称の形に作っていきます。メッシュの右側で作った形を左側でも同じように…という作り方は非常に手間がかかってしまいますので、右側で形を作れば自動的に左側も同じ形に変形してくれるような仕掛けをオブジェクトに施します。

ループカットを使用してメッシュを分割する

ここでは**ループカット**というメッシュを分割できるツールを使用して作業を進めます。

ループカット

ループカットは、連続して繋がった面を貫いて一度に面を分割してくれるツールです。単純な立方体のような形や、規則正しく格子状に構成されているようなメッシュの任意の 1 列になっている連続面に、連続辺を作りたい場面等で使用します。このようにして出来るような連続辺を、「**辺ループ**」といいます。

❶ まずは左列のツールボタン郡から［**ループカット**］を選択します❶。

マウスカーソルをメッシュの中央付近に持っていってみてください。するとメッシュの面を中央で縦に分割するように黄色い線が表示されるので、左クリックします❷。

すると辺ループの位置決定モードに入るので、この状態で右クリックすると辺ループの位置が中央に決定されます。

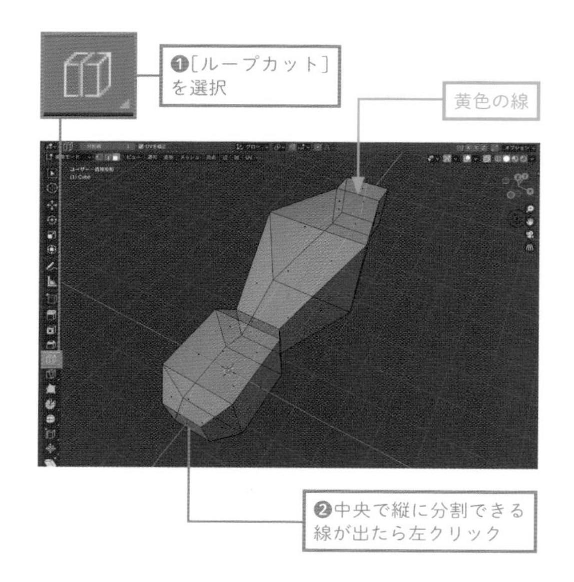

❷ 次にツールボタンから一番上の［**ボックス選択**］を選択します❶。

そしてメッシュの左側にあたる頂点をすべて選択します（このとき、分割で生成された X 軸中央の頂点は選択しないよう注意してください）❷。

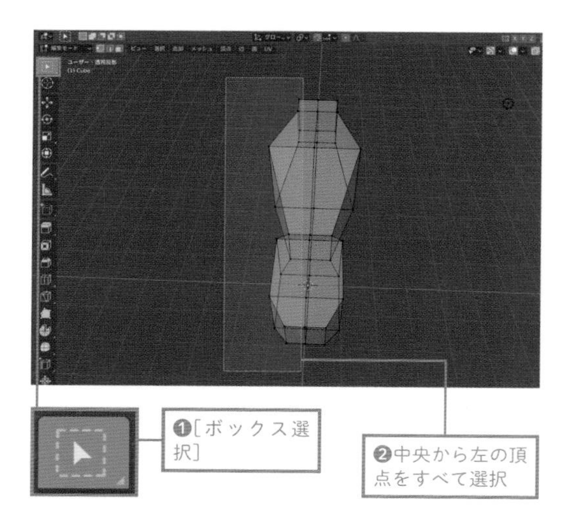

❸ そして X または delete から［**頂点**］を選択してこれらの頂点を削除します❶。

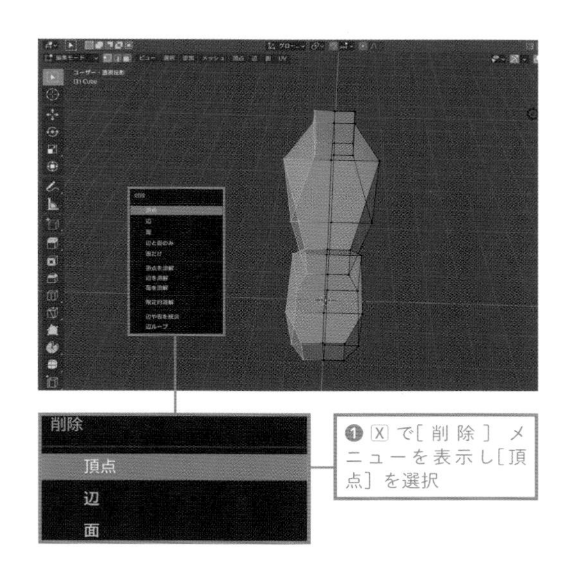

ミラーモディファイアーを使ってメッシュを左右対称にする

次にメッシュを左右対称に作っていくための作業を行います。

❶ 向かって右半分のみのメッシュになったら、右にあるプロパティエディターの左列で🔧をクリックして［**モディファイアープロパティ**］を表示させます❶。

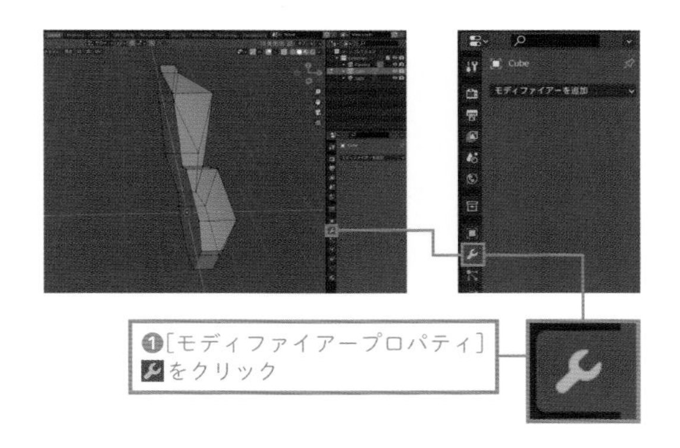

❷ その上段にある［**モディファイアーを追加**］をクリックします❶。
　そしてプルダウンメニューから［**ミラー**］を実行してみましょう❷。
　すると、メッシュの左半分に面対称なメッシュが生成されます。

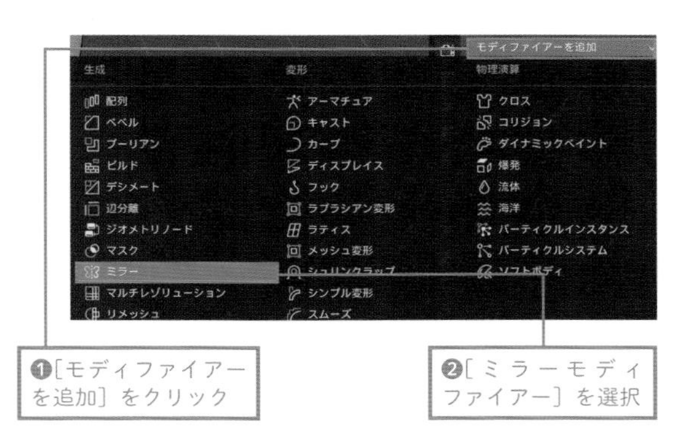

POINT

この左側のメッシュには頂点や辺の表示が無く、直接編集することが出来ません。これはオブジェクトの中央を基点に鏡像を作る**ミラーモディファイアー**という機能で、編集できる方のメッシュを動かせば、同じように反対側のメッシュも鏡のように動いてくれます。左右対称な形を作る場合にはこの**ミラーモディファイアー**を使えば、作業量を半分にすることが出来ます。

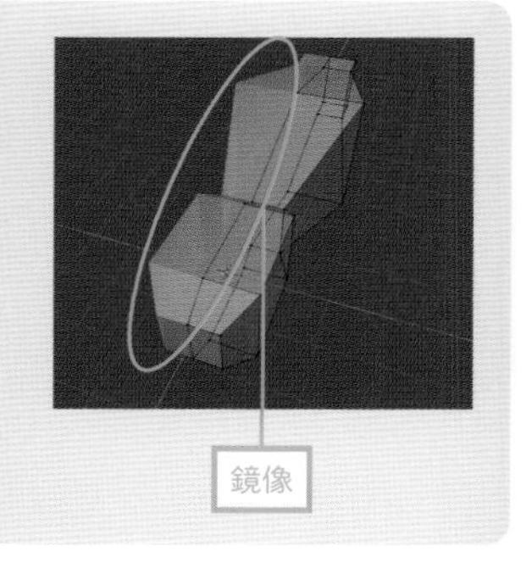

辺ループ選択、辺リング選択でメッシュの大きさを調整する

次にメッシュの大きさを縦横それぞれの方向に調整していきます。

❶ マウスカーソルをメッシュの中心付近の辺の上へ持っていき、Alt を押しながら左クリックを押します❶。

すると、マウスカーソル付近の辺を延長した方向の線全てを、ループ状に選択することが出来ます。これを、**辺ループ選択**と言います。

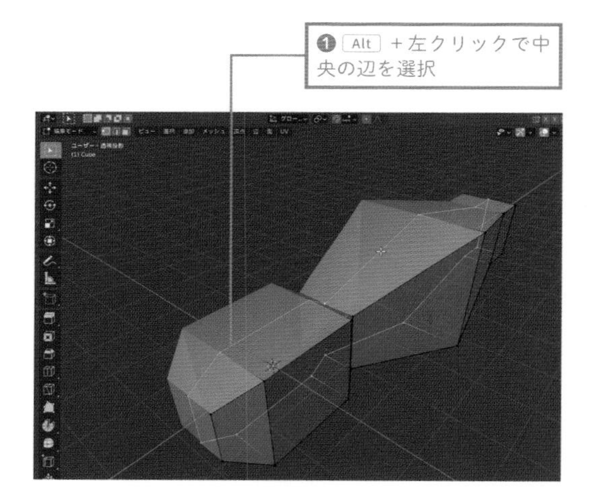

❷ この状態で S → Z で縦方向のサイズを大きくし、四角柱に近かった全体の形を円柱へ近づけるように調整します❶。

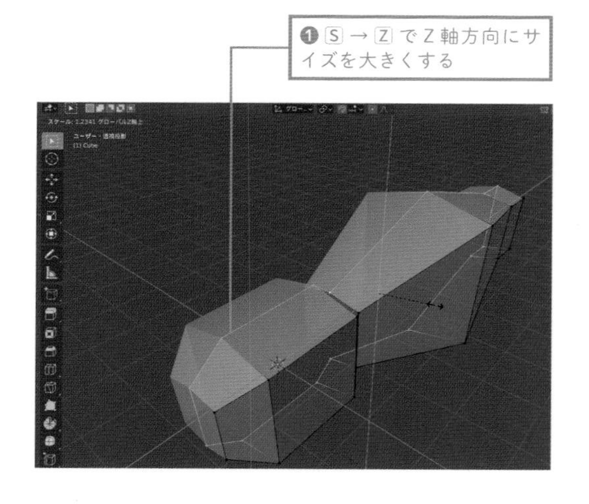

❸ 今度は側面に縦に走る辺付近にマウスカーソルを持っていき、Ctrl + Alt + 左クリックを押します❶。

すると今度は先程の**辺ループ選択**とは逆の（正確には垂直の）方向に、帯状に面を選択します。こちらは**辺リング選択**と言います。

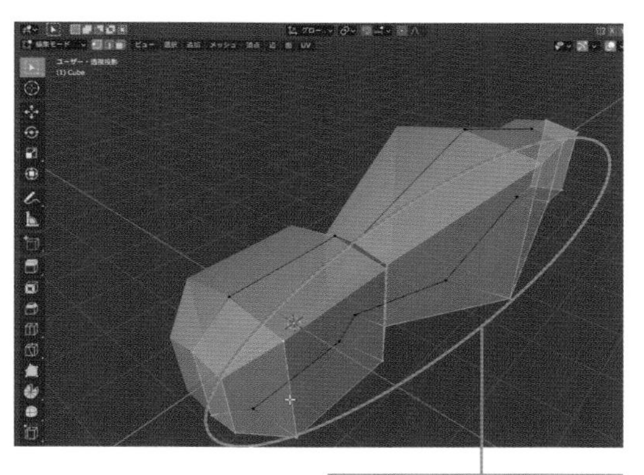

❶ Ctrl + Alt + 左クリックで辺リングを選択

❹ この状態で S → Z により縦方向に少し縮めます❶。
以下の右画像のように、正面（テンキー 1）からなるべく六角形に近いかたちになるように調整します❷。

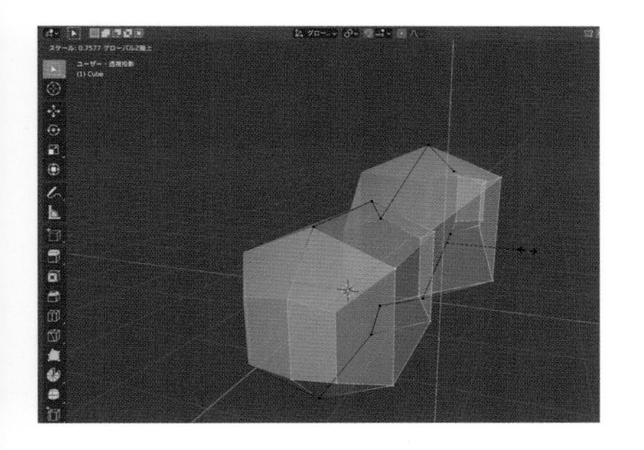

❶ S → Z でサイズ調整

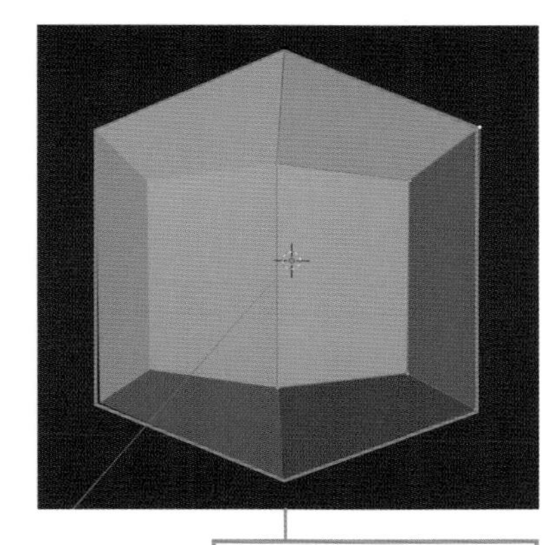

❷テンキー 1 で正面視点にし六角形に近づける

メッシュをハイポリ化する

このあたりで、メッシュのハイポリ化（ポリゴンを多くしなめらかにすること）をしてみましょう。

サブディビジョンサーフェスとスムーズシェードでメッシュをなめらかにする

ここでは先程のミラー化と同様、［**モディファイアープロパティ**］（P.45）で作業を行います。

❶ ［**モディファイアーを追加**］プルダウンメニューから、［**サブディビジョンサーフェス**］を選択します❶。

すると、モデルのメッシュが細分化されたのが確認できたでしょうか。

❷ 更に、Tab で［オブジェクトモード］に戻り❶、右クリックから［**スムーズシェード**］を実行します❷。

これにより、先程までのカクカクした見た目から一転して、ツルッとしたなめらかな表面へと変えることが出来ます。

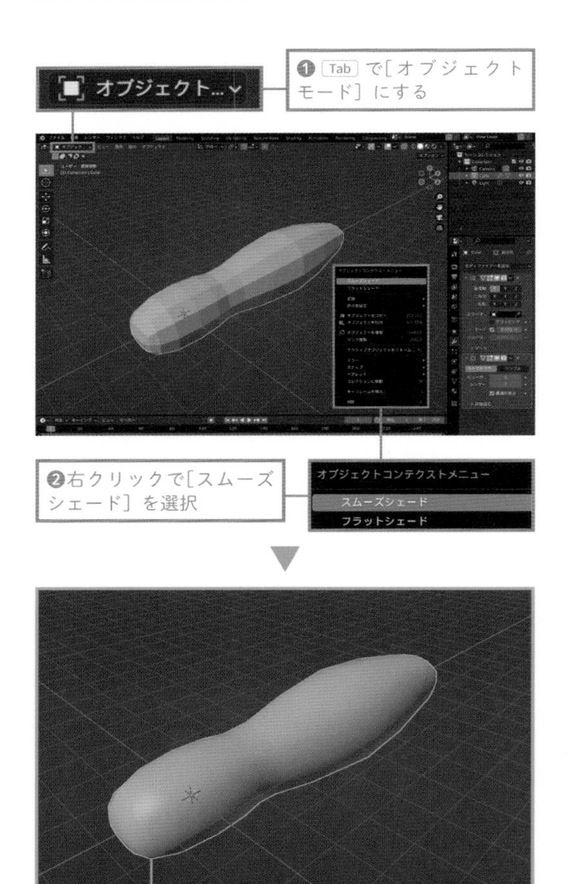

サブディビジョンサーフェスとスムーズシェード

いきなり**サブディビジョンサーフェス**と**スムーズシェード**という、2 種類の似たような機能が登場したので混乱してしまうかもしれません。**サブディビジョンサーフェス**の方は**ミラーモディファイアー**と同様、メッシュの形状を手続き的に変化させる**モディファイアー**の一種で、［**モディファイアープロパティ**］ (P.45) で後からいつでもこの形状変化についてパラメーターを調節することが出来ます。［**ビューポートのレベル数**］で現在見ている 3D ビューポート上での解像度を、［**レンダー**］でレンダリング (P.170) 時の解像度を設定します。ここの数を大きくするほど細分化され綺麗でなめらかな表面になりますが、同時に計算負荷も大きくなるので上げすぎには注意しましょう。

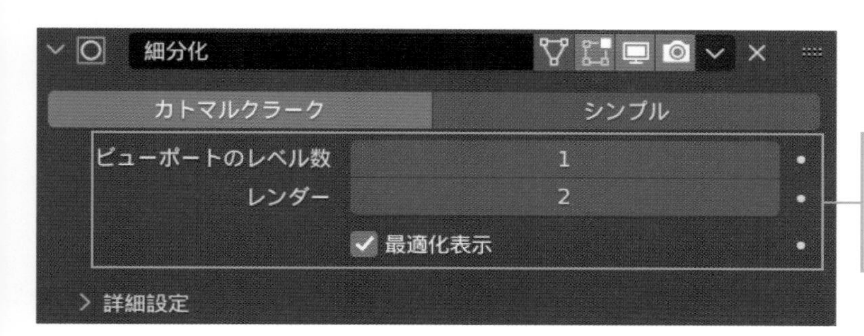

・［サブディビジョンサーフェスのプロパティ］
［ビューポートのレベル数］と［レンダー］でそれぞれの解像度を設定できる

対して、［**スムーズシェード**］は実際に面の細かさを上げているわけではなく、面同士の境界の陰影をなめらかに繋げることであたかも解像度が上がったかのように見せる、あくまで擬似的なスムーズさを作り出します。そのため、**サブディビジョンサーフェス**とは違いほぼ計算負荷を上げること無く滑らかにすることが出来ますが、形状によっては不自然さが出てしまうケースが存在します。［**フラットシェード**］を選ぶことで元のカクカクした本来の陰影に戻すことも出来ます。**サブディビジョンサーフェス**と**スムーズシェード**、計算負荷と見た目の不自然さのバランスを見ながら、両者を使い分けたり併用したりして使いこなしていきましょう。

オブジェクトコンテクストメニュー

スムーズシェード
フラットシェード

アザラシの形を整えていく

ここからは、**サブディビジョンサーフェス状態**でモデリングをしていきます。再び［**編集モード**］へ入り、形を整えていきます。

POINT

一般に、**サブディビジョンサーフェス**をかけると形が“痩せた”ように変形してしまいます。これを補正するためには太らせたい部分を先程のように［辺ループ選択］（P.46）で選択し、S →マウス移動で拡大すれば良さそうです。ところが、実際にそれをやってみると問題が発生します。メッシュに穴が空いたように破綻し、Y 軸に重なるあたりを中心に形がぐちゃぐちゃになってしまいます。これは、［**ミラーモディファイアー**］をかけたことが関係しています。

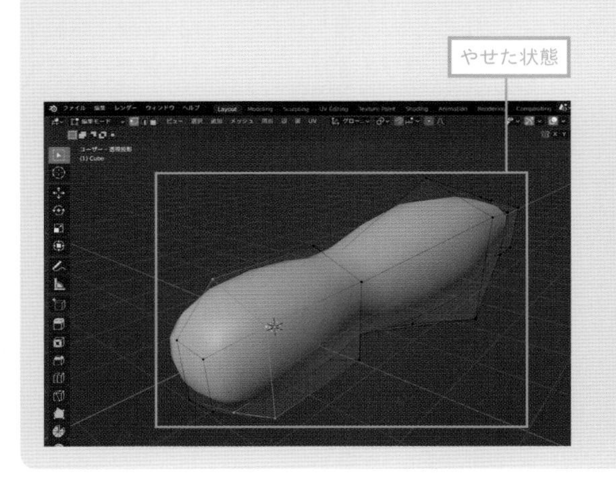

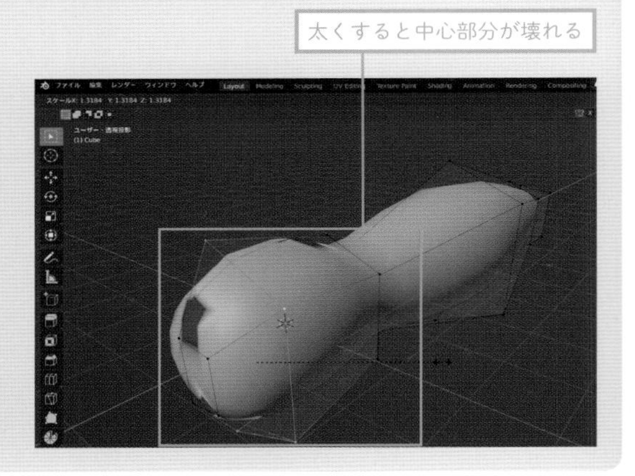

ミラーモディファイアーの性質

本来の完全な六角形であれば、そのすべての頂点を選択して拡大すると、その六角形の 6 頂点の中心から遠ざかるように位置関係が拡大されます（右画像の左側）。対して、［**ミラーモディファイアー**］をかけた状態で作られた六角形には右側（中心も含めた）4 頂点しか存在しません。そうなると、全頂点を選択して縮小してもその四頂点の中心を基準に拡大されてしまい、結果として［**ミラーモディファイアー**］で基準となる中心面を越えて頂点が左側の領域にもはみ出してしまいます（右画像の右側）。このように、［**ミラーモディファイアー**］は左右対称モデルの作成に便利な反面、気をつけなければいけな点も存在します。これを解決するためには、［**スナップ**］、［**トランスフォームピボットポイント**］、［**3D カーソル**］といった機能を使いこなす必要があります。

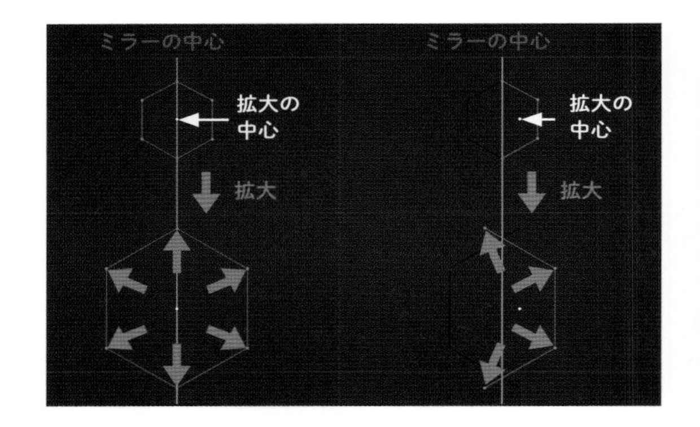

メッシュが崩れないように変形中心位置を変える

[スナップ]、[トランスフォームピボットポイント]、[3D カーソル] を使ってメッシュを変形させます。

❶ まず、太らせたいと感じるループ線のうち、中心面に接する 2 頂点を選択し、メニューの [**メッシュ**] > [**スナップ**] > [**カーソル→選択物**] を実行します❶。

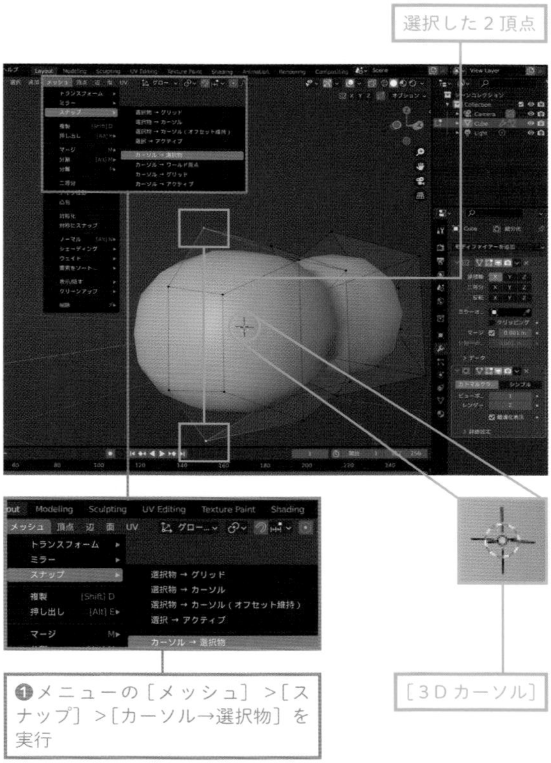

選択した 2 頂点

❶メニューの [メッシュ] > [スナップ] > [カーソル→選択物] を実行

[3D カーソル]

POINT

上記の [**カーソル→選択物**] を続行すると 3D ビューの中心にあった赤白縞々の輪のようなアイコンが選択した 2 頂点の中心へと移動します。

このアイコンは [**3D カーソル**] と呼ばれるもので、モデリング作業中の様々な場面で活躍する重要なツールです。

❷ そのまま、[3D ビューポートメニュー] 右側にある [**トランスフォームピボットポイント**] プルダウンメニューから、[**3D カーソル**] に切り替えます❶。

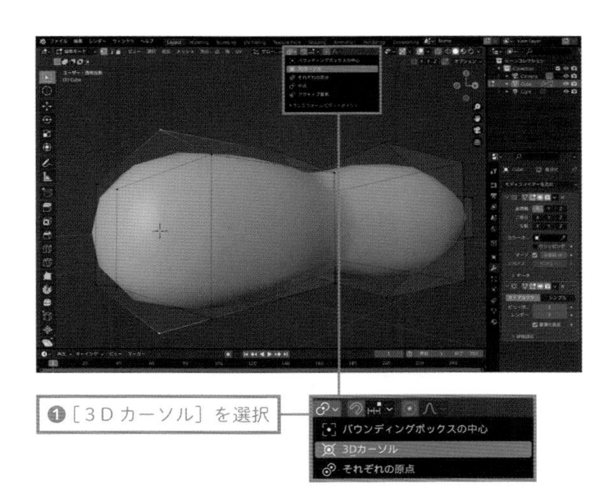

❸ その状態で先程と同じように太らせたいループを Alt + 左クリックで選択し、S で拡大してみてください❶。

今度は上手くいったのではないでしょうか。

❶ Alt +左クリックで太くしたい部分を選択、S で拡大

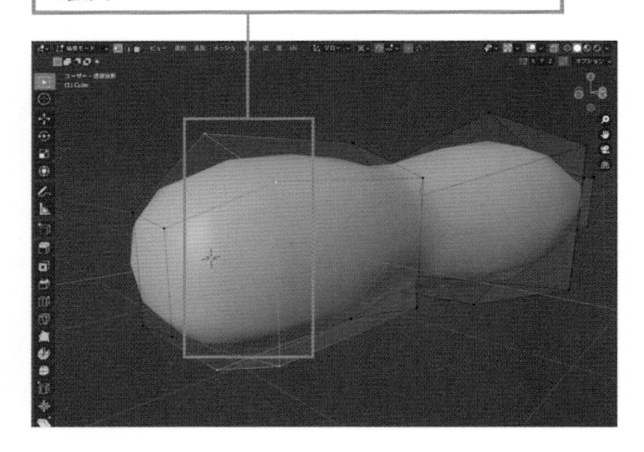

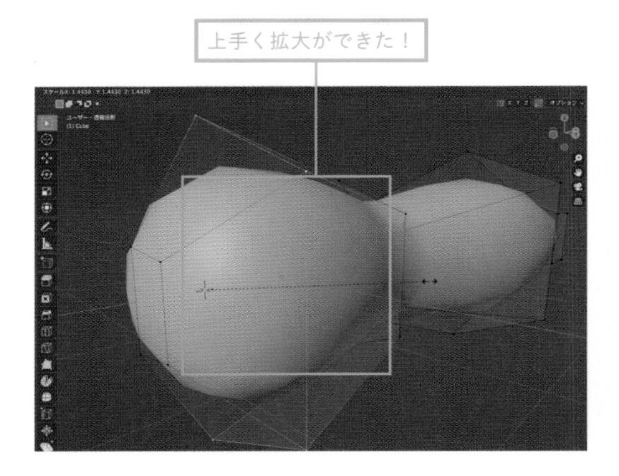

トランスフォームピボットポイント

お察しの通り、この［**トランスフォームピボットポイント**］は、拡縮や回転の基準点をユーザーが自由に設定できる機能です。［**中点**］は単純に選択中の物の中点を基準点にするのに対し、［**バウンディングボックスの中心**］は選択中の物全てを囲う仮想的な立方体の中心が基準点になります。

［**それぞれの原点**］は、選択中の頂点同士で接続されている組が離れて複数あった場合に、それぞれの中心を基準としてそれぞれでトランスフォームされます。［**アクティブ要素**］はアクティブな（参考：P.28）頂点／辺／面の中心を基準とし、［**3D カーソル**］はもちろん 3D カーソルを基準とします。ピボットポイントは、デフォルトでは［**中点**］になっています。ピボットポイントを利用した後はなるべく［**中点**］へ戻しておくようにすることをおすすめします。さもないと、回転や拡縮を行った時に意図しないズレが生じてしまう可能性があります。

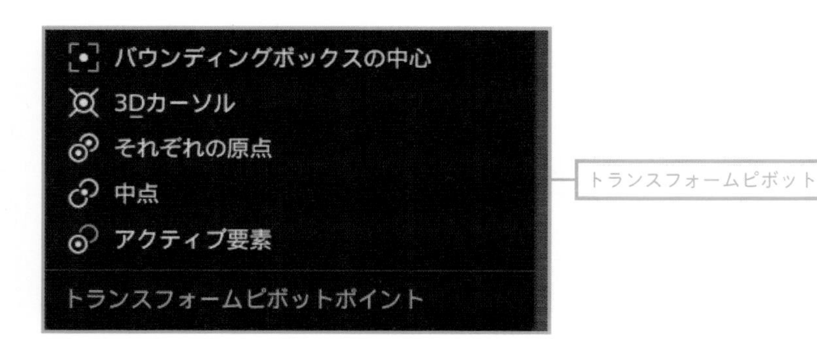

3D カーソル

［**3D カーソル**］は、何かを新規に 3D 空間上に追加する時にそれを追加する位置の基準点になります。また、今回のようにトランスフォームの基準点として利用したり、［**スナップ**］に利用されます。Shift + 右クリックで位置を決められるほか、N により表示できる 3D ビューポート右側のサイドバーから、［**ビュー**］タブを選択した場所に数値で直接位置や回転を決められる欄が存在します。

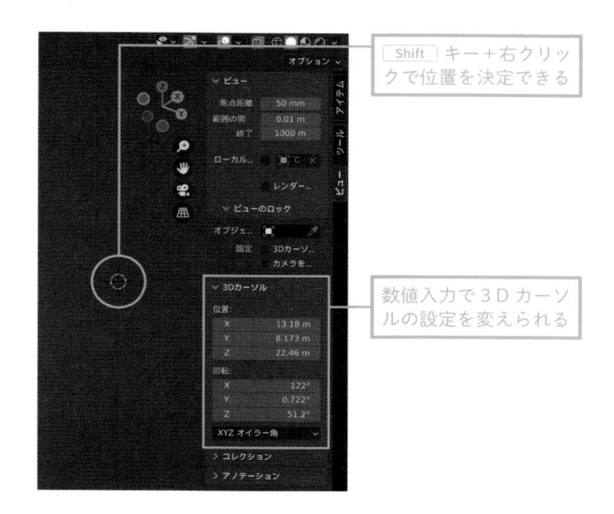

Shift キー＋右クリックで位置を決定できる

数値入力で 3D カーソルの設定を変えられる

スナップ

［**スナップ**］は、何かを何かの位置に移動させる機能です。先程のようにメニューからアクセスする方法もありますが、Shift + S のショートカットによるアクセスが素早くておすすめです。3D カーソルを選択物の位置に移動させる、または選択物を 3D カーソルの位置に移動させるのが主な動作となります。［**ワールド原点**］は 3D 空間全体の中心、［**グリッド**］は 3D 空間に仮想的なグリッドを敷き詰めた時にその最も近い位置が選択されます。

［**選択物→カーソル**］では、複数頂点を選択していたとき、その全ての頂点が 1 箇所に集まってしまいますが、［**選択物→カーソル（オフセット維持）**］を使うことによって頂点同士の相対的な位置関係を維持したまま、3D カーソル位置へ移動させることが出来ます。

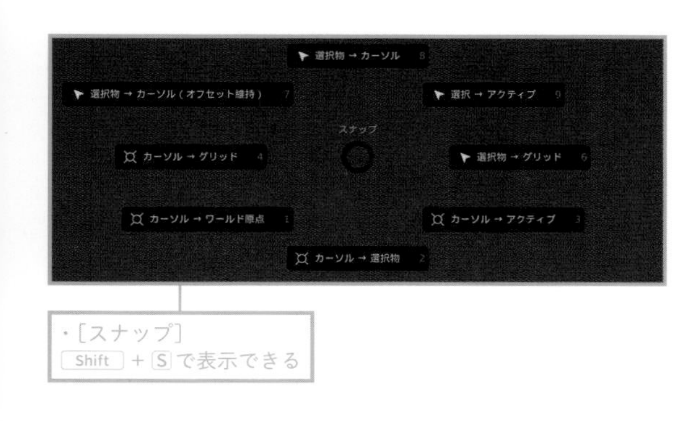

・［スナップ］
Shift + S で表示できる

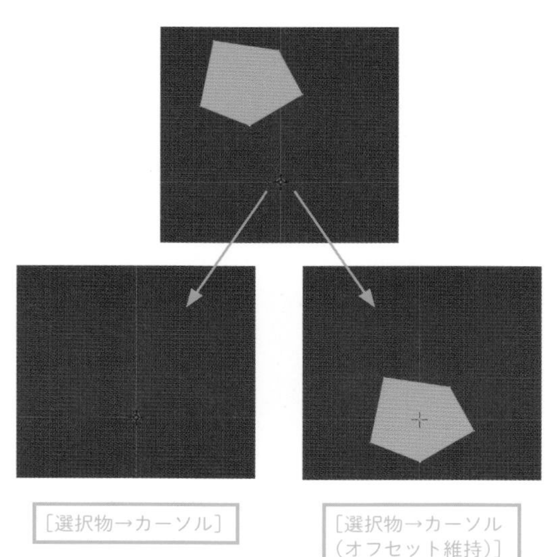

［選択物→カーソル］

［選択物→カーソル（オフセット維持）］

さらにアザラシっぽくしよう

ここからは、アザラシのヒレや尾びれなどディテールを作成していきます。

アザラシの頭、胴体を調整する

ここまで使ったツールを使用して形を整えます。

❶ 前項の［**トランスフォームピボットポイント**］［**3D カーソル**］［**スナップ**］（P.52）といったツールを駆使して、全体的になんとなくアザラシの頭、胴体の部分の形になるよう頂点の位置を調整しましょう❶。

　もちろんこれらのツールしか使ってはいけないわけではなく、頂点一つひとつを掴んで移動させてを繰り返して細かく調整しても構いません。

POINT

頂点の調整を繰り返すうちに、もしかしたら誤って中心にあたる頂点を左右に動かしてしまい、ミラーモディファイアーによる形状が破綻してしまう場合があるかもしれません。そういった時は、N キーのサイドバーから、［**アイテム**］タブを選択したところにある［**トランスフォーム**］の欄で直接数値入力で頂点の位置を修正してしまいましょう。修正したい頂点を選択した状態で、ここの［**X**］の欄に「0」を入力することによって選択頂点を完全な中心に移動させることが出来ます。また、右側の［**プロパティエリア**］にある［モディファイアーパネル］画面の［ミラーモディファイアーパネル］内で、［**クリッピング**］にチェックを入れることで「X=0」の位置にある頂点全てを左右に動いてしまわないように固定することが出来ます。もし頻繁に中心の頂点を動かしてしまうようであればこちらも活用していきましょう。

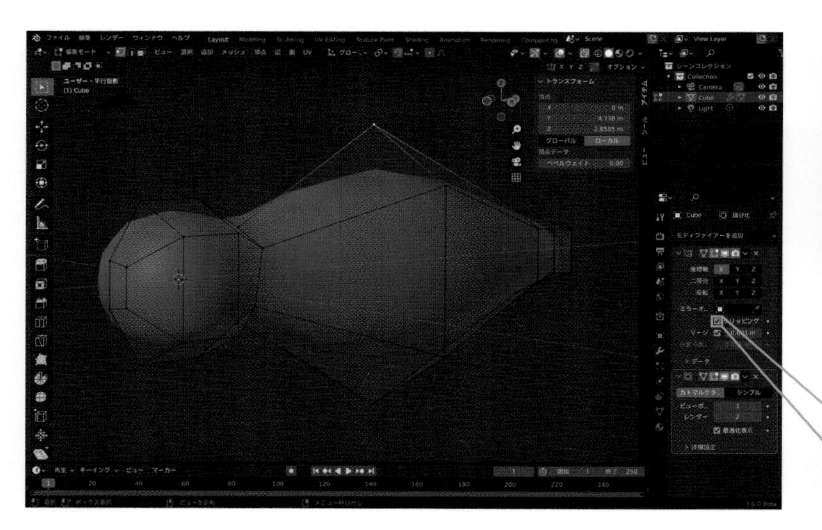

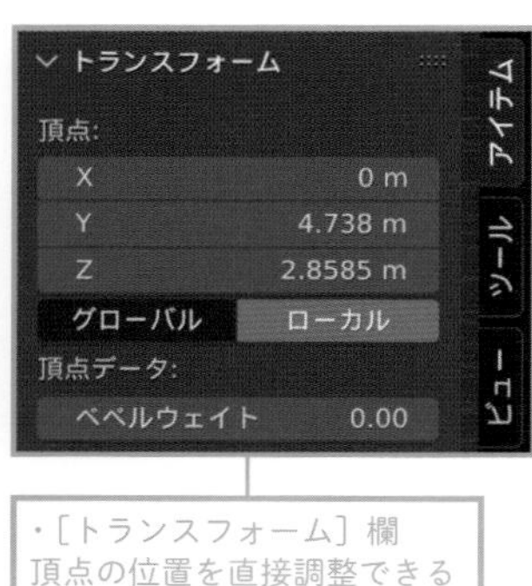

・［トランスフォーム］欄
頂点の位置を直接調整できる

・［クリッピング］
チェックを入れると「X = 0」の頂点を固定できる

ベベルでヒレ部分を作成する

ある程度全体の形を整えることが出来たら、前ヒレ部分を作っていきます。

❶ 胴体の前ヒレの付け根にあたりそうな部分の辺を選択し、そのまま左列のツールボタン郡から［**ベベル**］を選択します❶。

すると選択した辺から黄色いハンドルが出現するので、それをドラッグして辺を面へ広げます❷。

POINT

この［**ベベル**］は、ショートカットキー Ctrl + B からも使うことが出来るほか、ドラッグ中にマウスホイールの上下で分割数を上下させることが出来ます（今回は分割無しでベベルしてください）。

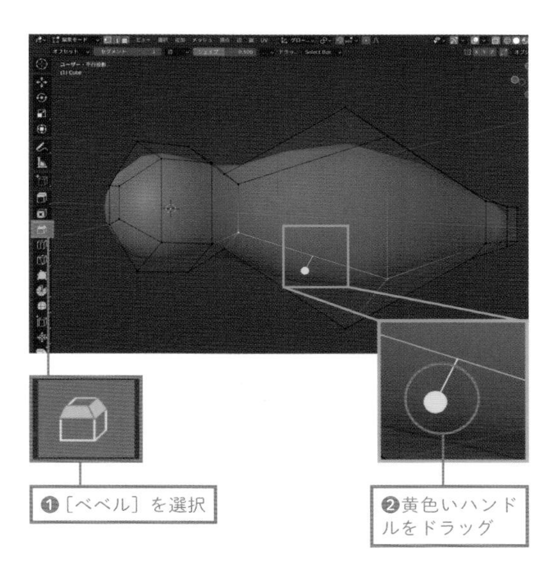

❷ ドラッグした量によって面の広さが変わるので、前ヒレのつけ根として丁度よい大きさでマウスボタンを離します❶。

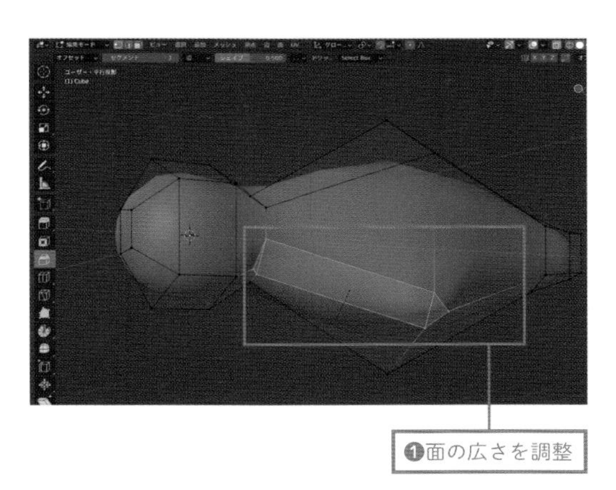

頂点のマージを行う

これで前ヒレのつけ根にあたる面を作成することは出来たのですが、その両脇に半端な三角形の面も同時に作成されてしまいました。その三角形の頂点はとても中途半端な位置にあり、これは少し修正を加えたほうが良いように思えます。

❶ その三角形の頂点→その頂点の先にある点の順に Shift を押しながら同時選択し、M の［**マージ**］メニューから［**最後に選択した頂点に**］を実行します❶。

すると言葉の通り、最後に選択した頂点へ最初に選択した頂点が結合されます。

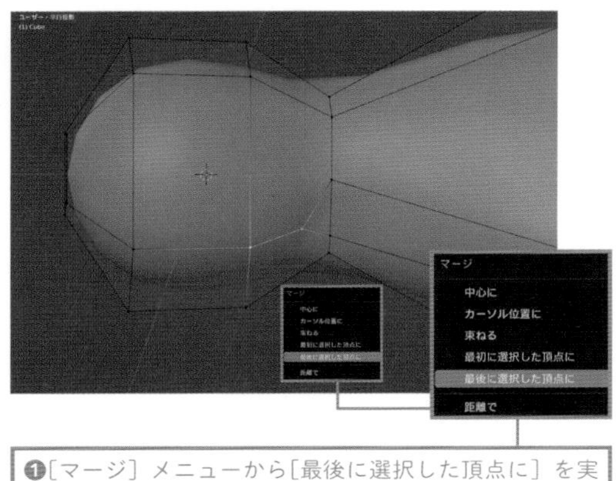

❶［マージ］メニューから［最後に選択した頂点に］を実行

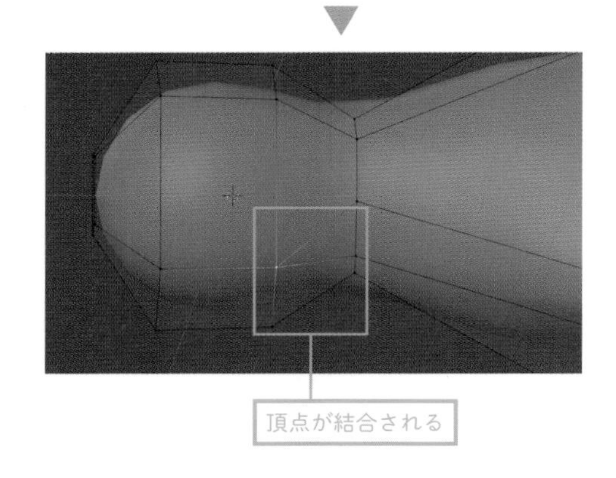

頂点が結合される

マージ

もし頂点選択時に、選択する順番を間違えて逆順に選択してしまっていた場合は、ここで［**最初に選択した頂点に**］の方を実行すればいいことになります。［**中心に**］は選択した全頂点の中心に、［**カーソル位置に**］は3D カーソルの位置に、結合された頂点が移動します。［**束ねる**］は先程のピボットポイントの［**それぞれの原点**］と似たような機能で、接続頂点同士のみで結合が行われます。［**距離で**］は指定した距離以内にある頂点同士で結合が行われます。

❷ 上記で解説したマージを駆使し、前ヒレのつけ根の両側で半端な位置の頂点をその隣の頂点に結合してしまいましょう❶。

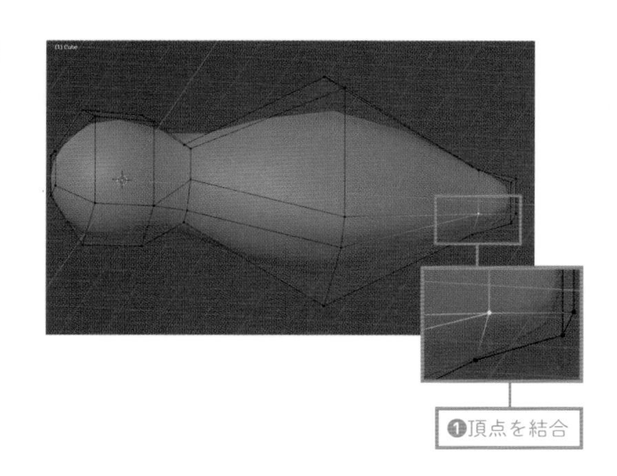

❶頂点を結合

押し出しでヒレをつくる

前ヒレの作成を行っていきます。

❶ つけ根用に作った面を選択して［**押し出し**］ により前ヒレを作ります❶。

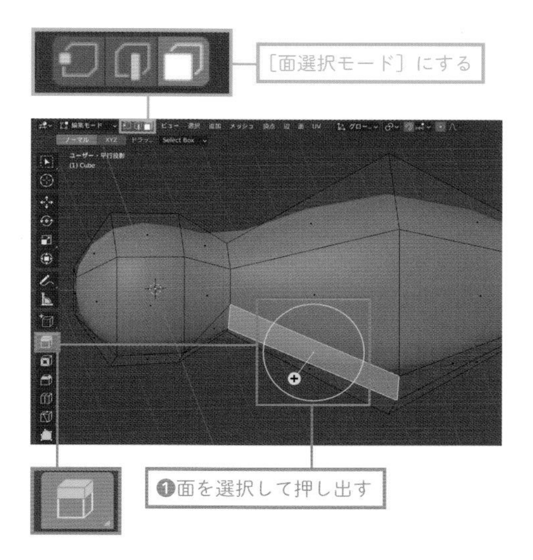

❷ 単純に押し出しただけでは横幅が広くなりすぎてしまうので、頂点一つひとつを選択しては移動（G）を繰り返して細かく形を整えます❶。

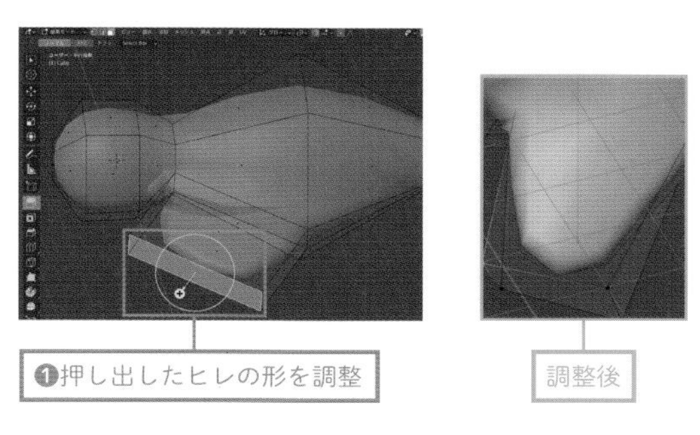

ポリビルド

選択と G による移動の繰り返しが面倒と感じたら、［**ポリビルド**］ を使うと便利かもしれません。左列のツール群から、［**ポリビルド**］を選択した状態だと、頂点付近にマウスカーソルを持っていき左ドラッグだけで頂点を動かすことが出来ます。今回の前ヒレ作成では使いませんが、このポリビルド状態では Ctrl を押しながら左クリックで頂点や辺、面の作成、Shift を押しながら左クリックで面の削除といったことが出来るようになります。

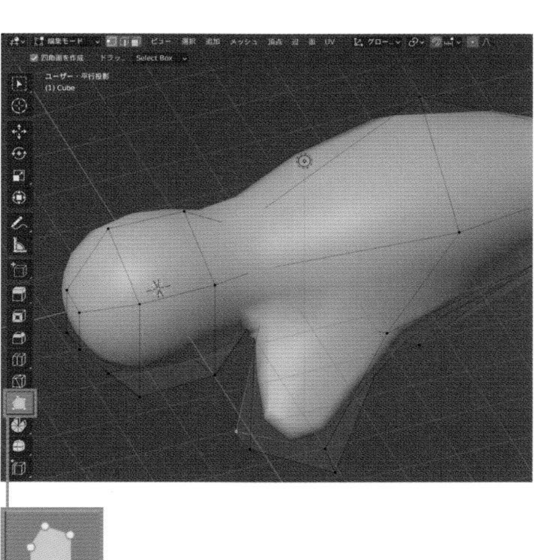

MEMO

作業中、3D ビューポート左下に時々黒いウィンドウが現れることにお気づきでしょうか。これは直前に行った作業内容について、数値入力やチェックボックス等によって後から修正が可能なパラメーターが存在する場合に出現します。最初は小さく折りたたまれており、左端の小さな三角マークをクリックすることでフルサイズで表示することが出来ます。例えば今回行った**マージ**についても使用可能で、［距離で］でマージを行う場合ここで距離を数値で指定できます。他にも様々なツールで必要になる場面が訪れるので覚えておきましょう。

尾ヒレをつくる

次に尾ヒレを作っていきます。

❶ ［**辺選択モード**］へ切り替え、縦に走る辺のうち、一番うしろにあたる２本を選択して M の［**マージ**］メニューから今度は［**束ねる**］を実行します❶。

すると、選択した２本それぞれで１つの頂点へ結合され、横一文字の１本の線へまとめることが出来ます。

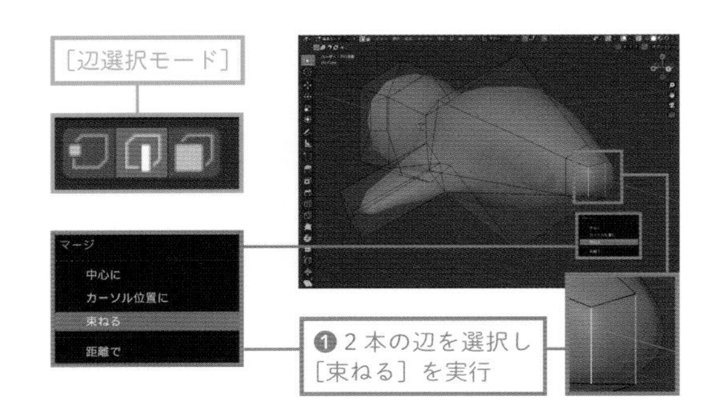

❷ 結合された横一文字の辺を選択します❶。
そして、Ctrl+B の［**ベベル**］（P.55）によって尾ヒレのつけ根に当たる面を作成します❷。

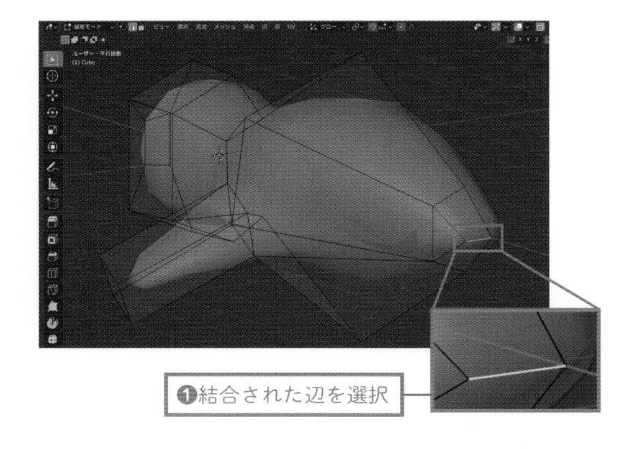

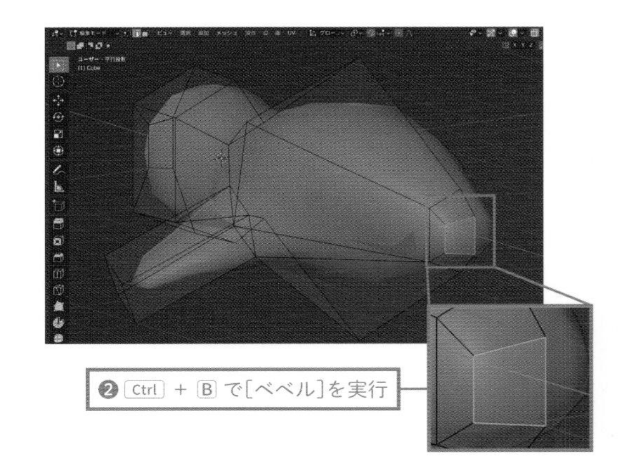

❸ そして E による［**押し出し**］を使用して先程の前ヒレ作成と同じような手順で尾ヒレを作成します❶。

この際、状況によっては押し出した部分の一部がカクついた状態になる場合があります。これは面の一部だけが**フラットシェード**のままになっていることを示しています。

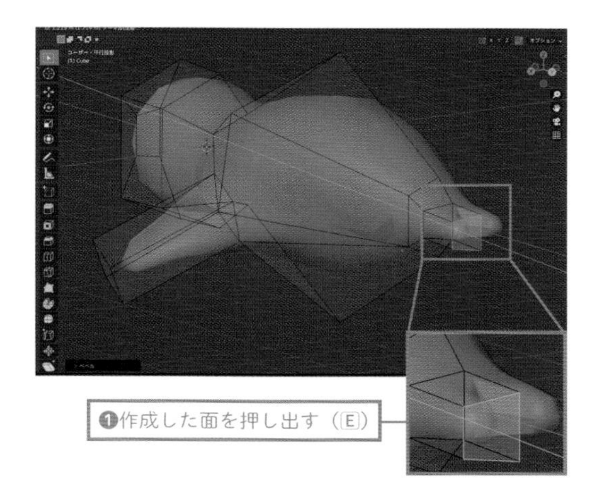

❹［オブジェクトモード］に戻って右クリックから［**スムーズシェード**］を選択してもいいのですが、編集モードのままでもメニューから［面］を選択し（または Ctrl+F）、［**スムーズシェード**］を選択することで、現在選択している面のみに対してシェードを切り替えることが出来ます❶。

あとは前ヒレのときと同様に、頂点一つひとつの位置を調整して形を整えましょう。

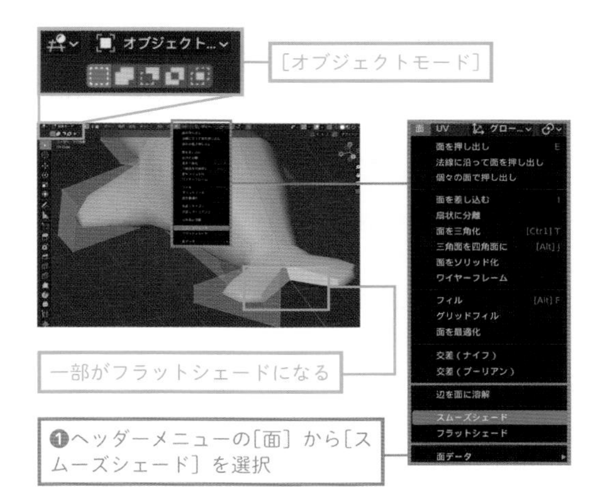

ナイフを使用して頭部にメリハリをつくる

現時点で頭部はただの球体に近く、このままではメリハリがないので鼻の部分を尖らせる加工が必要なようです。先端部分の面分割を細かくするために、［**ナイフ**］ツールを使用してみます。

❶ 左列のツール群から、［**ナイフ**］を選択すると、カーソルがナイフのような形に変化します❶。

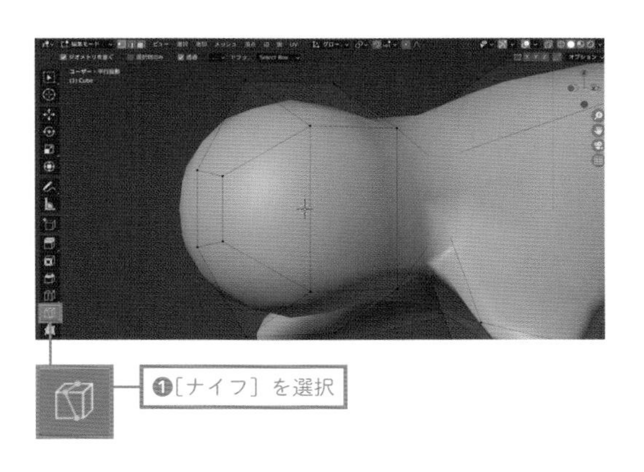

❷ その状態で、頭部先端の面の端の頂点からくの字を描くように先端辺の中央付近、また面の端へと3箇所を左クリックした後、Enter を押します❶。

するとそのなぞった線の通りに辺が追加されます。

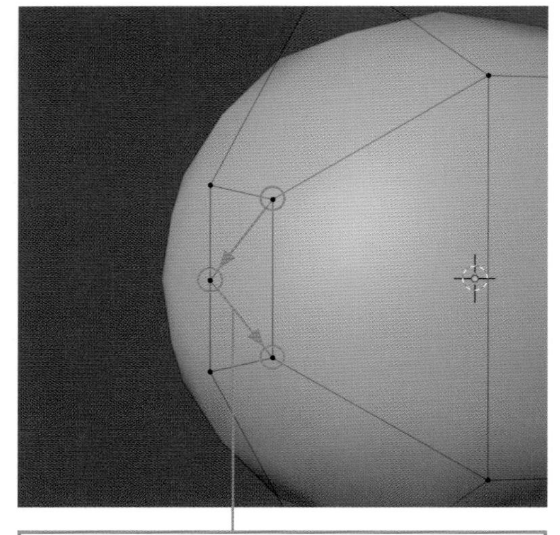

❶右上頂点、先端の辺の中心付近、右下の頂点の順に左クリックして Enter を押す

❸ その部分の面が分割されるので、新たに作られた先端中央の頂点を選択して手前方向（鼻が突き出るように）移動させます❶。

このように、［**ナイフ**］ツールは自由に面に切り込みを入れ辺や頂点を挿入することが出来ます。

POINT

［**ナイフ**］ツールは K によるショートカットからもアクセス可能です。

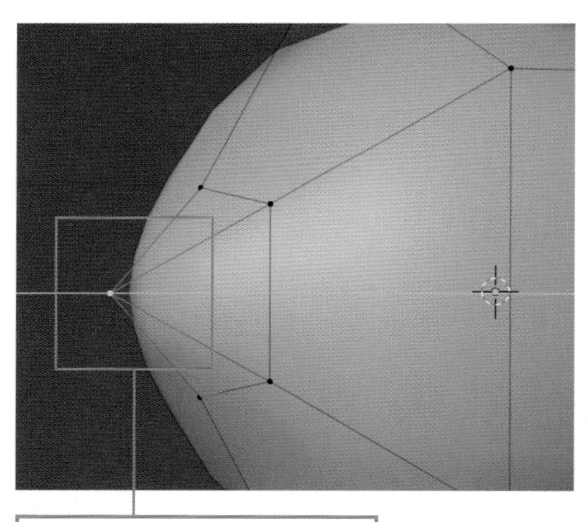

❶先端中央の頂点を手前方向に移動

さらに細分化してメリハリをつける

ただ、この状態ではまだ少しメリハリが足りないかな？　と感じるので、更に細かく加工しようと思います。

［**ループカット**］と同じように先端をぐるっと一周辺を追加したいと思うのですが、こういった部分では［**ループカット**］を使用しようとしても、何故かループの線が出てくれません。先端部分の面の構造をよく見てみると、三角形の面が組み合わさった状態になっていることがわかるでしょうか。［**ループカット**］は四角面が連なった箇所でしか使用できないという制約があります。こういうケースでは、メッシュ編集の［**細分化**］を使ってみましょう。

❶ まずは［**辺選択モード**］へ移行し、ループカットのように辺を挿入したい辺全てを選択します❶。
そして右クリックから［**細分化**］を選択します❷。
すると、選択した辺のちょうど中央に頂点が追加され、複数連続した辺を選択していればその頂点同士が繋がるように辺を追加してくれます。

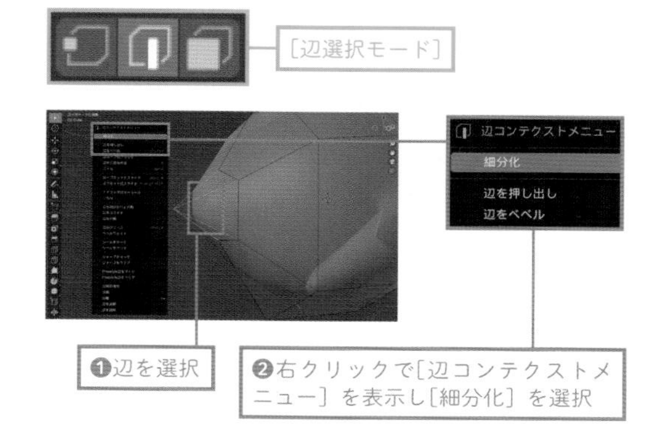

POINT

細分化を行う際、左下の［フローティングウィンドウ］を展開すると［分割数］等の、現在行った細分化に対して細かいパラメーター指定ができるようになっています。今回は［分割数］を「1」のままで大丈夫ですが、ここでもっと細かく分割したいといった場面ではこのパラメーターで分割数を増やすことも出来ます。

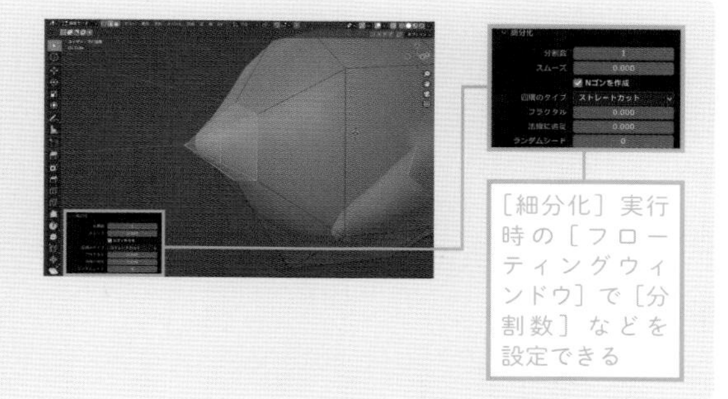

MEMO

メッシュオブジェクトに対して**サブディビジョンサーフェス**モディファイアーを付加すると、全体が“丸っこく”変形してしまいます。少ない作業頂点数で滑らかな表面を表現するのに便利な機能なのですが、一部だけ角張ったメリハリのある形状を作りたいといった場面にも当然遭遇します。そういった場合、基本的には“頂点を増やす”ことで解決できることを覚えておいてください。もう少し正確に言えば、頂点同士の距離を縮め、且つその頂点同士の間の分割数も上げれば上げるほど、角ばらせることが出来ます。ただし、作業頂点数を増やすことは実際に計算される面の数も跳ね上げることになるので、やりすぎると処理が重くなってしまうことにも注意してください。

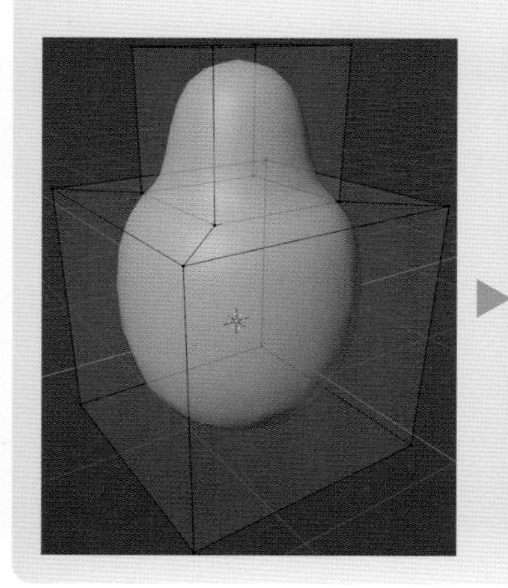

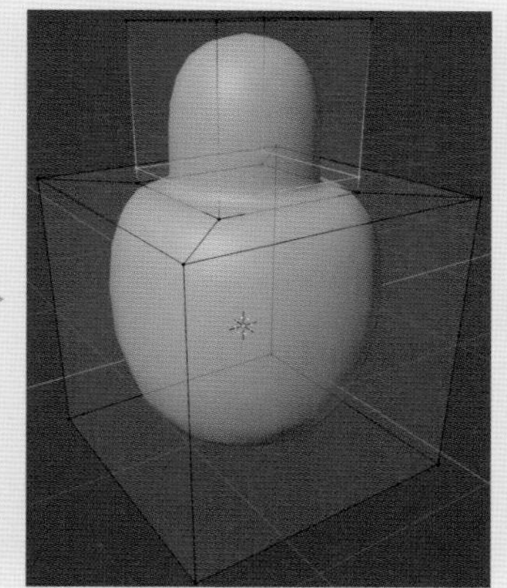

アザラシのヒゲをつくる

次は、ヒゲを作成します。

❶ まずは顔のヒゲを作りたい部分に Shift + 右クリックで 3D カーソルを移動させます❶。

Shift + A の［新規メッシュ追加メニュー］で［立方体］を選択します❷。

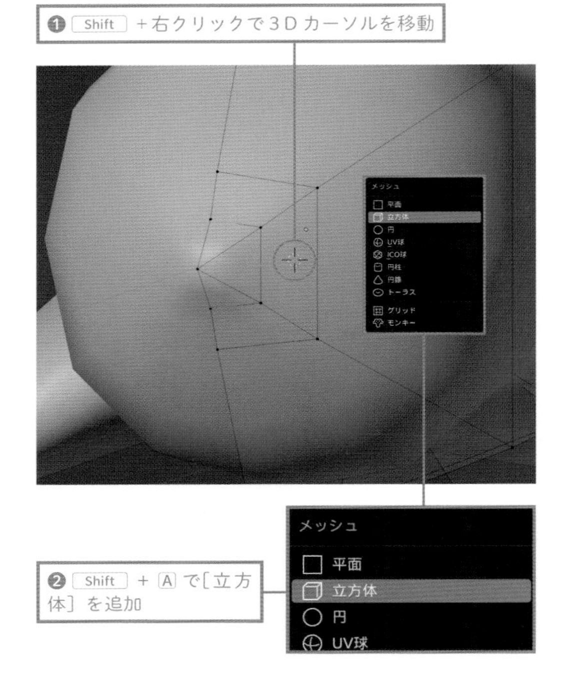

❷ 追加された立方体を S によりヒゲの太さまで縮小します❶。

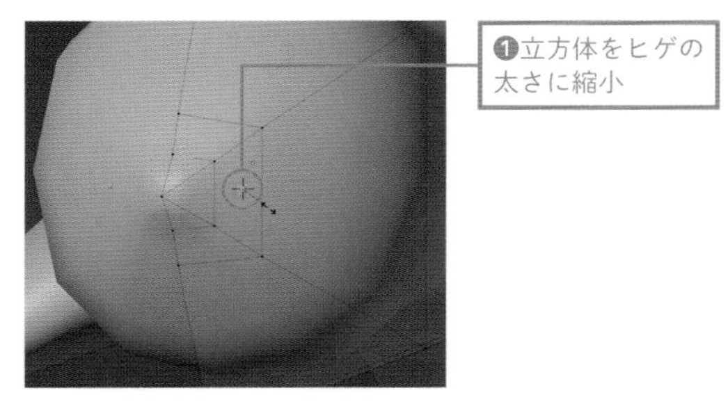

❸ S → X による横幅の拡大で横へ細長い四角柱の状態へ変形させます❶。

次に G → X による横移動で、ヒゲが顔の中に突き刺さってしまわないような位置に調整します❷。

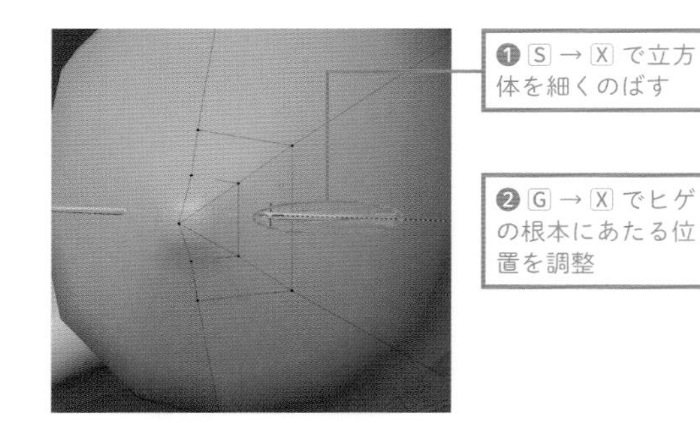

4 真中付近で Ctrl+R で［**ループカット**］します❶。

そしてヒゲの形になるように辺ループを上へ持ち上げ弧を描くように変形させます。

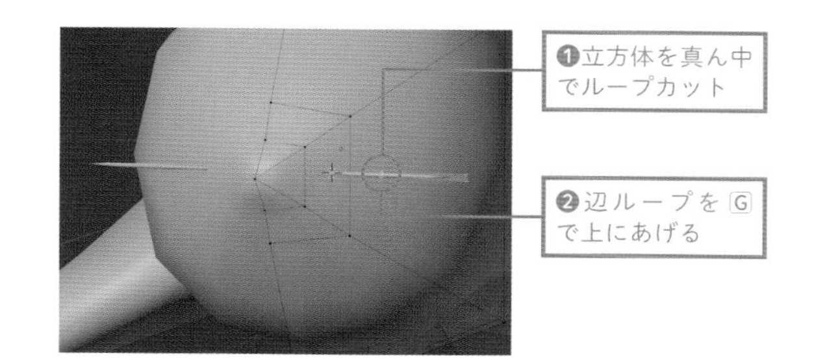

5 頂点付近で L を押す、またはどれか頂点を１つ以上選択した状態で Ctrl+L を押すと、その頂点に接続された構造全体を選択することが出来ます。

これによりヒゲ単体を全選択して、Ctrl+D により複製を行います G の移動や R の回転を駆使して適当な位置に配置→また Ctrl+D（複製）→配置という手順で３本のヒゲを完成させます❶。

ミラーモディファイアーによって左側は自動的にミラーリングされるので、右側３本の作成だけで済みます。

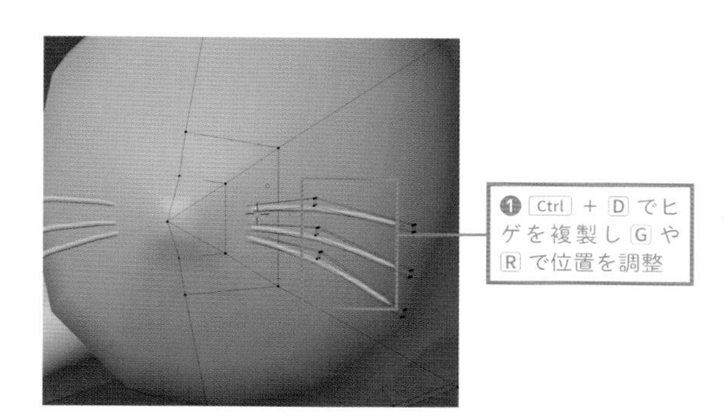

これで必要なパーツは全て揃いました。あとは納得行くまで、頂点を一つひとつ移動させて形を整えて完成です。このままアザラシの作成を継続したい場合は P.111 へジャンプしてください。

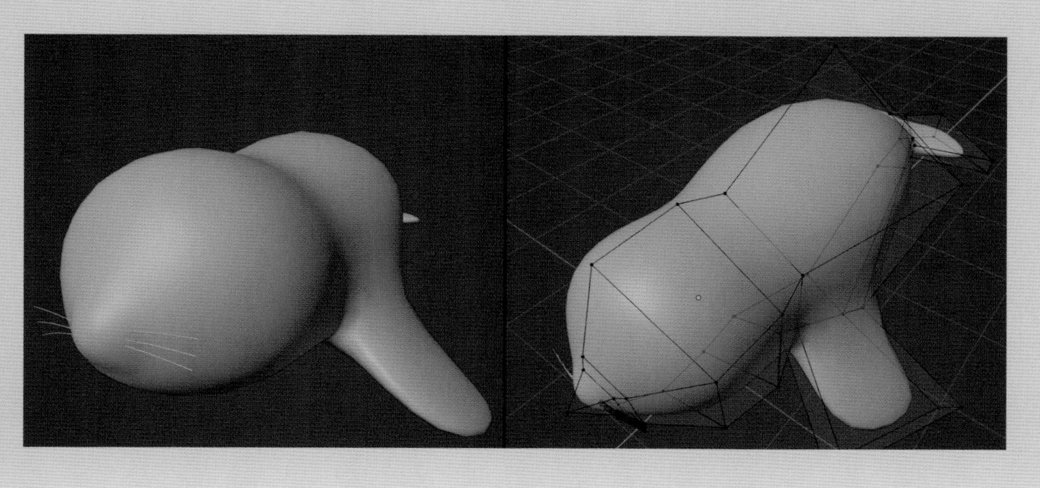

サンプルファイル samplefile/Chapter2/2-2

ワイングラスをつくろう

この節では、ワイングラスを作成します。今度は、実在のワイングラスの写真をトレースしてモデルを作成するという方法を採ってみます。本書の作成手順に追従したい場合、お手数ですが以下のURLからsamplefile.zipをダウンロードし、2-2フォルダのwineglass.pngという画像ファイルをご使用ください。

【サンプルダウンロード】

URL https://www.sbcr.jp/product/4815611910

背景に画像を配置しよう

まずはワイングラスの画像を3Dビューポートに配置します。

ワイングラス画像を3Dビューポート内へドラッグ＆ドロップする

1. Blenderを起動したら、テンキー5とテンキー1（または3Dビューポート内右上の［**透視／平行投影**］**ボタン**と**-Y**）でまっすぐ正面からの視点へ切り替えます❶。

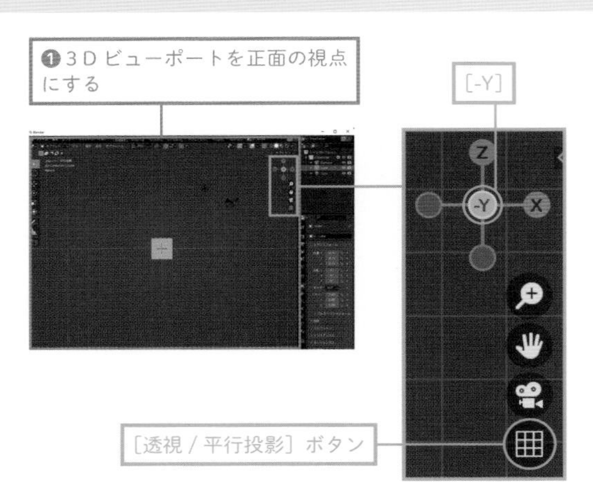

❷ その状態で、[オブジェクトモード] に切り替え、任意の場所に置いたワイングラス画像（wineglass.png）のファイルアイコンを Blender 画面内の 3D ビューポート内へドラッグ & ドロップします❶。

[オブジェクトモード]

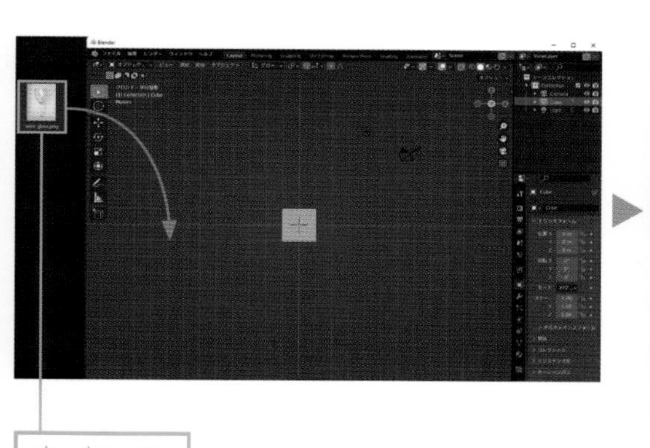

wineglass.png

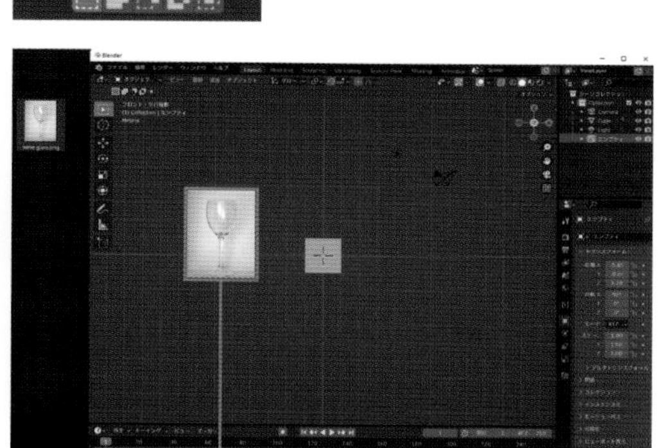

❶ワイングラスの画像を３Ｄビューポート内にドラッグ & ドロップ

POINT

画像をドロップする先は何もない空間になるよう注意してください。オブジェクトへ重なるように置いてしまうと上手くいきません。成功するとワイングラス画像は、**エンプティ**という特殊なオブジェクトとして 3D ビューポート内に設置されます。バージョン 3.0 現在、Blender は Gif や WebP など対応していない画像形式も存在します。ドロップしても何も生成されなかった場合は、他の一般的な画像形式（jpeg、png 等）で試してみてください。

ワイングラスの画像の配置位置を調整する

ワイングラス画像のエンプティの位置を調整していきます。

❶ このエンプティオブジェクトを Alt + G で中央へ移動させます❶。

POINT

これをトレースしてモデルを作っていくわけですが、画像のグラスが正確に中央になければ何かと不都合が起こります。写真撮影の際に慎重に中央へグラスを収めようといくら努力しても、やはり多少はズレてしまいますので、次の手順でエンプティの位置を調整することによって補正します。

❶ Alt + G でエンプティオブジェクトを中心に移動

❷ ［**プロパティエディター**］の左列で下から２番目のタブ（オブジェクトデータプロパティ）を開き、［**不透明度**］にチェックを入れて数値を下げます❶。

するとエンプティの画像が半透明になるので、背景にある青い縦の線（Z 軸線）とグラスの中央が重なるよう、G → X の横移動を使って合わせます❷。

POINT
移動時は Shift を押しながら移動させれば移動速度が遅くなり、更に詳細に位置を合わせることが出来ます。もし、画像の角度も傾いていた場合は、R、回転を使って真っ直ぐになるよう補正してしまいましょう。

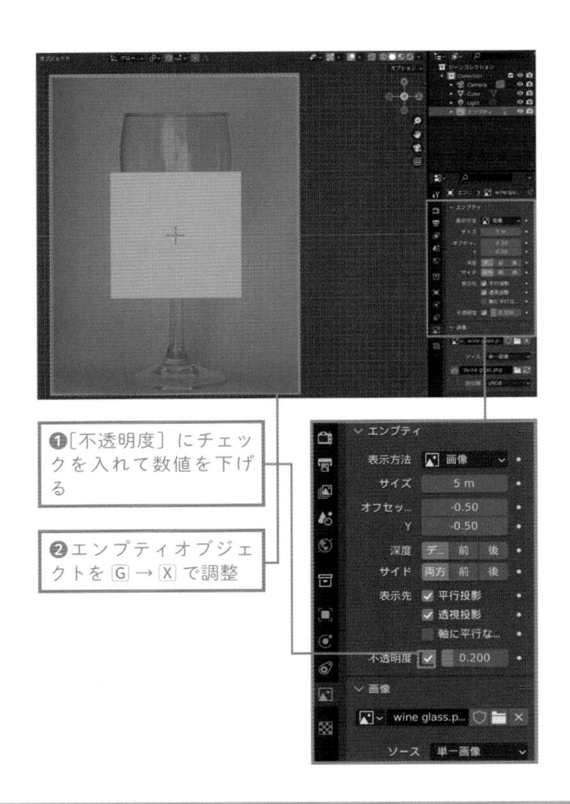

ワイングラスの画像をトレースしよう

配置したワイングラスの画像を参考に、トレースしていきます。

ポリビルドで頂点を追加する

ポリビルドツールを使って配置した画像のトレースを進めていきます。

❶ 最初から中央に設定してある立方体オブジェクトを選択して Tab を押して［**編集モード**］へ入り、初期状態では全頂点が選択状態にあるのでこのまま X を押して［**削除**］メニューから［**頂点**］を選択して全てのメッシュを消去します❶。

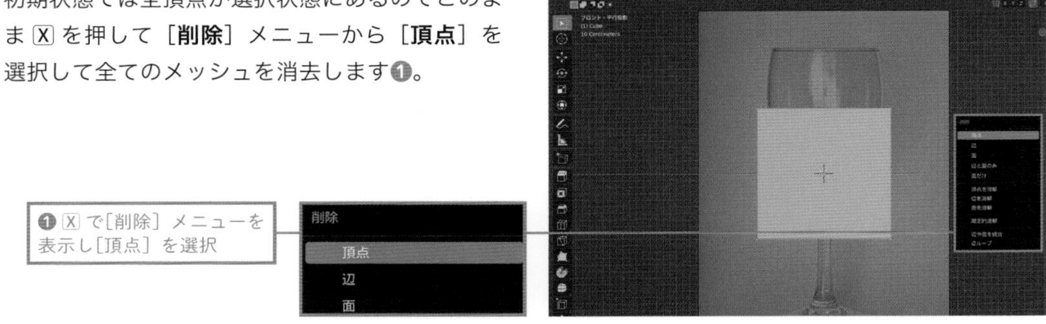

❷ 左列のツール群から、歪んだ五角形のような形のアイコンの［**ポリビルド**］ツールを選択します❶。

この状態で、Ctrl を押しながらマウスの左クリックを押すと、頂点を追加することが出来るようになります。グラス画像の底面中央あたりへマウスカーソルを持っていき、Ctrl を押しながら左クリック、続けてそのまま Ctrl を押したままグラス底面のもう少し右側の輪郭に合わせて左クリック、という調子に、グラスの輪郭をなぞるよう Ctrl を押したまま左クリックをちょんちょんと押していきながらトレースしていきます❷。

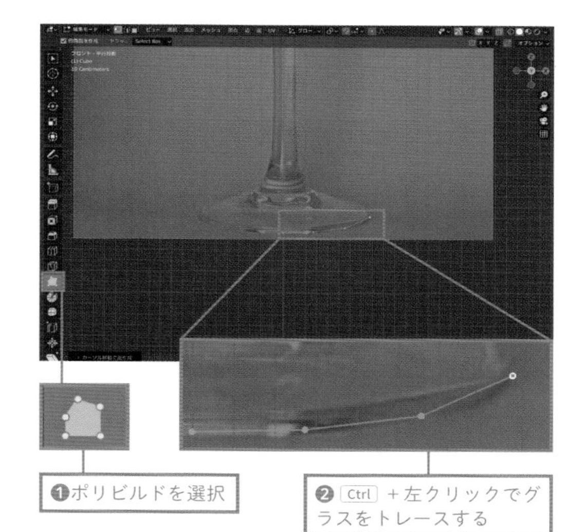

❸［**ポリビルド**］による頂点の追加を、グラスの最上部をトレースできるまで行っていきます❶。

POINT

カーブのキツイところでは頂点を密に、逆に直線に近いようなところでは頂点は少なめにするのがコツです。

❹ そのままグラス最上部まで来たら一旦 A → A で全頂点を選択解除して最上部の頂点のみを選択します❶。

そして今度は E →移動→左クリックで位置確定→また E で伸ばし…というのを繰り返してトレースしていく方法でなぞってみましょう❷。

どちらも似たようなモデリング方法ですが、ラインの入り組み方等で向き不向きがあり、実際に操作してみて作りやすい方で作っていきましょう。なお、E で伸ばす方の方法は［ポリビルド］を有効にする必要はありません。

それらを駆使し、グラスの内側まで右半分のみを全てトレースします。作成中、モデルが見づらかったりグラス画像が見づらかったりしたら、グラス画像の不透明度を適宜調節してみてください。中央に当たる頂点は、前節アザラシ作成の時と同様、きちんと X 位置が「0」になるよう数値入力によって配置しておきます。

スクリューで頂点の回転体をつくる

トレースが完了したら、次に［**スクリュー**］を利用しながらワイングラスの作成を進めていきます。

❶ プロパティエディターの［モディファイアータブ］で［**モディファイアーを追加**］をクリックし、［**スクリュー**］を選択します❶。

　すると配置した頂点と辺がZ軸を中心にぐるっと360°一周した回転体として生成されます。

❶［モディファイアーを追加］から［スクリュー］を選択

❷ 少し滑らかさを上げるため、この［スクリューモディファイアー］パネル内の［**ビューのステップ数**］と［**レンダー**］をともに「64」まで上げておきます❶。

　このスクリューモディファイアーは、今回は回転体を作るためのみに使用しましたが、このパラメーターの［**スクリュー**］の値を上げることで、螺旋のような形を作るためにも使用できます。

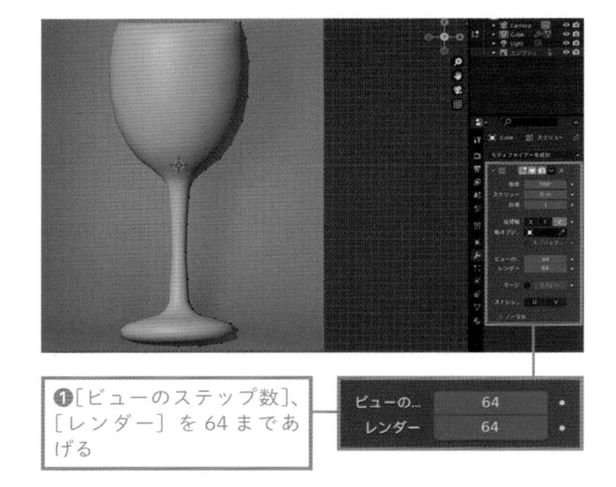

❶［ビューのステップ数］、［レンダー］を64まであげる

グラス画像のエンプティを隠す

出来上がったモデルの仕上がりを見るために、邪魔なグラス画像エンプティを隠してしまいましょう。

❶ ［**オブジェクトモード**］でグラス画像のエンプティオブジェクトを選択して、H を押すと［**ビューポートで隠す**］状態とすることが出来ます❶。

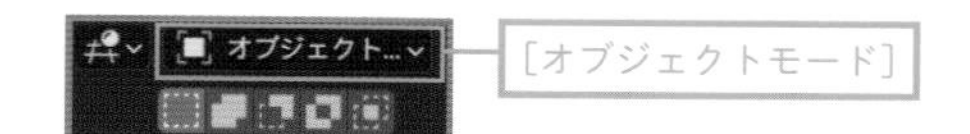

［オブジェクトモード］

❶ H（ビューポートで隠す）でエンプティオブジェクトを隠す

POINT

エンプティオブジェクトをもう要らないからと言って削除してしまうと、あとでやっぱり必要となった時に困ってしまうので、この隠す機能を活用しましょう。隠す状態にしたオブジェクトは、Alt+H で隠しを解除し、再び表示させることが出来ます。画面右上の［**アウトライナーエリア**］で、該当オブジェクト右の目のようなアイコン が表示状態によって切り替わります。この目のアイコンを直接クリックすることでも隠し／表示を切り替えることが出来ます。

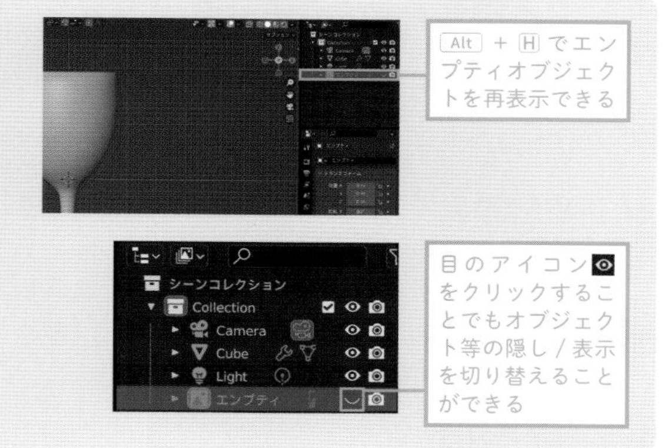
Alt + H でエンプティオブジェクトを再表示できる

目のアイコン をクリックすることでもオブジェクト等の隠し／表示を切り替えることができる

グラスに丸みをつける

グラスの解像度を上げる作業を行います。

❶ 思ったよりもカクカクした部分が多いかな、と感じた場合は、該当する箇所の辺を選択し、右クリックから［**頂点コンテクストメニュー**］を表示し［**細分化**］の実行でその辺に頂点を追加します❶。

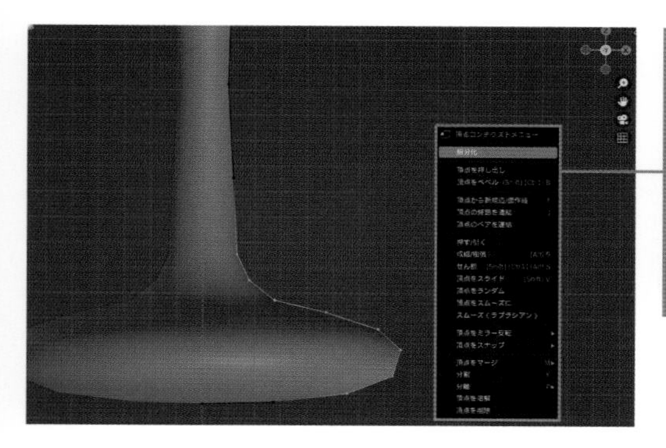

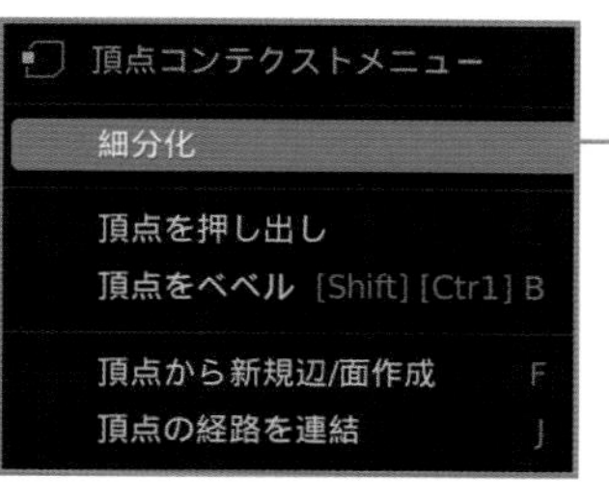

❶右クリックで［頂点コンテクストメニュー］を表示し［細分化］を実行

❷ 最後にこの頂点の配置を G（移動）によって丸みを帯びるように調節し、カクつきを抑えていきます❶。

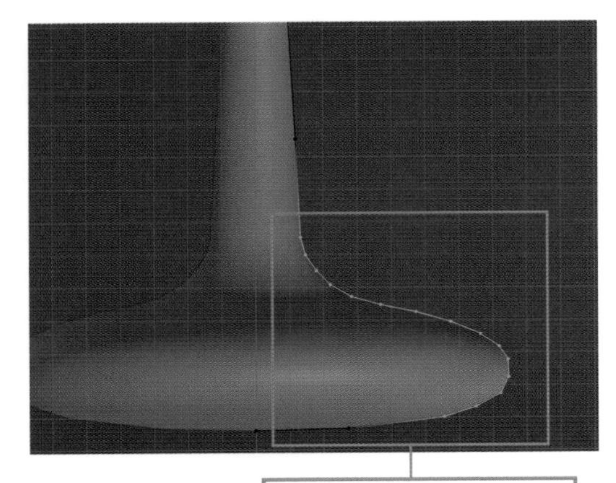

❶細分化した頂点を G で調整

グラスの底面をへこませる

これまでの工程ではグラス底面のへこみを考慮していなかったので、底面をへこませる作業を別途していきます。

❶ 底面中央の頂点を選択して G → Z で真上に移動させることで底面をへこませます。もちろん、中央頂点の 1 点だけではなく、隣り合った頂点もなだらかにお椀状に繋がるよう、一つひとつ移動して調整します❶。

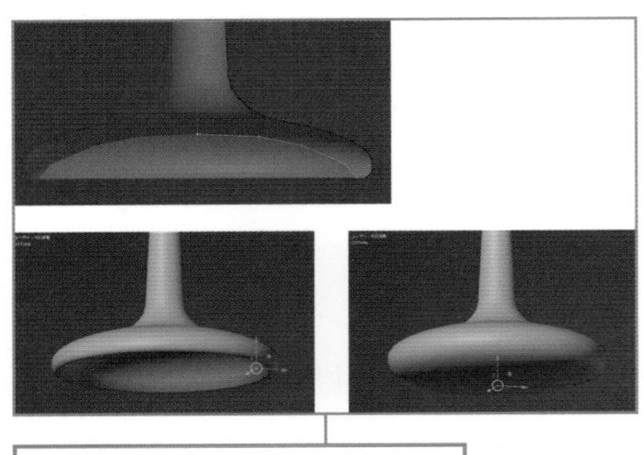

❶底面中央を G → Z で上に移動させる

POINT

この際、これらの頂点が Y 方向へズレてしまうとスクリューモディファイアーが上手く機能しなくなってしまうので、きちんと真正面からの視点（テンキー 1）で作業するか、G を押した後に Z や Shift +Y を押して移動軸を限定することで頂点の位置が「Y=0」を保つように工夫しましょう。

自動スムーズ

［スクリューモディファイアー］は、デフォルトでオブジェクトがスムーズシェーディングになるよう設定されています。丸みを帯びた部分ではありがたいのですが、フチの部分など鋭角に表示してほしい部分までもが一緒に丸くなってしまいます。

このように、場所によってスムーズシェードとフラットシェードを使い分けたいようなオブジェクトでは、［編集モード］で面一つひとつを個別に設定する方法もあるのですが、プロパティエディターの逆三角形のようなアイコン（オブジェクトデータプロパティ）タブの［**ノーマル**］パネルで［**自動スムーズ**］にチェックを入れることにより、その右側に表示された角度以下のエッジのみをまとめてスムーズシェードにすることが出来ます。無機物等、硬いものをモデリングする際には非常に役に立ちます。

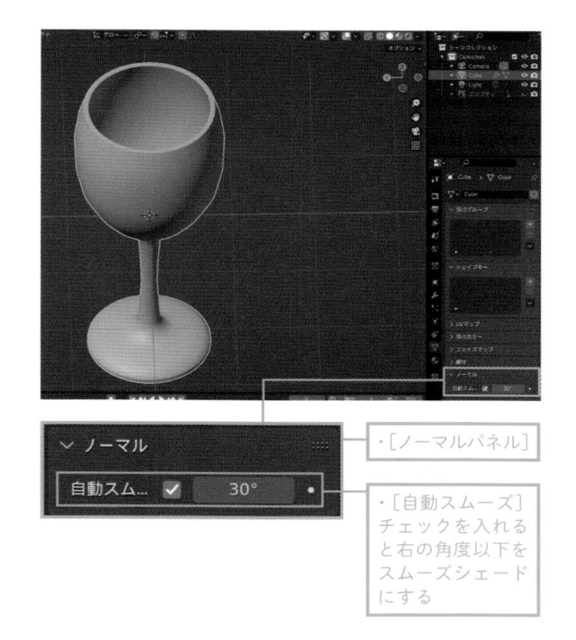

実物とサイズを合わせる

最後に、せっかく実際に存在するものをモデリングするのですから、オブジェクトのサイズもきっちり現実のものと合わせてしまいましょう。

POINT

たった１つのものだけをモデリングするのではなく、例えばたくさんのモデルを作って同じ場所に配置するような場合、それぞれのモデルの相対的な大きさを調整する必要が出てきます。全ての物を予め現実のものと同じ大きさに合わせておくことで、モデル同士の相対的な調整を比較的楽に済ませられるようにしておくという狙いがあります。また、後述する物理シミュレーションを設定する際にも、現実の大きさに合わせておくことには大事な意味があります。今回のこのグラスは実際に測ってみたところ底面の直径が6cm でした。

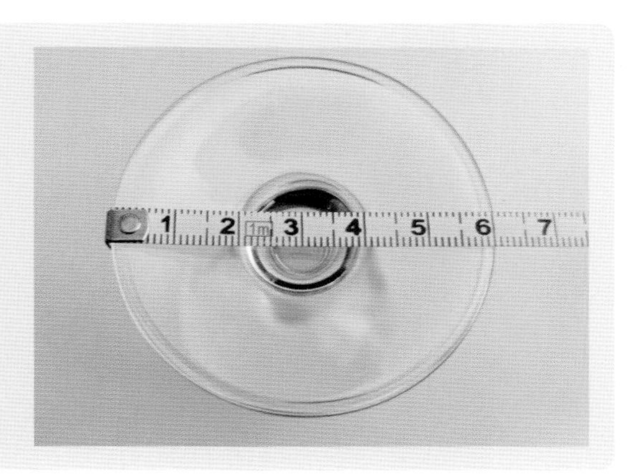

❶ まずは［**オブジェクトモード**］で Shift +A から［メッシュ］>［立方体］を追加します❶。
　ただの大きさガイドとして一時的に置くだけのものなので、実際には立方体でなくても何でも良いのですが、表示の軽さや視認性から、一番適していると言えるでしょう。

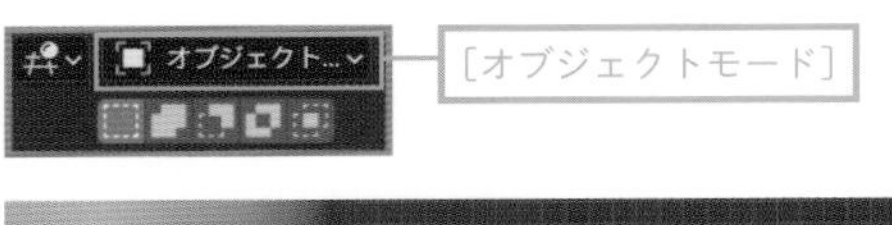

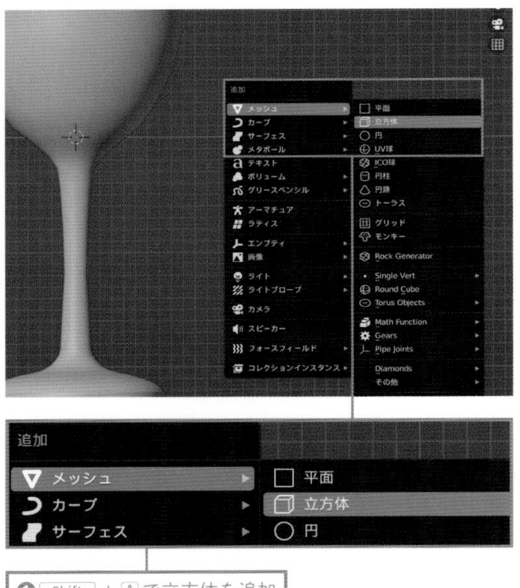

❷ N により表示できる右側のサイドバーのうち、［**アイテム**］タブ内にある［**寸法**］の **［X］** の欄に「6cm」と入力します（標準はメートル表示なので 0.06m へ変換されます）❶。

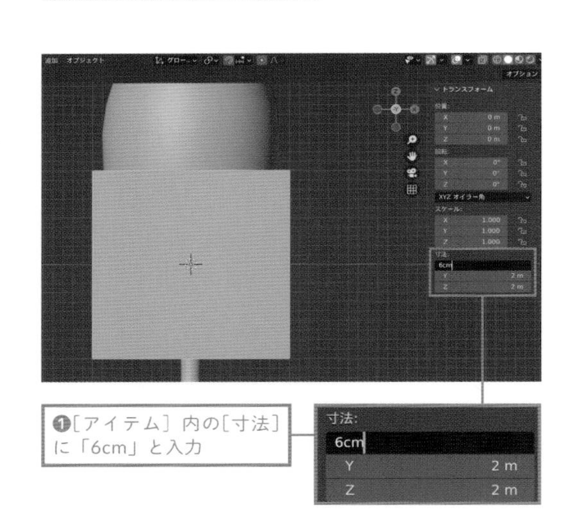

❸ グラスオブジェクトの方を選択し、今作った横幅6cmの立方体に S によるサイズ調整で底面の横幅を合わせます❶。

ただし、この状態ではまだ完成ではありません。サイドバー［**アイテム**］タブ内で、このグラスオブジェクトの［**スケール**］の値を確認してみてください❷。

ここの値が、全て「1」になっていない場合、このオブジェクトは現在標準の大きさになっていないことを示しています。つまり、見た目は「6cm」に合わすことが出来ていますが、Alt+S を押すと元のサイズ変更前の大きさに戻ってしまい、このオブジェクトのメッシュ自体の大きさは内部的には6cmになっていません。

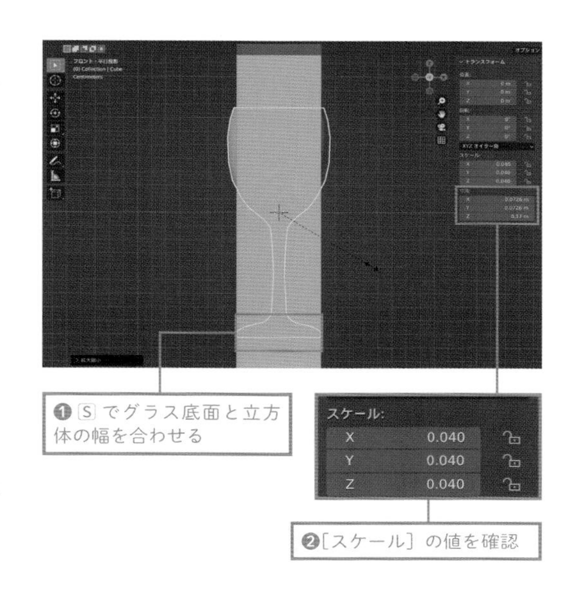

❹ そこで、Ctrl+A の［**適用**］メニューから［**スケール**］を実行してみてください❶。

見た目は「6cm」のまま、［**スケール**］表示が全て「1」になったことが確認できたでしょうか。この状態ならば Alt+S を押してもサイズはこの状態のまま変化しません。つまり、見た目も中身もきちんと大きさを合わせることが出来た状態になります。

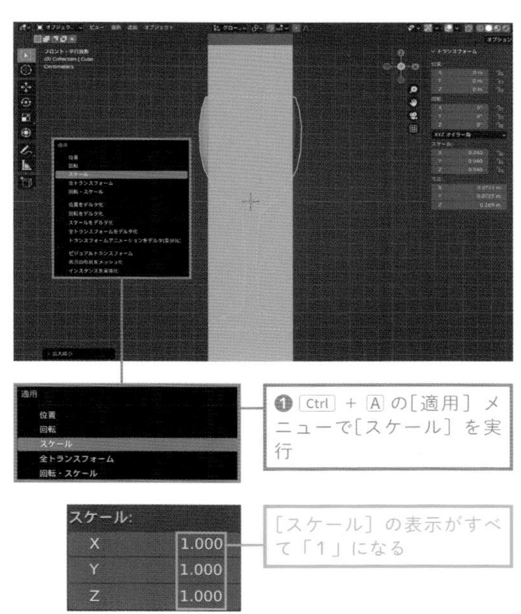

できた !!

オブジェクトのサイズとメッシュ自体のサイズの違いをきちんと理解できていないと、様々なモディファイアーや物理シミュレーションに後々支障をきたしていくことになるので、しっかりと把握しておいてください。これで、ワイングラスの形状の完成となります！

MEMO

Blender はデフォルトでは長さの表記がメートル（m）単位となっています。ですが、場合によっては cm 単位で作業したかったり、もっとミクロな世界、あるいは逆に太陽系や銀河系のようなマクロな世界のモデリングがしたい事もあります。そんな時は、プロパティエディターの左列のうち円錐と球が描かれたタブ（シーンプロパティ）内の、［単位］パネルを開きます。ここでは、長さをキロメートルからマイクロメートルまで様々な単位の表示に切り替えることが出来るだけでなく、角度や時間、重さ等まで色々な単位へ切り替えることが出来ます。きっちりと長さを合わせた正確なモデリングが必要で、且つ極端なスケールのシーンを作りたい場合は、すべての作業を始める前にまずここの項目の設定から検討したほうが良いかもしれません。

サンプルファイル　samplefile/Chapter2/2-3

チェスセットをつくろう

この節では、チェスボードとチェス駒を作っていきます。ワイングラスと同様、写真をガイドとして作成していきますが、チェス駒はデザインが統一されているわけではないので完全に本書の作成手順に追従したい場合、お手数ですが以下のURLからsamplefile.zipをダウンロードし2-3フォルダのchesspiece.pngという画像ファイルをご使用ください。

【サンプルダウンロード】

URL https://www.sbcr.jp/product/4815611910

チェスボード（チェック柄部分）の作成

［グリッド］メッシュからチェック柄を作成します。

チェスボード作成をはじめる

まずはチェスボードの方から作っていきましょう。

1. デフォルトで置いてある立方体オブジェクトを削除し、Shift+Aから［メッシュ］>［グリッド］を追加します❶。

POINT

一見ただの平面オブジェクトに見えますが、3Dビューポート右上にある球が4つ並んだようなアイコンの内、一番左端の格子状のような球のアイコンをクリックすることでオブジェクトが［ワイヤーフレーム］表示となり、普通の平面ではなく縦横に分割が入ったメッシュである様子がわかります。

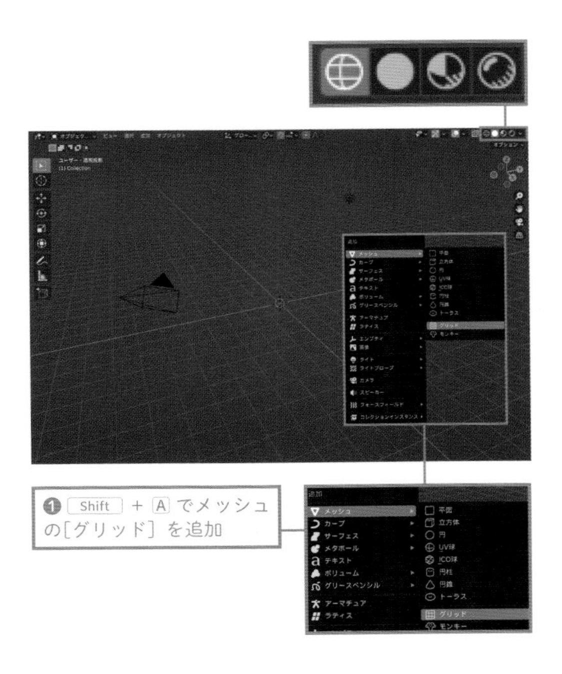

❷ この時左下に表示される［**グリッドを追加**］の■マークをクリックして開き、実物の公式チェスボードはおよそ45cmだそうなので、［**サイズ**］の欄に「45cm」と入力します❶。

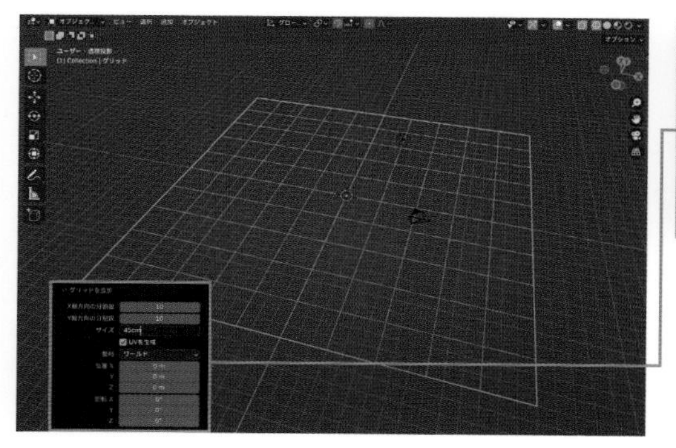

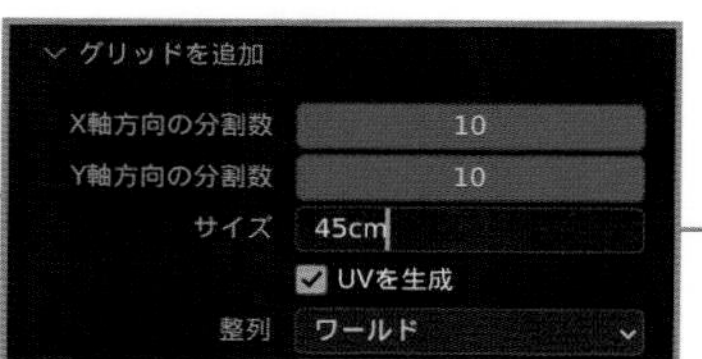

❶左下に表示される［グリッドを追加］の■で［サイズ］に「45cm」を入力

チェスボードにマテリアルを適用する

ここでいきなりですが、少しマテリアルをいじる作業を行います。本来、モデルの色や質感を司る「**マテリアル**」は次の章（P.111）で本格的に説明を行うのですが、モデリング作業中の視認性を良くするために一旦仮置きのような形で色の操作を行ってみようと思います。

❶ ［**オブジェクトモード**］でこのグリッドオブジェクトを選択した状態で、［プロパティエディター］左列タブ群の中から下から二番目のチェック柄の球体のようなアイコン■の［**マテリアルプロパティ**］を選択します❶。

右上の■ボタンを2回クリックすることでマテリアル欄を2つ追加します❷。

追加された2つの内、下の方のマテリアル欄を選択して、その下の［**新規**］ボタンをクリックします❸。

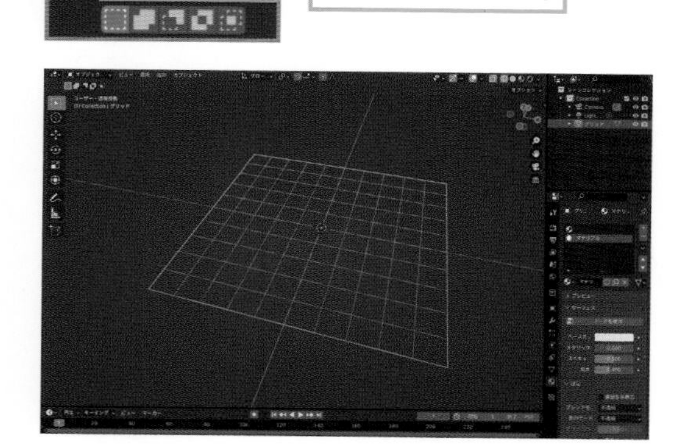

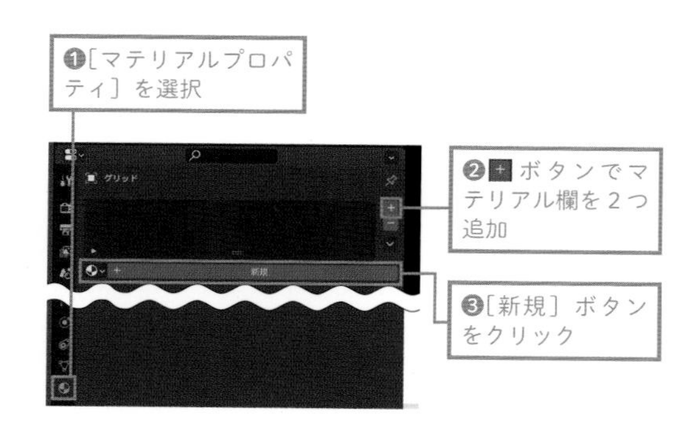

❷ ［**新規**］ボタンをクリックした際に表示される［**サーフェス**］パネル内の［**ノードを使用**］ボタンをクリックすることでこれをオフにします（ボタンがグレーアウトします）❶。

その下の［**ベースカラー**］欄右の白い四角い枠内をクリックすると、色を選択できる［カラーホイールフローティングウィンドウ］が開くので、ここで色を真っ黒に変更します（ウィンドウ外を操作することで閉じます）❷。

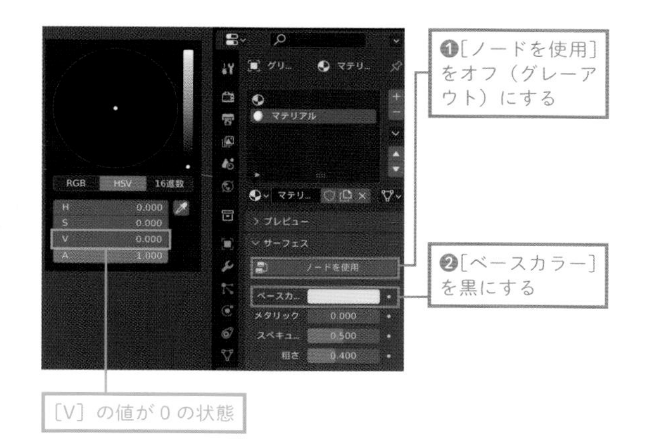

❶［ノードを使用］をオフ（グレーアウト）にする

❷［ベースカラー］を黒にする

［V］の値が0の状態

POINT

色を真っ黒にするには、このウィンドウ内右上の縦に白から黒にかけてグラデーションが描かれている細い棒の中にある白い点を一番下へドラッグします。または、［V］の値をドラッグや数値入力によって「0」にします。

❸ その後、［プロパティエディター］の［モディファイアータブ］へ移動し、**［ベベル］モディファイアー**を追加します❶。

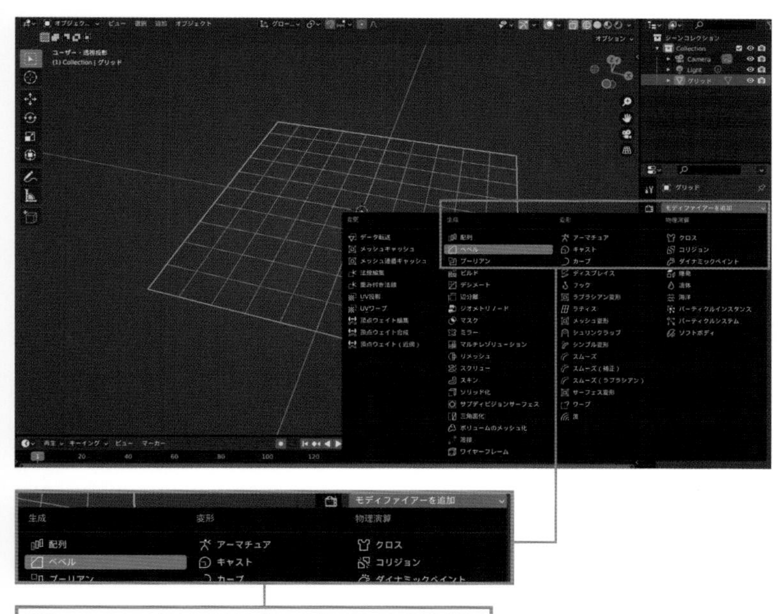

❶［モディファイアーを追加］から［ベベル］を選択

❹ 追加された、[ベベルモディファイアー] パネル内で [量] を「0.001」に、[制限方法] を「なし」に、シェーディング項目を開き [マテリアルインデックス] を「1」に変更します❶。

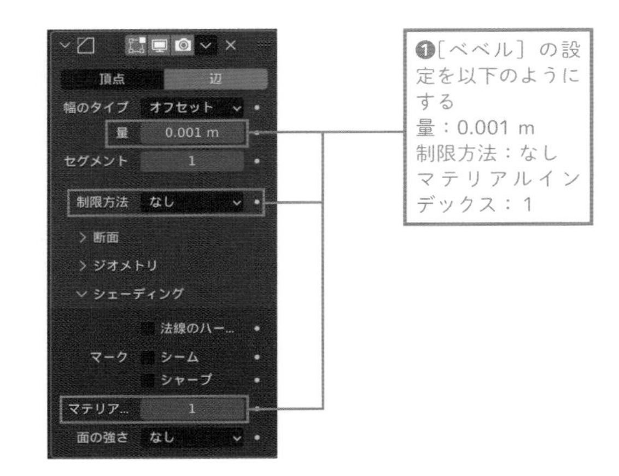

● ベベル

[ベベル] は、辺を厚みのある面へ変換し挿入する効果を持つモディファイアーで、[マテリアルインデックス] によって挿入された面のみに 1 つずらしたマテリアルを適用することで格子状を視認しやすい状態にしています。

❺ 3D ビューポート右上の塗りつぶされた球のようなアイコンをクリックすることで [ソリッド] 表示に戻して確認してみてください❶。

なお、このオブジェクトの表示状態の切り替えはショートカットキー Z からも行うことが出来ます。

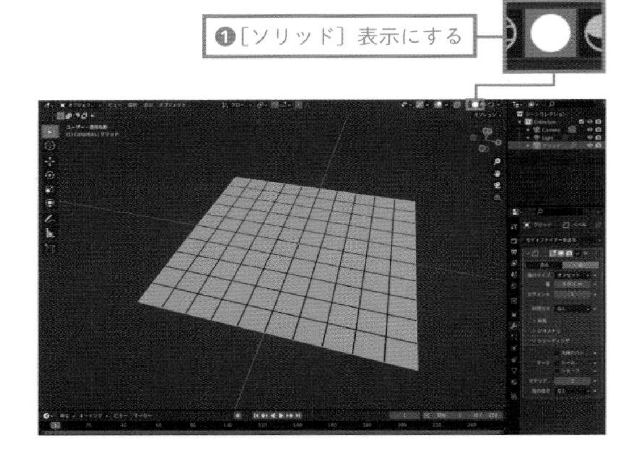

MEMO

Blender の数値入力欄では、直接キー入力により数値を入力できるだけでなく、上にマウスカーソルを置き、左右にドラッグすることで数値を増減させることも出来ます。この操作は Blender 上のどの数値入力欄でも対応しています。また、ドラッグ中に Ctrl を押しっぱなしにすれば定量増減、Shift を押しっぱなしにすれば詳細増減させることが出来ます。この「マウス移動中に Ctrl、Shift を押しっぱなしで定量、詳細化出来る」という操作は、こういった数値入力欄の数値増減に限らず、Blender 上のあらゆる操作（例えば G による移動や R による回転）でも対応しています。

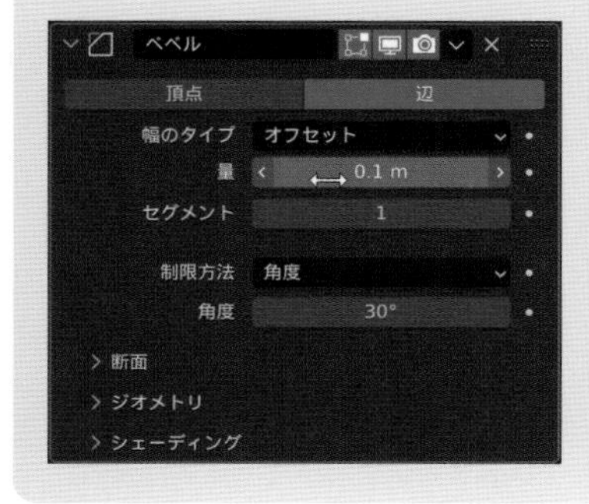

チェス駒の作成

いよいよ、チェスの駒の方をガイド画像を元に作成していきます。

ポーンの作成をはじめる

最初はポーンを作成していきます。

❶ グリッドオブジェクトの［**編集モード**］で、ポーンを置く位置にあたるマスの右から2列目、手前から3行目の面を選択します❶。

そして Shift +S から［**カーソル→選択物**］を実行し3Dカーソルを移動させます❷。

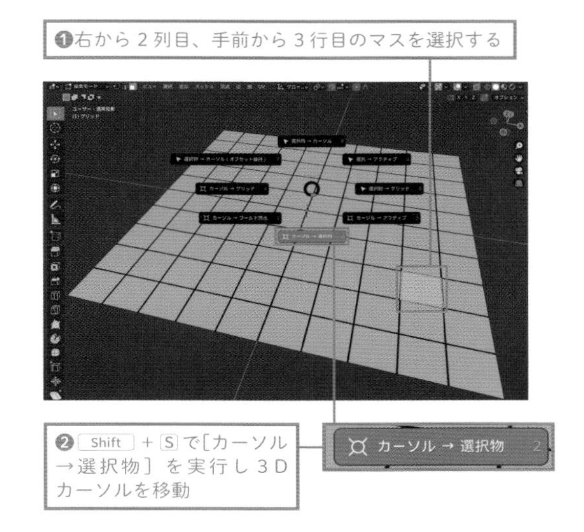

❷ Shift +A から［**円**］**メッシュオブジェクト**を追加します❶。

そして［フローティングウィンドウ］で［半径］を「0.015m」（1.5cmや15mmでもかまいません）と入力し、［フィルタイプ］を［Nゴン］に設定します❷。

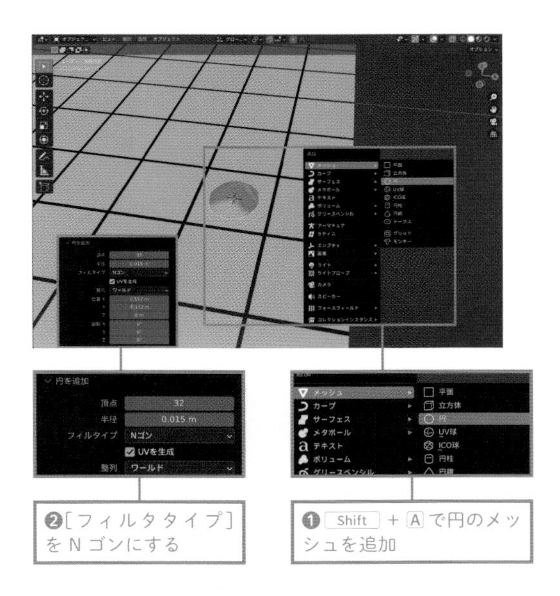

フィルタイプ

フィルタイプとはどのような形の面で円内を埋めるかという項目で、［三角の扇型］か［Nゴン］（分割の無い1つの多角形面）を選択できます。

ポーンの画像エンプティを追加する

ポーンのトレースのためのガイドを設置します。

❶ 作業を行いやすくするために、今追加した円を選択した状態で Shift +H を押し、この円以外の全てのオブジェクトを隠してしまいましょう❶。

その上で、前節のワイングラスと全く同じ手順でガイドとなる画像をエンプティとして追加します(P.64 参照)。G や S でポーンの底面と円オブジェクトの位置、サイズがピッタリ合うように配置します。

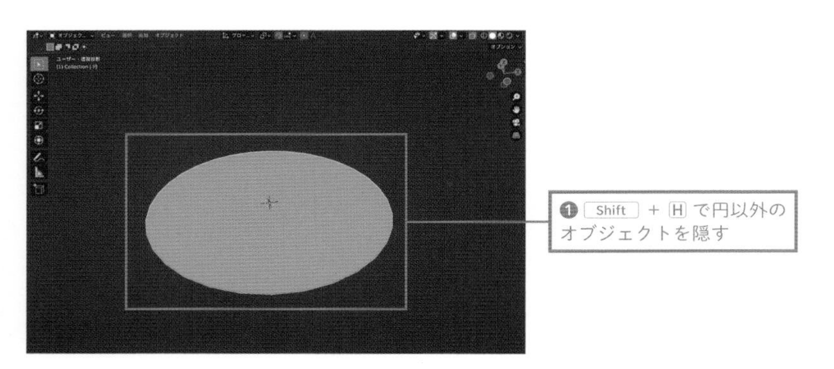

ポーンの柱部分をトレースする

ここからは追加したポーン画像のエンプティをトレースしていきます。

❶ 円オブジェクトの［**編集モード**］で A（全頂点を選択）→ E により真上へ押し出し、ポーンの一番底の円筒状の形にピッタリ合うように高さを合わせます❶。

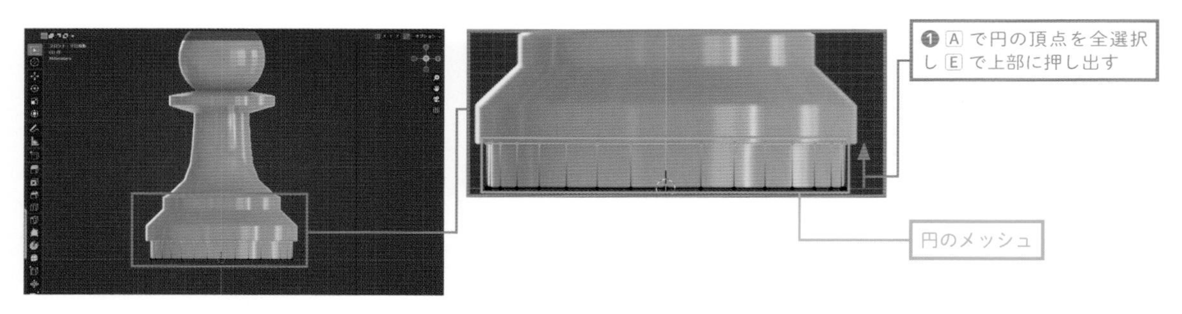

❷ その先の鼠返しのように地面に対して水平にオーバーハングしている部分では、E →左クリックで移動をキャンセル→ S による拡大という手順で下絵をトレースします❶。

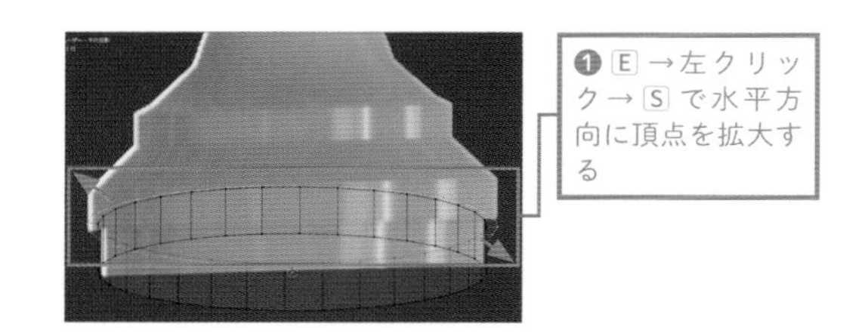

❸ その次はまた E により真上へ伸ばします❶。

その次の斜めに窄まりながら上へ伸びている箇所は、一旦 E により真上へ伸ばした後、S により縮めるという手順でトレースします❷。

あとは同様に上端の球状部分の手前まで、ここまでの手順を踏まえて押し出しとサイズ変更を駆使して作っていってみてください❸。

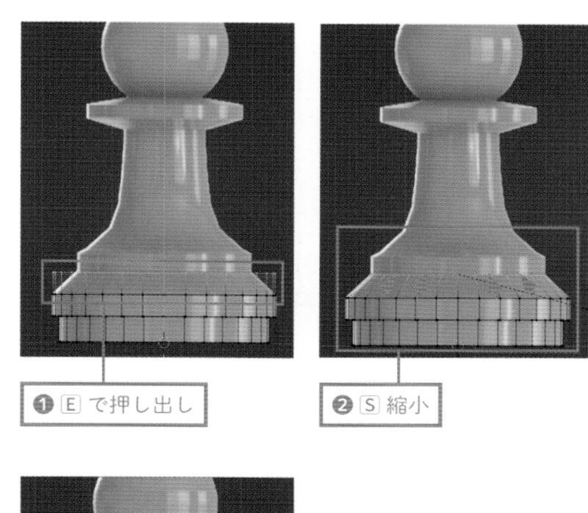

❶ E で押し出し

❷ S 縮小

❸❶と❷の手順を上部の球体の手前まで繰り返す

POINT

このような回転体の形はワイングラスのときと同様、スクリューモディファイアーで作ることも出来るのですが、このように円の押し出しの連続で作ることも出来ます。特にこのような曲線が少ない単純な形であればこちらの方法のほうが素早く作ることが出来る場合もあります。目指したい形から逆算して、どちらの方法のほうが効率的か考え選択していく、あるいは単純に好みの方、自分が慣れている作り方だからという理由で選択してしまっても構いません（本書のチェス駒作りではとりあえずこちらの押し出し方式でお付き合いください）。

ポーンの上部にある球体を作る

ポーンの最上部の球体部分は、今までと同じように頑張ってトレースして作っても良いのですが、人の手で完全な球を作るのはどうしても難しく、時間もかかってしまいます。そこで、この部分だけは新しくプリミティブを作ってくっつけてしまいましょう。

❶ ［**編集モード**］のままで Shift + A から［**UV 球**］を選択します❶。

［フローティングウィンドウ］で［半径］を「0.009m」、［位置］の［Z］を適当に上げて「0.045」あたりに上げます❷。

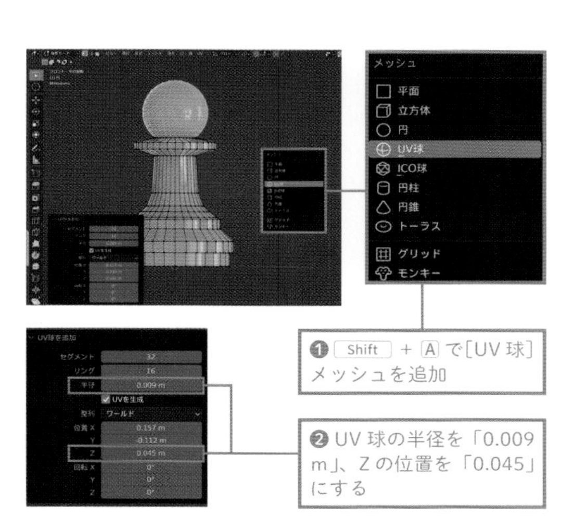

❶ Shift + A で［UV 球］メッシュを追加

❷ UV 球の半径を「0.009 m」、Z の位置を「0.045」にする

POINT

このように、新たなプリミティブは［オブジェクトモード］だけではなく［編集モード］でも作成することが出来、その場合、同オブジェクト内にメッシュが含まれることになります。

❷ これを土台部分とくっつけたいわけですが、このままだと球の下端部分が少し余計です。プリミティブ作成時はそのメッシュが全選択状態になっているので、そこから B →中ドラッグにより消したい部分以外を矩形選択することで選択除外します❶。

そして下端の消したいメッシュだけが選択状態になったところで X により削除します❷。

更にこの両者をくっつける準備として、土台の方のメッシュの上端にあたる面も削除しておきます❸。

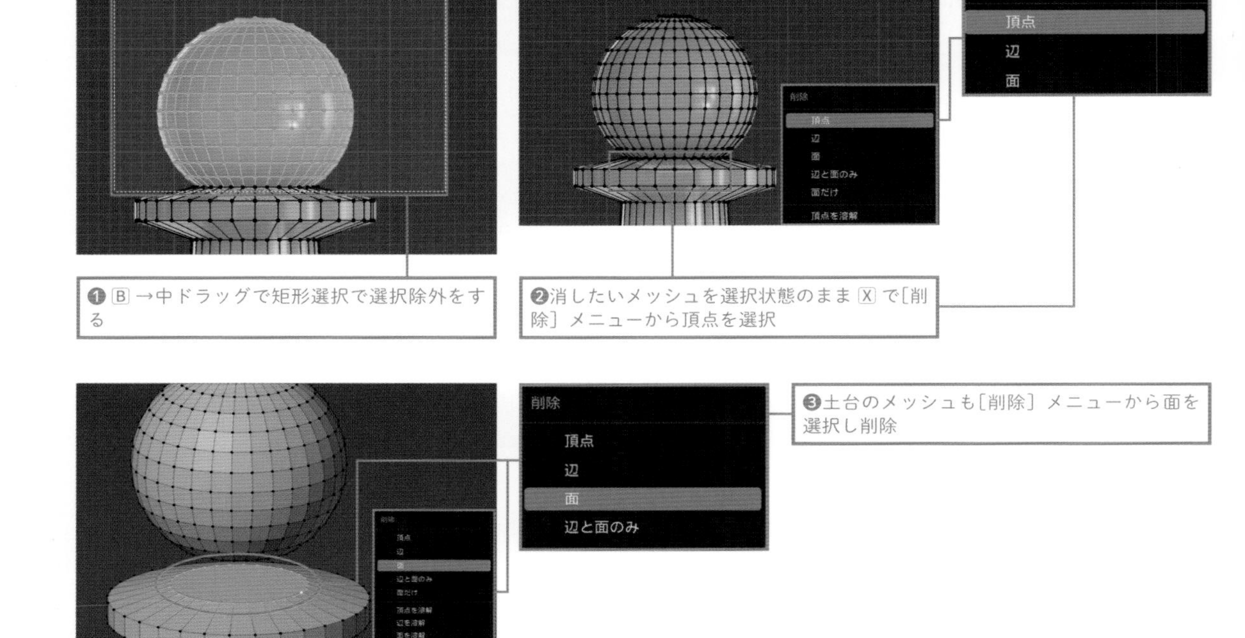

❶ B →中ドラッグで矩形選択で選択除外をする

❷消したいメッシュを選択状態のまま X で［削除］メニューから頂点を選択

❸土台のメッシュも［削除］メニューから面を選択し削除

POINT

問題はここからで、球状メッシュと土台メッシュそれぞれの開口部の高さ、つまりZ位置を完全にピッタリ同じにしなければいけません。こういったオペレーションにも、3Dカーソル、ピボット、スナップ機能が役に立ちます。

❸ まず土台の方の開口部、一番上端に当たるリング状の辺を Alt + 左クリックで選択します❶。
Shift + S の［カーソル→選択物］によってその中心へ 3D カーソルを移動させます❷。

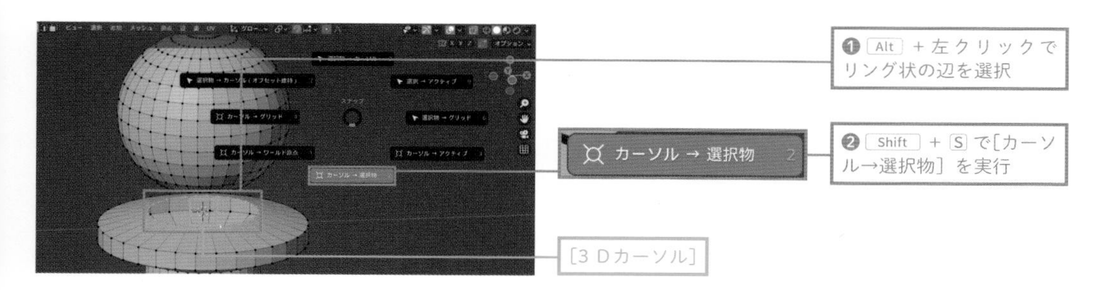

❹ 選択状態は解除し、次に球状メッシュの方の開口部を同じように Alt + 左クリックで選択します。そして今度は F によって面を貼ります❶。

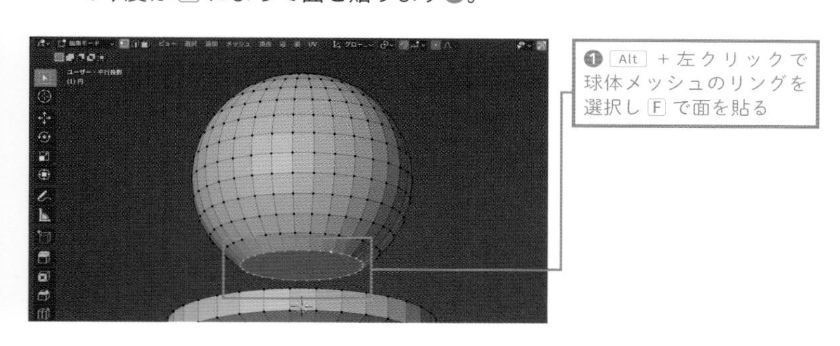

❺ 更に［**面選択モード**］に変更し、ピボットポイントを［**アクティブ要素**］に変更した上で、球状メッシュを Ctrl + L で接続面選択します❶。

そして今貼った底面がアクティブ要素になっていることを確認して Shift + S から［選択物→カーソル（オフセット維持)］を実行します❷。

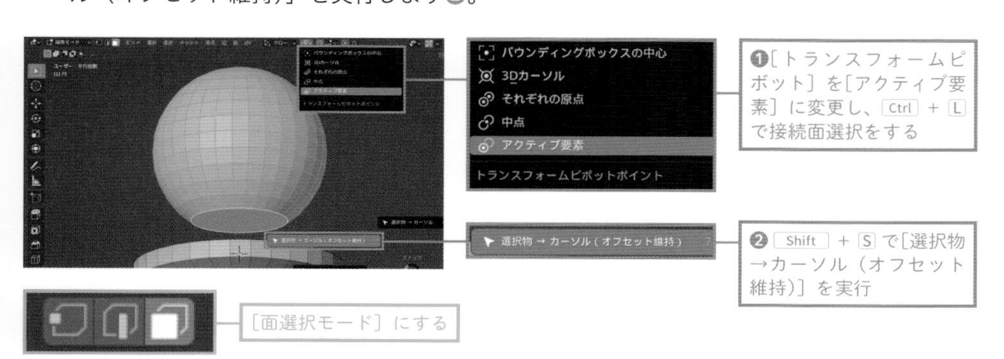

❻ すると、球状メッシュに追加した底面の位置が 3D カーソルの位置へ移動し、それに付随して球状メッシュ全体が相対位置を崩さぬよう移動します。うまく移動ができたら、今 F で貼った球状メッシュ底面はこの移動のためだけに一時的に貼ったものなので、選択して削除してしまいましょう❶。

❶不要になった底面を X の[削除] メニューから削除

❼ 最後に、球体メッシュと土台メッシュ両方の開口部のリング状の辺を選択します❶。
Ctrl+E（またはヘッダーメニューの［辺]）から［辺ループのブリッジ］を実行し、両者を面で埋めて繋げます❷。

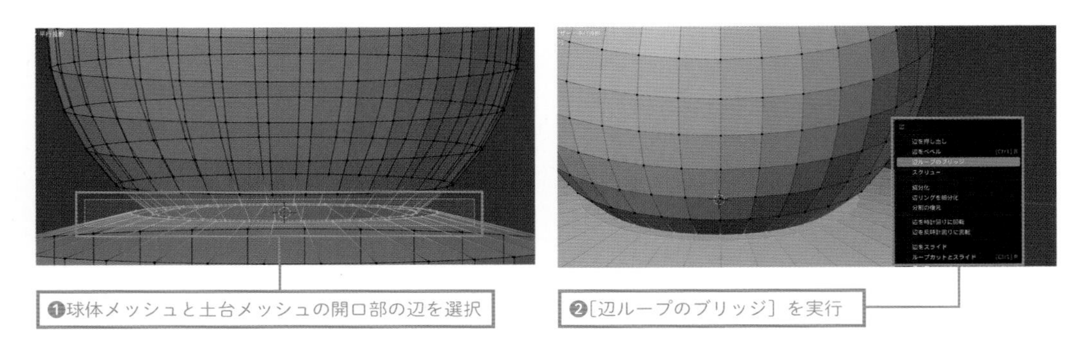

❶球体メッシュと土台メッシュの開口部の辺を選択

❷[辺ループのブリッジ] を実行

● 辺ループのブリッジ

この**辺ループのブリッジ**は、2 つの辺ループを選択していた時に、その両者を格子状に繋げてくれる便利な機能です。［フローティングウィンドウ］から、繋がり方の詳細を変更することも出来ます。

❽ これでポーンは完成です。滑らかな見た目にしておきたい場合は、ワイングラスの時と同様に［スムーズシェード］を選択し、［**自動スムーズ**］をかけておきます（この作業はどのタイミングで行っても構いません）❶。

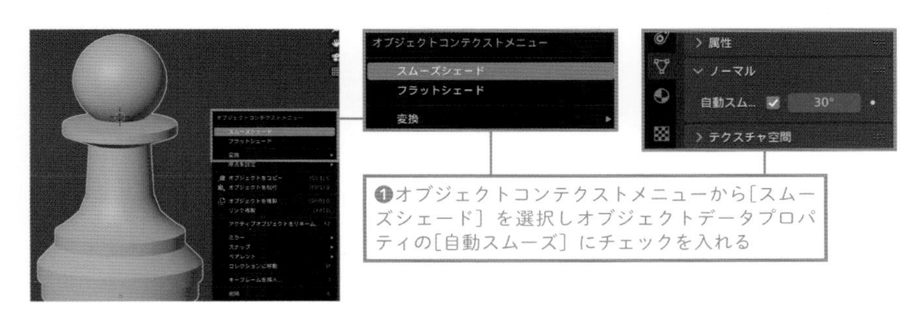

❶オブジェクトコンテクストメニューから[スムーズシェード] を選択しオブジェクトデータプロパティの[自動スムーズ] にチェックを入れる

作成したポーンをルークに流用する

次は、ルークを作成します。ポーンとルーク、両者の形を比較してみると、一番下の部分は大きさこそ違いますが、非常によく似ているように見えます。こういった場合はパーツを流用してしまいましょう。

❶ ［**オブジェクトモード**］に戻り、**グリッドオブジェクト**の［**編集モード**］に入ってポーンの時と同じように今度はルークを置くべきマス（ポーンの1つ手前の行）の面を選択します❶。

そして Shift + S の［カーソル→選択物］によって3Dカーソルをルークを置くべき場所へ移動させます❷。

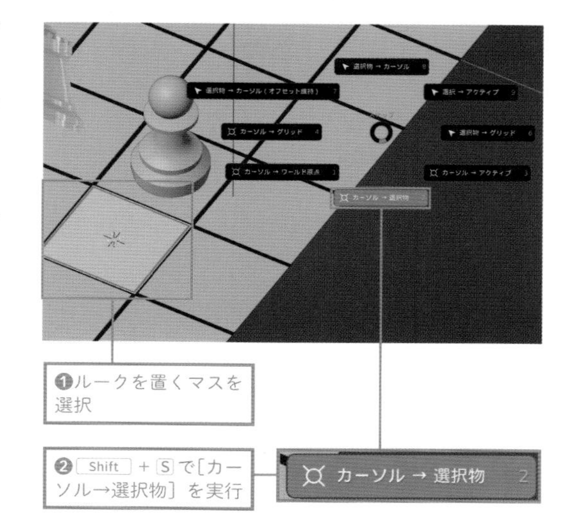

❶ルークを置くマスを選択

❷ Shift + S で［カーソル→選択物］を実行

❷ ポーンオブジェクトを選択して Shift + D を押すと、オブジェクトを複製することが出来ます❶。

そのまま複製したオブジェクトの移動モードになりますが左クリックで一旦適当なところに起き、Shift + S の［選択物→カーソル］によりこのオブジェクトをルークの位置へ移動させます❷。

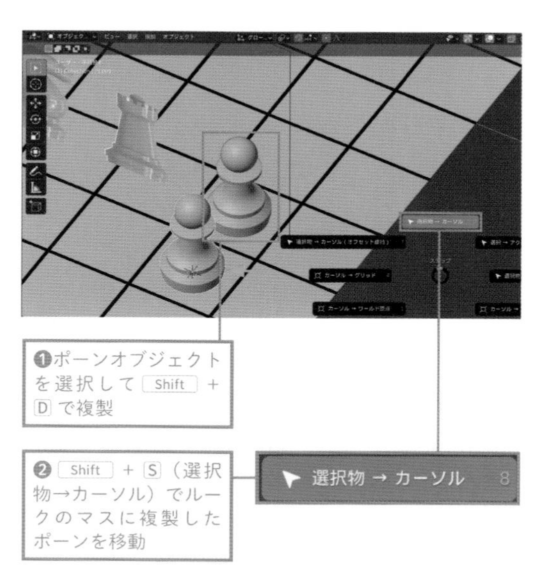

❶ポーンオブジェクトを選択して Shift + D で複製

❷ Shift + S（選択物→カーソル）でルークのマスに複製したポーンを移動

❸ テンキー 1 等で正面からの視点にした上で、画像エンプティのルークの部分をこのオブジェクトの位置へときっちり合わせておきましょう❶。

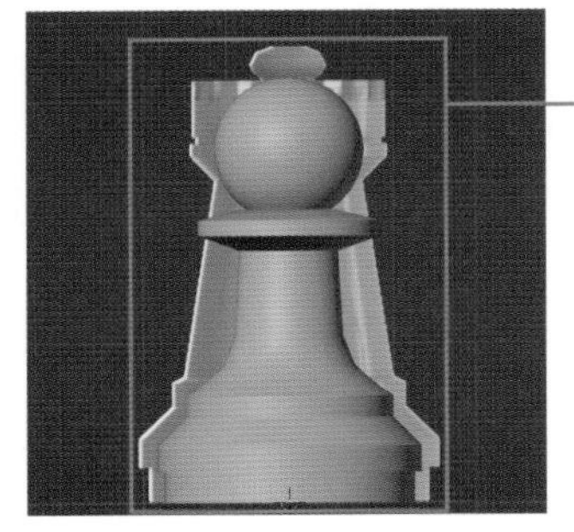

❶ルークの画像エンプティを複製したポーンに合わせる

❹ ［編集モード］へ入り、ルークの形と似通った下部を除いて全て削除してしまいます❶。

　ここまで手順通りに来ていれば、ちょうど 3D カーソルが底面中央に来ているはずなので、ピボットポイントを［**3D カーソル**］にして S による拡大でルークの下部の大きさに合わせます❷。

［編集モード］

❶ルークに流用する下部の部分以外を削除する

❷流用部分をルークのエンプティオブジェクトに合わせる

❺ あとはポーンの時と同様、E の押し出しと G の移動、S の拡縮を駆使して天頂部までトレースすることは可能…と言いたいところですが、少々複雑な部分も含まれますので、まずはこの方法だけで作れる単純な形のみを先に作ってしまいます（右画像を参考にしてください）❶。

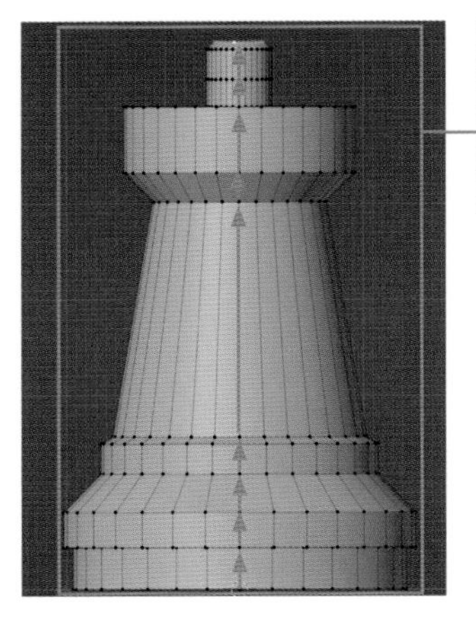

❶押し出し（E）、移動（G）、拡縮（S）を駆使して天頂部までトレース

ルークの上部を作る①

ルークの上部に1箇所、溝が掘られたような場所がありますが、このような造形は一度単純な面を作った後に追加で彫ってしまった方が楽なケースとなります。ではここからはルークの上部のオウトツ部分を作っていきます。

❶ 右画像の箇所で Ctrl + R によりループカット開始状態にして、マウスホイールを上下に転がしてみてください。するとループカットの線がホイール上下に合わせて増減します。線が2本になるよう調整して、左クリックで確定します（その後のスライド移動も確定します）❶。

❶ Ctrl ＋ R（ループカット）を開始しマウスホイールで線を2本に調整する

❷ 出来上がった2本のループ線は選択状態になっているので、そのまま S → Z や、G → Z により溝を彫りたい部分に合わせます❶。

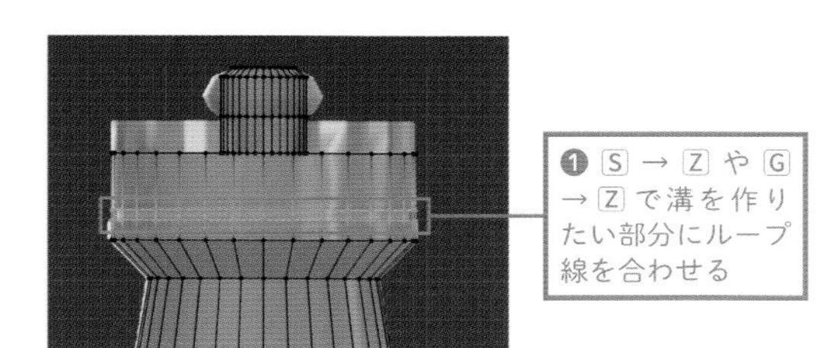

❸ 上手く合わせることが出来たら、E → G を右クリックでキャンセル→ S → Shift + Z により、内側へへこませるように移動させて左クリックで確定します❶。

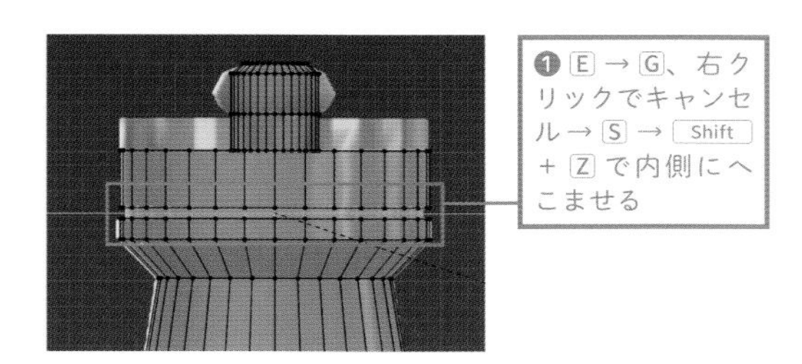

軸の限定

移動、回転、拡縮後に X、Y、Z を押すと効果をその軸に限定することが出来ますが、Shift を押しながら X、Y、Z を押すと、その軸以外の2軸に限定することが出来ます。これを利用し、Z軸以外に縮小効果を限定することによって溝を彫ることが出来るというわけです。

❹ あとは最も上部分の膨らみを、ループカットと拡大によって作ってしまいましょう❶。

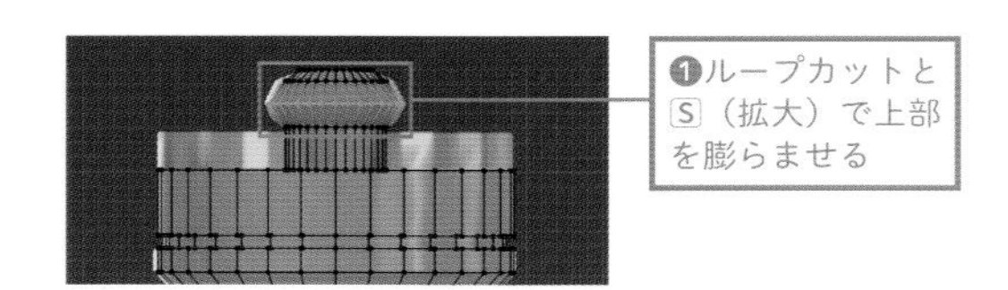

ルークの上部を作る②

あとはルークで一番難しそうな、お城上部にある塀のようなギザギザの部分です。

❶ 視点を斜め上からに移動させ、このギザギザの厚みに丁度合うようループカットによりループ線を加えます❶。

そして［**面選択モード**］にして Alt + 左クリックによりこの外縁の面をリング選択します❷。

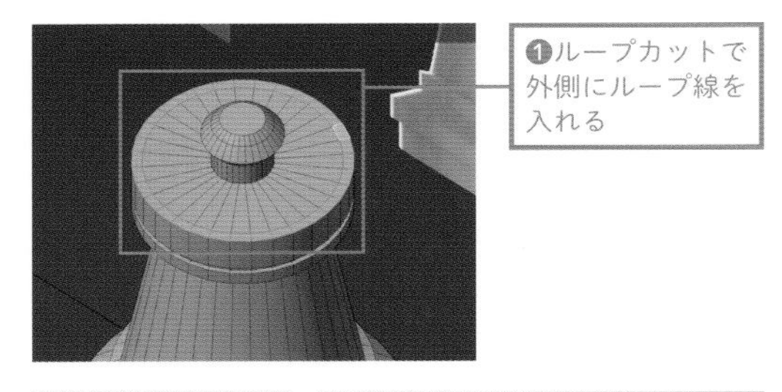

❷面選択モードにして Alt ＋左クリックで外側のリングを選択

❷ そしてヘッダーメニューの［選択］から［チェッカー選択解除］を実行します❶。

すると、今選択していた面を１つ飛ばしに交互に選択を解除してくれます。あとはそのまま、E で真上へ伸ばしてしまえば完成です❷。

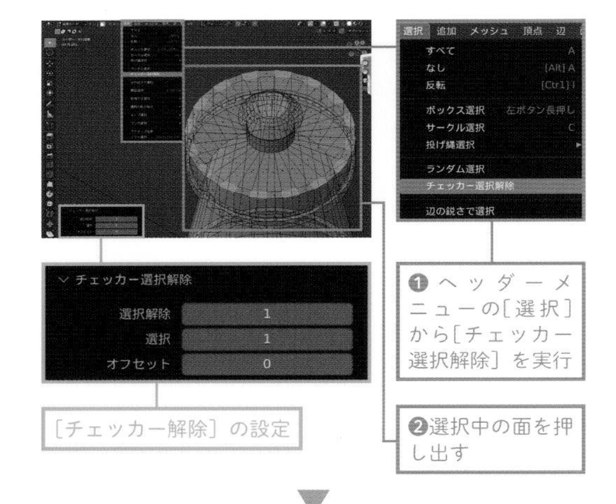

チェッカー選択解除

［**チェッカー選択解除**］の機能は、［フローティングウィンドウ］により２つ以上飛ばしや飛ばす起点のオフセット等を設定することも出来ます（今回はデフォルトのままで大丈夫です）。

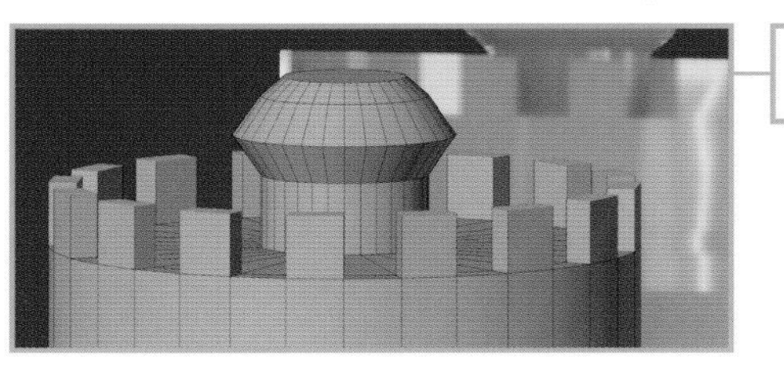

上部のギザギザが完成！

ナイトを作る

次は、ナイトを作成します。土台部分をそのまま流用する手順はポーン→ルークの時と全く同じですので割愛します（P.86）。

土台が出来たら E により上へ伸ばしていくという点は同じなのですが、今回はくねくねと真上だけではなく横方向にも移動させたり、更には R による回転も途中で必要になります。

❶ E、G、S、R を複合的に駆使して、なんとか右画像を参考にトレースしてみてください❶。

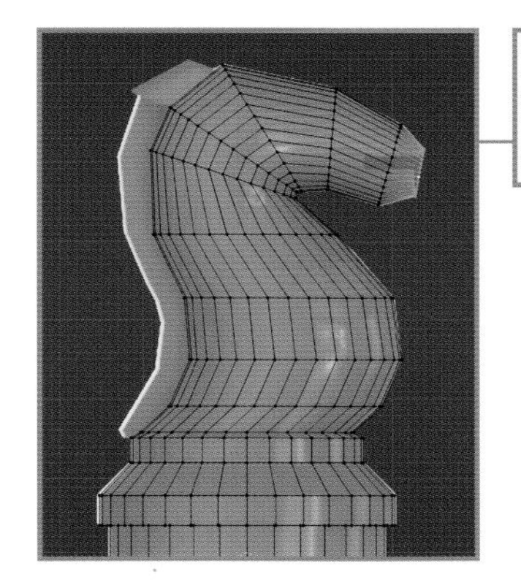

❶押し出し（E）、移動（G）、拡縮（S）回転（R）を使用してトレース

POINT

ここでも、曲がり方が急な部分では頂点は密気味にしていくというコツはグラスのトレース（P.66）と共通で、例えば馬の喉のあたりでは顕著になります。

❷ 正面からの視点で最後までトレースできたら、今度は斜め上からの視点で幅（Y 軸）の方を調整していきます❶。

今までと違い回転対称体とは程遠い形状をしているので少し作業は面倒になります。

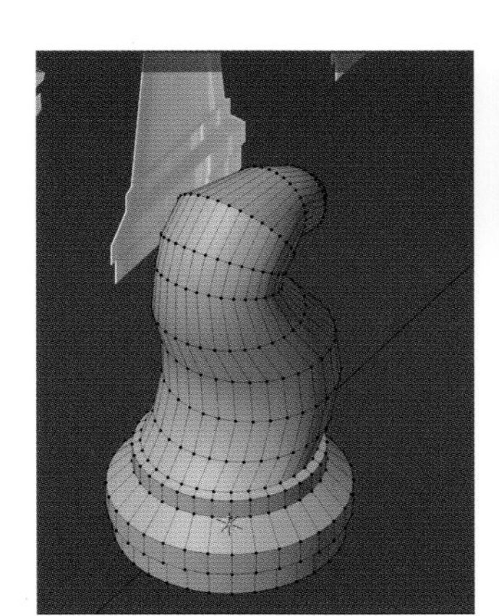

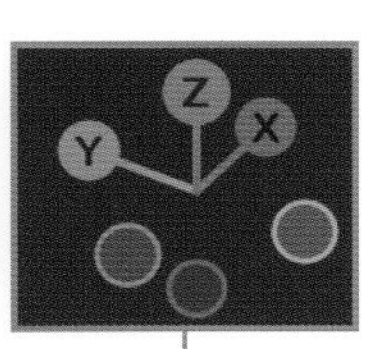

❶斜め上からの視点にする

❸ Y方向に太いな、と感じる箇所があれば、その部分を Alt + 左クリックでループ選択し、S → Y で補足していくという作業をループ一つひとつでやっていきます❶。

せっかく正面からのトレースが完了しているのにその分がまたズレてしまうという事態を避けるために、縮小のY軸への限定を忘れないよう作業していってください。

このように何度も S → Y を押さなくてはならなくなる状況では、ショートカットキーではなく左列ツール群の［**スケール**］ボタンをクリックしてサイズ変更マニピュレーターを表示させ、このうち緑色のハンドルを操作するという方法のほうが楽です。

❶ Alt + 左クリックでループ選択し S → Y でサイズを調整

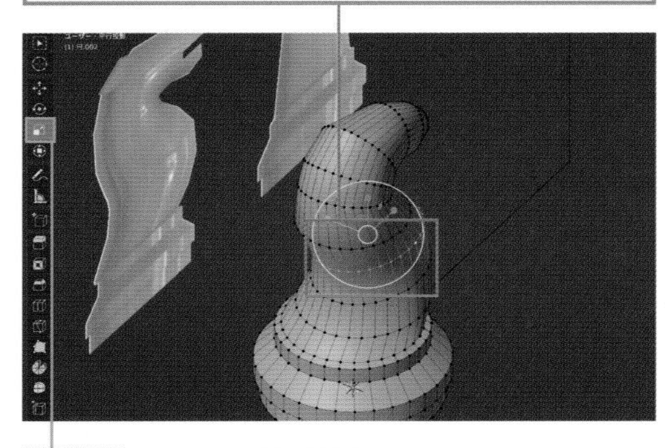

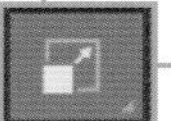

・［スケール］マニピュレーター
サイズを各軸方向に調整できる

たてがみと耳を作る

たてがみ、耳の突起を作成します。

❶ たてがみおよび耳の付け根の当たりそうな面を選択します❶。
E の押し出しで突起させます❷。
そして先程と同様にY軸に限定した縮小等で先側を細らせる等形を整えます❸。

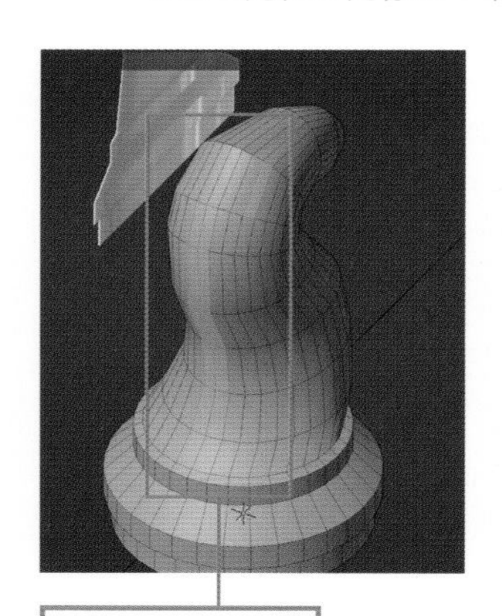

❶耳、たてがみにあたる面を選択

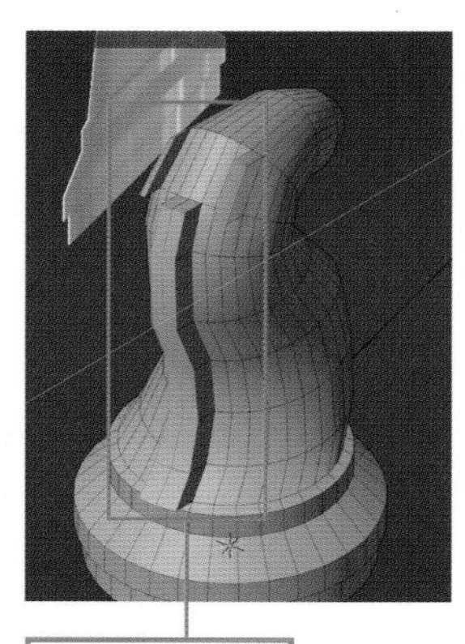

❷選択した面を押し出し

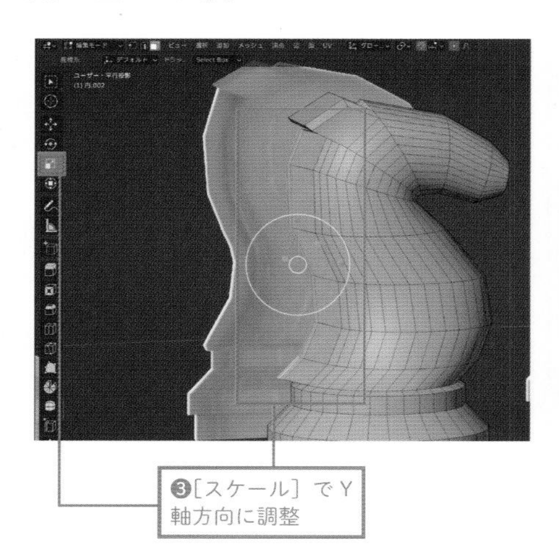

❸［スケール］でY軸方向に調整

口を作る

次に口を作成します。

❶ Shift+A により同オブジェクト内に立方体を作成し、サイズ変更や移動によって口の位置へ、まるでこの立方体を咥えさせてるかのような状態にします❶。

本体ナイトの方のメッシュは非選択状態、新たに追加した方の立方体のみ全選択状態であることを確認し、Ctrl+F（またはヘッダーメニューの［面］）から、［交差（ブーリアン）］を実行します❷。

すると、選択していたメッシュにより非選択メッシュをくり抜いたような形状にすることが出来ます。

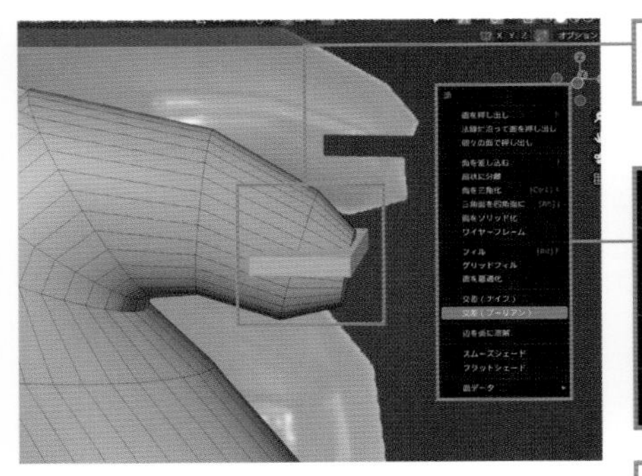

❶立方体をナイトの口部分に配置

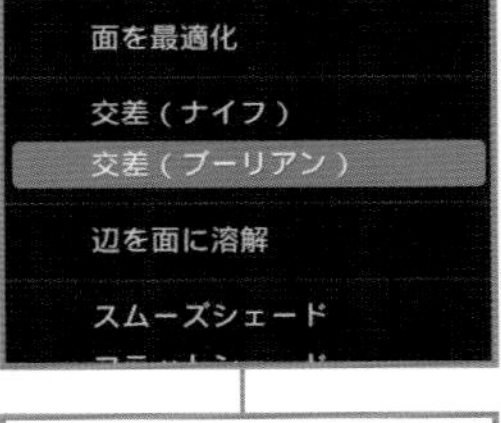

❷ヘッダーメニュー（Ctrl キー＋ F キー）で面から［交差（ブーリアン）］を実行

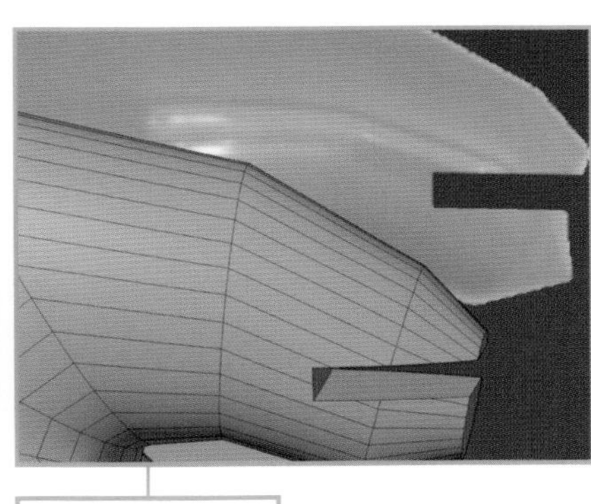

ナイトの口ができる

❷ ただし上記のままだと、顎側の先端の角度が少し違ってしまっています。この先端側を選択して R による回転で修正してしまうという手もあるのですが、そうすると Z 方向の長さが縮んでしまいます。こういった場合は、［**せん断**］が便利に使えます。T のツールバー下の方にある、立方体が斜めになっているようなアイコン（せん断）を選択し、ピボットポイントを［**アクティブ要素**］にしておきます❶。

顎先端の一番下側の頂点をアクティブ状態にしておき、［せん断］マニピュレーターの黄色のハンドルをドラッグすると、Z 軸の長さを変えることなく平行にずらすように選択頂点全体を倒す事ができます❷。

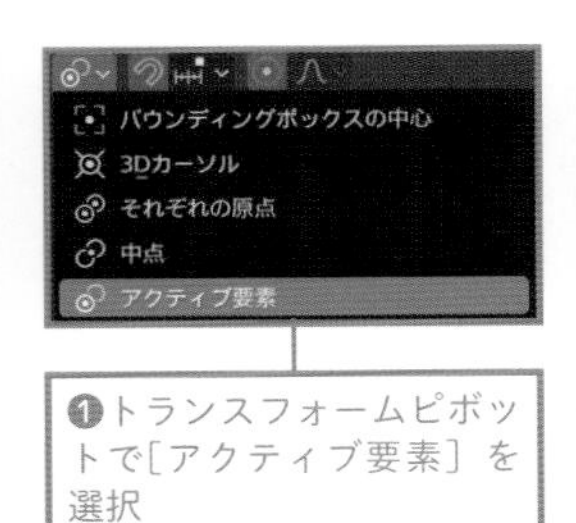

❶トランスフォームピボットで［アクティブ要素］を選択

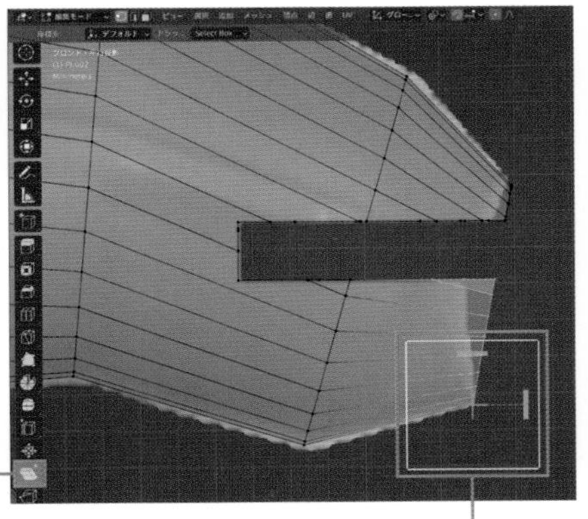

❷アゴ先端の頂点をアクティブ状態にし［せん断］を選択。黄色いハンドルをドラッグ

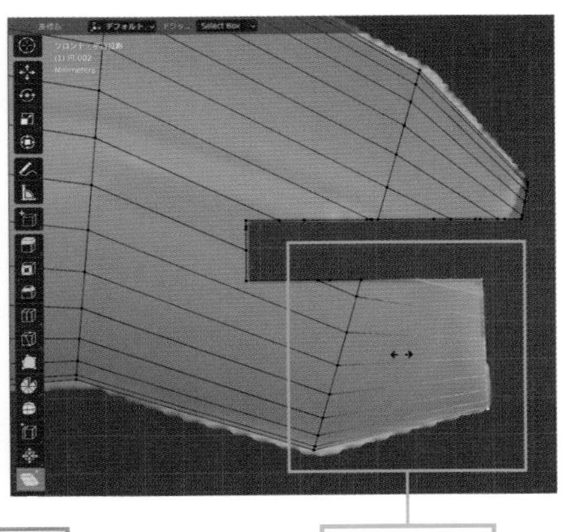

頂点を倒せた

MEMO

ブーリアン機能は、細部の複雑なモデリングを行う上でとても役に立ってくれる強力なツールです。今回のくり抜きを行った機能はブーリアンの［差分］にあたりますが、他にも両者を結合し１つのメッシュにする［合成］、両者の交差した部分だけを残す［交差］も、実行後の［フローティングウィンドウ］によって行うことが出来ます。また、この機能はモディファイアーとしても用意されていて、そちらは［編集モード］で行うものと違い実行後も演算前のオブジェクトを操作することが出来、後からの修正が容易になります。

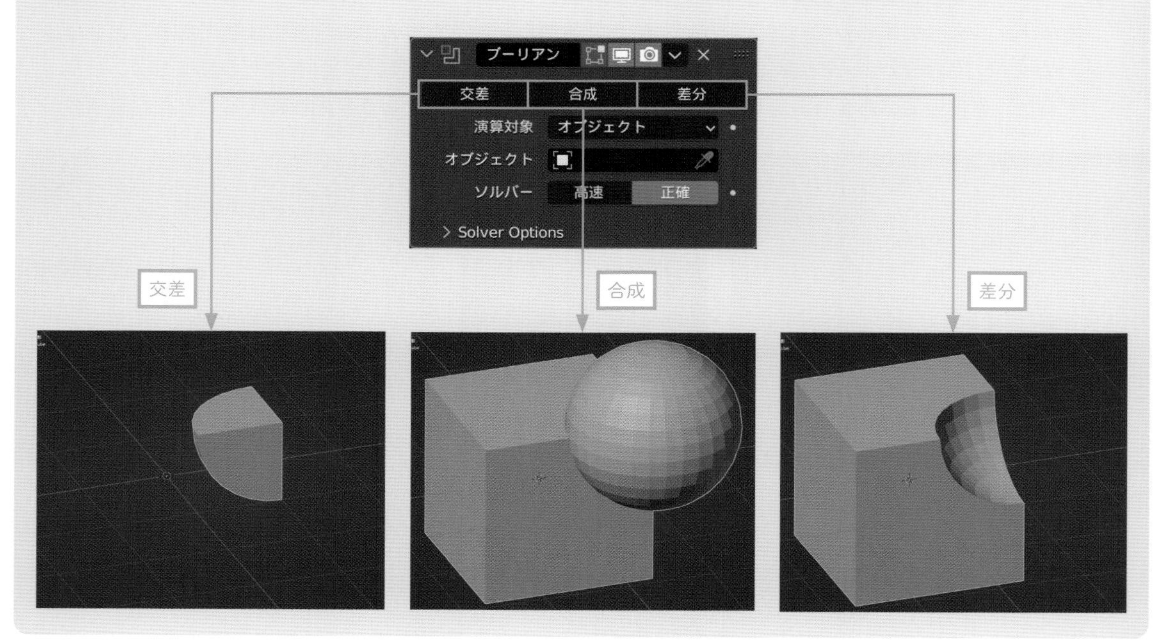

ビショップを作る

ビショップを作成します。これまで行ってきたことの復習のような形をしています。上部に入っている切り込みのような部分以外は、もう説明なしで作れるのではないでしょうか。ここからの手順は前述の手順が出来ている前提で解説を進めます。

❶ 上部に入っている切り込みのような部分は、ナイトの口を作った時と同じようにブーリアンを利用します。差し込む立方体が少し斜めに傾いている点がナイトより少し難易度が上がっているところでしょうか。もちろん、少し傾いていようが同じ手順でブーリアンを行うことが出来ます❶。

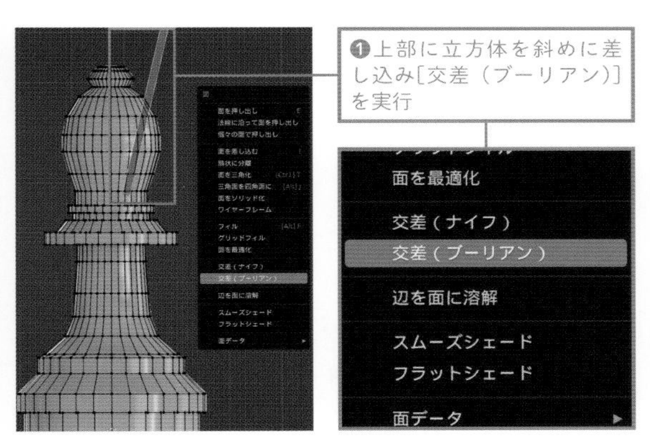

❶上部に立方体を斜めに差し込み[交差（ブーリアン)]を実行

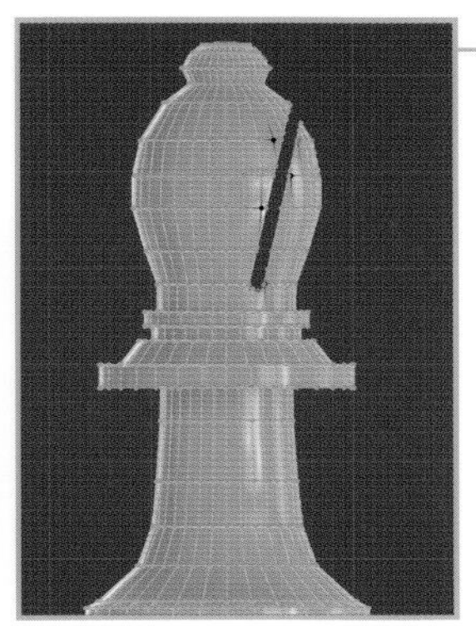
上部の切り込みができた！

❷ 先端部分はルークと同じ作り方をしていた場合、少し平らすぎてしまうかもしれません。こういった場合、平らな天頂部の面を選択し、Ctrl+F の［面］メニューから、［扇状に分離］を実行します❶。

これは円形に近い N ゴンの面を、ピザの切り込みのように扇状に分割し、中心に頂点を追加します。こうして作成した中心の頂点を少し真上に上げることで、丸みを帯びたような先端にすることが出来ます❷。

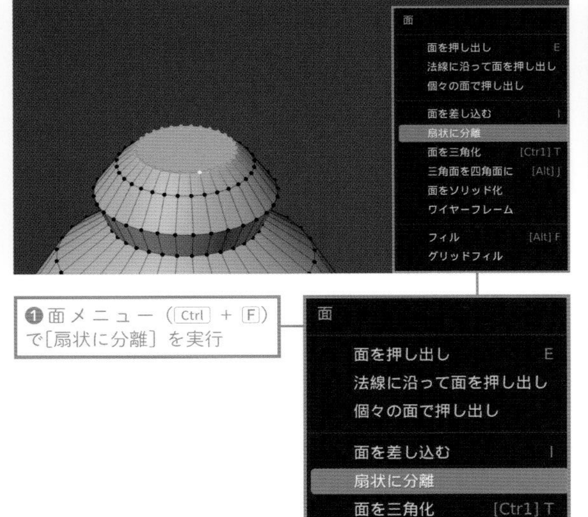

❶面メニュー（Ctrl + F）で[扇状に分離］を実行

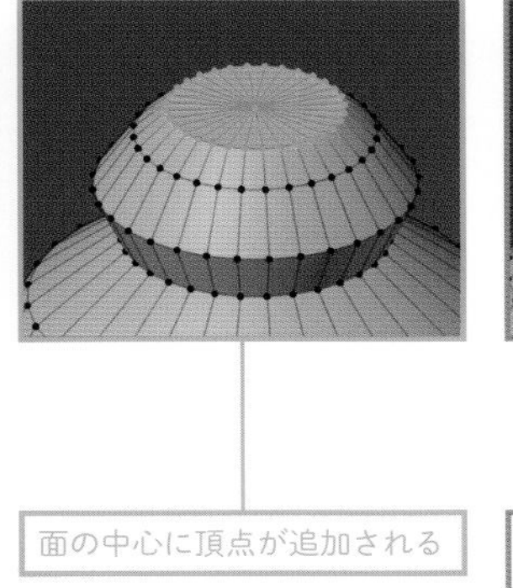
面の中心に頂点が追加される

❷中心の頂点を真上にあげる

クイーンを作る

　クイーンはビショップよりもさらに簡単な操作のみで作れる完全な回転対称型をしているので、まるごと割愛します。復習のつもりで、作ってみてください。クイーンはデザインによっては最上部付近にギザギザがあるものもあります。その場合はルークの作り方を参考にしてください。

キングを作る

　最後にキングですが、これは先端の十字架部分が少し複雑そうです。今まで通り、回転対称型の部分だけは先に全部作ってしまいます。

❶ 十字架の左右に突き出す部分の根元に当たる面を左右両方とも選択します❶。
　左列ツール郡の［押し出し］ボタンを長押しし、［押し出し（法線方向)］を選択します❷。
　この状態で出現する黄色いハンドルをドラッグすると、左右それぞれの方向へ押し出すことが出来ます❸。

キング

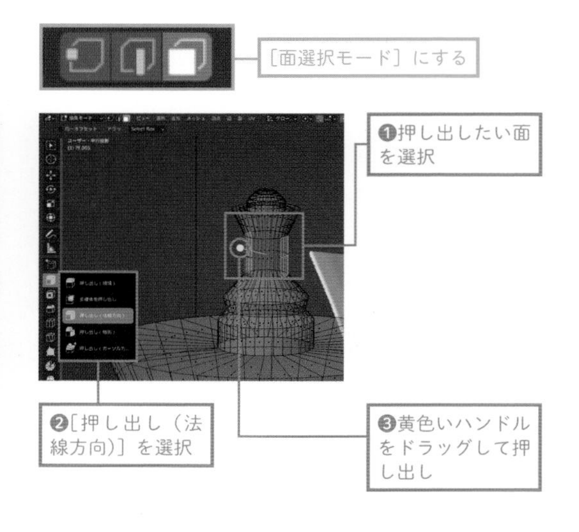

押し出し（法線方向）

この［**押し出し（法線方向）**］はショートカットキーの場合 Alt + E でアクセスでき、標準の押し出しは全て同じ方向にしか押し出せないのに対して、こちらは法線方向、つまりそれぞれの面の向いている方向に押し出してくれます。

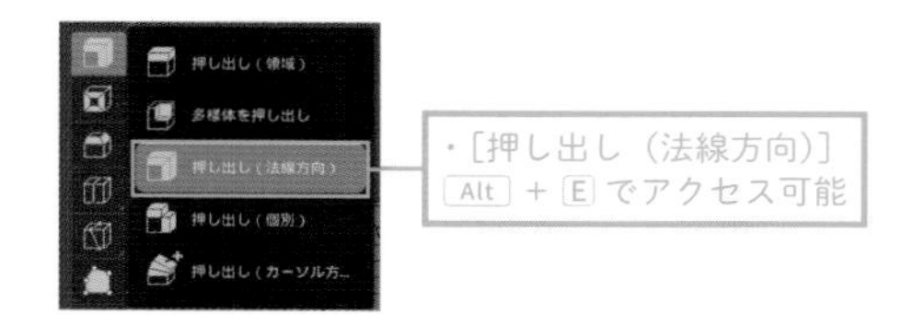

❷［押し出し（法線方向）］によって横方向は右画像のサイズ通りに十字架を伸ばすことが出来たら、S → Z によって縦方向のサイズも調整します❶。

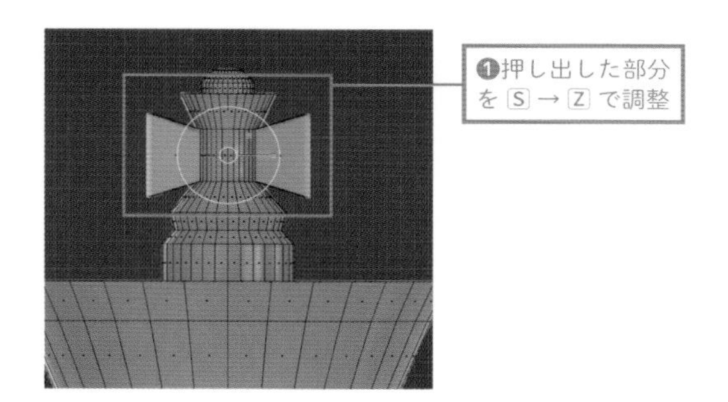

ポーンを複製する

これまで作成した全ての駒を、複製して必要な数を揃えましょう。

❶［オブジェクトモード］でポーンを選択し、Alt + D で複製して隣のポーンの位置に置きます。これをもう６回繰り返して、計８個のポーンを完成させます❶。

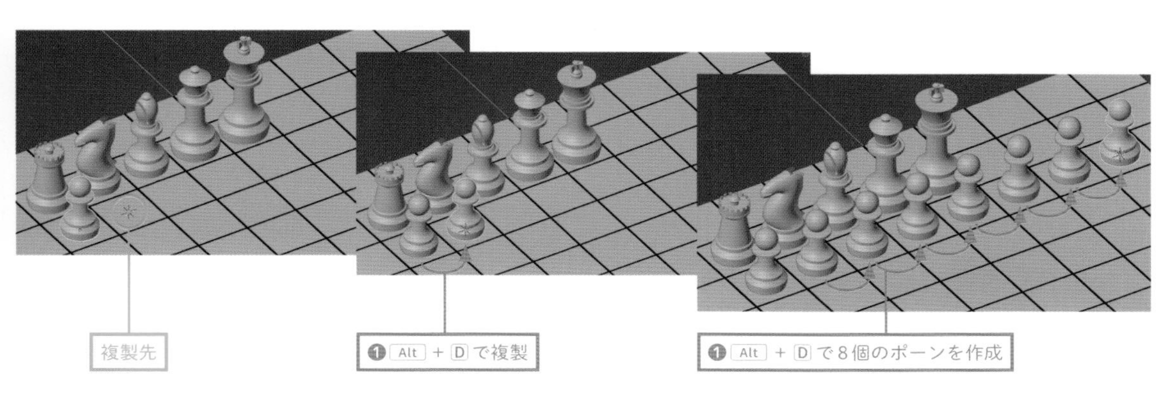

POINT

Blender には、Shift+D と Alt+D の 2 種類の複製が存在します。今回使用した Alt+D による複製は、**リンク複製**という特殊な複製になります。これは、それぞれのオブジェクト同士のメッシュデータが共有された状態になっており、この内どれか 1 つのオブジェクトのメッシュに変更を加えると、リンク複製された他のオブジェクト全てに同じ影響を与えることが出来ます。この複製は今回のチェス駒のように全て全く同じ形であってくれたほうが都合が良い場合に適していて、例えば後からデザインの一部に修正を加えたいといった事情が発生した場合、オブジェクト全てを一つひとつ修正していく必要がなくなるので、デザイン変更に対する心理的抵抗も低減できます。選択オブジェクトがリンク複製されているかどうかはプロパティエディターの［オブジェクトデータプロパティ］タブで確認できます。一番上部の欄右側に、「8」のような数字が表示されていた場合、同じメッシュデータが 8 個のオブジェクトで共有されていることを意味しています。［オブジェクトモード］でこの数字をクリックすることでリンク状態を解除することが出来ます。

同じメッシュデータを 8 個のオブジェクトが共有していることを示している

［オブジェクトデータプロパティ］

ルーク、ナイト、ビショップを複製する

ポーン以外のコマも複製します。

❶ ポーンと同様に、ルーク、ナイト、ビショップも 1 つずつ Alt+D で複製します。

❶それぞれの駒を複製する

❷ 相手側の駒も作成するため、3D カーソルを中央に置き、ピボットポイントを［**3D カーソル**］にした上で、今まで作成した駒全てを選択します❶。

そして Alt+D（複製）→ R（回転：Ctrl を押しながら回転させることで定量回転させられます）により点対称に複製させます❷。

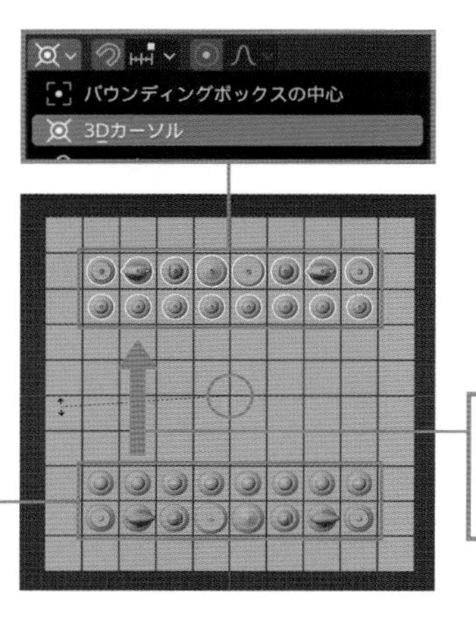

❶ピボットポイントを［3 D カーソル］にして作成した駒をすべて選択

❷ Alt + D（複製）、R（回転）で点対称で駒の複製を行う

❸ チェス駒の配置は、相手側ではキングとクイーンの位置が逆転するので、相手側のキングとクイーンのオブジェクトのみ選択し、ピボットポイントが［中点］になっていることを確認します❶

R → Z によりＺ軸回転させます❷。

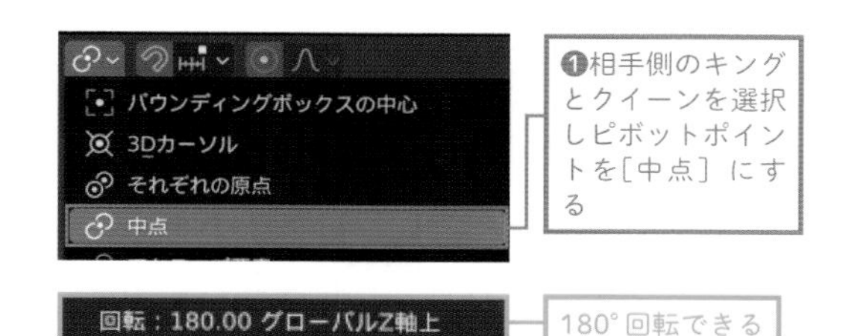

POINT

回転時、Ctrl を押しながらマウスを移動させることできっちり180°回転させましょう。または、回転中にキーボードで「180」と入力し Enter を押すことでも180°回転させられます。

MEMO

3D カーソルを中央に戻すには、以下の３種類の方法があります。

1. Shift +S から［カーソル→ワールド原点］を実行する
2. N で表示できるサイドバーの、［ビュー］タブにある［3D カーソル］の項目を全て手動で「0」にする
3. Shift +C で一発で戻すことも出来る（これは、シーン上に配置されているオブジェクトすべてを視界に収めるよう視点移動する機能も兼ねています）

オブジェクト全てを視界に収める視点移動だけならば、Home でも可能です。

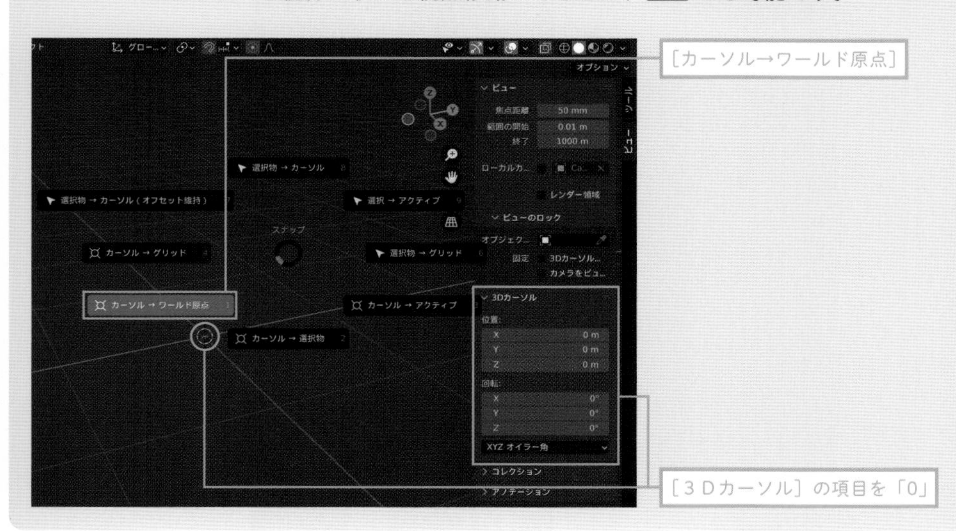

チェスボード（外枠部分）の作成

最後に、チェスボードの方を完成させます。

チェスボードを作る

［ソリッド化］モディファイアーを利用してチェスボードの外枠を作成します。

❶ チェスボードの［**編集モード**］に入り、外周のマスを Alt + 左クリック等を利用して選択し、P で［分離メニュー］から［選択］を実行します❶。

すると、選択していた面が他オブジェクトへ分離されます。

［**オブジェクトモード**］へ戻って、この分離された方の外周オブジェクトを選択します❷。

そしてプロパティエディターの［モディファイアー］タブで、既に追加していた［ベベルモディファイアー］のパネル内右上の ✕ ボタンをクリックすることでこのベベルモディファイアーは削除してしまいます❸。

❸ そして新たに［モディファイアーを追加］から、［ソリッド化］を選択して追加します❶。

これはオブジェクトに厚みをつけるモディファイアーで、パネル内の［オフセット］の値を「0」にして裏表均等に厚みがつくよう設定します❷。

これで、チェスセットの形状の全てが完成です！　このままチェスボードとチェス駒の作成を進めたい方は P.127 から制作の続きをはじめてください！

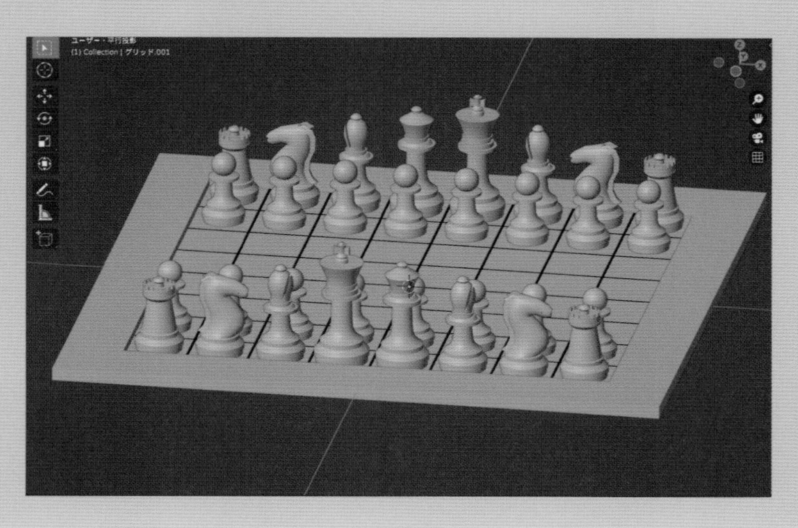

2-4 Chapter 2まとめ

ここまでのモデリングで使ってきたツール、ショートカットのおさらいをします。

ツール、ショートカットなどのおさらい

まずは3Dビューポート左端に表示されている［ツールバー］はTで出し入れすることが出来、モデリングに必要なツールがほとんどまとまっています。［オブジェクトモード］に比べ、［編集モード］ではより多くのツールが表示されます。このツールバーの右端にマウスカーソルを合わせるとカーソルの表示が⇔に変わり、そのままドラッグすればツールバーのサイズを変えることが出来、大きく広げれば各ツールの名前が右側に表示されるようになります。また、枠の右下に小さな三角マークが付いている項目は、長押しすることで同種のツールの別のタイプのものを選択することが出来ます。

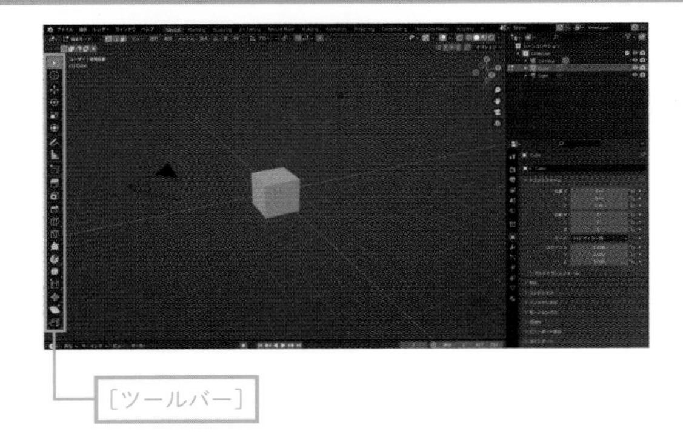

［ツールバー］

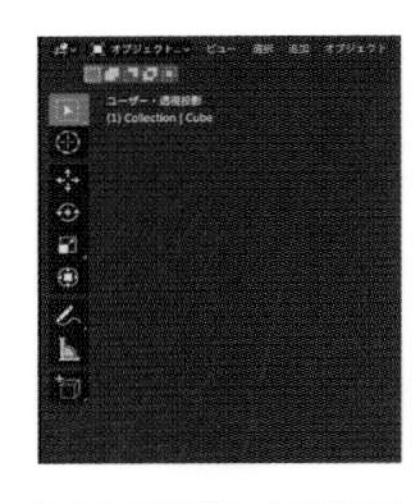

［オブジェクトモード］の［ツールバー］

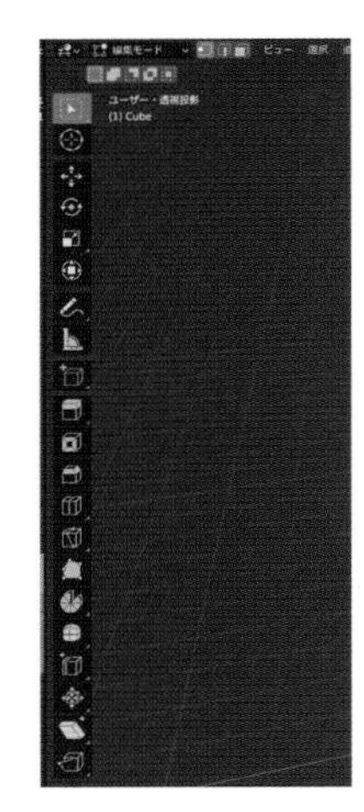

［編集モード］の［ツールバー］

ツール設定

3Dビューポートのヘッダーの下には［ツール設定］が表示されており、選択中のツールについての詳細な設定を行うことが出来ます。

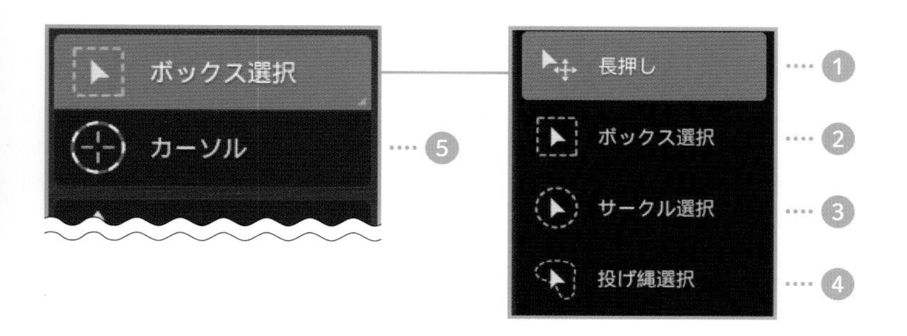

	ツール設定	説明	ショートカット
1	長押し	左クリックで要素を選択することが出来、そのままドラッグすることで選択要素の移動が出来ます。	W（選択 / 選択解除切り替え）
2	ボックス選択	矩形選択をする。ショートカットの場合は中ドラッグにより矩形内の選択を解除することが出来ます。	B W（選択 / 選択解除切り替え））
3	サークル選択	円形のカーソルでなぞった部分を選択するツールで、マウスホイールにより円のサイズを変更できます。ショートカットの場合は中ボタンでなぞった部分を選択解除します。	C W（選択 / 選択解除切り替え））
4	投げ縄選択	マウスでドラッグした範囲を選択出来ます。	Ctrl+ 右ドラッグ（選択） Shift+Ctrl+ 右ドラッグ（選択解除） W（選択 / 選択解除切り替え）
5	カーソル	左クリックした場所へ 3D カーソルを移動します。ツール設定で［サーフェスに投影］にチェックを入れていると、面の表面に当たり判定が生じます。	Shift+ 右クリック

POINT

メッシュ等を選択する際は選択モードを［新規選択］、［追加選択］、［選択から除外］、［交差部分を反転］、［交差部分を選択］の中から選ぶことが出来ます。

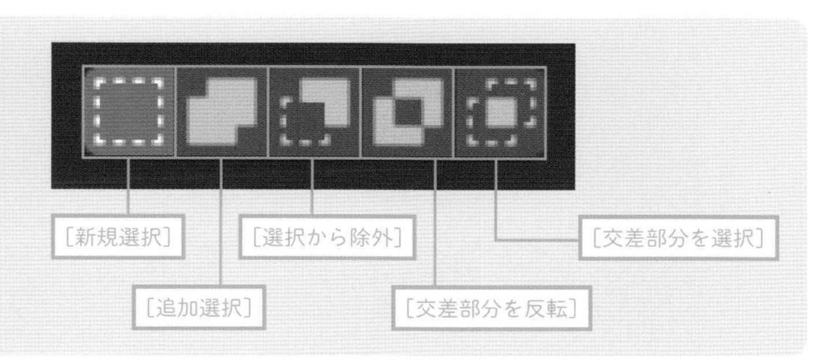

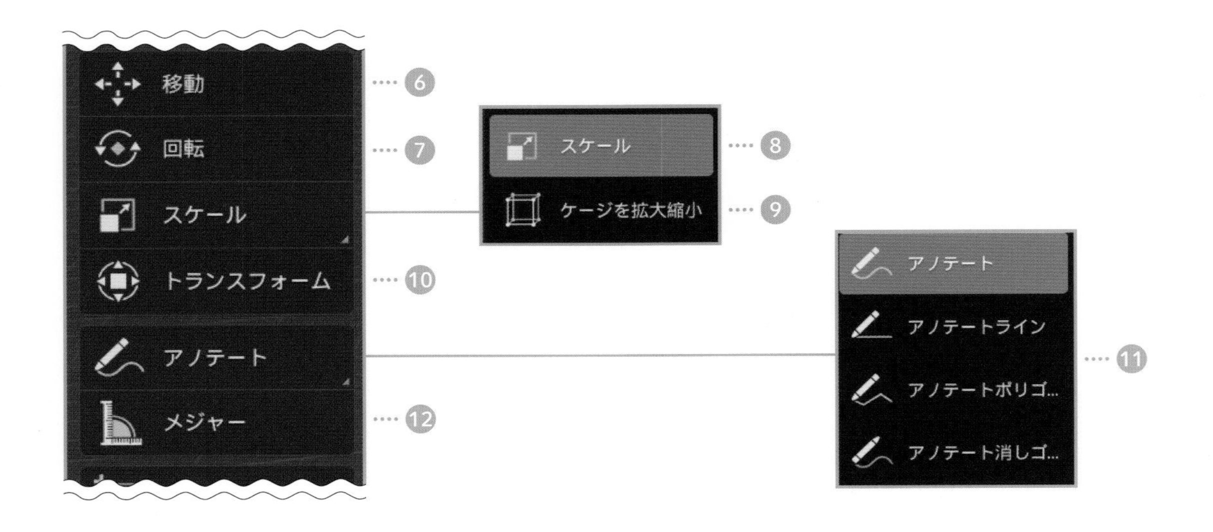

	ツール設定	説明	ショートカット
❻	移動	移動マニピュレーターを表示します。矢印をドラッグすることでその軸での移動、小さな平面をドラッグすることで 2 軸移動、白い輪をドラッグすることで現在視点に基づく移動をします。	G
❼	回転	回転マニピュレーターを表示します。RGB の輪をドラッグすることでその軸の回転、白い輪をドラッグすることで現在視点に基づく回転、輪内のそれ以外の部分をドラッグすることで三軸回転をします。	R R → R（三軸回転）
❽	スケール	スケールマニピュレーターを表示します。各ハンドルをドラッグすることで各軸に限定した拡縮、小さな平面をドラッグすることで 2 軸拡縮、白い輪内をドラッグすることで全体の拡縮を行います。	S
❾	ケージを拡大縮小	対象を囲うように表示されたケージの各ドットをドラッグすることで拡縮を行います。	—
❿	トランスフォーム	移動、回転、スケール全てのマニピュレーターを同時に表示します。	—
⓫	アノテート アノテートライン アノテートポリゴン アノテート消しゴム	3D ビューポート内に形式に合わせてメモを書き入れます。	D+ 左ドラッグ（メモ） D+ 右ドラッグ（消しゴム）
⓬	メジャー	3D ビューポート内の長さや角度を計測します。	—

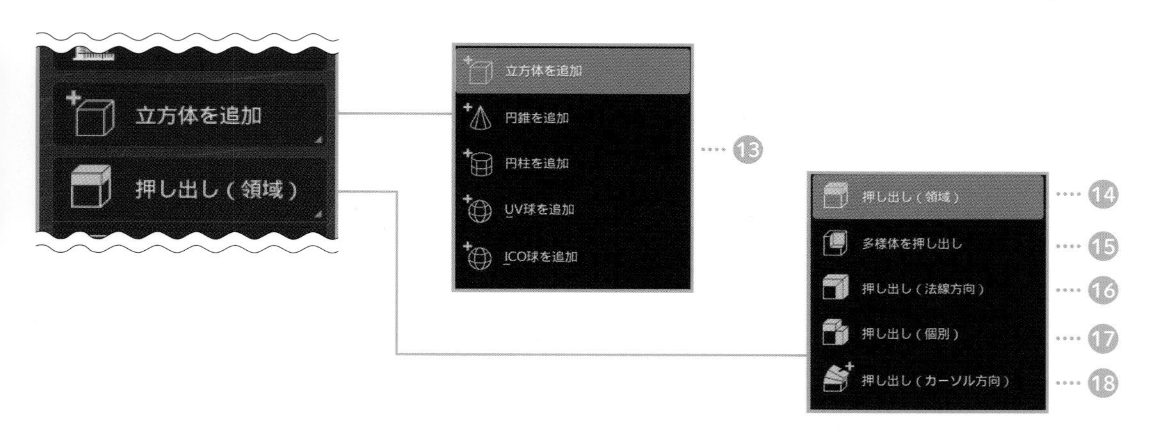

	ツール設定	説明	ショートカット
13	立方体を追加 円錐を追加 円柱を追加 UV 球を追加 ICO 球を追加	ドラッグにより底面のサイズ、マウスを離した状態での移動により高さを調節できる立方体、円錐、円柱、UV 球、ICO 球を追加することが出来ます。追加する際の角度は、カーソルが乗っている場所の面の法線に依存します。	
14	押し出し（領域）	選択要素を押し出して頂点、辺、面を追加します。全選択物の法線の平均の方向へ一律に押し出します。	E
15	多様体を押し出し	面押し出し時にその面を構成する辺も同時に移動させます。逆に押し込んだ場合も辺を同時に移動させます（詳細は次ページ参照）。	Alt+E
16	押し出し（法線方向）	選択要素を押し出して頂点、辺、面を追加します。各要素それぞれの法線の方向へ押し出します。	Alt+E
17	押し出し（個別）	選択要素を押し出して頂点、辺、面を追加します。各要素それぞれの法線の方向へ、各面で切り離した状態でそれぞれ押し出します。	Alt+E
18	押し出し（カーソル方向）	選択要素を押し出して頂点、辺、面を追加します。左クリックした場所へ選択物を押し出します。	Alt+E

多様体を押し出し

多様体を押し出しは通常の押し出しとは違い面押し出し時にその面を構成する辺も同時に移動させそれに伴い五角形以上の面が生成されるのを許可し、逆に押し込んだ場合も辺を同時に移動させ、その頂点に別の辺が重なった場合その辺を分割する形で頂点を結合させ、相手側の面が五角形以上になるのを許可します。

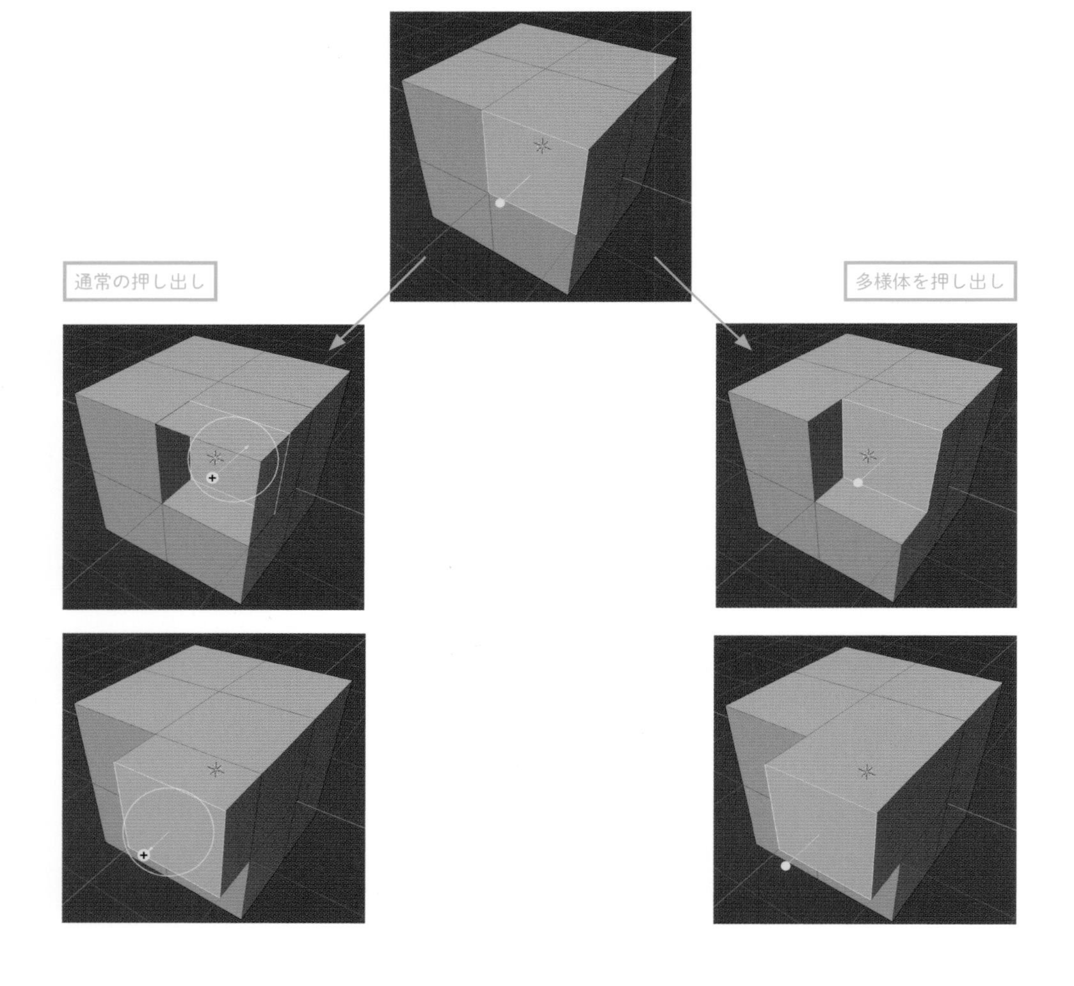

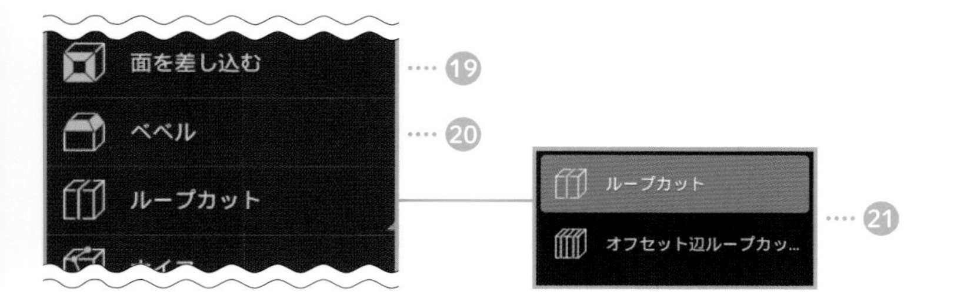

	ツール設定	説明	ショートカット
19	面を差し込む	選択した面の縮小したものをその面の中に接続された形で挿入します。押し出しから移動をさせずに縮小した状態と同じになります。ツール設定により、外側へ挿入したり面ごと個別に挿入したり出来ます。	I
20	ベベル	1つの辺を2つ以上の辺にして厚みをつけるように広げ、その間に面を貼ります。その辺に隣接する面の間を取る法線の面となり、辺数（セグメント）を増やした場合隣接2面を繋ぐラメ曲線となるように辺が配置されます。ツール設定や実行後の［フローティングウィンドウ］により、この曲線は自由にカスタマイズすることも出来ます。また、辺ではなく頂点に対して同じ効果を実行することも出来ます。ショートカットで実行した場合マウス移動中にマウスホイールの上下でセグメント数を増減させることが出来ます。	Ctrl+B （頂点は Shift+Ctrl+B）
21	ループカット オフセット辺ループカット	ループ状の辺2本がブリッジ状に繋がっている箇所で、その2本のループのちょうど中間にループ状の辺を挿入するように、ブリッジ状の面を分割します。 実行時マウスを離さずにそのままドラッグすることで作成した辺をスライドさせることが出来ます。ツール設定や実行後の［フローティングウィンドウ］で［分割数］を設定できます。ショートカットで実行した場合マウスホイールの上下で分割数を増減させることが出来ます。	Ctrl+R

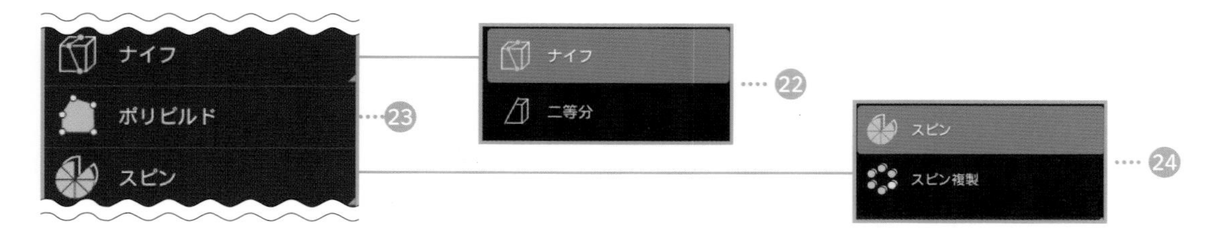

	ツール設定	説明	ショートカット
22	ナイフ 二等分	［ナイフ］は辺、面上の自由な場所に頂点を追加することが出来、続けて頂点を追加していくことでその頂点間を繋ぐように辺を作成し、面を分割します。また、面上をなぞるように左ドラッグすることで通った面を分割するように辺と頂点を追加します。 操作は Enter を押すことで確定され、Esc でキャンセルできます。［二等分］は、選択した面を左ドラッグにより作った線で二等分するように分割します。ツール設定や実行後のフローティングウィンドウで［内側をクリア］や［外側をクリア］にチェックを入れることで分割したどちらかを消去することが出来、両方にチェックを入れると分割線のみが残ります。［フィル］にチェックを入れると分割線内に面を貼ります。	K
23	ポリビルド	ポリビルドは Ctrl + 左クリックで頂点追加、頂点選択状態で Ctrl + 左クリックでその頂点と辺で接続する頂点の追加、辺付近で Ctrl + 左クリックで面追加を行います。 Shift + 左クリックでメッシュ要素を削除、頂点付近で左ドラッグで頂点移動します。 辺付近で左ドラッグで辺押し出しによる面追加を行います。 ツール設定で［四角面を作成］にチェックが入っていると、三角面に隣接する辺で Ctrl + 左クリックによる面追加を行った時に両者の三角面を結合した四角面を作成します。	Ctrl + 左クリック（頂点・面追加） Shift + 左クリック（メッシュ要素削除・頂点移動）
24	スピン スピン複製	選択した要素をツール設定で設定したステップ数、軸で、3D カーソルを中心に回転させるように複製、接続します。	Alt + E

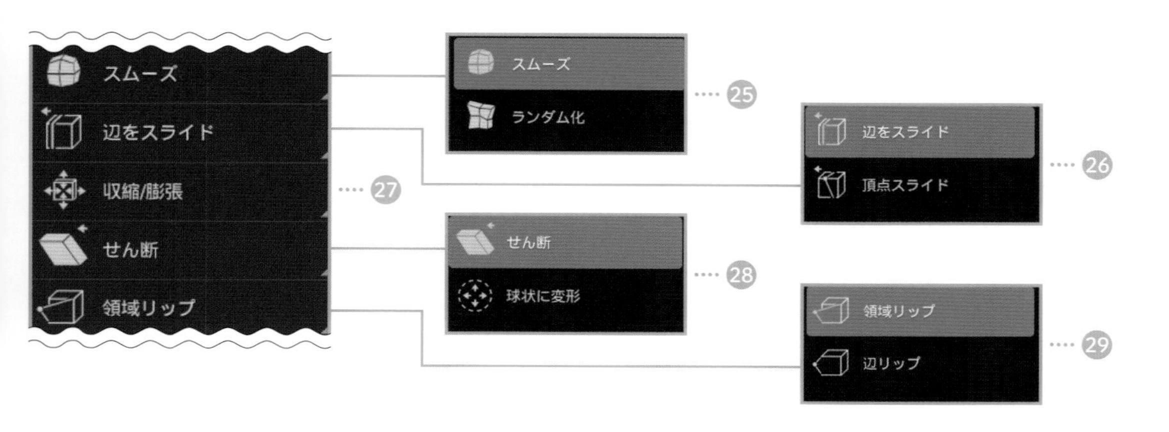

	ツール設定	説明	ショートカット
25	スムーズ ランダム化	[スムーズ] は、選択要素を全体的に丸みを帯びさせるように変形させます。[ランダム] は、選択要素は全体をランダムに乱します。	—
26	辺をスライド 頂点スライド	[辺をスライド] は、接続面に沿って選択した辺をスライドさせます。[頂点スライド] は、接続辺に沿って頂点をスライドさせます。	G → G
27	収縮／膨張	選択要素を法線に沿って移動させます。[押す／引く] は、選択要素に関わらず、辺の拡縮を行います。	Alt+S
28	せん断 球状に変形	[せん断] は、選択要素を選択軸でせん断変形させます。白い枠を掴むと、現在視点を基にせん断変形させます。 [球状に変形] は、選択要素全体を球状に近づくよう変形させます。	Shift+Ctrl+Alt+S（せん断） Shift+Alt+S（球状に変形）
29	領域リップ 辺リップ	[領域リップ] は、選択辺を切り裂きます（頂点を分離させます）。頂点を選択していた場合はそれに繋がる2辺で切り裂き、切り裂く方向はマウスの位置に依存します。 [辺リップ] も、頂点や辺を複製しますが、穴が空くことはなく、元の面から延長したNゴンと接続されたままになります。	V（領域リップ） Alt+D（辺リップ）

MEMO

ツールを操作している最中、Blender のフッターに追加のショートカットコマンドが表示されることがあります。これが表示されている時ここにあるキーを押せば、操作中のツールの効果が変化したり、別の効果が上乗せされたりします。これにより非常に多彩で複雑な形状変更にも対応できるようになり、モデリングの効率が向上します。が、あまりに数が多いため全てを本書でご紹介することは出来ません。是非、このフッターに注目し、色々な効果を試してみてください。

フッターに表示されるショートカットコマンド

3D ビューポートのヘッダーのおさらい

3D ビューポートのヘッダーにもモデリングのために必要な項目が多数表示されています（以下の画像はメッシュの［編集モード］で表示されるヘッダーになります）。ここでは、この章で使用したものに絞ってご紹介します。

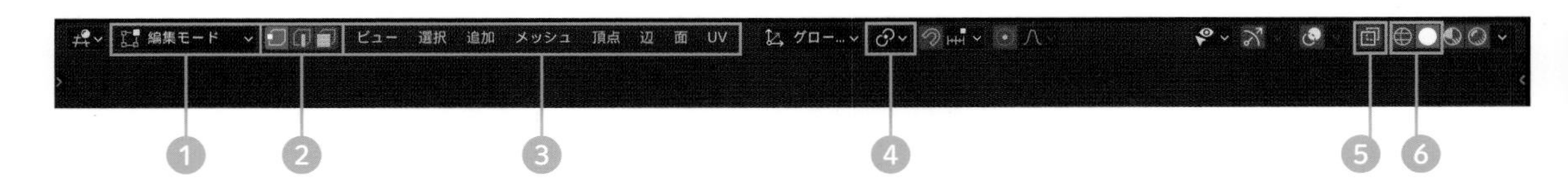

▶ 3D ビューポートのヘッダー

	説明	ショートカット
❶	モードの切り替えを行います。この章では、［オブジェクトモード］と［編集モード］のみを扱います。	Tab
❷	メッシュ要素のうち、頂点、辺、面、それぞれの選択モードへ切り替えます。Shift を押しながらこれらのボタンを押すことで、複数同時に表示することも出来ます。	Shift + 各選択モード
❸	[3D ビューポートヘッダーメニュー］です。これまでショートカットキーにより行ってきた様々なコマンドも全てここに収まっています。ツールや操作が覚えきれなかったり、どこにいったか分からなくなってしまってもここから探し出すことが出来ます。また、各コマンドの右にショートカットキーも記載されているので、よく使う機能は表右のショートカットを覚えてしまったほうが作業が早くなります。	Ctrl+V（頂点メニュー） Ctrl+E（辺メニュー） Ctrl+F（面メニュー） ※
❹	様々な操作を行う上で、空間内のどこを基準とするかを設定します。	.
❺	角度的に見えない箇所のメッシュ状態を表示するか、表示しないかを切り替えます。	Alt+Z
❻	3D ビューポート上のシェーディング（見え方）を切り替えます。この章では、［ワイヤーフレーム］と［ソリッド］のみ扱いました。	Z

※：それぞれの英語の Vertex、Edge、Face の頭文字と覚えてしまいましょう。

MEMO

メニューの中の任意の項目の上で右クリックをすると、[お気に入りツールに追加] というメニューが開かれます。お気に入りに追加されたコマンドは、Q からアクセスできるようになります。逆に、お気に入りから削除するにはこの Q のメニュー上で右クリックを押します。頻繁に使う機能なのにショートカットキーが設定されていなかったり、ショートカットが覚えられない、押しにくい等の事情があった場合、このお気に入り機能を活用しましょう。

この右クリックメニューには [ショートカットを割り当て] の項目もあり、ここから新たに空きのショートカットキーに割り当ててしまうというのも1つの手なのですが、Blender には非常に豊富なコマンドがあり、現時点でほとんどショートカットの空きがなくなっている状態な上に、今後のバージョンアップによって新たに使われてしまい、自分で設定していたショートカットと重複してしまうという可能性もあるので、あまりおすすめできません。

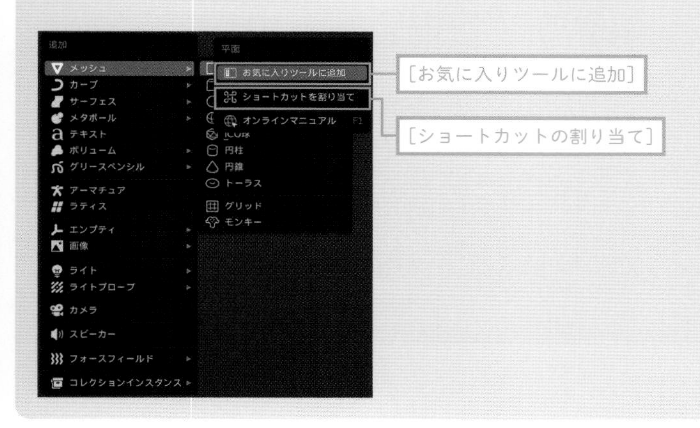

モディファイアーのおさらい

モディファイアーは、オブジェクトに「手続き的な」変更を加える機能です。モディファイアーを直訳すれば**「修飾する」**という意味になります。いつでも元のメッシュの形状に戻せるため、**「非破壊な」**モデリングと称されることもあります。

ラスター画像とベクター画像の関係のように、実際に記録しなければならない頂点情報が一般的には減らせる傾向にあるため、モディファイアーを使ったほうがデータ容量を少なく抑えられるかもという期待もできます。また、後述する「アニメーション」を作る際も、モディファイアーのパラメーターに対してアニメーションさせることにより特殊な効果をもたらすことも出来ます。[モディファイアー] パネル右上にある マークから、モディファイアーを [適用] し、モディファイアーによって変更された形状を実際にメッシュに反映させることも出来ます（この場合「破壊的」であり、いつでも元に戻せるというわけには行かなくなります）。

変更

- データ転送
- メッシュキャッシュ
- メッシュ連番キャッシュ
- 法線編集
- 重み付き法線
- UV投影
- UVワープ
- 頂点ウェイト編集
- 頂点ウェイト合成
- 頂点ウェイト（近傍）

生成

- 配列
- ベベル
- ブーリアン
- ビルド
- デシメート
- 辺分離
- ジオメトリノード
- マスク
- ミラー
- マルチレゾリューション
- リメッシュ
- スクリュー
- スキン
- ソリッド化
- サブディビジョンサーフェス
- 三角面化
- ボリュームのメッシュ化
- 溶接
- ワイヤーフレーム

変形

- アーマチュア
- キャスト
- カーブ
- ディスプレイス
- フック
- ラプラシアン変形
- ラティス
- メッシュ変形
- シュリンクラップ
- シンプル変形
- スムーズ
- スムーズ（補正）
- スムーズ（ラプラシアン）
- サーフェス変形
- ワープ
- 波

物理演算

- クロス
- コリジョン
- ダイナミックペイント
- 爆発
- 流体
- 海洋
- パーティクルインスタンス
- パーティクルシステム
- ソフトボディ

カコミは本章で扱ったモディファイアー

Chapter
03

マテリアルを設定しよう

２章で作成したモデルに色や質感を与えます。モデリングほど覚えることは多くないので安心してください。Blender では非常にリアルで現実的な質感から、アニメや抽象画のような非現実的なものまで、とても幅広く色々なものを再現可能です。まずは基本的なものから作っていきましょう。

サンプルファイル samplefile/Chapter3/3-1

アザラシの表面を描く

最初のアザラシのキャラクターは、3D モデルの表面に絵を描く、という手法で制作してみます。

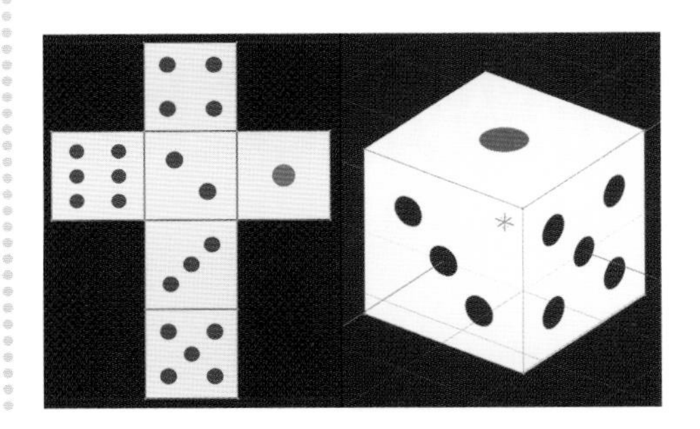

UV マッピングを行う

Blender では、描いた絵は jpeg や png といったおなじみの平面画像データとして保存されることになります。そのため、2D 平面上のどの部分が 3D モデル上のどこに対応するのかという関連付けを行う必要があります。これを、**UV マッピング**といいます。例えば立方体のサイコロを平面上に切り開いたペーパークラフトのようなものを想像してみてください。UV マッピングはちょうどこのペーパクラフトの展開図を作成する作業に似ています。

UV マッピングの編集を行うエディターを使用する

1. Blender 画面上の最も上にあるヘッダーの、［**UV Editing**］をクリックします❶。
   すると UV マッピングに関連したエディターが画面上に配置された構成になります（元に戻すには［**Layout**］をクリックします）。

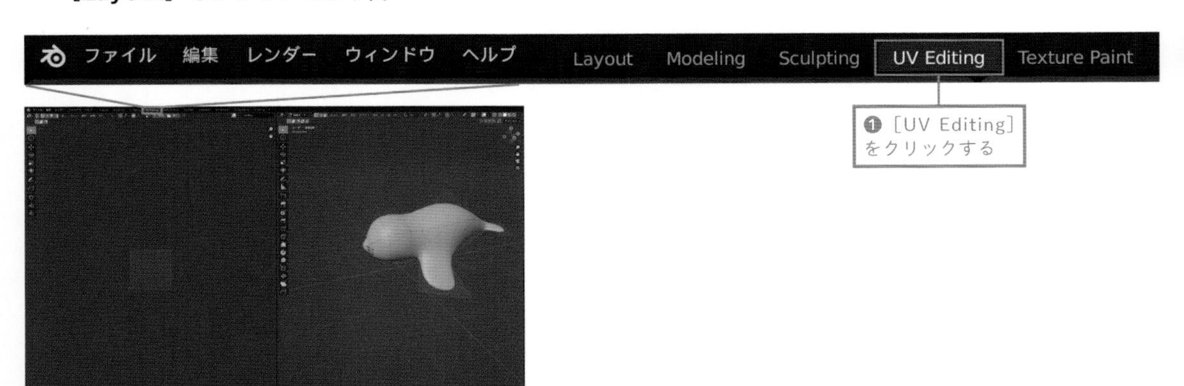

❷ 画面中央に配置された 3D ビューポート上で、モデルの［編集モード］に入り、メッシュを全選択した状態で U（または 3D ビューポートヘッダーメニューの［**UV**］）をクリックし、［**展開**］を実行します❶。
　すると画面左側に配置された［UV エディター］エリアで、選択メッシュが自動的に切り開かれた様子が確認できます。この UV エディターヘッダーメニューにある、［**＋新規**］ボタンをクリックして、この切り開かれたメッシュに対して新規にテクスチャ画像を作成します❷。

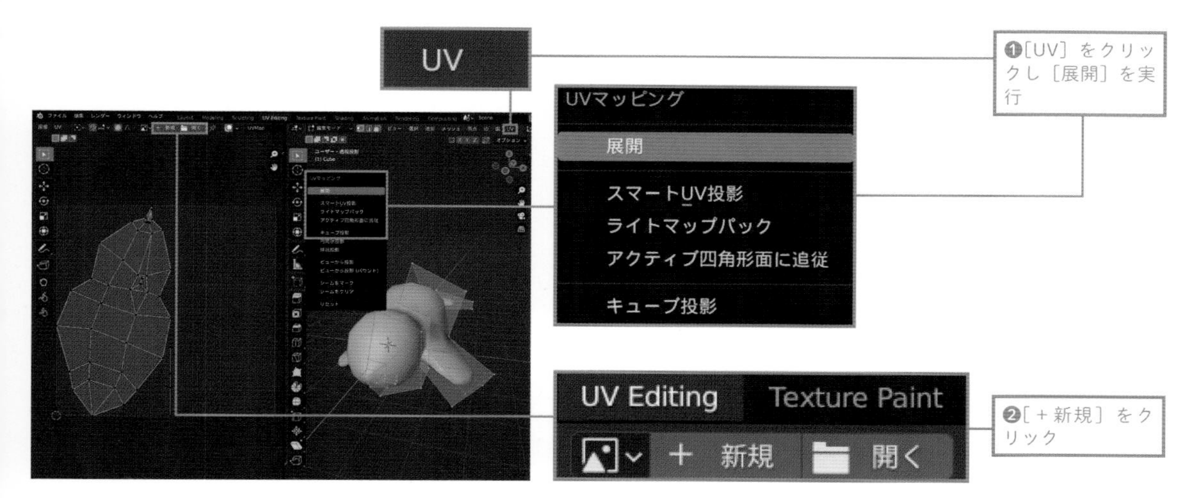

❶［UV］をクリックし［展開］を実行

❷［＋新規］をクリック

❸ テクスチャ画像の［＋新規］によって開かれたウィンドウで、［生成タイプ］を［UV グリッド］へ切り替えて［OK］をクリックします❶。
　すると、市松模様のような画像が生成されて、UV エディター上のメッシュの下に配置されたことが確認できたでしょうか。

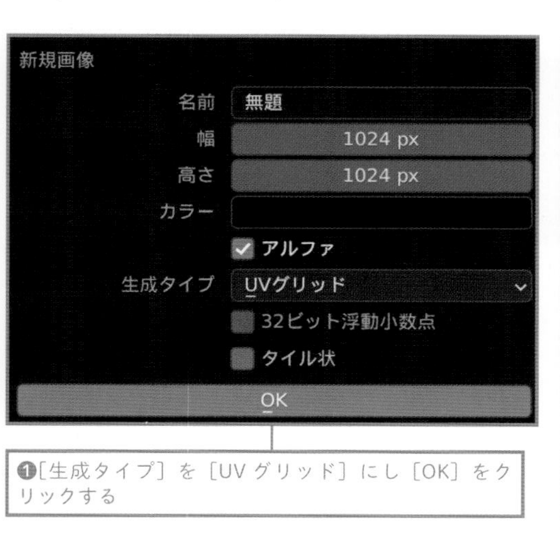

❶［生成タイプ］を［UV グリッド］にし［OK］をクリックする

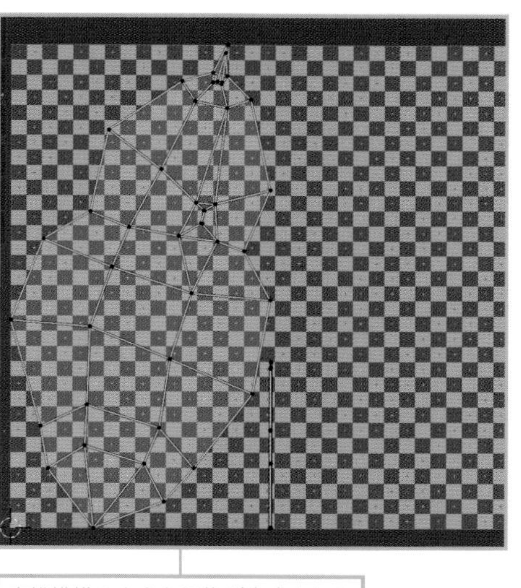

市松模様のような画像が生成される

生成した画像を 3D モデルに貼り付ける

生成された画像を 3D モデル上でも確認できるようにします。

❶ まず右端のプロパティエリアで左列のタブを［**マテリアルプロパティ**］へ切り替えます（もし、何もマテリアルが生成されていなかった場合は［＋新規］ボタンでマテリアルを新規作成してください）❶。

［サーフェス］パネル内にある［サーフェス］の、デフォルトでは［プリンシプル BSDF］となっている欄をクリックし、［削除］をクリックします（［削除］が表示されない場合はマウスホイールを上へ回転させてウィンドウを上へ移動させます）❷。

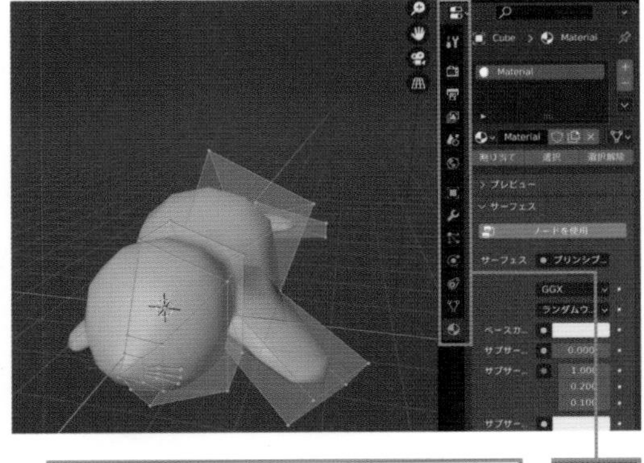

❶［マテリアルプロパティ］に切り替える

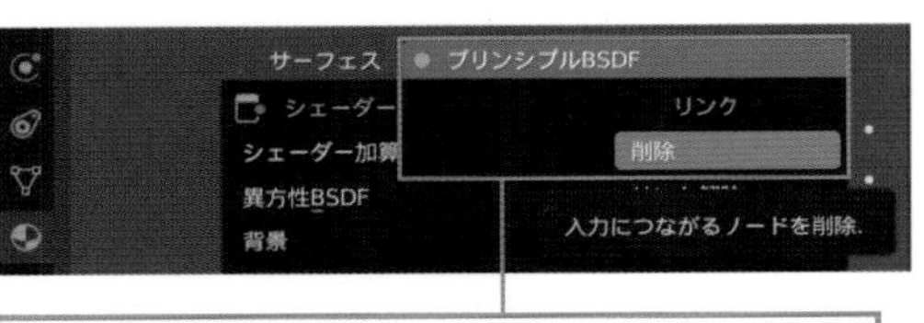

❷［プリンシプル BSDF］をクリックし［削除］を選択

❷ 同じ欄が［なし］に変化したら、再びここをクリックして今度は［放射］をクリックします❶。

これは、テクスチャ画像のみによるモデル表面の表現には不必要な、陰影を出さないようにする作業を行っています。

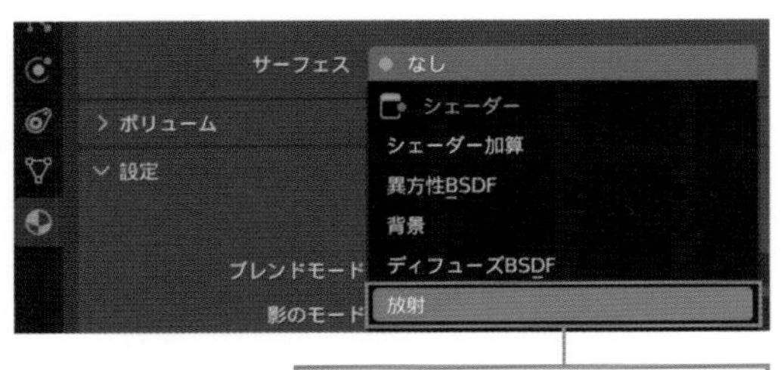

❶［サーフェス］に［放射］を設定

❸ 次に、［**カラー**］の欄左の■をクリックして、「画像テクスチャ」をクリックします❶。

　するとその欄すぐ下に、［＋新規］［開く］といった割当画像を指定する欄が現れるので、そのいちばん左にある■をクリックして表示されるプルダウンメニューから、UV エディターヘッダーに表示されている画像名（ここまで手順通りに進んでいれば「無題」という名前になっています）を選択します❷。

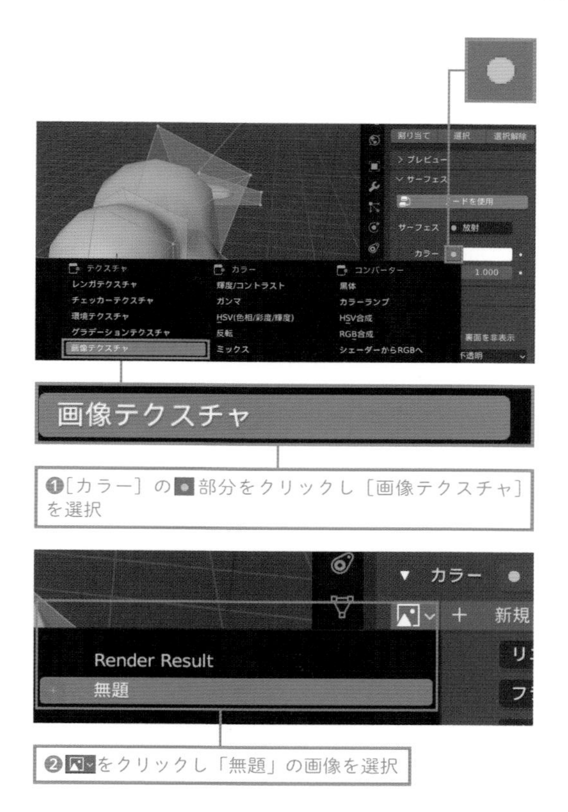

❶［カラー］の■部分をクリックし［画像テクスチャ］を選択

❷■をクリックし「無題」の画像を選択

❹ 更に、3D ビューポートヘッダーの一番右端にある■ボタン（もし画面が狭すぎてこの端まで見えていない状態になっている場合はヘッダー上で中ドラッグをすることでヘッダーを左に移動させてください）をクリックし、［照明］を［フラット］に、［カラー］を［テクスチャ］に変更します❶。

　これで、市松模様が 3D モデル表面に貼り付けられた様子が確認できたでしょうか。

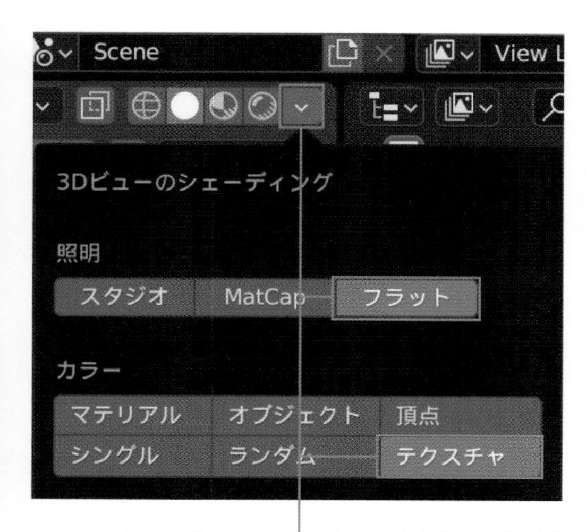

❶■をクリックし「照明」から［フラット］を選択、「カラー」から［テクスチャ］を選択

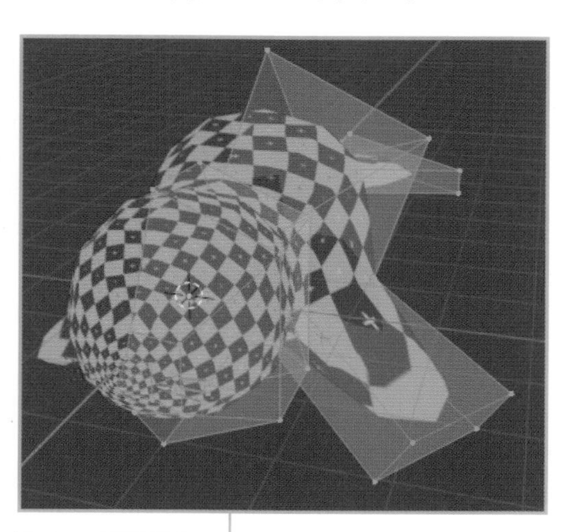

3D モデル表面に市松模様が貼り付けられた

UV エディターでメッシュを動かす

この状態で、画面左側の［**UV エディター**］の方で、メッシュを動かしてみましょう。

❶ 画面左の［UV エディター］のメッシュ編集は、3D ビューポートの［編集モード］でのメッシュの操作方法とほぼ同じで、A により全選択、左クリックにより頂点選択、G、R、S により移動、回転、拡縮等が可能です❶。

UV エディターでメッシュを動かしてみると、連動して 3D ビューポートの方の 3D モデルに貼り付けられたテクスチャも動くことが確認できたでしょうか。これこそが **UV マッピング**であり、この **UV エディター**の方に表示されているメッシュは **UV マップ**と呼ばれます。

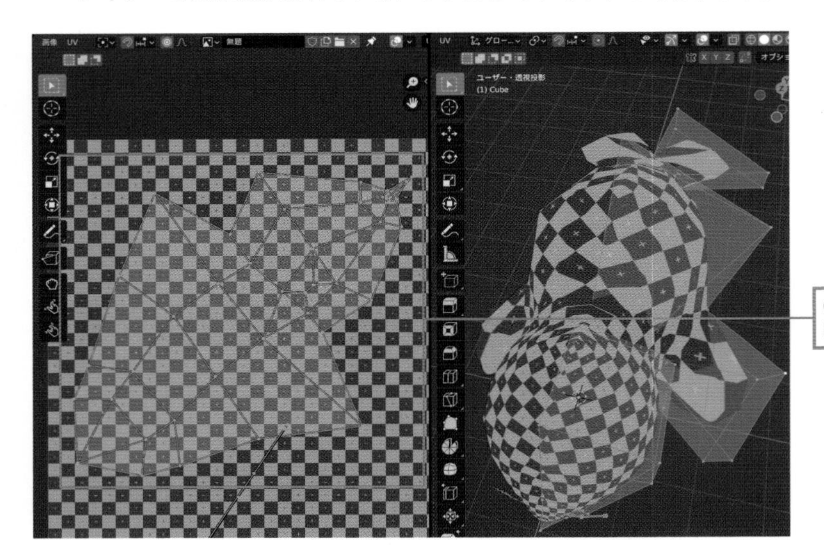

❶ A の全選択、左クリックの頂点選択、G、R、S による操作が可能

POINT

いろいろな部分を細く動かしてみると、UV エディター上のメッシュのどの部分が 3D モデル上のどの部分に対応しているかがなんとなくわかってくると思います。そして、場所によってはメッシュが密に寄りすぎて重なってしまっているような場所があったり、よじれていたりと、美しく平面状に開かれていないと感じる部分があるのではないでしょうか。特にそれらは、アザラシの前ヒレや尾ヒレに相当する部分に集中しています。このように、袋状になっているような部分では自動的な［展開］だけでは上手く UV マップが作成されません。自動的な展開は「開く」ことはしてくれても、「切り開く」ことまではしてくれません。この「切る」にあたる部分は自分で行う必要があります。

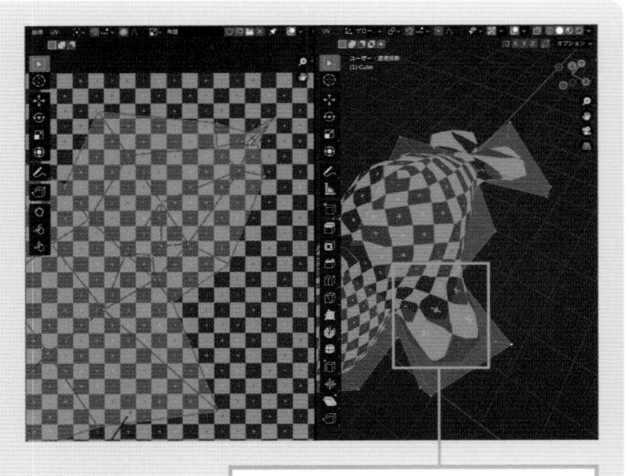

上手く UV マップが貼られていない

テクスチャを切り開く

❶ 3D モデルの方で、**辺選択モード**にして前ヒレの付け根と尾ヒレの付け根にあたる辺をぐるっと一周選択します❶。

そして Ctrl+E（またはヘッダーメニューの［辺］）から［シームをマーク］を実行します❷。

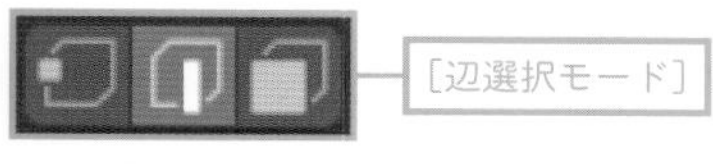

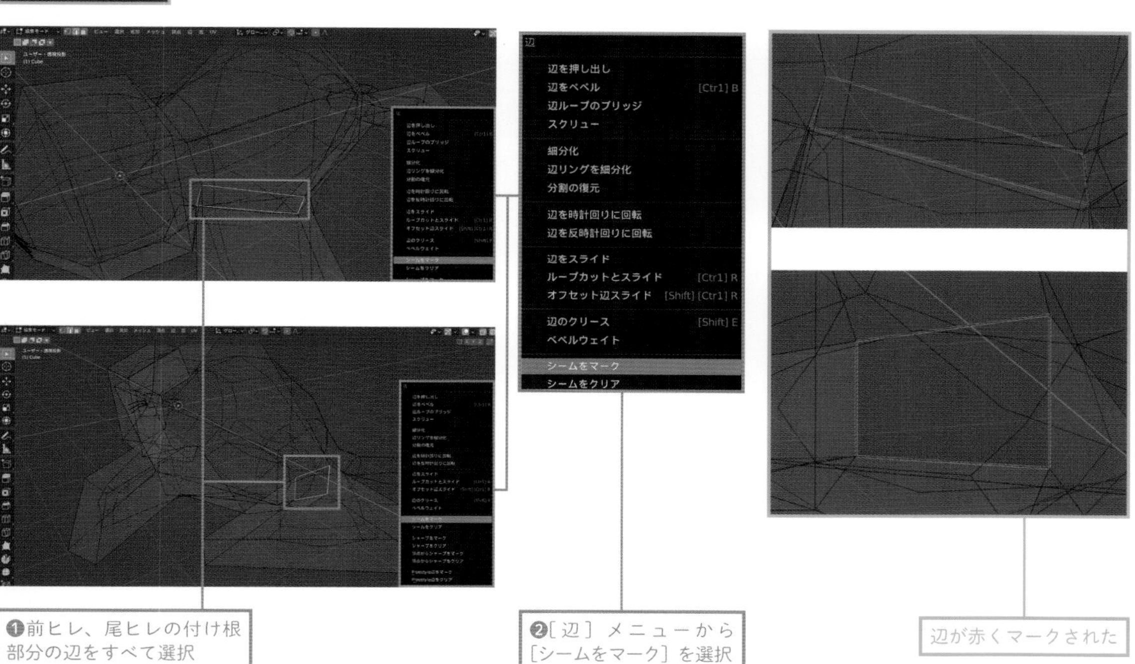

❷ そして再びメッシュを全選択し、U から［展開］を行ってみてください。UV マップで前ヒレと尾ヒレにあたるメッシュは切り離され、別の場所に置かれるようになりました（本書画像では見づらいので市松模様は一時的に非表示にしています）❶。

今度はUVエディターヘッダー左端付近にある、[UVの選択を同期] モード（矢印が斜めに向かい合っているようなアイコン）をクリックしてみてください❷。

これにより、頂点の対応状況がよりわかりやすくなります。現時点では、UVマップ上にまだぐしゃっと潰れたような形状が見受けられます。その潰れた部分の頂点を選択してみると、3Dモデル上の前ヒレ、尾ヒレの先端付近に対応していることがわかります。

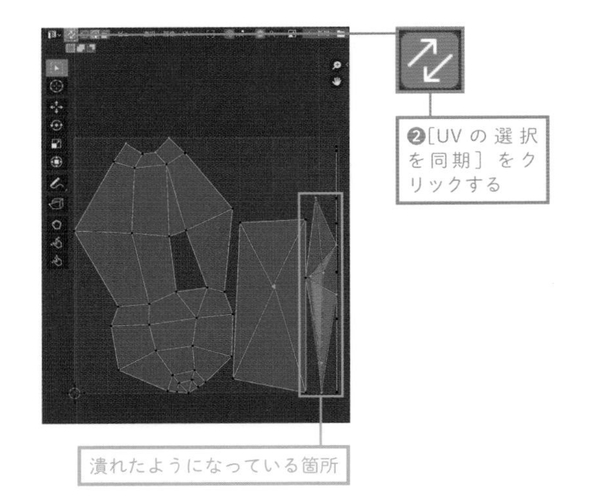

●[UVの選択を同期] モード

[UVの選択を同期] モードでは、UVエディター上でのメッシュの選択状態が3Dモデル上の選択と同期します。

❸ 今度は前ヒレ、尾ヒレのメッシュを筒状に見立てた時に縦に切り裂くような方向に [シームをマーク] します❶。

そしてまたUVの展開を行ってみると、今度こそ綺麗に切り開かれたのではないでしょうか。

POINT

上記のように、UVマッピングは「展開してみる→潰れてしまっている箇所を切り開く（シームをマーク）→展開してみる」という繰り返しで最適な「シーム」の入れ方を探っていきます。ただし、最初からシームを大量に入れ、細かく切り刻みすぎてしまうと管理が大変になってしまうので程々にしておきましょう。

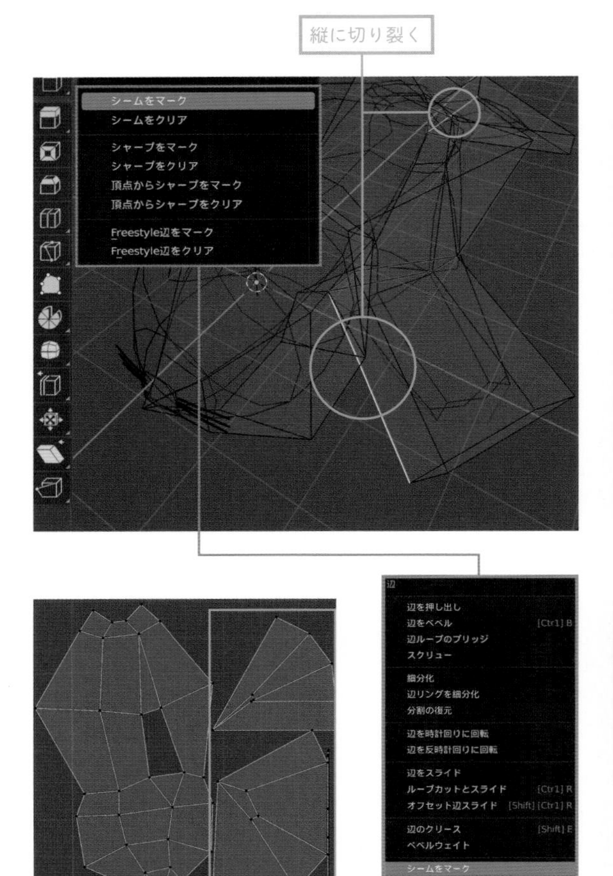

潰れていた箇所が展開された

❶尾ヒレ、前ヒレを縦に切り裂くように [シームをマークを実行]

❹ 見逃してしまいそうになりますが、よく見るとヒゲを構成するメッシュも完全に閉じられた立方体で作っていたので、上手く UV が開かれていない状態になっています。こちらも、ヒゲ 3 本共に縦に**シーム**を入れて**展開**し直しておきましょう❶。

これで、UV マッピングは完了です。

❶ヒゲ部分のメッシュに対して［シームをマーク］を実行

ヒゲ部分のメッシュが展開された

白いテクスチャを適用する

確認のためだけに一時的に入れていた市松模様のテクスチャを消去します。

❶ UV エディターヘッダーにある画像名の右の ☒ ボタンをクリックすることで、表示中の画像と UV マップとのリンクを解除できます（この時点で 3D モデルの方の市松模様はまだ消えません）❶。

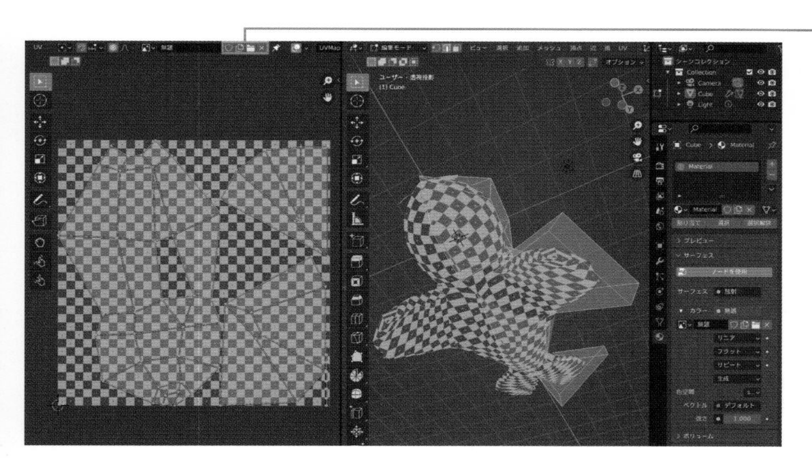

❶ ☒ ボタンをクリックし表示中の画像と UV マップとのリンクを解除

❷ 再び UV エディターヘッダーで［＋新規］をクリックし、新規画像を作成します❶。

［新規画像］フローティングウィンドウで今度は［カラー］の欄右のボックスをクリックし色を真っ白に変更して、［OK］をクリックします（［生成タイプ］を［ブランク］のまま）❷。

すると UV エディター上で真っ白な画像がメッシュの下に生成されます。

❶ UV エディターヘッダーで［＋新規］をクリック

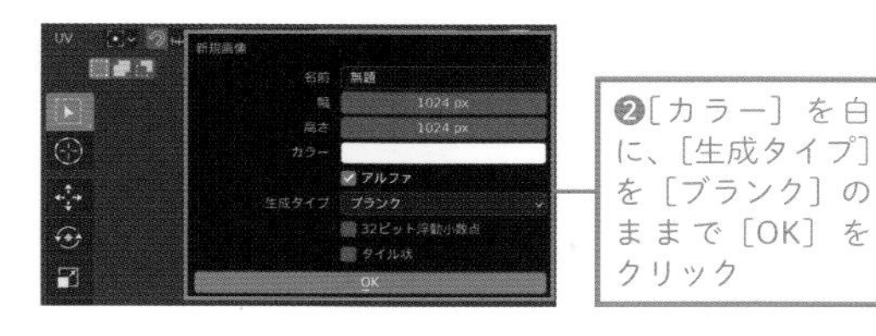

❷［カラー］を白に、［生成タイプ］を［ブランク］のままで［OK］をクリック

❸ 次に画面右のプロパティエリアの［マテリアルプロパティ］タブ、［サーフェス］パネル内の ▼ カラー 項目内にあるをクリックして、UV エディターヘッダーに表示されているファイル名（手順通りに進んでいれば「無題 .001」）を選択します❶。

これで 3D モデルにも真っ白なテクスチャが適用され、テクスチャ画像を描く準備が整いました。

❶［マテリアルプロパティ］タブ、［サーフェス］パネル内の ▼ カラー の をクリックし UV エディターヘッダーの画像を選択

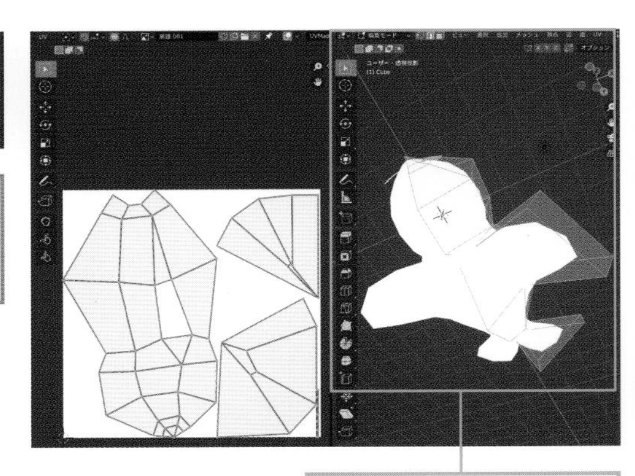

白のテクスチャが適用された

テクスチャペイントを行う

ここからはテクスチャペイントを使用してアザラシの顔を描いていきます。

テクスチャペイントを使ってみる

❶ Blender 画面最上部のヘッダーで、［Texture Paint］をクリックします。すると、今までとはエリア構成が少し変わり、左側がテクスチャ画像にペイントできる［画像エディター］、中央が 3D モデル表面へ直接ペイントできる［テクスチャペイント］モードに変更された 3D ビューポートに切り替わります❶。

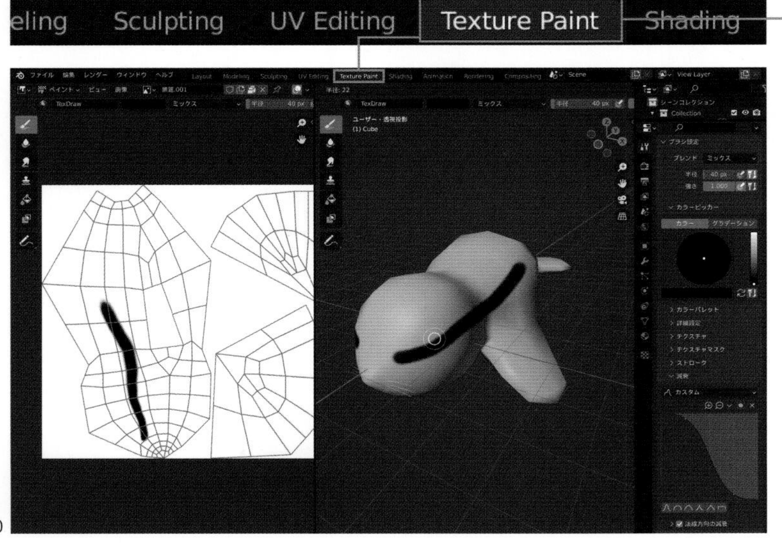

❶ ヘッダーの［Texture Paint］をクリックする

❷ 描き入れるブラシの色はデフォルトでは白になっているので、画面右のプロパティエリアの［カラーピッカー］で右端の縦に長いスライドを下へ移動させることで黒に変更します❶。

そして画像エディターか 3D ビューポートのテクスチャ上で左ドラッグをしてみてください❷。

一般的なペイントソフトのように、黒い線を描き入れることが出来たと思います。しかも左右のエリアで描き入れた内容が同期してくれます。

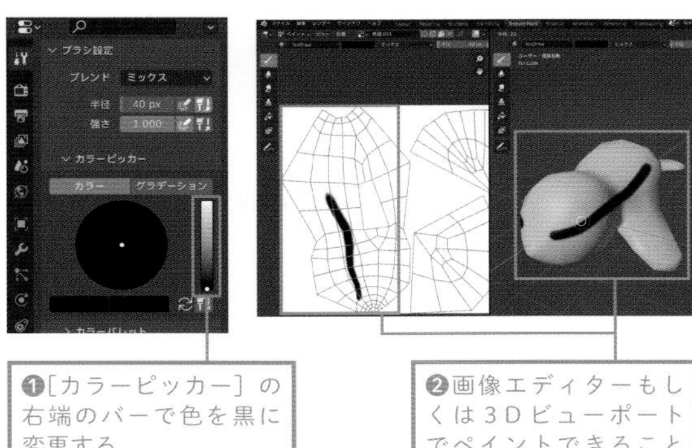

❶［カラーピッカー］の右端のバーで色を黒に変更する

❷画像エディターもしくは 3D ビューポートでペイントできることを確認する

テクスチャペイントの関連ツールと設定

Blender にはそれなりに自在にペイントが行えるようペイントに関連したツールが揃っています。

今回は使用しないので軽く紹介するのみに留めますが、画像エディターや 3D ビューポートの左端のツールバーには［ドロー（ブラシ）］［ぼかし］［にじみ］［クローン（スタンプ）］［フィル（塗りつぶし）］［マスク］が用意されています。

ブラシの設定は画面右のプロパティエリア（アクティブツールタブ）にて行います。［ブラシ設定］項目内の［ブレンド］で、ブラシの合成方法を選択します。ブラシの［半径］と［強さ］もここで設定でき、その右のボタンでペンの筆圧によって変化するかどうかの切り替えを行います。また、半径はF、強さはShift+Fによっても変更可能です。下の方の［減衰］の項目では、ブラシが中心から外側へ向かってどのようなグラデーションを描くかの設定を行います。減衰のカーブを自分で描くことが出来る他、下のボタンのプリセットから選択することも出来ます。

ペイントのツールバー

プロパティエリア内のブラシの設定

テクスチャペイントでアザラシの顔を描く

テクスチャペイントを駆使し、アザラシの顔を描いてみましょう。今回は練習ですので、上手く描けなくても気にしてはいけません。大きめの薄い灰色のブラシで、お腹のあたりを塗ることで陰影を表現するのも良いかもしれません。

❶ ヒゲメッシュを真っ黒に塗るには、3D ビューポート上ではなく UV エディター上で塗ったほうが楽だったりします。プロパティエリアで［モディファイアープロパティ］タブに切り替え［サブディビジョンサーフェス］モディファイアーの［ビューポートのレベル数］を「2」に上げて完成形でどのように見えるかを確認しながらテクスチャを描き上げます❶。

❶［ビューポートのレベル数］を「2」にする

テクスチャ画像データの保存

Blender では、テクスチャ画像データは .blend ファイルとは別に扱われます。基本的には、png や jpeg 等の画像ファイルとして外部にファイルが置かれ、そのファイルを Blender が参照するという形でテクスチャが表現されます。そのため、.blend ファイルを保存しただけでは描いたテクスチャデータは保存されず、画像データだけを個別に保存するという作業も必要になります。テクスチャを描いた後、.blend ファイルだけを保存して Blender を終了させようとすると、[閉じる前に変更を保存しますか？] というダイアログが表示されます。

このとき、[Save 1 modified image(s)] のチェックボックスにチェックを入れた状態で [保存] をすると、描いたテクスチャ画像データは .blend ファイルの中に「パック」された状態で保存してくれます。また、これとは別の方法として、Blender ヘッダーメニューの [ファイル] から、[外部データ] > [リソースをパック] を実行すると、同様に画像データを .blend ファイル内にパックしてくれます。

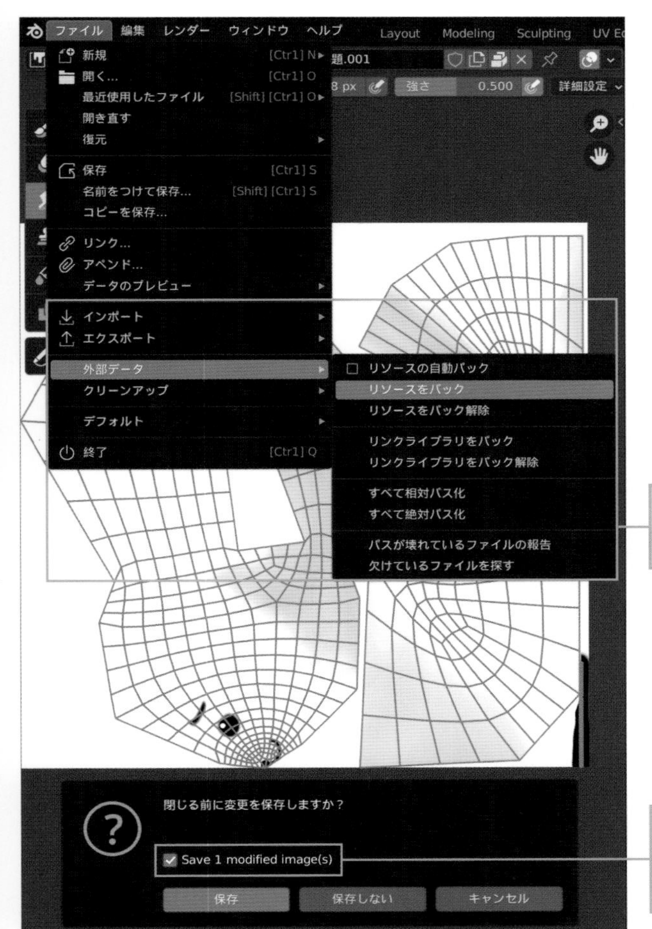

[ファイル] > [外部データ] > [リソースをパック] で画像データをパックできる

[Save 1 modified image(s)] のチェックボックスにチェックを入れ保存すると画像データをパックできる

この「パック」された画像データを .blend ファイルの外部に出力するには、画像エディターヘッダーメニューの［名前をつけて保存］から、ファイルブラウザを使用して任意のディレクトリに画像ファイルを保存します。また、画像エディターヘッダーや［マテリアルプロパティ］の画像名欄の 3 つ右にある、ボックスの上から紙が 2 枚飛び出しているような絵のアイコンは、この画像が .blend ファイル内にパックされていることを意味しています。このアイコンをクリックすると、パックを解除するための［フローティングウィンドウ］が開き、ここで保存先を指定すればパックは解除され、外部ファイルを参照する状態へと切り替わります。

こうしてテクスチャ画像を一般的なファイル形式として外部へ保存しておけば、Blender 以外のペイントソフト等で画像の作成、修正を行うことも出来るようになります。本来、このように .blend ファイルと参照する画像ファイルとが別れている状態が 3DCG においては一般的な状態となります。Blender は親切心でこの**パック処理**を自動でやってくれるので初心者にとっては少し分かりづらいシステムとなってしまっていますが、ファイル管理の煩雑さを軽減してくれこの**パック機能**は使いこなせば非常に便利なものです。

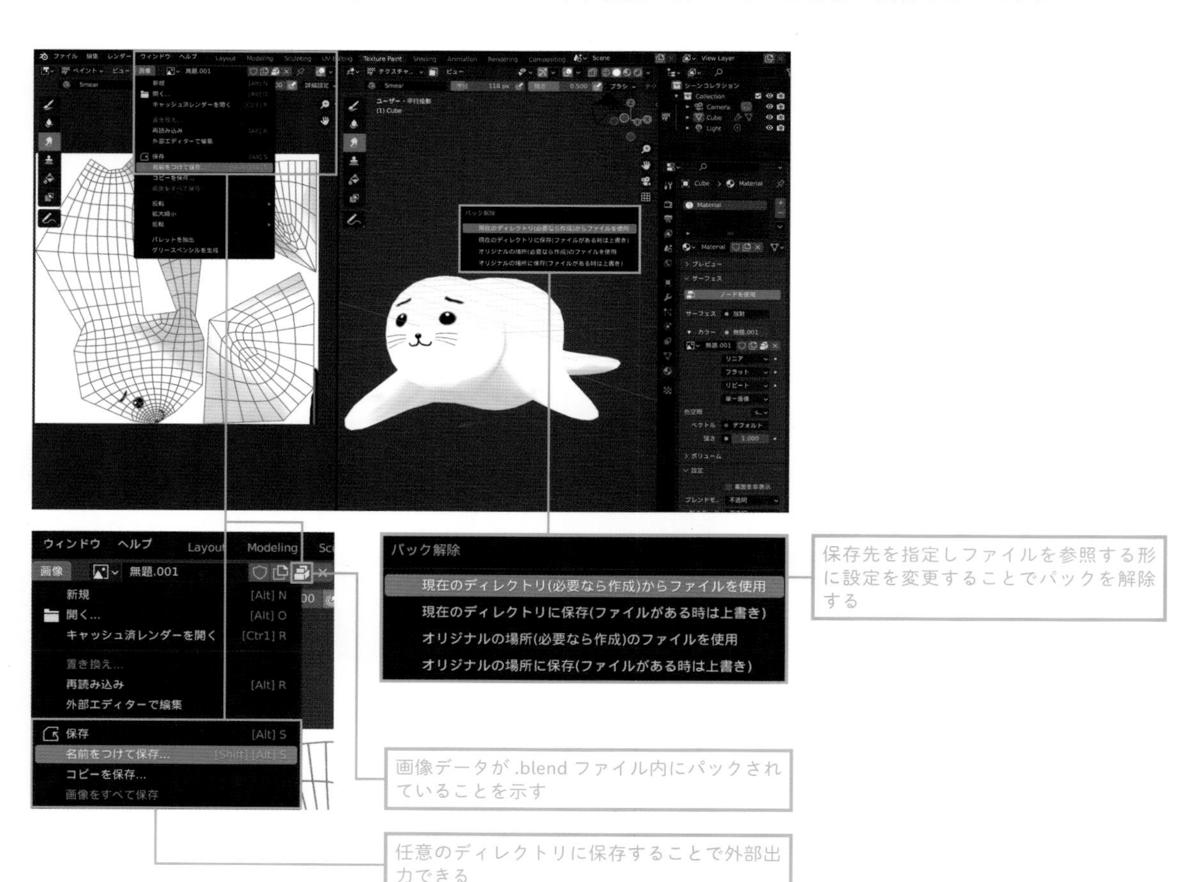

3-2 ワイングラスのマテリアル

サンプルファイル samplefile/Chapter3/3-2

　続いては右の画像のようにワイングラスにマテリアルを設定します。

マテリアルを適用する

マテリアルを適用することで作成したワイングラスにガラスの質感を出していきます。

事前準備

❶ プロパティエリアを［マテリアルプロパティ］タブへ切り替えます（もし、何もマテリアルが設定されていなかった場合は［＋新規］ボタンで新たにマテリアルを作成してください）❶。
　3D ビューポートヘッダー右の方の、［3D ビューのシェーディング］を右から 2 番目の［マテリアルプレビュー］モードに切り替えておいてください❷。

❶［マテリアルプロパティ］タブに切り替える

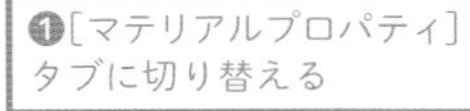

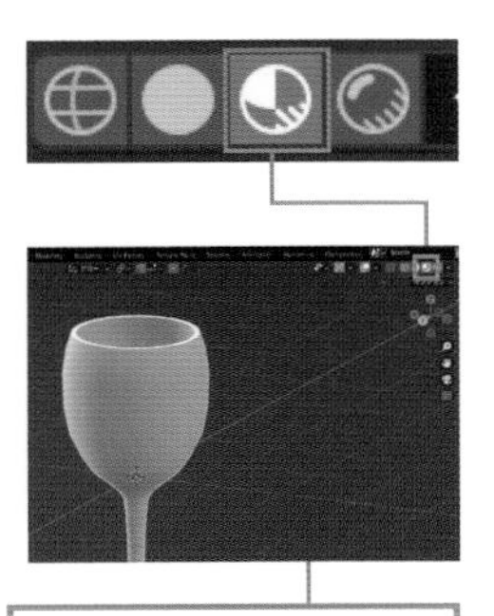

❷［マテリアルプレビュー］モードに切り替える

Chapter 3 マテリアルを設定しよう

マテリアルの設定を変更

［マテリアルプロパティ］の［サーフェス］パネルでマテリアル、つまりモデル表面の質感の変更を行います。今度は 3D モデルならではの、光源からの光の角度によって変化する陰影等を表現するため、［プリンシプル BSDF］をそのまま利用します。プリンシプルは直訳すると「基本的な」という意味になることからもわかるように、この［プリンシプル BSDF］は Blender の最も基本となるマテリアルタイプとなります。［プリンシプル BSDF］には様々なパラメーターがあり、このパラメーターを操作するだけでおおよそほとんどの質感を再現できてしまいます。

❶ 今回は、その中でもガラスの質感を得るためのパラメーターだけを操作します。［粗さ］のパラメーターを「0」にし、［伝播］のパラメーターを「1.0」に変更してみてください。これだけで、ガラスの質感が出来てしまいます❶。

他にもパラメーターはたくさんありますが、これらについてはこの章の最後にご紹介します。

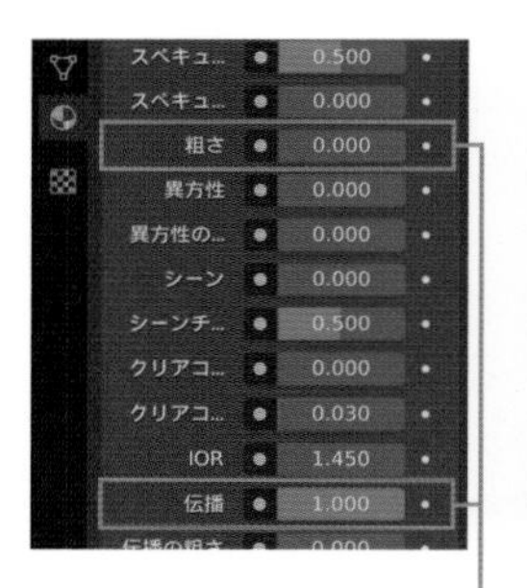

❶［粗さ］のパラメーターを 0、［伝播］のパラメーターを「1.0」にする

パラメーターを変えるとガラスのような質感になる

❷ このままでもガラスとしての見た目はほぼ再現できていますが、例えばワイングラス以外の他のモデルもこのシーン内に存在したとき、ガラスが透けてその向こう側のモデルが見える、というような表現が出来ません。多少表示が重くなってもその表現が必要な場合は、プロパティエディターのデジカメの背面のような絵が描かれたタブ（レンダープロパティ）内の、［スクリーンスペース反射］にチェックを入れ、その項目内の［屈折］にもチェックを入れます❶。

更に、［マテリアルプロパティ］に戻って［設定］項目内の［スクリーンスペース屈折］にチェックを入れます❷。

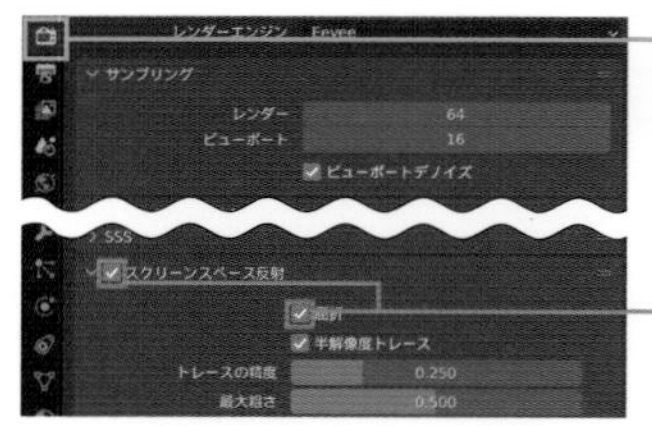

レンダープロパティ

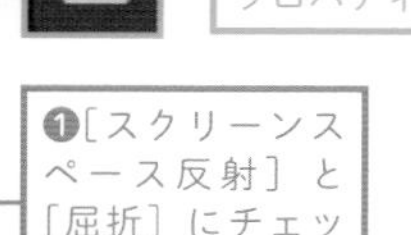

❶［スクリーンスペース反射］と［屈折］にチェックを入れる

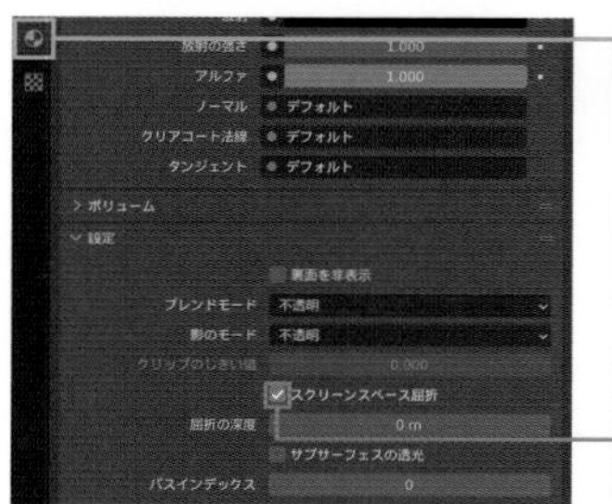

マテリアルプロパティ

❷［スクリーンスペース屈折］にチェックを入れる

ガラスに背景が映った

サンプルファイル　samplefile/Chapter3/3-3

チェスセットの質感を作る

様々な質感にチャレンジ

ワイングラスではガラスの質感のみだったので、チェスセットではそれ以外にも様々な質感を再現してみようと思います。

マテリアルとレンダリング

Blenderには、［**EEVEE**］と［**Cycles**］という2種類のレンダーエンジンがあります。マテリアルの章なのにいきなりレンダリングの話になってしまいましたが、マテリアルとレンダリングは密接な関係にあり、どうしても絡めた説明になってしまいます。［**EEVEE**］は現実の光の特性を“擬似的に”再現しようとするレンダーエンジンで、表示の軽さに特化しているため、リアルタイムに動かしたい3Dモデルに向いています。対して［**Cycles**］は物理的に正しい計算式を用いてリアルさを追求するレンダーエンジンとなっていて、表示には時間がかかるものの、現実の質感に近いリアルな表現や、EEVEEには出来ない特殊な表現が可能になります。デフォルトではEEVEEに設定されているため、アザラシやワイングラスはEEVEEによるマテリアル設定となりました。今回のチェスセットでは、Cyclesに挑戦してみましょう。

MEMO

レンダーエンジン選択プルダウンメニュー内に［Workbench］という項目もあることが気になった方もいるかと思います。この［Workbench］は、正確にはレンダリングエンジンではありません。3Dビューポート内でZを押したときに切り替えられる**ソリッドの表示**と同じものになります。そのため、［Workbench］を選択している状態ではマテリアルプレビュー表示が無くなり、**［レンダー］表示**と**［ソリッド］表示**はほぼ同じものになります（正確には［ソリッド］表示時には様々な［オーバーレイ］表示が追加されるため少し違います）。ということはつまり、レンダーエンジンを［EEVEE］や［Cycles］にしていてもその中で**［ソリッド］表示**にしていればそれが［Workbench］の［レンダー］表示と同じものになりますので、わざわざレンダーエンジンを［Workbench］にしておく意味はあまりありません。

レンダーエンジンを Cycles にする

レンダーエンジンの切り替え及び設定を行います。

❶ プロパティエリアの［レンダープロパティ］タブ内で、［レンダーエンジン］を［Cycles］に切り替えます❶。

［サンプリング］＞［ビューポート］内の、［最大サンプル数］を「16」程度まで下げ、［デノイズ］にチェックを入れておきます❷。

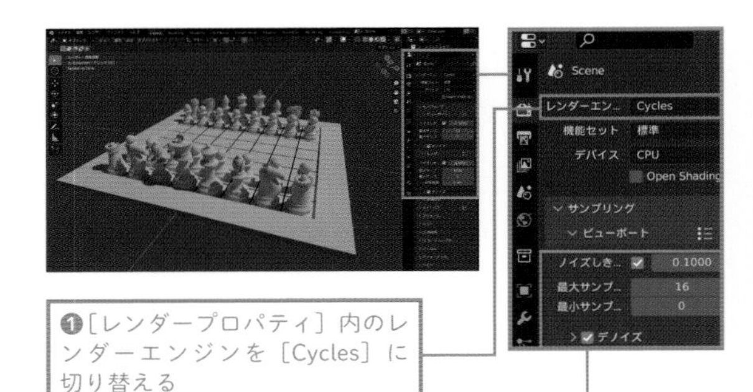

❶［レンダープロパティ］内のレンダーエンジンを［Cycles］に切り替える

❷［サンプリング］＞［ビューポート］の［最大サンプル数］を「16」程度まで下げ、［デノイズ］にチェック

POINT

上記はお使いの環境があまりハイスペックではない場合に、重くなりすぎないように負荷を下げておく処置になります。もし強力な GPU を積んでいる場合はデフォルトの「1024」ままでも構いません。

❷ そうした後、3D ビューポートヘッダーの一番右の方にある、［3D ビューのシェーディング］の［レンダープレビュー］をクリックします❶。

すると、3D ビューポートのオブジェクトの表示が、最初に少しノイズが乗るような感じになります。

❶［3D ビューのシェーディング］を［レンダープレビュー］にする

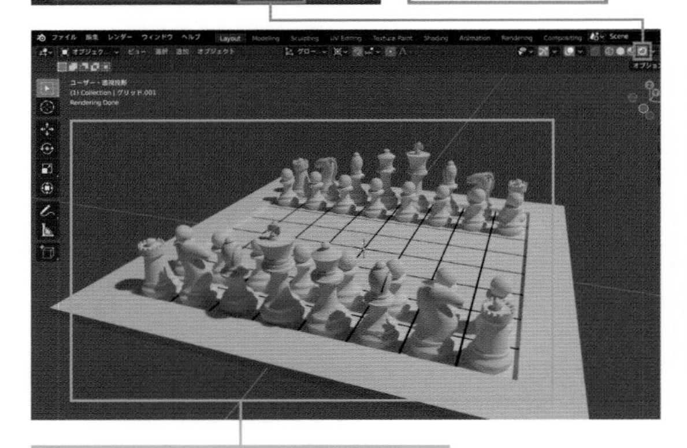

オブジェクトの表示に少しノイズが乗る

POINT

なお、この状態でファイルを保存して Blender を終了し、再び開き直すと［**ソリッド**］**表示**に戻ってしまいます。この［**レンダープレビュー**］表示は基本的に重い処理となるため、不意な高負荷を避けるためこのような対処がされています。

駒にマテリアルを追加

ここでの大まかな操作はEEVEE時と変わりありません。

❶ まずはどれでもいいのでポーンオブジェクトを選択します❶。

プロパティエリアの［マテリアルプロパティ］タブ の［サーフェス］パネルで設定を行います（何もマテリアルが作られていない場合は［+新規］ボタンからマテリアルを新規作成してください）❷。

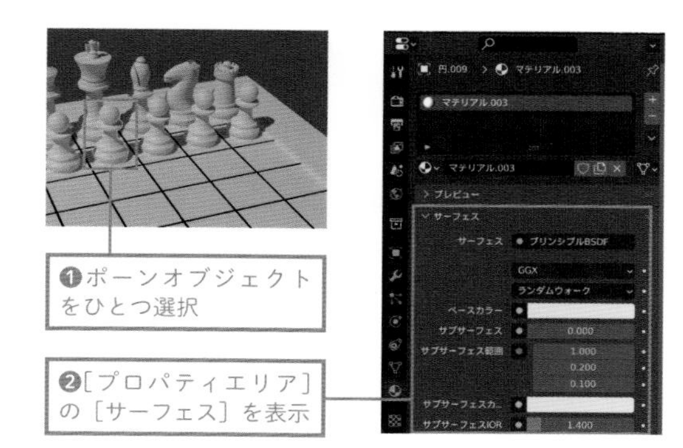

❶ポーンオブジェクトをひとつ選択
❷［プロパティエリア］の［サーフェス］を表示

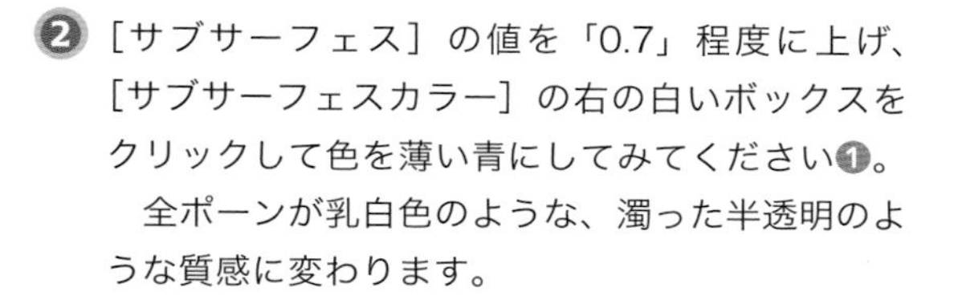

❷ ［サブサーフェス］の値を「0.7」程度に上げ、［サブサーフェスカラー］の右の白いボックスをクリックして色を薄い青にしてみてください❶。

全ポーンが乳白色のような、濁った半透明のような質感に変わります。

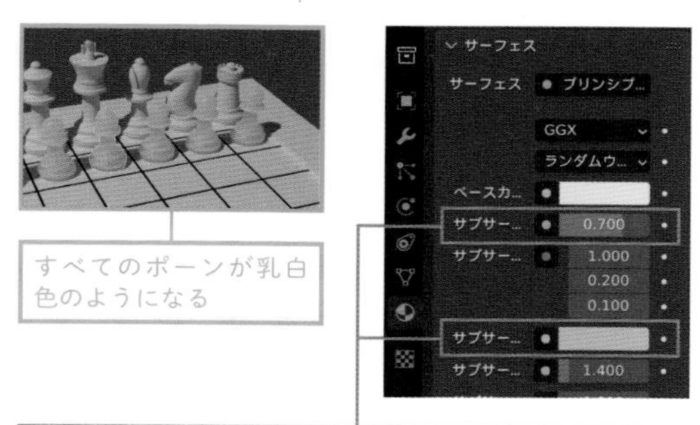

すべてのポーンが乳白色のようになる
❶［サブサーフェス］の値を「0.7」にし、［サブサーフェスカラー］を薄い青色にする

❸ そしてポーン以外の全駒を選択し、最後にShiftを押しながらポーンも1つ追加選択します（つまりポーンを「アクティブ」状態にします）❶。

その状態で、Ctrl+Lのメニューから［マテリアルをリンク］を実行してください❷。

すると、今作ったマテリアルが全駒に適用されます。

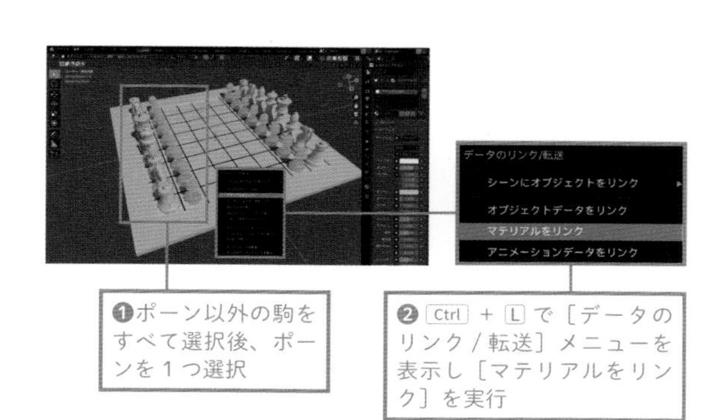

❶ポーン以外の駒をすべて選択後、ポーンを1つ選択
❷ Ctrl + L で［データのリンク / 転送］メニューを表示し［マテリアルをリンク］を実行

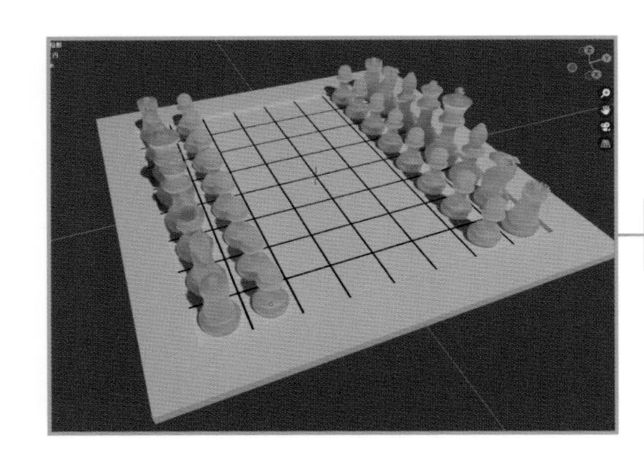

すべての駒にマテリアルが適用された

相手側のポーンのマテリアルを変更する

当然相手側の駒には違うマテリアルを割り当てる必要があるのですが、モデリングの章でこのポーンは特殊な作り方をしていたので単純に今までと同じ方法でマテリアルを割り当てることは出来ません。試しに、相手側のポーンのマテリアルを変えようとすると、同じように自分側のポーンも変わってしまいます。

Alt+D による複製

モデリングの章でこのポーンを複製する時、Shift+D ではなく Alt+D でコピーしていたことを覚えているでしょうか。先程 1 つのポーンのマテリアルを設定したとき、全てのポーンが一斉に同じマテリアルへ変わったのはこのためで、Alt+D によって同じメッシュデータが共有されている状態だと、マテリアルも共有されるようになります。つまり、マテリアルはオブジェクト単位ではなくメッシュに紐付けられているということになります。今回のようにポーン 1 つでマテリアルを設定すれば他のポーン全てでもいちいち一つひとつ同じようにマテリアルを設定していかなくてもいいという利点はあるのですが、相手側の駒だけはメッシュ共有状態を維持したままマテリアルだけを変えたいといったケースで困ってしまいます。もちろんこの問題への対処方法は Blender には用意されています。

1. 相手側のポーンオブジェクト 1 つを選択します❶。
   そして［マテリアルプロパティ］タブ の、マテリアル名が表示されている欄の右の方にある のようなマークから、［オブジェクト］を選択します❷。
   これにより、マテリアルが紐付けられる先がメッシュからオブジェクトへ切り替わります。

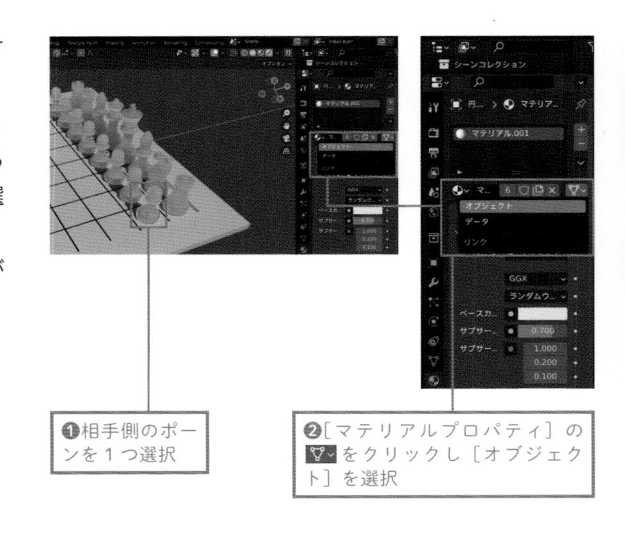

❶相手側のポーンを 1 つ選択

❷［マテリアルプロパティ］の をクリックし［オブジェクト］を選択

❷ マテリアルの適用は解除されるので、[＋新規]でマテリアルを新規作成します❶。

そして先程のワイングラスと同じように［粗さ］を0に、[伝播］を「1.0」にしてガラスの質感にしてみましょう❷。

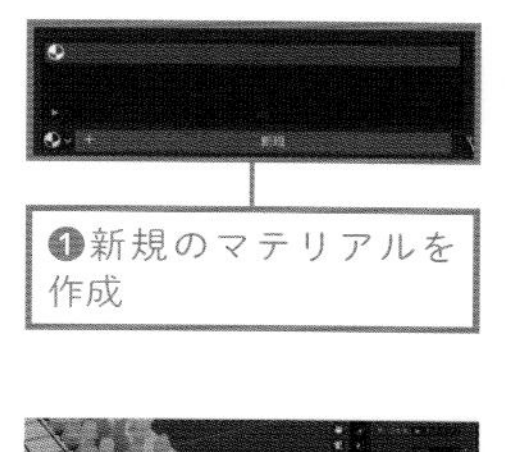

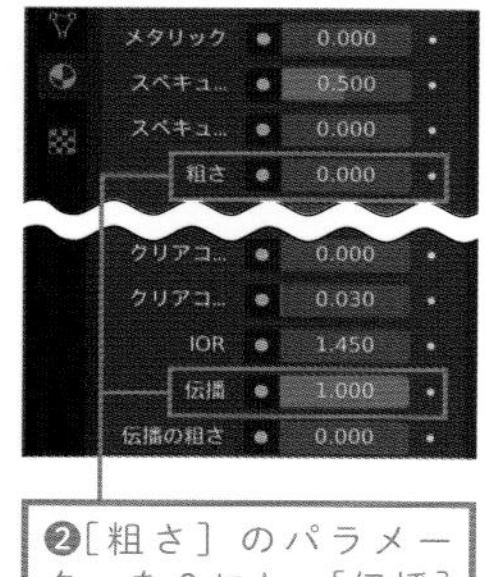

❷［粗さ］のパラメーターを0にし、[伝播］のパラメーターを「1.0」にする

> **POINT**
> ワイングラスのときのEEVEEのガラス表現では、レンダー設定で**スクリーンスペース屈折**の設定を行わなくてはいけませんでしたが、Cyclesの方では最初から向こう側のマテリアルが確認できるどころか、ガラスが二重に重なっていてもきちんと表示されます（ワイングラスの時はフチの部分で奥側のガラスが表示できていないのが確認できます）。

ポーンに適用したマテリアルをほかの駒にも適用する

前述の手順でポーンに適用した質感を相手の駒全体にも適用していきます。

❶ 相手側の、今マテリアルを設定したポーン以外の全ての駒を選択します（この内どれかのオブジェクトをアクティブ状態にする）❶。

先程と同じように マークをクリックして、今度は Alt を押しながら［オブジェクト］をクリックします❷。

これで、選択中の相手側の駒全てのマテリアルリンクをオブジェクトにすることが出来ました。

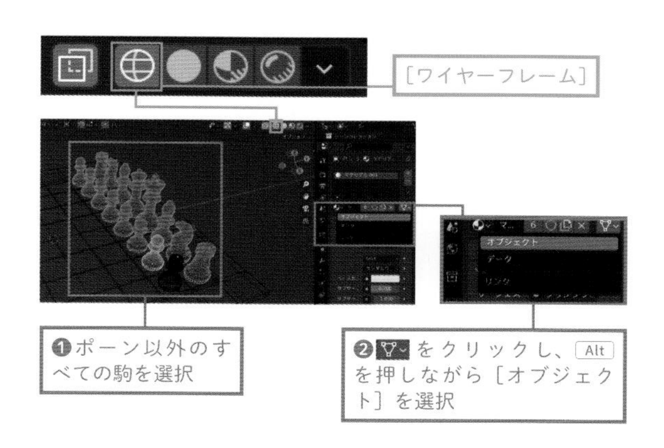

> **POINT**
> Blenderでは、Alt を押しながら操作することで選択中の全オブジェクトに同様の効果を与えることができます。

❷ そのまま、Shift を押しながら相手側で最初にマテリアル設定をしたポーンを追加選択します❶。

そして最後に Ctrl+L から［マテリアルをリンク］を実行して相手側全ての駒をガラスマテリアルにすることが出来ます❷。

❶マテリアルを設定したポーンを追加選択

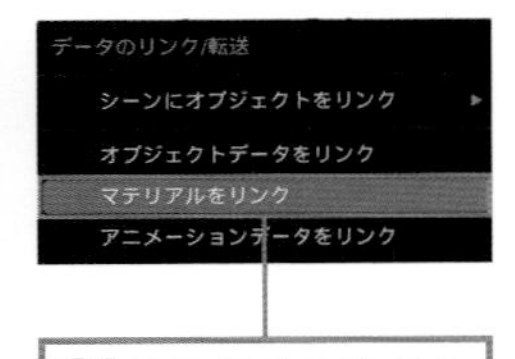

❷［マテリアルをリンク］を実行

相手側の駒がガラスの質感になった

チェスボードにマテリアルを適用する

チェスボードの方にマテリアルを設定します。

❶ 格子が入ったチェスボードを選択して［マテリアルプロパティ］ を確認すると、手順通りに進んでいればマテリアルスロットが２つ作成されており、２つ目のみに黒色のマテリアルが作成されていると思います。ここの、右にある ボタンをクリックしてマテリアルスロットを更に追加します❶。

そしてこの３つ目のスロットに対して［＋新規］ボタンで新規マテリアルを作成します❷。

❷ 今度は、このチェスボードを鏡面のような質感にしてみたいと思います。マテリアルの［サーフェス］パネルで、［メタリック］の値を「1.0」に、「粗さ」の値を「0」に変更します❶。

　ただし、この時点ではマテリアルのパラメーターを変えても 3D ビューポート上のオブジェクトには何の見た目の変化も起きません。

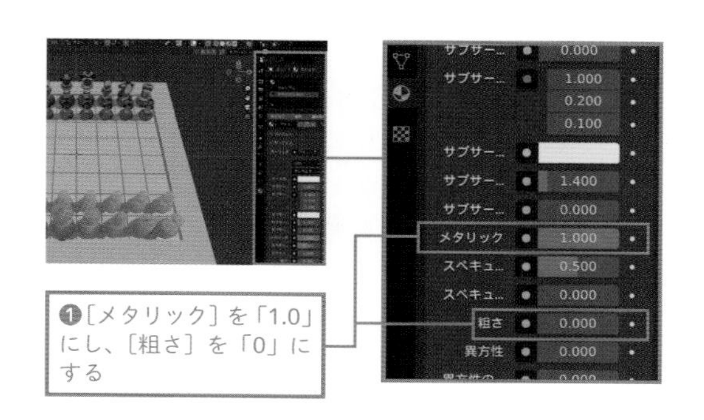

❸ マテリアルスロットが複数ある場合は、そのスロットのマテリアルがオブジェクト上のどこに割り当てられるかを指定してやる必要があります。チェスボードの［編集モード］に入り、［面選択モード］にした上ですべての面を選択しておきます。そして 3D ビューポートヘッダーメニューの［選択］から、［チェッカー選択解除］を実行します❶。

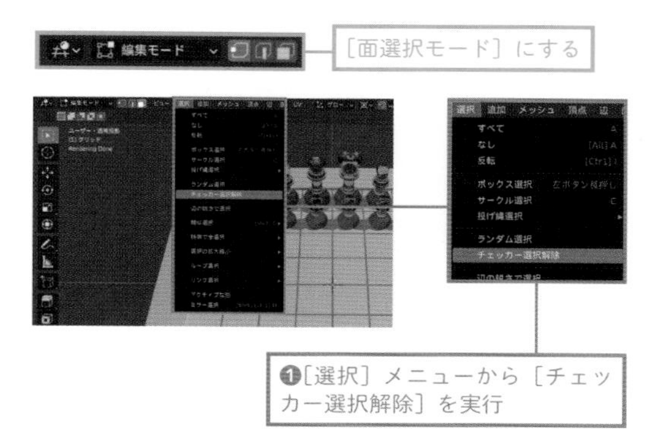

❹ すると、選択していた面がチェック状に選択解除されるので、そのまま［マテリアルプロパティ］◉のマテリアルスロットの下にある［割り当て］をクリックします（この欄は［編集モード］でしか表示されません）❶。

　これで、チェック状に鏡面のマスが作成されます。手順通りに進んでいれば、この鏡面が割り当てられていない方の未だ白いマスは、1 つ目のマテリアルスロットが割り当てられているはずです。

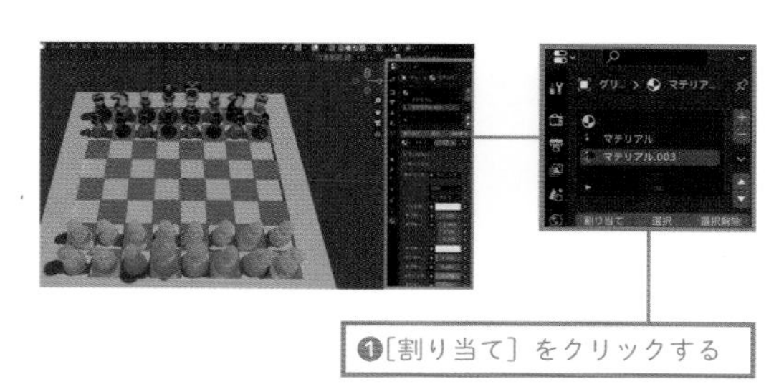

❺ なので１つ目のマテリアルスロットの方を選択し、そちらで［＋新規］ボタンによりマテリアルを新規作成すれば、こちらのマスの方のマテリアルも設定することが出来ます。

ここは先程のマスと同じように［メタリック］を「1.0」、［粗さ］を「0」にして鏡面にし、今度は［ベースカラー］を暗い色にすることで黒い鏡面にしてみましょう❶。

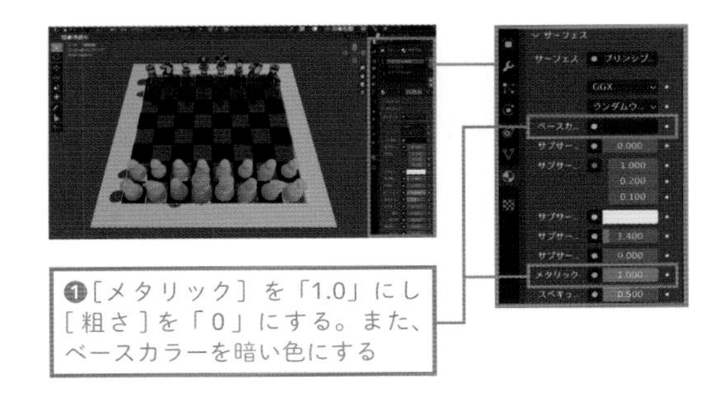

❶［メタリック］を「1.0」にし［粗さ］を「0」にする。また、ベースカラーを暗い色にする

チェスボードにマテリアルを適用する

あとはチェスボードの外枠を作っていきます。

❶［オブジェクトモード］でこの外枠オブジェクトを選択し、今までと同じようにマテリアルを作成します。今度は［メタリック］を「1.0」、［粗さ］を「0.3」、［ベースカラー］をオレンジ色にし、鈍い金色を表現してみましょう❶。

この時点では EEVEE の時より見た目が美しくないじゃないか、と思うかもしれませんが、次章レンダリングで改善されます。

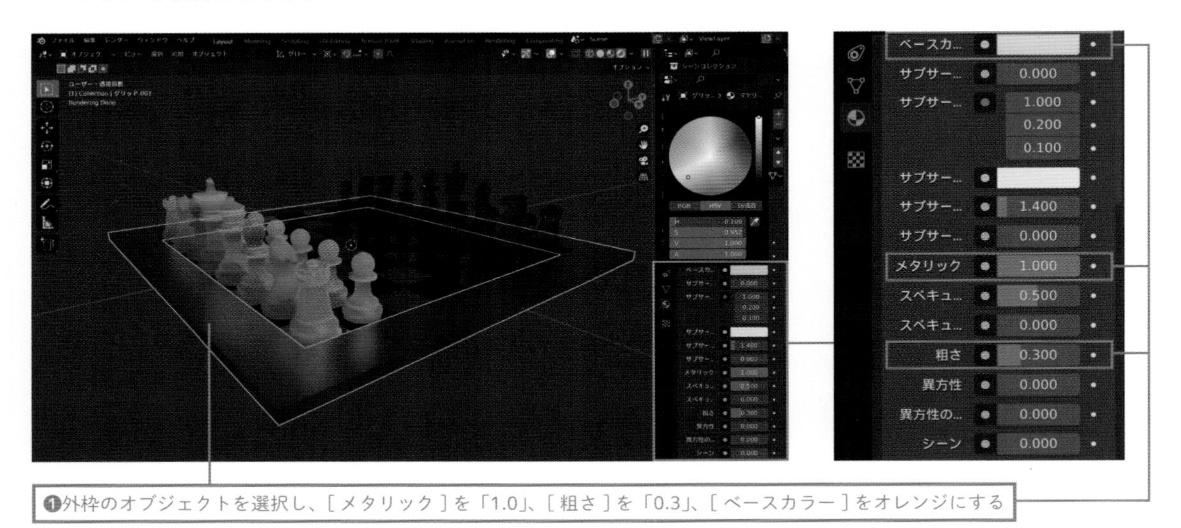

❶外枠のオブジェクトを選択し、［メタリック］を「1.0」、［粗さ］を「0.3」、［ベースカラー］をオレンジにする

マテリアルのおさらい

本節では３章で扱ったマテリアルに関しておさらいをしていきます。次章に進むにあたってマテリアルについて内容をしっかりおさえておきましょう。

マテリアル操作のおさらい

本節ではマテリアルの作成や追加などのマテリアル操作のおさらいをします。

マテリアルスロット

まず［マテリアルプロパティ］最上段には、マテリアルスロットが表示される枠があります。Blender でオブジェクトにマテリアルを作るには、まずこの［マテリアルスロット］をオブジェクトに対して作成し、そのスロットの中に［マテリアル］を作成するというイメージになります。

このスロットシステムが有るおかげで、１つのオブジェクトに対してマテリアルを複数割り当てることが出来、その割り当てられる先は［編集モード］で面単位で指定することが出来ます。

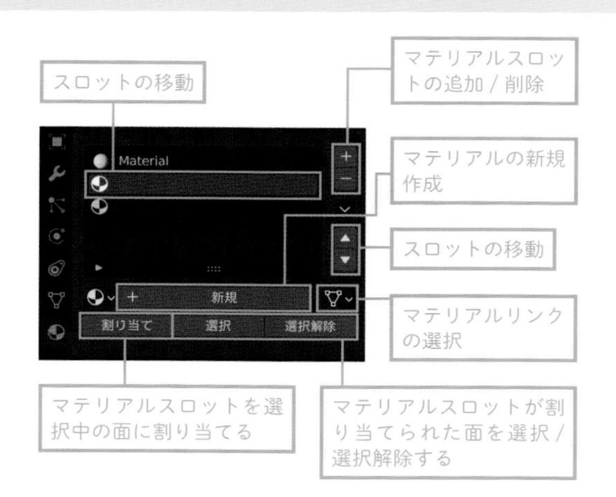

上記の画像にある右側の＋－ボタンで［マテリアルスロット］を増減でき、その下の▲▼ボタンで選択中のスロットの位置を上下させることが出来ます。［＋新規］ボタンで選択中の［マテリアルスロット］に対してマテリアルを新規に作成します。その左のマテリアルボタンで、既に作成されているマテリアルの中から選択中の［マテリアルスロット］へ割り当てることが出来ます。右のボタンでは、選択中のオブジェクトのマテリアルリンクを［オブジェクト］か、［データ］（メッシュデータ）から選択することが出来ます。下の欄は［編集モード］でのみ表示され、［割り当て］で現在のマテリアルスロットを選択中の面へ割り当て、［選択］で選択中の［マテリアルスロット］が割り当てられている面を 3D ビューポート上で選択します。［選択解除］で選択中の［マテリアルスロット］が割り当てられている面のみを 3D ビューポート上で選択解除します。

プリンシプル BSDF

Blender の最も基本的なマテリアルである**プリンシプル BSDF** の各パラメーターの意味について説明します。

▶プリンシプル BSDF の各パラメーター

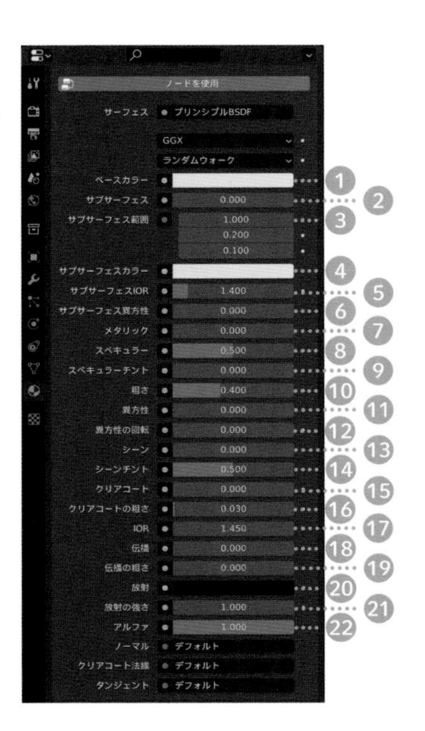

❶	ベースカラー	基本の色を設定します。ボックスをクリックするとカラーホイールのフローティングウィンドウが開き、RGB、HSV、Hex の数値による色指定も可能です。
❷	サブサーフェス	表面下散乱、つまり光が面の内側へ少し入り、その中で散乱し再び外へ出てくる様子を再現します。人間の皮膚、大理石、牛乳のようなコロイドのミー散乱等の再現に向いています。
❸	サブサーフェス範囲	光が表面下を散乱する平均距離を、RGB 別に指定します。
❹	サブサーフェスカラー	表面下散乱の基本色を設定します。
❺	サブサーフェス IOR	表面下散乱の屈折率を設定します（Cycles のみ）。
❻	サブサーフェス異方性	表面下散乱の異方性を設定します（Cycles のみ）。
❼	メタリック	「1」にすれば完全に金属光沢のように鏡面反射をする質感にし、「1」と「0」以外では金属と非金属をブレンドします。
❽	スペキュラー	金属光沢のようなハイライトを加えます。「12.5」で全反射します。
❾	スペキュラーチント	ハイライトをベースカラーで着色します。
❿	粗さ	表面の微細なオウトツを再現します。
⓫	異方性	キューティクルやヘアライン加工のような、鏡面反射の異方性を再現します（Cycles のみ）。
⓬	異方性の回転	異方性の方向を設定します（Cycles のみ）。
⓭	シーン	ベルベットのような、輪郭付近の反射を再現します。
⓮	シーンチント	輪郭反射をベースカラーで着色します。
⓯	クリアコート	他のすべての要素にさらに白いスペキュラーを追加します。
⓰	クリアコートの粗さ	クリアコートのみで独立した微細なオウトツを再現します。
⓱	IOR	伝播の屈折率を設定します。
⓲	伝播	屈折のある透過を再現します。
⓳	伝播の粗さ	微細なオウトツによる伝播の散乱を再現します（Cycles のみ）。
⓴	放射	発光の色を設定します。
㉑	放射の強さ	発光の強度を設定します。
㉒	アルファ	不透明度を設定します。

マテリアルの設定についてのおさらい

以下の表で設定の詳細についてご確認ください。なお、[設定]項目はほぼ EEVEE 専用となります。

▶ マテリアルの設定

❶	裏面を非表示	メッシュ面には裏表があり、表面のみを表示、レンダリングするようになります。
❷	ブレンドモード	アルファの混合方法を設定します。[不透明]のままだとアルファの値を下げても透過しません。 [アルファクリップ]は、クリップの閾値に基づき、完全な透明か完全な不透明かが別れます。[アルファハッシュ]は、ディザリング(ノイズ)によって半透明を表現します。[アルファブレンド]はノイズ無く綺麗に半透明を表現しますが、描画順に問題があり、複雑な形状では破綻する可能性があります。
❸	影のモード	アルファが設定された面が落とす影の描画方法を設定します。[なし]は影を描画しません。[不透明]はアルファを考慮しません。[アルファハッシュ]と[アルファブレンド]は、ブレンドモードと同様です。
❹	スクリーンスペース屈折	[伝播]が「0」以外の場合、レイトレーシングを使用して屈折を表現します。これにより奥の面が描画されるようになりますが、計算に時間がかかり、[スクリーンスペース反射]と[アンビエントオクルージョン]が描画できなくなります。
❺	屈折の深度	[伝播]で対象の厚さを考慮します。
❻	サブサーフェスの透光	面の内側にある光源から漏れ出す光を再現します。
❼	パスインデックス	マテリアルに番号を付与し、他の様々な機能で使用します。

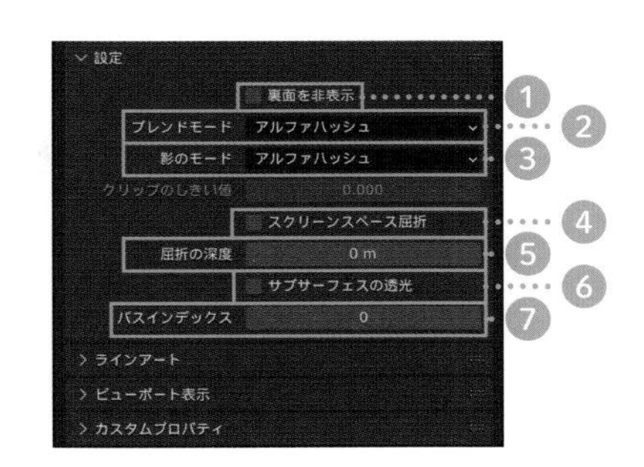

レンダープロパティ

［レンダープロパティ］タブにもマテリアルと密接に関係した項目があります。［レンダーエンジン］には［Eevee］と［Cycles］の２種類があり、それぞれマテリアルで可能な表現が変わります（［Workbench］はプレビュー用のものであり、最終的なレンダリングには使用しません）。［Eevee］は表示のスピードに特化し、リアルタイムレンダリングに向いています。

［Cycles］は専門的な呼び方をすれば物理ベースパストレーサーで、正確で高品質なレンダリングを提供します。つまり［Cycles］はパワフルなGPUを搭載した環境に向いています。［スクリーンスペース反射］にチェックを入れると、鏡面反射の反射像にオブジェクトを含めることが出来るようになります。その上で［屈折］にもチェックを入れると、**スクリーンスペース屈折**が可能となり、屈折像にオブジェクトを含めることが出来るようになります。両者とも表示負荷が高いため、デフォルトではオフになっています。

Chapter 04

アニメーション（動き）を付けよう

せっかく3Dモデルを作ったのですから、今度は動きも付けてみましょう。2Dの絵と違って、少ない作業量で自由に動かすことが出来るのは3Dの強みです。Blenderにはオブジェクトを動かす方法が様々ありますが、今回はその中でも代表的な3つの方法をそれぞれのモデルで試してみます。

サンプルファイル　samplefile/Chapter4/4-1

オブジェクトアニメーション

　まずは基本的なオブジェクトの動かし方からということで、今までとは順番を変えチェスセットから解説を進めます。

チェスセットのアニメーション

ここの手順ではチェスの駒を動かすための設定を行っていきます。

ポーンを動かす

ポーンを動かすためのアニメーションを作成していきます。

❶ どれでも良いので動かしたいポーンオブジェクトを１つ選択します❶。
　その状態で I の［キーフレーム挿入メニュー］から［位置］を選択します❷。
　すると、N で表示されるサイドバーの［アイテム］タブにある［トランスフォーム］の［位置］およびプロパティエディターの［オブジェクトプロパティ］タブにある同じく［トランスフォーム］の［位置］欄が黄色く着色されます。これは、現在のフレーム（Blender における時間）で、［キーフレーム］が打たれた状態を意味します。

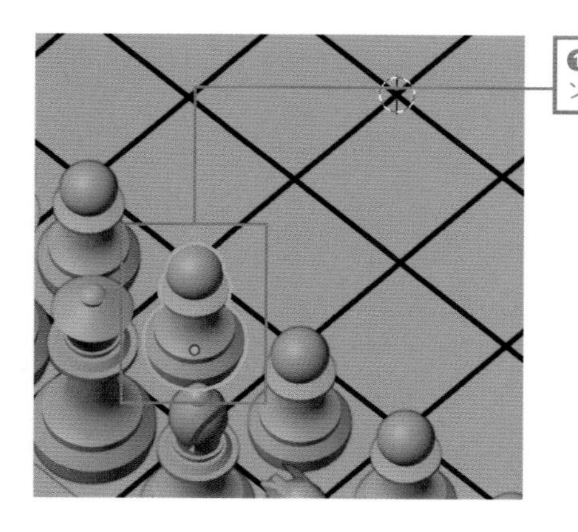

❶動かしたいポーンを１つ選択

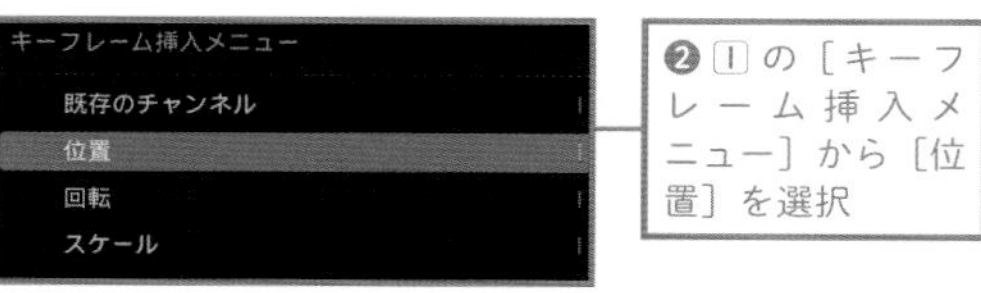

❷ I の［キーフレーム挿入メニュー］から［位置］を選択

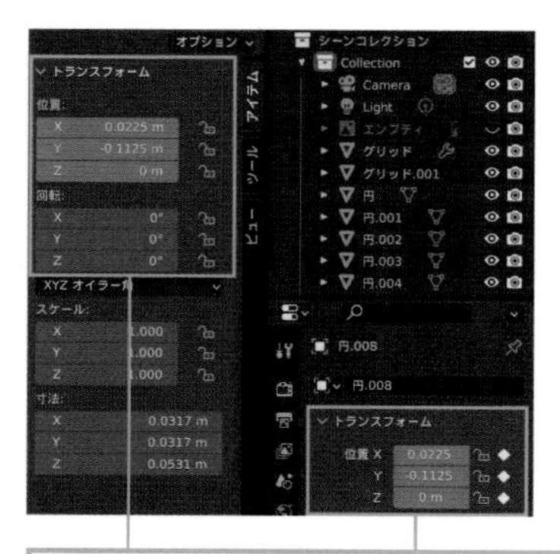

以下が黄色になる
・［アイテム］タブ内の［トランスフォーム］の［位置］
・［オブジェクトプロパティ］タブ内の［トランスフォーム］の［位置］

キーフレーム

キーフレームとは、Blender でアニメーションの基点となる時間的な位置を表します。つまり、このオブジェクトはこの時間にこの位置に居る、というマークを付けた、というような意味になります。

3D ビューポートの下の［タイムライン］エリアは、第 1 章（P.21）で少し触れた通り、時間に関わる操作を行う場所になります。初期状態では、青い枠の中と［開始］の文字の左側の枠の中には「1」と表示されていると思います。これは、現在のフレームが「1」であることを示しています。つまり先程打ったキーフレームは、フレーム「1」に記録されたことになります。

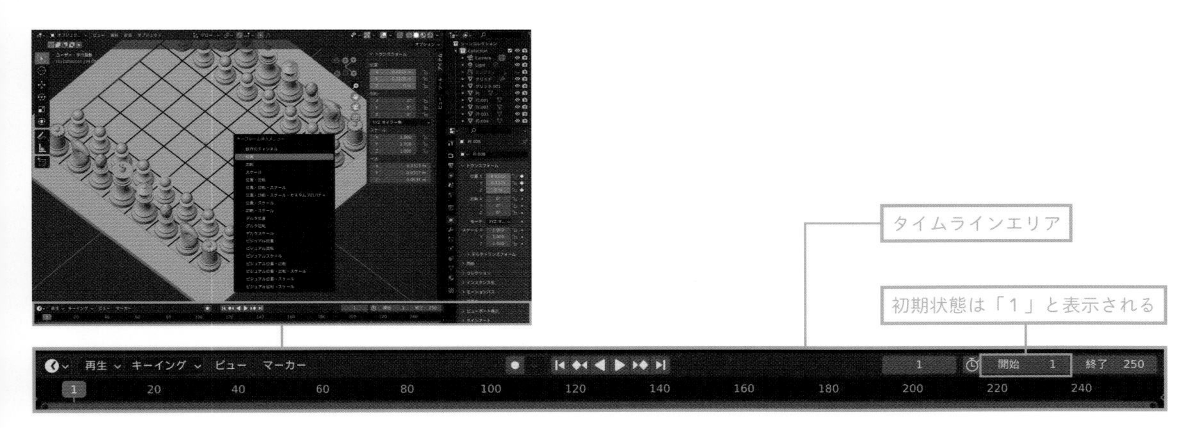

❷ 次に、この青枠の部分を左へドラッグして現在フレームを移動させてみましょう❶。

フレーム「1」以外の場所に移動すると、先程黄色かった［トランスフォーム］［位置］の枠が、緑色に変化します。

黄色は現在フレームにキーフレームが打たれていることを意味し、緑色は現在フレーム以外にキーフレームが打たれていることを意味します。

そのまま、この青枠を「40」の位置へ移動させます。あるいは、［開始］の左側の枠で直接「40」の数字を打ち込むことでもフレーム「40」へ移動できます❷。

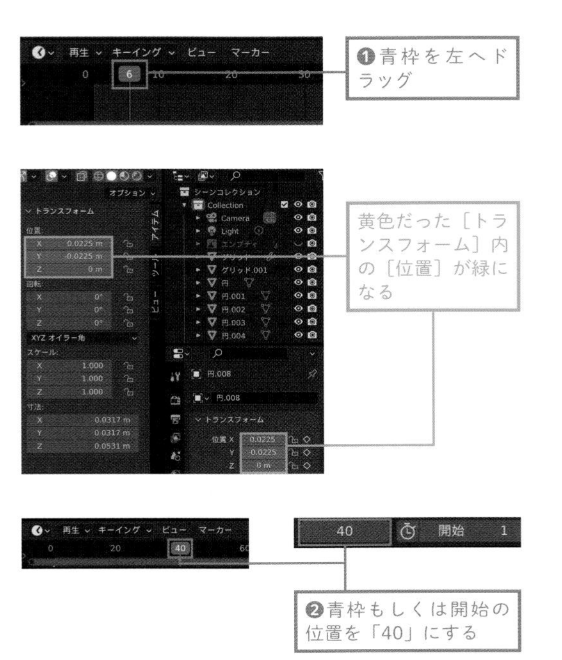

Chapter 4 アニメーション（動き）を付けよう

❸ この状態で選択中のポーンオブジェクトを2つマスが進んだ場所へ移動させます❶。

そして先程と同じく I の［キーフレーム挿入］メニューから、［位置］を選択します❷。

これで、フレーム「1」から「40」へかけて、ポーンオブジェクトが2マス進むアニメーションが作られました。

❶ポーンを2マス進んだ位置に移動

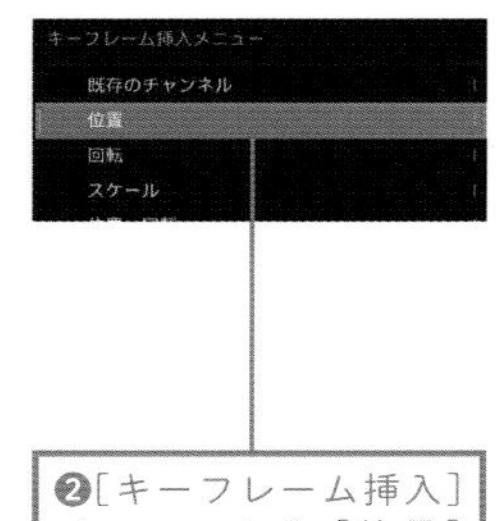

❷［キーフレーム挿入］メニューから［位置］を選択

❹ ［タイムライン］ヘッダーの一番右の［終了］の値を「60」に変更し、Space（または▶）を押してみてください❶。

青枠が自動的に左から右へ流れ、ポーンオブジェクトが移動するアニメーションが再生されたでしょうか。停止するには再び Space（または⏸）を押します。

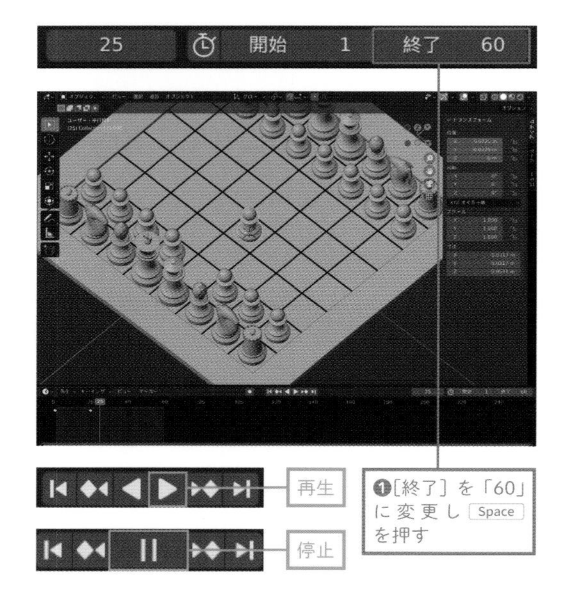

再生

停止

❶［終了］を「60」に変更し Space を押す

キーフレームを操作する

POINT

3D ビューポートとタイムラインの境界にマウスカーソルを合わせ、上へドラッグしてみてください。するとタイムラインエリアが縦に広がり、オレンジ色の菱形のアイコン◆が見えてきます。これはキーフレームが打たれた場所を表し、このアイコンを直接移動させることで直感的にキーフレームの位置を変えることが出来ます。

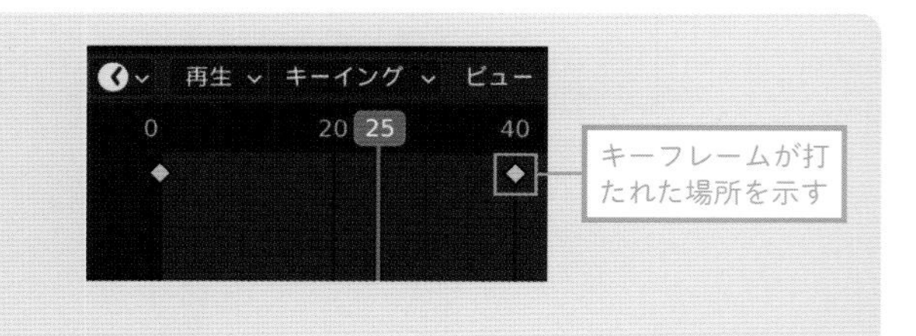

キーフレームが打たれた場所を示す

❶ 位置を変えるには、オブジェクト等の操作と同様に左クリックで選択して G を押してマウスを移動させます。キーフレーム「40」の位置にあった菱形を「20」の位置に移動させてから再び Space でアニメーションを再生させてみてください❶。

先程の倍の速さでポーンオブジェクトが移動するようになります。

❶キーフレームを「20」の位置に移動

❷ また、タイムライン上で Ctrl+Tab を押すことで、［グラフエディター］に切り替えることが出来ます❶。

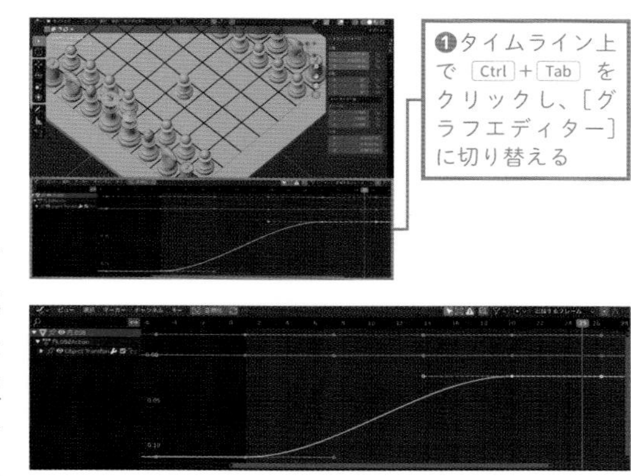

❶タイムライン上で Ctrl+Tab をクリックし、［グラフエディター］に切り替える

● グラフエディター

このエディターでは、先程のタイムラインで表示されていた菱形のキーフレームアイコン◆がベジエカーブに置き換わり、各キーフレーム間の補間曲線を確認、編集することが出来ます。もし、エリアの縮尺の関係によりこの曲線が見えづらかった場合は、テンキーの Home を押すことにより全体が見えやすくなるように自動的に表示の縮尺を調整してくれます。

❸ この曲線を少し編集してみましょう。緑色のカーブに2箇所ある頂点を A で両方選択した状態にします❶。

そして V の［キーフレームのハンドルを設定］メニューから［ベクトル］を選択すると、カーブが直線になります❷。

❶ A でカーブの頂点を2箇所選択

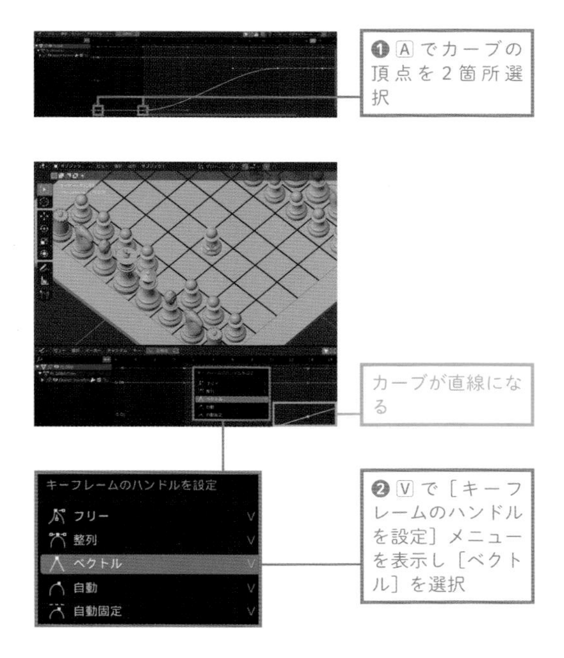

カーブが直線になる

❷ V で［キーフレームのハンドルを設定］メニューを表示し［ベクトル］を選択

❹ この状態で再び Space を押し再生してみてください❶。

先程までの動きとは違い、メリハリの無い等速運動をするようになったのではないでしょうか。このように、補間曲線を直接編集することによりキーフレーム間の補間の動きを制御することが出来ます。

元に戻すには、V の［キーフレームのハンドルを設定］メニューから［自動固定］を選択します。

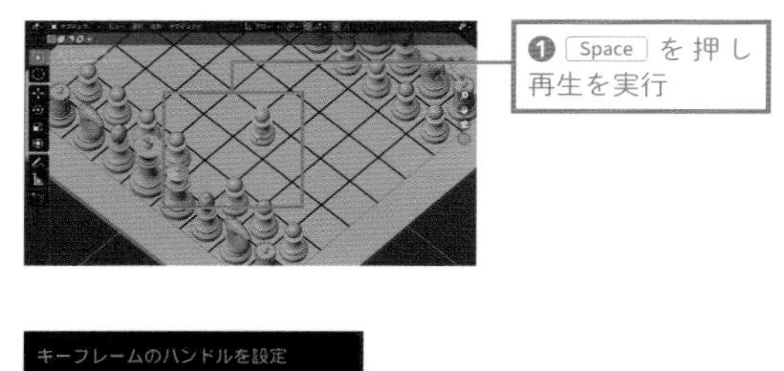

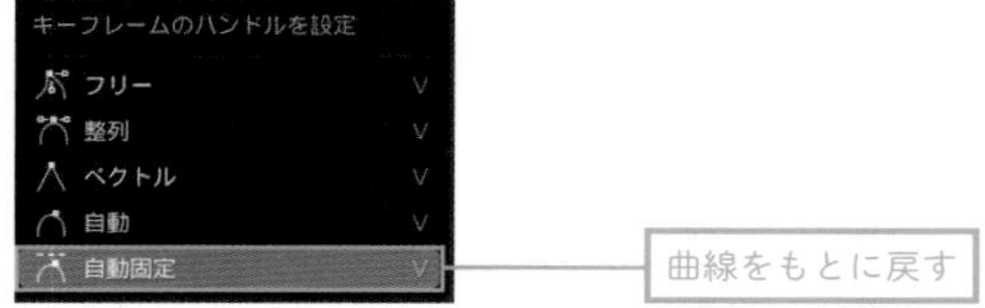

ポーンをさらに動かす

更にポーンに動きを加えてみましょう。

❶ グラフエディターで再び Ctrl+Tab を押してタイムラインに戻します❶。

そして現在フレームを「30」へ移動させてから I からの［キーフレーム挿入メニュー］で、今度は［既存のチャンネル］を選択します❷。

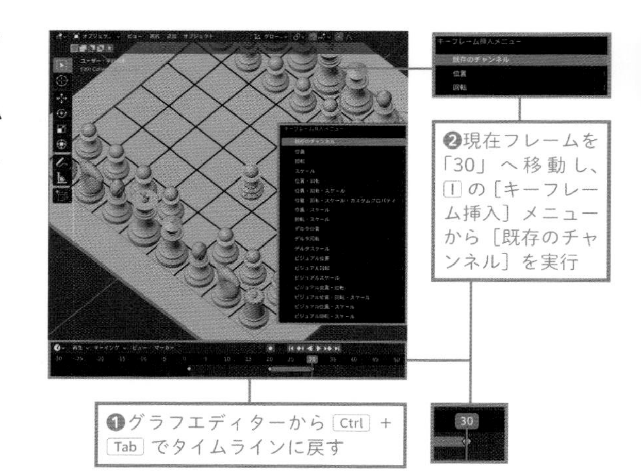

既存のチャンネル

既存のチャンネルは、既に入力されているキーフレームのチャンネル（この場合［位置］）に対してキーフレームを打ちます。すると、既に20フレーム目に打っていたキーフレームと、今回新たに作成したキーフレームの間に暗いオレンジ色の帯が追加されます。これは、この間にこのチャンネルに数値の変化がないことを示しています。

❷ 更に「40」フレームへ移動し、ポーンを１マス進めた位置に移動させてから同じように［既存のチャンネル］にキーフレームを打ちます❶。

この状態で Space で再生させてみると、ポーンが２マス進み、少し停止の時間があってから１マス進むというアニメーションが出来ています。

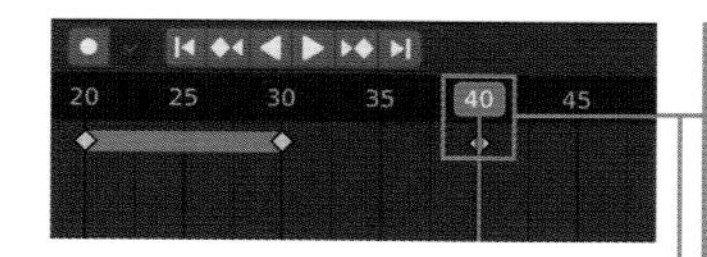

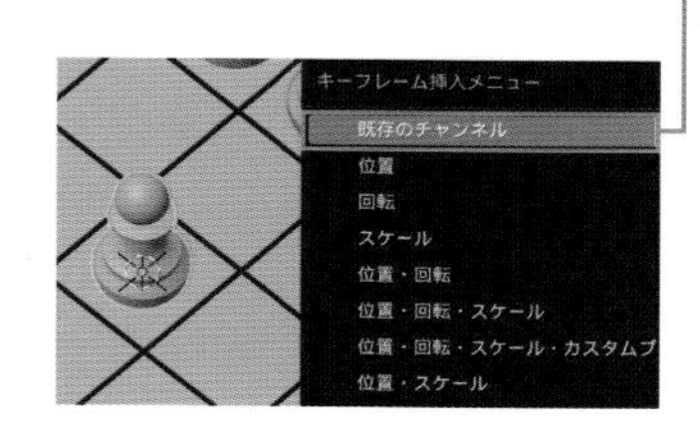

❶「40」のフレームに移動しポーンを１マス進めて［既存のチャンネル］を実行

POINT

このように、間に停止時間を入れることはアニメーションを作る上でメリハリを付けるために必ず必要になります。この暗いオレンジ色の帯はそういった効果がどの位置に存在するかをひと目で確認できるため非常に役に立ってくれます。

ビショップを動かす

続けて、ビショップも動かしてみましょう。

❶ 先程のポーンと手順は同様ですが、今度は 40 フレームで初期位置のキーフレームを打ちます❶。

次に 60 フレームに移動してからビショップの位置を斜め左前のマスへ動かしてから位置キーフレームを打ちます❷。

この状態で Space により再生すると、ポーンが２マス、１マスと前進した後にビショップが斜め前へ移動するという一連のアニメーションが完成しています。

❶「40」フレームに初期位置のキーフレームを打つ

❷「60」フレームに移動しビショップを斜め左に動かした後に位置キーフレームを打つ

キーフレームの内訳を確認する

タイムラインのキーフレームを表す菱形アイコン◆は、現在選択しているオブジェクトのキーフレームのみを表示しています。いまキーフレームを打ったポーンとビショップ両方を選択した状態でタイムラインを確認すると、両方のキーフレームを表す菱形アイコンがすべて確認できます。

❶ この状態で、タイムライン左上端にある小さな>のマークをクリックしてみてください❶。

すると、各菱形アイコン◆の段がどの要素のものを示しているかをリスト表示する領域が出現します。

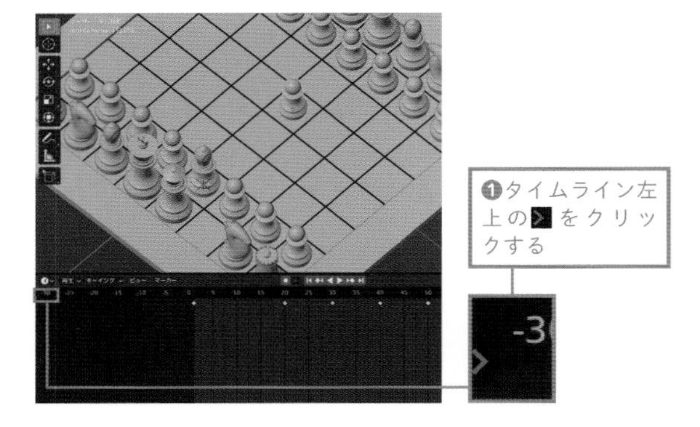

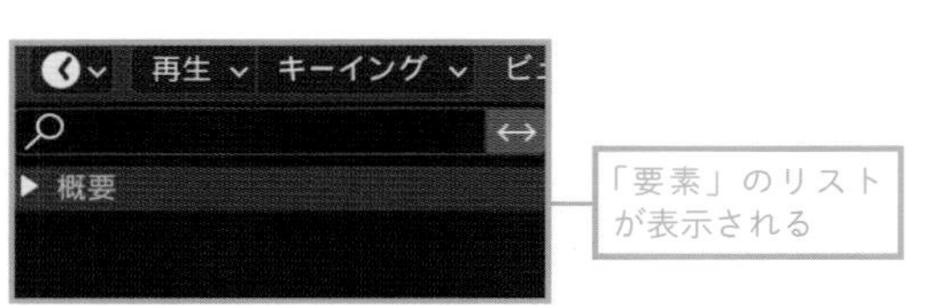

❷ ここで、「要素」の左側の▶マークをクリックすると内訳のリストが開き、各オブジェクトの名前や、更にその下にそのオブジェクトのどの要素に対してのキーフレームであるかを確認できるリストが表示されます❶。

ここの［Object Transforms］は、そのオブジェクトのトランスフォームにキーフレームが打たれていることを意味します。

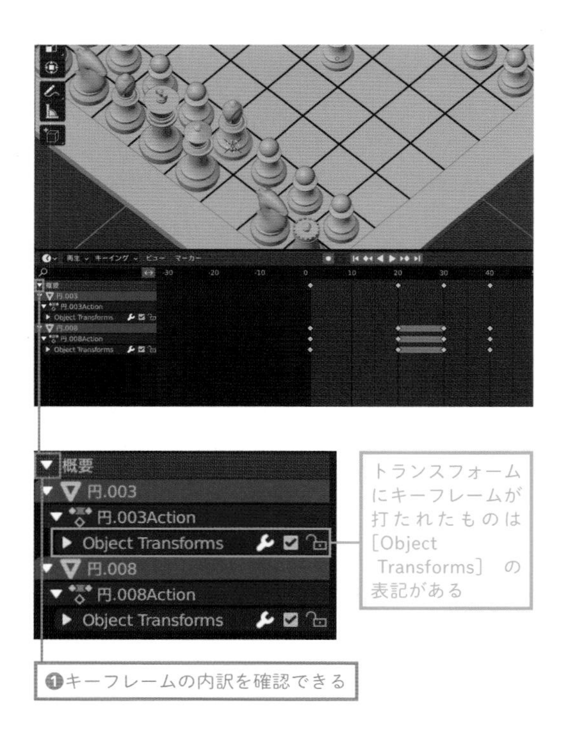

キーフレームの詳細を確認する

❶ 更にその［Object Transforms］左の▼マークをクリックしてリストを開くと、「X 位置」「Y 位置」「Z 位置」といった具合に、トランスフォームのどの項目に対するキーフレームかも細かく見ていくことが出来ます。試しにポーンオブジェクトに I からのキーフレーム入力で今度は「回転」を選択して回転にキーフレームを打ってみましょう❶。

すると、［Object Transforms］項目内に［X オイラー角回転］［Y オイラー角回転］［Z オイラー角回転］が追加されます。

❷ 同様に［スケール］にもキーフレームを打ってみると、やはり［X スケール］［Y スケール］［Z スケール］が追加され、位置、回転、スケール共に各軸で細かく確認、調整できることが見て取れます❶。

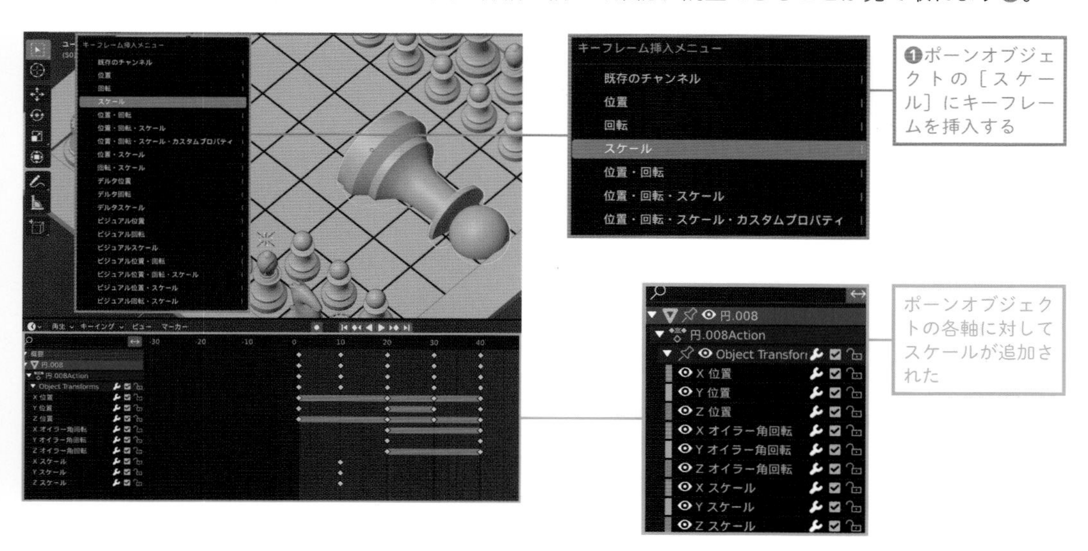

❸ 更にこのまま Ctrl + Tab でグラフエディターに切り替えます❶。

　すべての項目のキーフレーム間の補間曲線を自由に編集できることがわかります。本来チェス駒のアニメーションには必要のない要素ですが、回転やスケールにもキーフレームを色々と打ってみて各動作を確認してみてください。

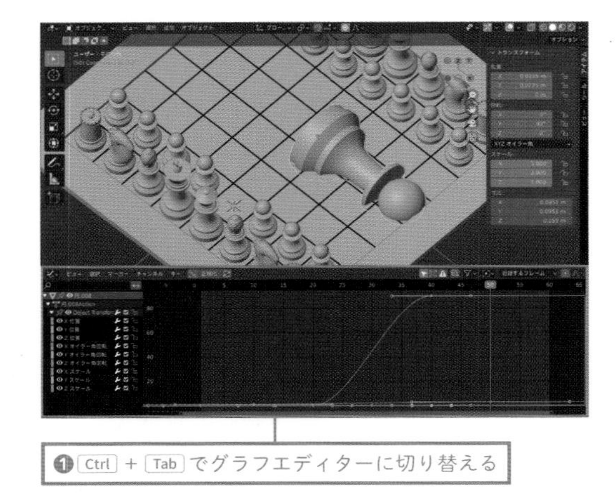

❶ Ctrl + Tab でグラフエディターに切り替える

グラフエディターでのカーブ操作

　グラフエディターでのカーブの操作方法を説明します。カーブの各キーフレームにはベジエ曲線を定義するためのハンドルが備わっています。このハンドルのタイプは V の［キーフレームのハンドルを設定］メニューで切り替えることが出来ます。

　［フリー］は左右のハンドルを独立して動かすことが出来、**［整列］**では左右のハンドルが一直線になります。**［ベクトル］**は左右のハンドルがそれぞれ隣のキーフレームに向かってまっすぐ向くようになります。**［自動］**は左右を一直線に保ったまま、隣のハンドルによって自動的に角度、長さを調整します。［自動固定］は、ハンドルを水平に保ったまま、隣のハンドルによって自動的に長さを調整します。変更は選択中のキーフレームに対して行われ、複数同時変更も可能です。デフォルトでは［自動固定］になっています。

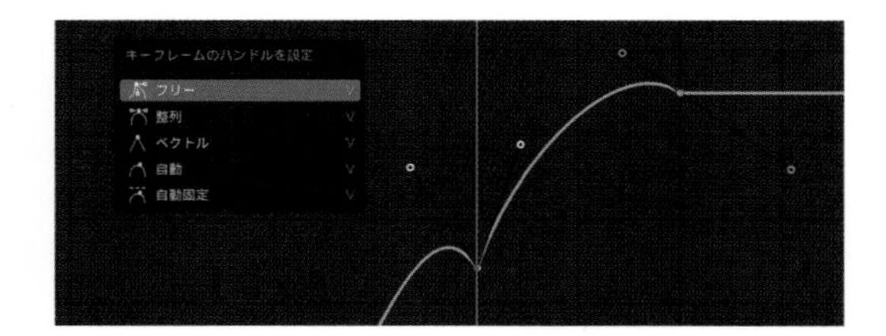

MEMO

実は、ハンドルのタイプはグラフエディターでなくても切り替えることが出来ます。タイムラインで右クリック→ハンドルタイプから選択可能です。ですが、やはりカーブがどのように変化したかを確認しながら作業したほうが結果が予想しやすいので、こちらのみで済ませるのは相当な慣れが必要です。

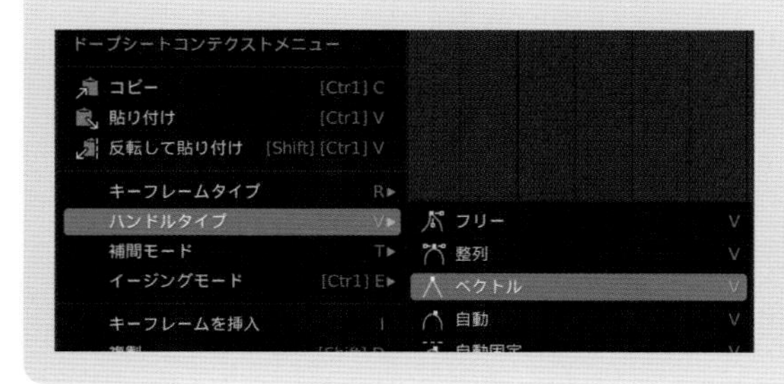

キーフレームの外挿を設定

Shift+E による **［キーフレームの外挿を設定］** メニューでは、カーブの一番端より外側のカーブがどうなっているかを設定します。デフォルトでは **［値を保持して外挿］** になっていますが、**［傾きを保持して外挿］** に変更すると、設定したアニメーションの最後の動きをずっと等速でし続ける、といったような動きを作ることが出来ます。例えば一定方向に移動し続ける、一定方向に回転し続けるといったような動きは、有限のキーフレーム内であればそのようにキーフレームを打つことで可能ですが、無限に同じ動きをし続けさせたい、といった場合はこの機能が役に立ちます。［ループにする（F モディファイアー）］は、最初のキーフレームと最後のキーフレーム間の動きをループさせます。解除するには［ループを解除（F モディファイアー）］を選択します。これらの変更は選択中のカーブに対して行われ、複数同時変更も可能です。

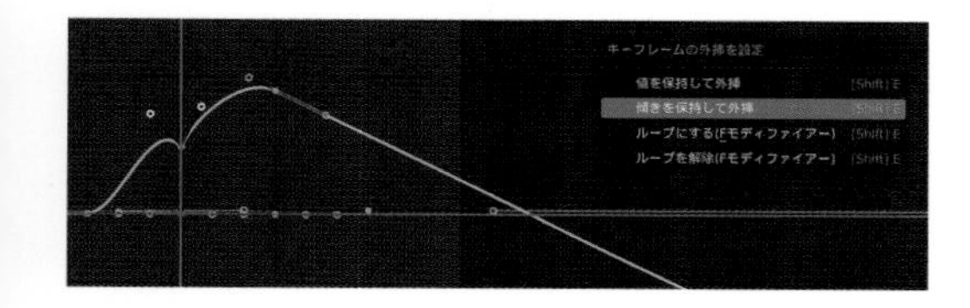

バウンス

グラフエディター右上端にある■マーク（または N）をクリックすると、グラフエディター専用のサイドバーが開きます。ここの、［F カーブ］タブにある［アクティブキーフレーム］パネル内の［補間］プルダウンメニューから、ベジエ曲線以外の補間曲線も選択することが出来ます。例えば［バウンス］を選択すると、まるでボールが跳ねるような動きを自動的に作ってくれます。その他にも慣性による戻りのような動きを付ける［後］、ゴムが伸び縮みするような動きをする［ゴム状］等、手作業で作るには少し難しいような動きもこの補間曲線を利用することによりリアルなものを作ることが出来ます。

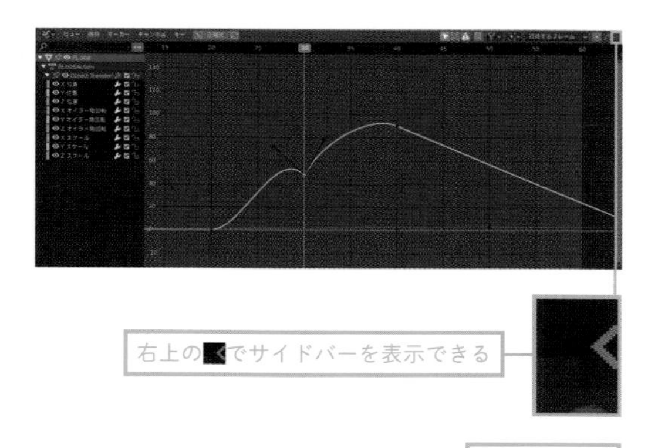

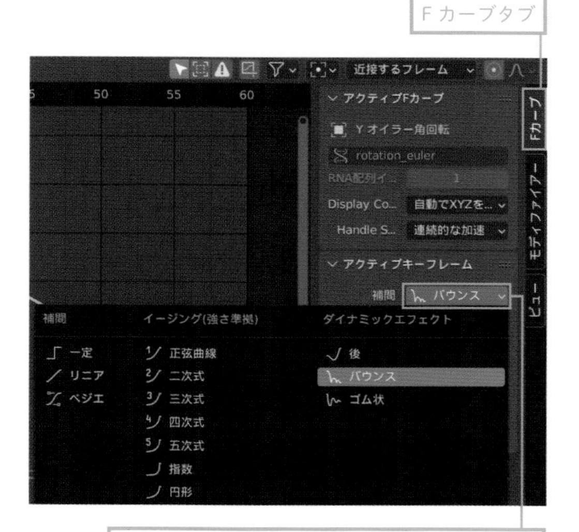

・［バウンス］
ボールが跳ねる動きを自動で付けることが可能

MEMO

例えばチェス盤がどちらかへ動きながら、その上でチェス駒がマス移動するというような動きを作りたい場合、チェス駒は盤の動き＋駒の動きという非常に複雑なアニメーションを作らなくていけなくなります。そのような場合、オブジェクトの**ペアレント機能**が役に立ちます。

チェス駒、チェス盤を含んだすべてのメッシュオブジェクトを選択した状態でペアレントの「親」にしたいオブジェクトをアクティブ状態（薄いオレンジ色）にしておきます。そして Ctrl + P の［ペアレント対象］メニューから、［オブジェクト］を選択します。こうすることで、「親」に指定したオブジェクトのみを動かしただけでも、その「子」になったオブジェクトがすべて連動してくれるようになります。「子」にのみ付けた動きは、「親」の動きに対して相対的に動いてくれるので、チェス駒に対して両者の動きを考慮した複雑なアニメーションを付ける必要はなくなります。

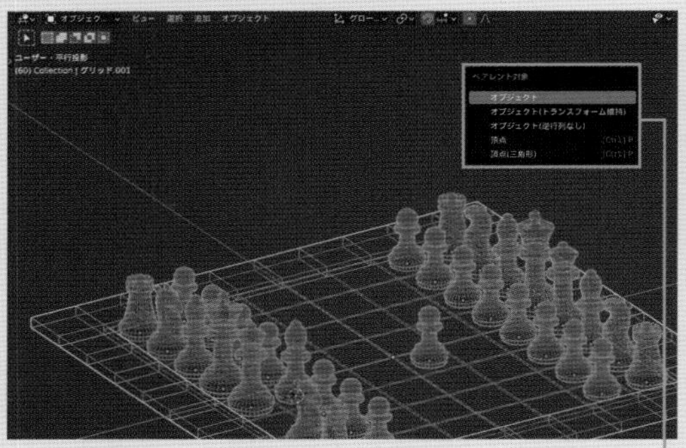

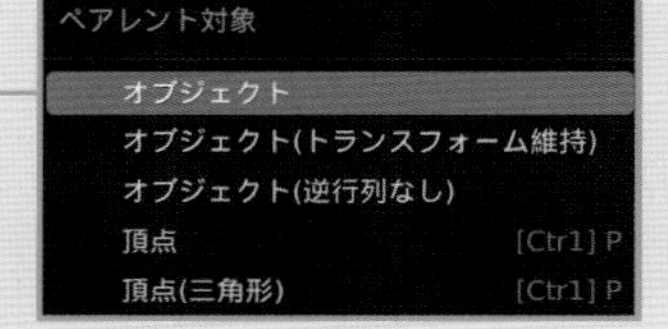

Ctrl ＋ P で［ペアレント対象］メニューを表示できる

サンプルファイル samplefile/Chapter4/4-2

アーマチュアアニメーション

アザラシのモデルに動きをつけてみましょう。こちらはチェス駒のようにオブジェクトごと動かす単純な動かし方ではなく、動物らしく四肢を曲げるような動きをつけたいと思います。

リギング

アザラシの四肢を動かすにはまず、骨格を作らなくてはいけません。人体や動物を 3DCG 上で動かすにはどのソフトでもまずは骨格を入れる作業から始まります。これを、**リギング**と言います。Blender では、この骨格にあたるオブジェクトを**アーマチュア**と呼びます。

アーマチュアの追加

❶ ［オブジェクトモード］で、Shift+A の［追加］メニューから［アーマチュア］を選択します❶。

すると、3D カーソルの位置に四角錐のような、細長い八面体のような形の先端に小さな球が付いているようなオブジェクトが追加されます（もし 3D カーソルの位置がずれていて中央に作成されなかった場合は Alt+G で中央に戻しましょう）。プロパティエリアの棒人間のようなアイコンのタブ（オブジェクトデータプロパティ）内の、［ビューポート表示］パネルを開いて［最前面］にチェックを入れましょう❷。

こうすることで、メッシュオブジェクトの裏側に隠れてしまうアーマチュアオブジェクトを最前面で確認することが出来ます。

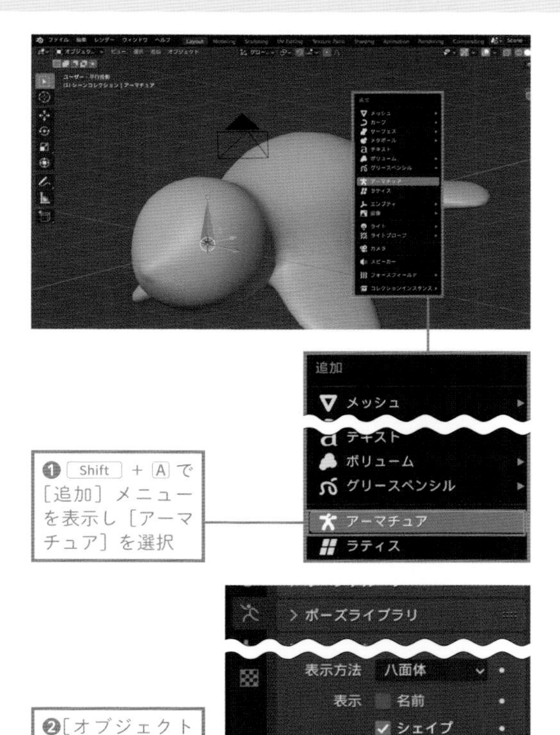

ボーンの作成

Tab でアーマチュアオブジェクトの［編集モード］に入ります。アーマチュアオブジェクトを構成するこの棒状の八面体は**ボーン**と呼称します。初期状態で上側の球体をボーンの**テール**、下側の球体をボーンの**ヘッド**といいます。ボーンはオブジェクトやメッシュと同様に、G、R、S で移動、回転、拡縮をさせることが出来ます。ただしこのボーンのみ少し特殊な性質があり、ボーン本体を選択した時と、ヘッド、テールを選択したときでトランスフォームを行った結果が変化します。

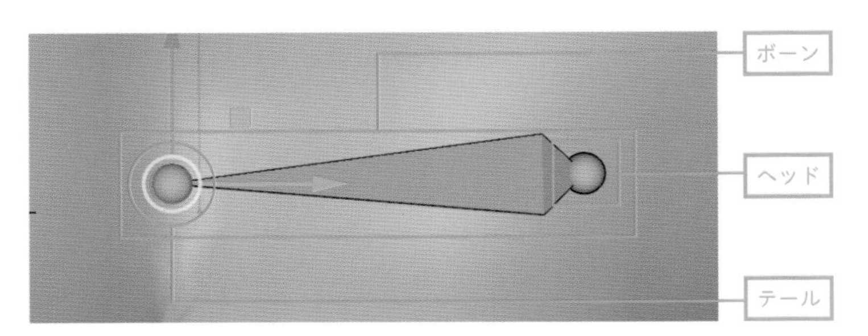

❶ まずは真横からの視点（テンキー 3）にして、ヘッドを選択して G でアザラシ胴体の中央付近へ、テールを選択してアザラシの首のあたりに移動させます❶。

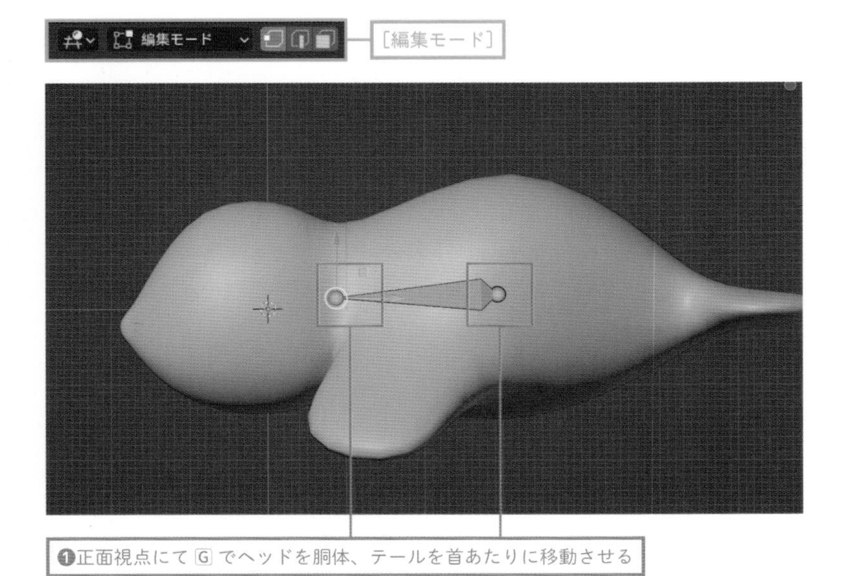

❶正面視点にて G でヘッドを胴体、テールを首あたりに移動させる

❷ 更に、テールを選択した状態で E の押し出しにより、新たに追加されたボーンのテールをアザラシの顔の先端付近に移動させます❶。

同様に、最初のボーンのヘッドから E によりこちらは尾の付け根あたりに移動させます❷。

ここからは左右対称のボーン作成になるので、エリア右上にある X ボタンをクリックして［X軸ミラー］モードにしておきます❸。

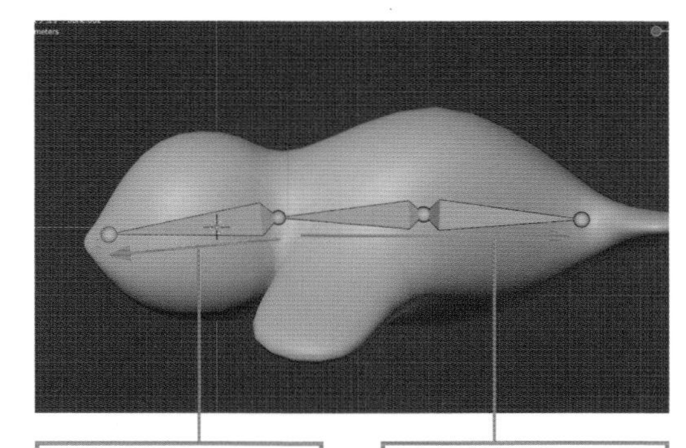

❶ E でボーンを押し出し頭部に移動

❷ E でボーンを押し出し尾ひれの付け根方向に移動

❸エリア右上の X ボタンをクリックして［X軸ミラー］モードにする

❸ 視点を真上からに切り替え（テンキー 7）、Shift + E により尾ヒレの向かって右側の先端へテールを移動させることで、左側にもミラー状に自動的に作成されます（画像はわかりやすさのため斜め上からの視点になっています）❶。

POINT

このように、左右対称のボーンを作成するには［X軸ミラー］モードにしてから Shift + E で、という手順は結構忘れやすいポイントなのでしっかり覚えておきましょう。

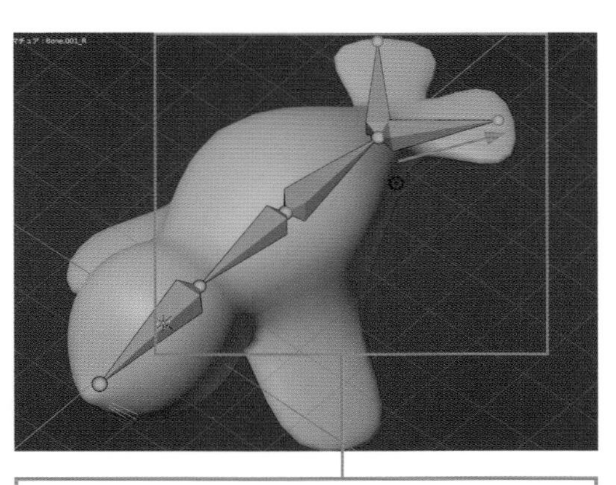

❶真上視点に変更し Shift ＋ E で右尾ヒレ方向にテールを移動

❹ あとは同様に前ヒレ用のボーンを作成します。首付近にあたるテールを選択して Shift + E で前ヒレの付け根付近へ、そこからは E のみを押して前ヒレ先端へという操作で作成します❶。

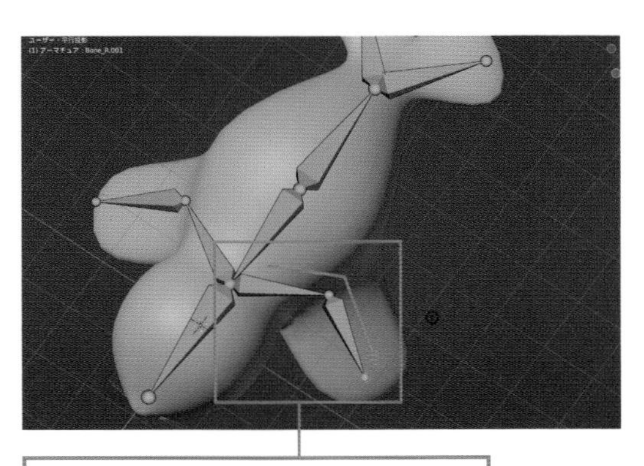

❶ Shift ＋ E で前ヒレ方向にテールを移動

❺ 真上からの視点だけで作成すれば当然高さ方向（Z 軸）の位置は上手く作れないので、真横視点（テンキー 3）にも切り替えきちんとそれぞれのテールが尾ヒレ先端、前ヒレ付け根、前ヒレ先端の位置になるように調整します❶。

これで、リギングは完了です。

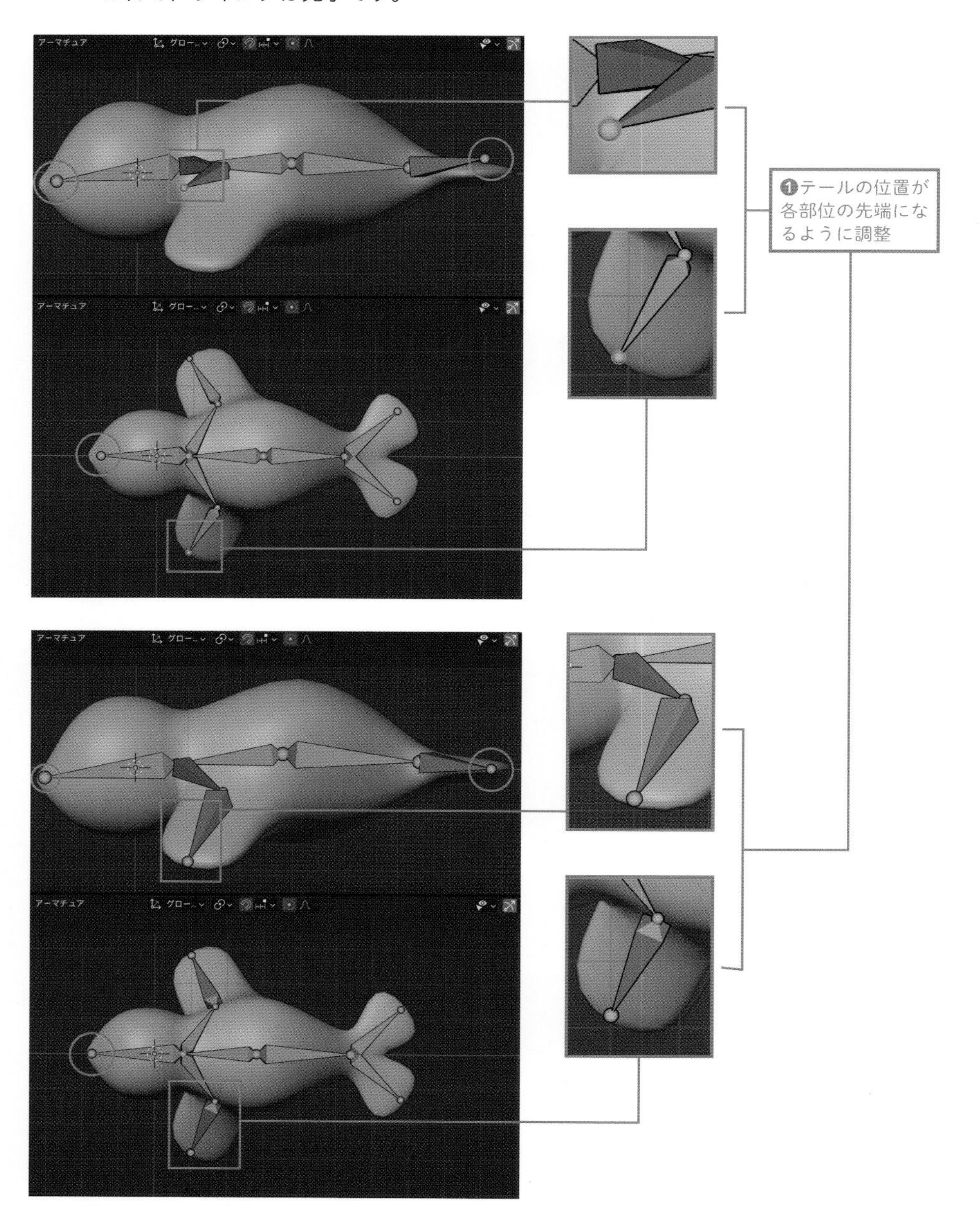

スキニング

アーマチュアを作成しただけではまだキャラクターを動かせないので、このアーマチュアをメッシュオブジェクトに関連付ける作業を行います。これを、**スキニング**といいます。

自動のウェイトでペアレント

1. Tab で［オブジェクトモード］へ戻り、Shift を押しながらアザラシオブジェクト、アーマチュアオブジェクトの順に選択します❶。
   Ctrl＋P の［ペアレント対象］メニューで［自動のウェイトで］を選択します❷。

［オブジェクトモード］

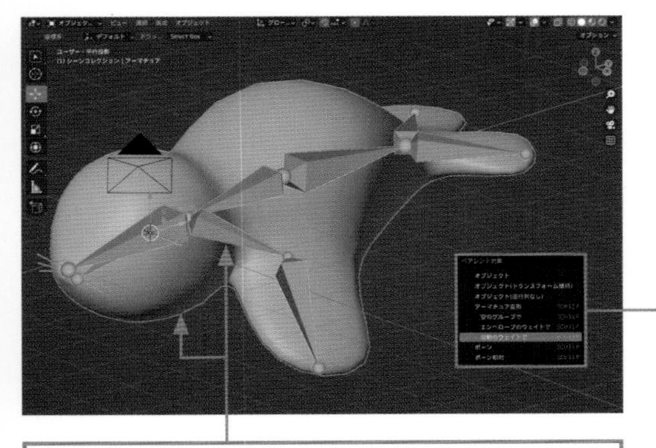

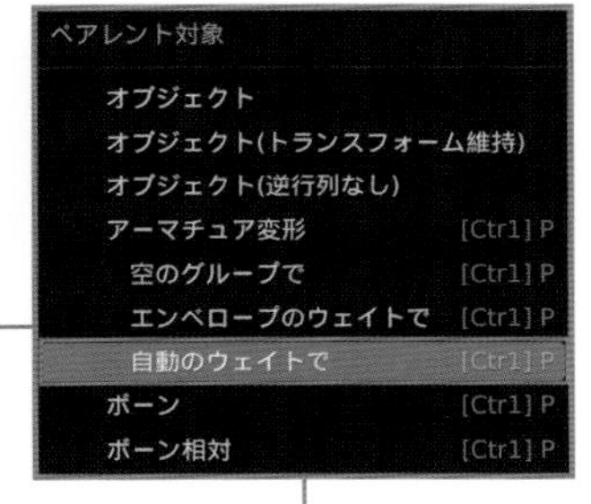

❶ Shift を押しながらアザラシオブジェクト、アーマチュアオブジェクトの順に選択

❷ Ctrl＋P の［ペアレント対象］メニューで［自動のウェイトで］を選択

2. アザラシオブジェクトを選択し、プロパティエリアの［モディファイアープロパティ］タブを確認すると、新たに［**アーマチュアモディファイアー**］が追加されていることがわかります❶。
   ひとつ上には［**細分化モディファイアー**］を既に付加していましたが、細分化よりも後にアーマチュアモディファイアーが実行されると負荷が高くなってしまうので、アーマチュアモディファイアーのパネルの右上端にある点が８個並んだアイコンをドラッグし、ミラーモディファイアーと細分化モディファイアーの間に持っていきます❷。
   このように、モディファイアーは順番を自由に入れ替えることが出来ます。

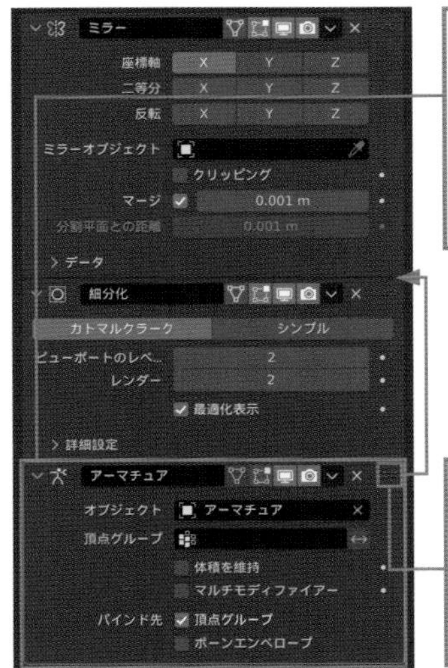

❶［モディファイアープロパティ］タブに［アーマチュア］モディファイアーが追加されていることを確認

❷点が８個並んだアイコンをドラッグしミラーモディファイアーと細分化モディファイアーの間に移動

❸ アーマチュアオブジェクトの方を選択し、ヘッダー左端のプルダウンメニューから［ポーズモード］へ移行します（Ctrl+Tab でも移行可能です）❶。

するとボーンの表示が変化し、選択すると青色に表示されるようになります。

この状態で R でボーンを回転させてみると、アザラシのキャラクターも一緒に動かせることが確認できたでしょうか❷。

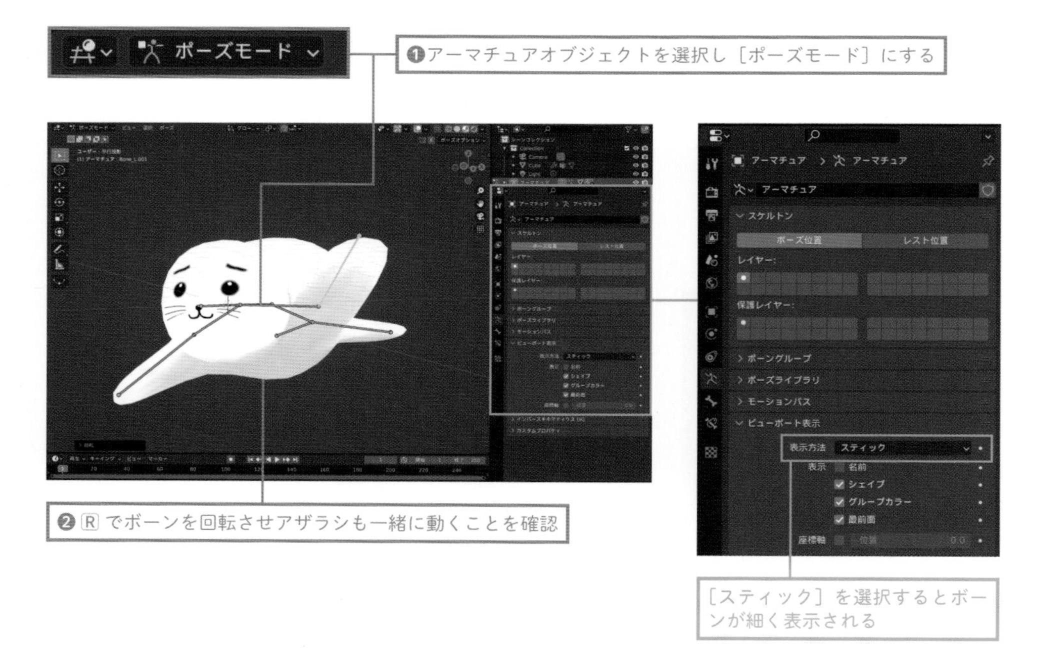

POINT

ただしボーンが八面体の表示のままだとキャラクターが良く見えない、ということがよくあるので、プロパティエリアの［オブジェクトデータプロパティ］タブ で、［ビューポート表示］パネル内の［表示方法］プルダウンメニューで、［スティック］に切り替えておくことをおすすめします。ただしこの表示はヘッドとテールがどちらか分からなくなってしまうので、必要に応じて適宜切り替えてください。

ポーズモードでキーフレームを打つ

このポーズモードでは、ボーン1本単位でトランスフォームにキーフレームを打つことが可能です。これを利用してキャラクターのアニメーションを作成することが出来ます。

❶ まずはボーンを全選択した状態で Alt + R を押し回転をリセットしてから I の［キーフレーム挿入メニュー］から［回転］を選択します❶。

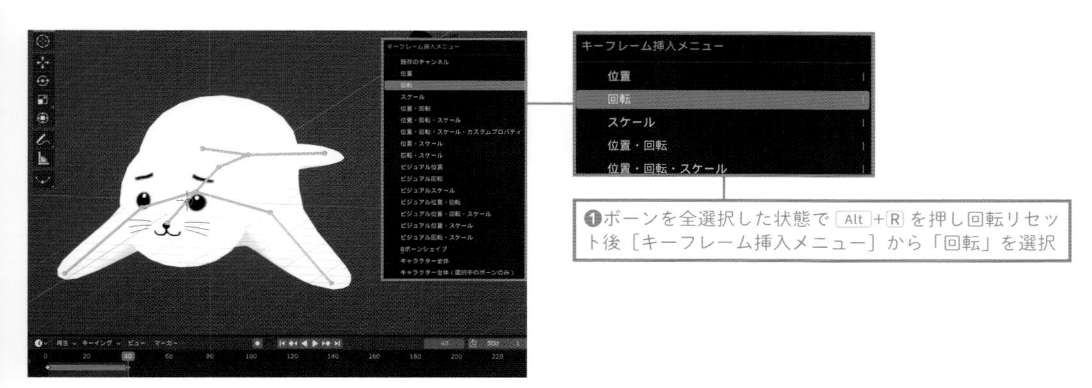

❷ これで1フレーム目にデフォルトポーズのキーフレームを打つことが出来ました。更に40フレーム目に移動して同じく［回転］にキーフレームを打ちます❶。

ポーズは変えないままなので、1フレーム目と40フレーム目に同じデフォルトポーズが記録されました。タイムラインヘッダーの［終了］を「40」に設定しておいてください❷。

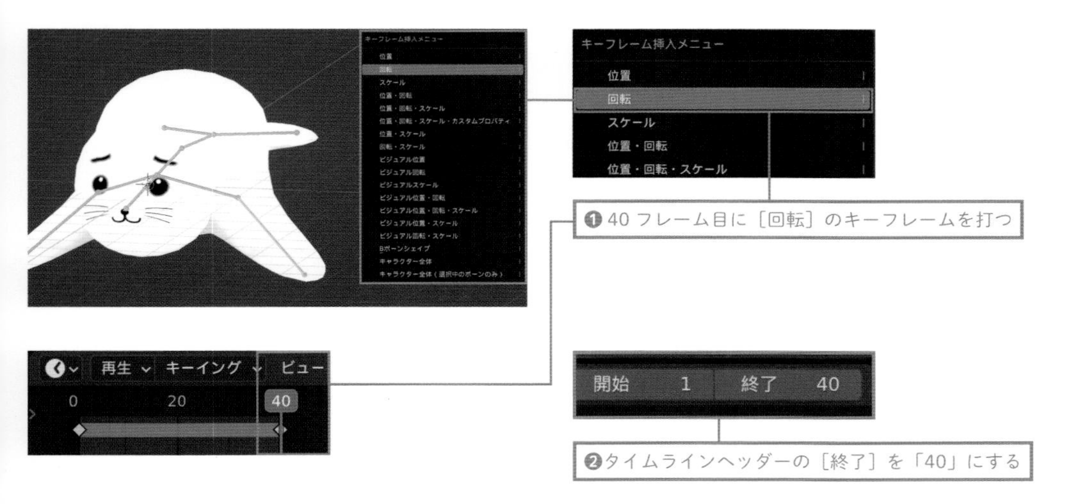

❸ 次に20フレーム目に移動してポーズを付けます。どんなポーズでもいいのですがここでは左右対称のポーズを付けてみます。顔部分のボーンと下半身部分のボーンを上へ反るような方向へ回転させ、前ヒレ、尾ヒレのボーンは向かって右半分にあたるボーンだけを選択しこちらもやはり上へ反るような方向へ回転させておきます❶。

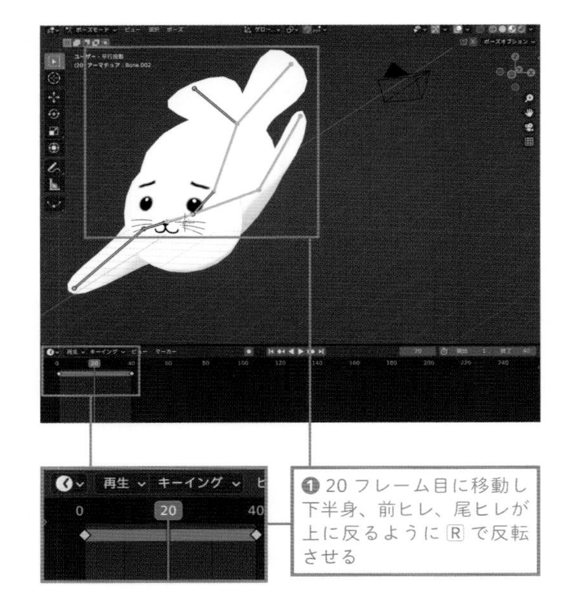

❹ この状態で、右半分のボーンのみを選択して Ctrl+C でポーズをバッファへコピーし、Shift+Ctrl+V を押せば、左半分のボーンへ今選択したボーンを反転したポーズでペーストしてくれます（通常のポーズペーストは Ctrl+V で行います）❶。

全ボーンを選択し、［回転］にキーフレームを打ちます❷。

これで再生すれば、体を反ったり戻したりを繰り返すアニメーションが完成しています❸。

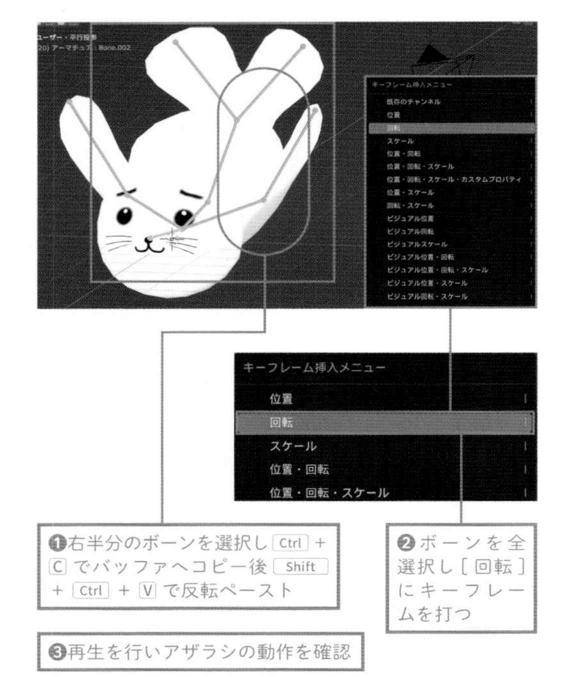

サンプルファイル samplefile/Chapter4/4-3

4-3 シェイプキーアニメーション

これまでチェス駒でオブジェクトアニメーション、アザラシキャラクターでアーマチュアアニメーションを試してきたので、今度はまた別の方法でワイングラスにアニメーションを作ってみましょう。

シェイプキー機能を利用したアニメーション

［シェイプキー］という機能という機能を使ったアニメーションを作成します。ワイングラスファイルを読み込んでおいてください。

プロポーショナル変形を利用する

❶ ［オブジェクトモード］でワイングラスオブジェクトを選択した状態で、プロパティエリアの［オブジェクトデータプロパティ］の中で、［シェイプキー］パネル右上にある＋ボタンを2回クリックします。すると、リスト内に［ベース］、［キー 1］という名称のシェイプキーが作成されます❶。

［オブジェクトモード］

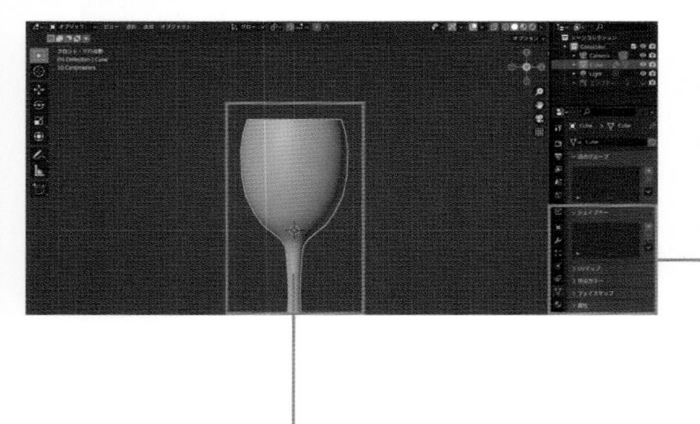

❶オブジェクトを選択した状態で［オブジェクトデータプロパティ］の［シェイプキー］パネルの＋ボタンを2回クリックする

❷ このリストのうち、下側の［キー 1］の方を選択し、ワイングラスの［編集モード］に入ります❶。

ここからメッシュを変形させるわけですが、ここでは少し特殊な変形機能を使用してみましょう。ヘッダー中央付近にある丸の中に点が描かれているようなアイコン［プロポーショナル変形］をクリックして有効にしておきます（ショートカットキーは O）❷。

これを有効にして頂点を移動させると、選択した頂点を中心に周りの頂点も引きずられるように移動します。

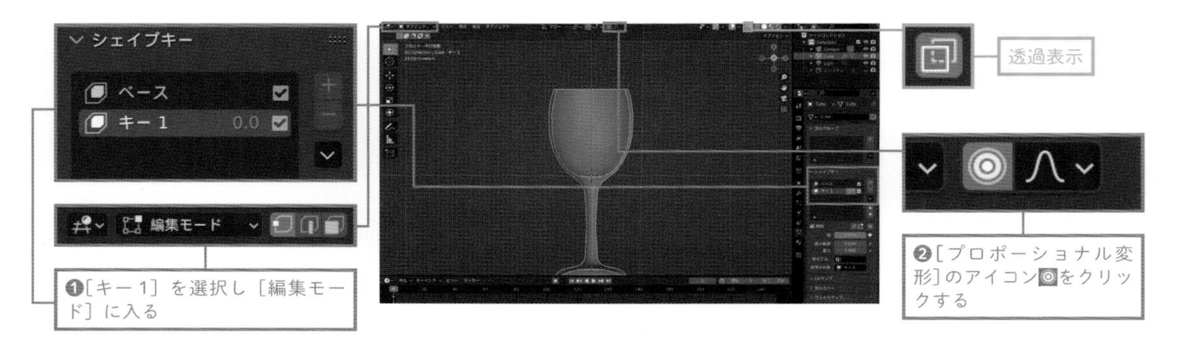

POINT

テンキー 1 の正面視点、ヘッダー右の方の四角形が二重に重なったようなアイコンのボタン（あるいは Alt + Z）で透過表示にしておくと作業がしやすくなります。

❸ 試しに、ワイングラスの一番上に当たる２頂点を選択して移動させてみてください❶。

移動中、カーソルの周りにグレーの輪が表示されるようになり、これがプロポーショナル変形の外周を示しています。デフォルトでは、選択中心からこの輪に向かってなだらかに減衰するように頂点の移動へ影響します。これを利用し、最初の洋梨のような形（ボルドー型というそうです）から、逆三角形のような形（ソーサー型）に変形させてみましょう。

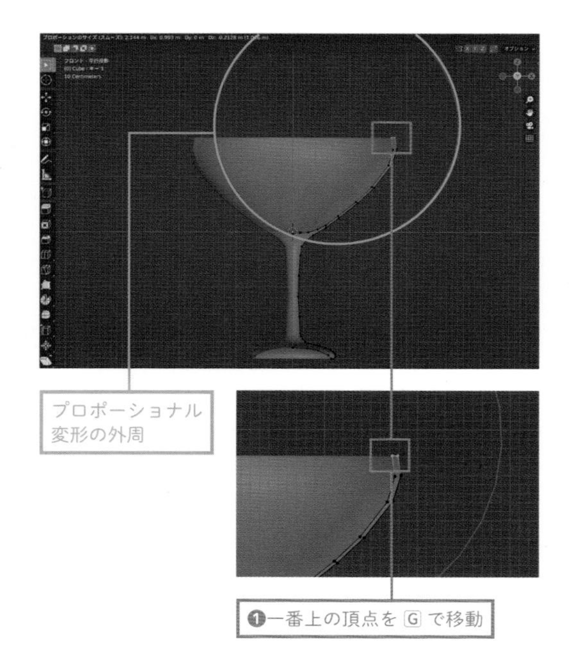

❹ そして Tab で［オブジェクトモード］へ戻ってみると、なぜか変形前の形に戻ってしまいます❶。

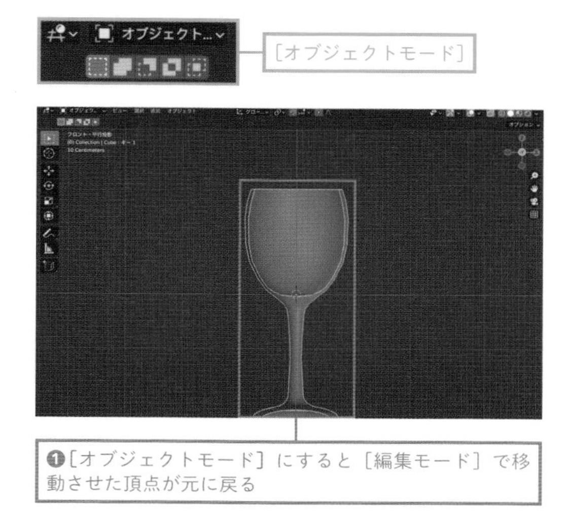

❺ ですがこの変形はシェイプキーの［キー 1］にしっかり記録されています。［キー 1］を選択した状態でその下にある［値］の数字をマウスドラッグで右へ移動させて数値を上げてみてください❶。

数値を上げるに従って、ボルドー形からソーサー型へなめらかに変形されたでしょうか。

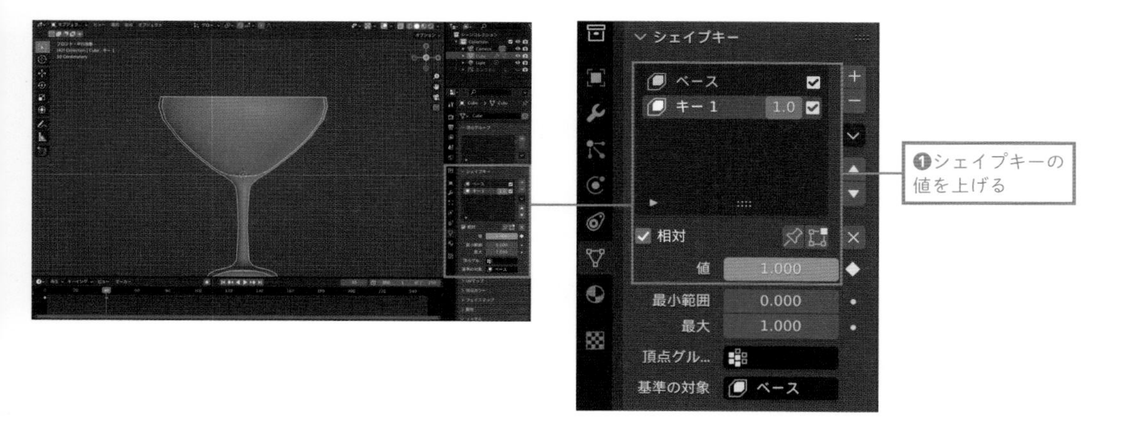

シェイプキー機能

このシェイプキー機能は、変形前のメッシュの形（ベース）から、変形後の形（シェイプキー）に向かって、各頂点が直線に移動し、その影響度をいま操作した「値」の数値で操作できるものとなっています。これを利用して、オブジェクトに対するトランスフォームやアーマチュアでも対応できない細かい変形のアニメーションを作ることが出来ます。ただし、変形後と変形前で頂点を削除したり追加したりといった、頂点数が変化するような変化は加えられないことに注意してください。

この［値］の欄の上にマウスカーソルを持っていき、I またはその欄右の菱形のマーク◆をクリックすることでこの［値］にキーフレームを打つことが出来ます。つまり別フレームに［値］を変えた状態でキーフレームを打てば、その変形をアニメーションさせることが出来るというわけです。

サンプルファイル samplefile/Chapter4/4-4

4-4 カメラに対するアニメーション

ここからは、カメラに対してアニメーションを付ける作業を行います。カメラが捉える対象も必要ですから、ここではアザラシキャラクターを作ったファイルを流用して進めましょう。

カメラ

ここまで触れてきませんでしたが、Blender の 3D ビューポート上には起動した直後からカメラオブジェクトが浮かんでいます。四角錐のような形に▲が付いたような形のものがそれです。

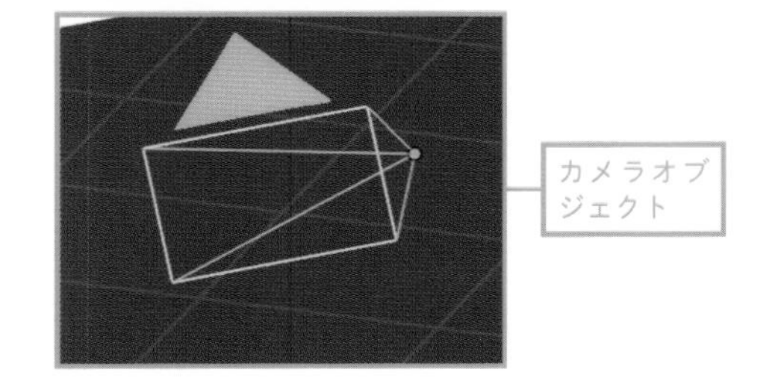

カメラの操作方法

アニメーションの解説に入る前に、カメラの基本的な操作方法について解説します。

❶ 3D ビューポート右側にあるカメラのようなマーク（またはテンキー 0）をクリックすると、3D ビューポートがカメラからの視点に切り替わり、カメラから見える範囲以外を薄暗く表示します❶。

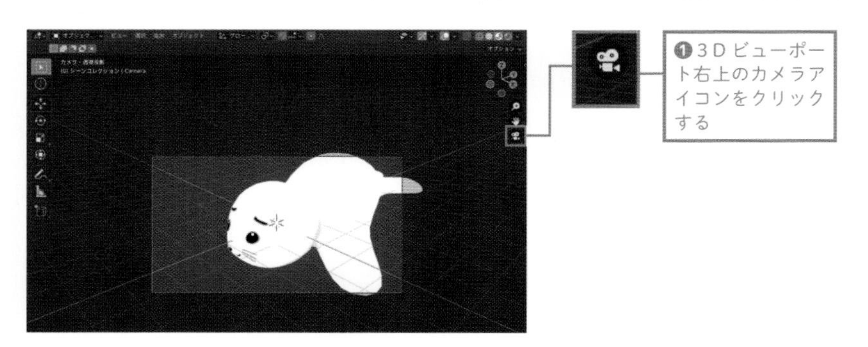

カメラオブジェクト

カメラオブジェクトも通常のオブジェクトと同様、G、R、S により移動、回転、拡縮が可能です。また、カメラ視点時では明るい領域と薄暗い領域の境界を左クリックすることでカメラオブジェクトを選択でき、G → Z → Z で移動させればドリーの動き（カメラ自体が移動しながら被写体に近づくようなカメラの動かし方）をさせることが出来るので重宝します（ちなみにパンは R → Y → Y、チルトは R → X → X、両方同時は R → R となります）。

❷ カメラオブジェクト選択状態でプロパティエリアのカメラのようなアイコンのタブ（オブジェクトデータプロパティ）に移動すると、カメラに関する設定を行うことが出来ます。ここの［レンズ］パネル内にある［焦点距離］の値を「100mm」にしてみましょう❶。

デフォルトよりも少し望遠気味になったのが確認できたでしょうか。

❶［オブジェクトデータプロパティ］のレンズパネルにある焦点距離の値を「100mm」にする

カメラのアニメーション

カメラオブジェクトも普通のメッシュオブジェクト等と同様にオブジェクトトランスフォームのキーフレームアニメーションが作成できるので、チェス駒と時と同じように動きをつけてもいいのですが、実際にやってみるとかなり難儀します。カメラの動きというのは少し特殊で、通常は特定の対象の方をずっと向いたままカメラ自身の位置も動いたり止まったり、対象の周りを回り込んだりします。これは通常のオブジェクトトランスフォームでは難しく、少し工夫を加える必要があります。

トラックコンストレイントの追加

カメラの動きを制限する「コンストレイント」という機能を使用します

❶ カメラオブジェクト選択状態のままプロパティエリアのカメラアイコンの１つ上の［オブジェクトコンストレイントプロパティ］に移動します❶。

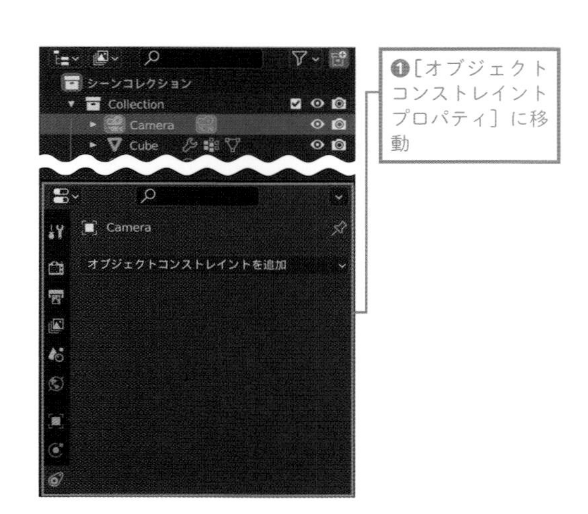

❶［オブジェクトコンストレイントプロパティ］に移動

❷ ［オブジェクトコンストレイントを追加］プルダウンメニューを開きます。この中の［トラック］を選択します❶。

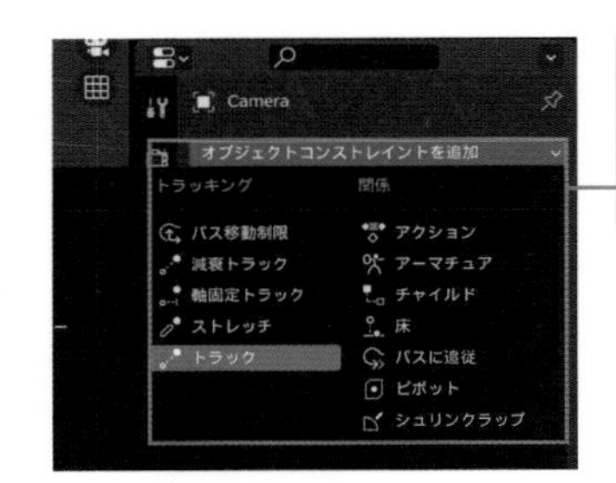

❶［オブジェクトコンストレイントを追加］から［トラック］を選択

❸ 追加された［トラックコンストレイント］パネル内の［ターゲット］の右の欄をクリックしてアザラシオブジェクトのオブジェクト名（手順通りに進んでいれば［Cube］）を選択します❶。

この状態でカメラオブジェクトを動かしてみてください。常にアザラシオブジェクトの方を向くように自動的に回転してくれていれば成功です。

❶［トラックコンストレイントパネル］内の［ターゲット］から［Cube］を選択

カメラオブジェクトを動かして常にアザラシを映せば成功！

カーブ追従アニメーション

更にもう 1 つ、カメラ制御に適した機能を使用します。

❶ Blender の最も上段にあるヘッダーの［Animation］をクリックすると、Blender の画面構成がアニメーション作成に適したものになります（元に戻すには［Layout］をクリックします）❶。

この構成では、左にカメラからの視点、中央に今まで通り通常の視点の 3D ビューポートが配置されていて、両方を同時に確認しながら作業を進めることが出来ます。

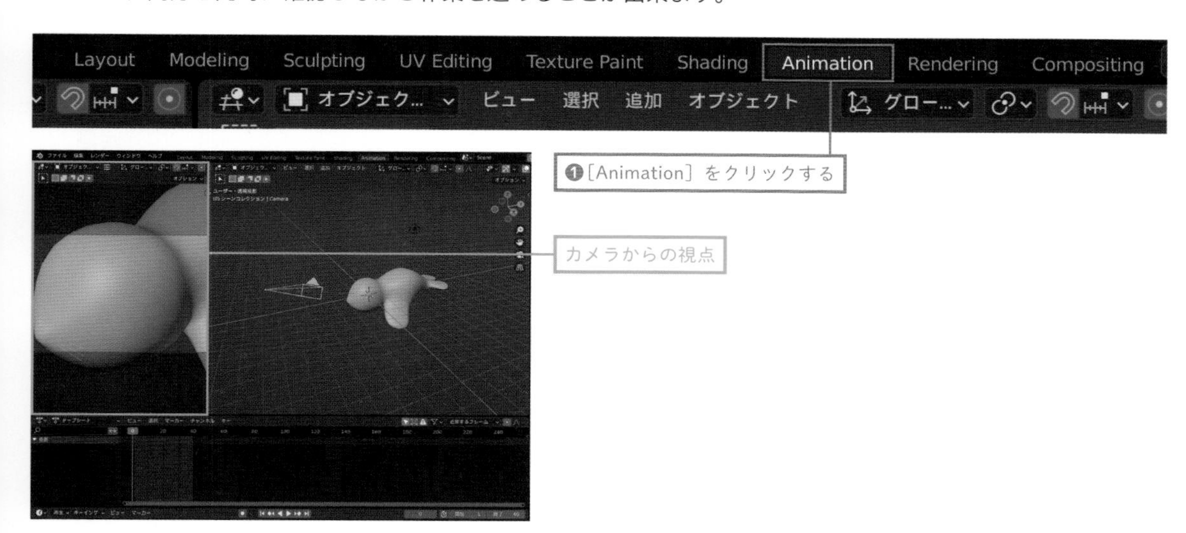

❷ 3D ビューポート上で Shift + A の［追加］メニューから、［カーブ］>［ベジエ］を追加します。すると、3D カーソル位置に細い線状のオブジェクトが追加されます❶。

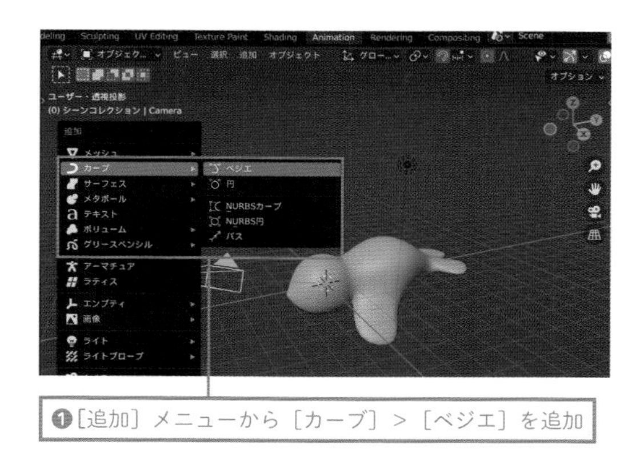
❶［追加］メニューから［カーブ］>［ベジエ］を追加

POINT
もしアザラシオブジェクトに重なって見えない場合は Alt + Z の［透過表示モード］に切り替えましょう。

カーブオブジェクト

上記で［カーブ］から追加したベジエ曲線は**カーブオブジェクト**といって、メッシュオブジェクトとは違いベジエ曲線で構成されているオブジェクトとなります。

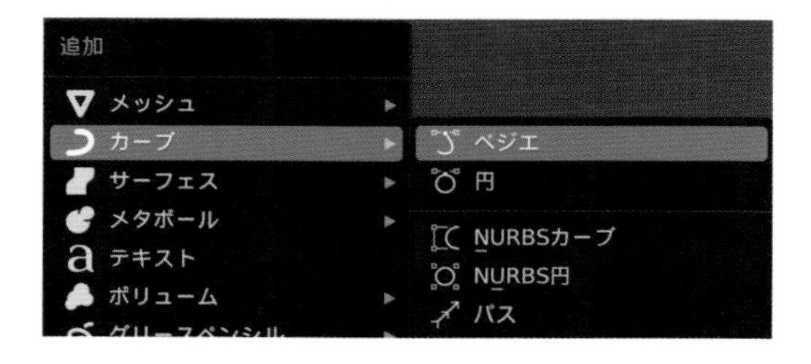

❸ このカーブオブジェクトを選択した状態で Tab で［編集モード］に入ると、カーブオブジェクトをベジエのハンドルで操作することが出来るようになります❶。

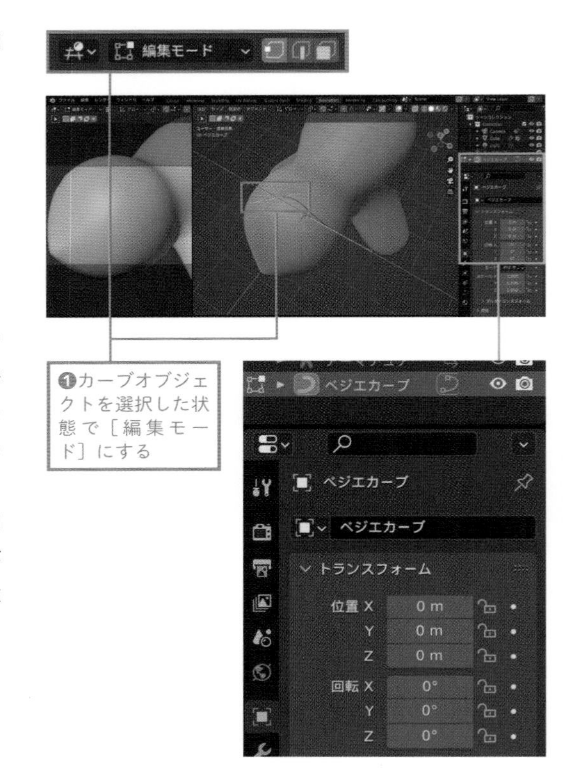

❶カーブオブジェクトを選択した状態で［編集モード］にする

カーブの構成要素

このハンドルもメッシュ頂点等と同様、G、R、S により移動、回転、拡縮が可能で、ボーンのようにハンドルの両先端、中央の頂点と個別に選択でき、選択したものによってトランスフォーム時の挙動が変わります。中央の頂点を選択したときはその頂点のハンドルの両先端も同時に選択され、R の回転や S の拡縮を使うことによって両ハンドルを同時に動かすことも可能になります。ハンドルの向く角度によって頂点同士を繋ぐカーブの曲線の形が決定され、この頂点間のカーブは**セグメント**と呼称します。

❹ ではカーブオブジェクトの頂点をアザラシオブジェクトの前方へ移動させ、前方位置でアザラシをぐるっと回り込むような形へカーブを変形させてみましょう❶。

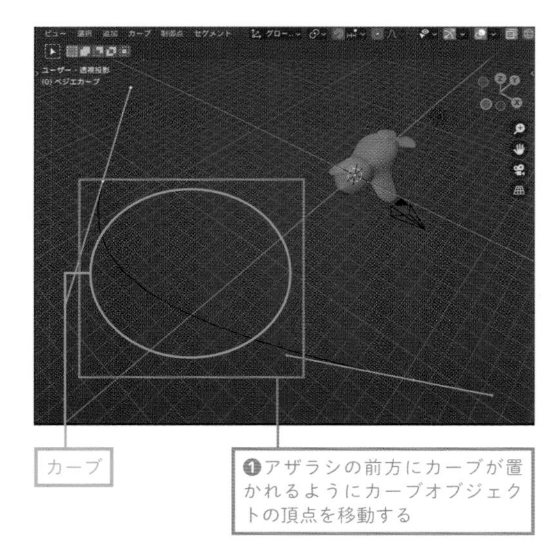
カーブ

❶アザラシの前方にカーブが置かれるようにカーブオブジェクトの頂点を移動する

❺ そして Tab により［オブジェクトモード］へ戻り、Shift を押しながらカメラオブジェクト、カーブオブジェクトの順に選択して Ctrl+P の［ペアレント対象］メニューから［パスに追従］を選択します❶。

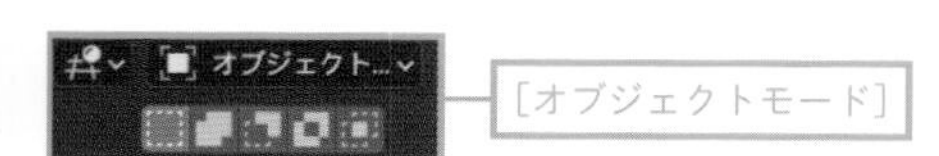

［オブジェクトモード］

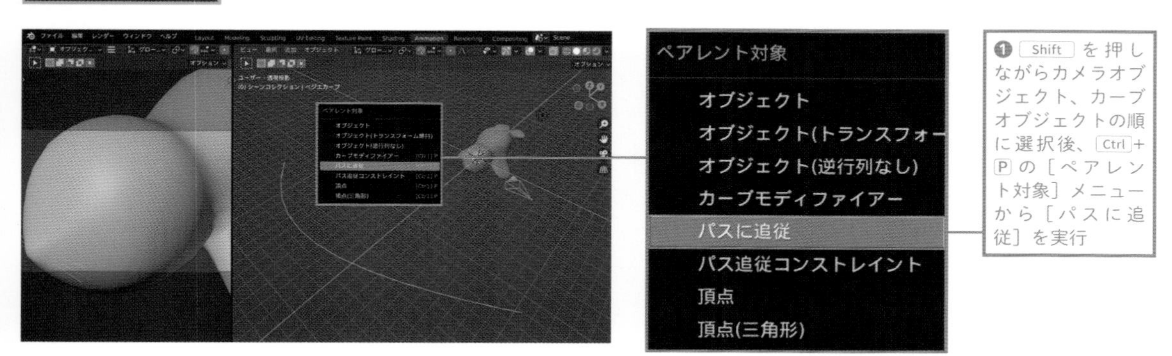

❶ Shift を押しながらカメラオブジェクト、カーブオブジェクトの順に選択後、Ctrl+P の［ペアレント対象］メニューから［パスに追従］を実行

❻ それからカメラオブジェクトの方を選択し、3D ビューポートヘッダーの［オブジェクト］から［クリア］＞［原点］を実行すると、カメラの位置がカーブオブジェクトのセグメント上へ移動します❶。

❶カメラオブジェクトを選択して［オブジェクト］から［クリア］＞［原点］を実行

❼ カーブオブジェクトを選択し、プロパティエリアのカーブのようなアイコンのタブ（オブジェクトデータプロパティ）にある［パスアニメーション］パネル内の［フレーム］の値を「40」に設定し、スペースキーによりアニメーションを再生させてみてください❶。

1 フレーム目から 40 フレーム目にかけてカメラオブジェクトがカーブに沿って動き、さらにカメラは常にアザラシの方を向くという状態が出来上がっていれば完成です。

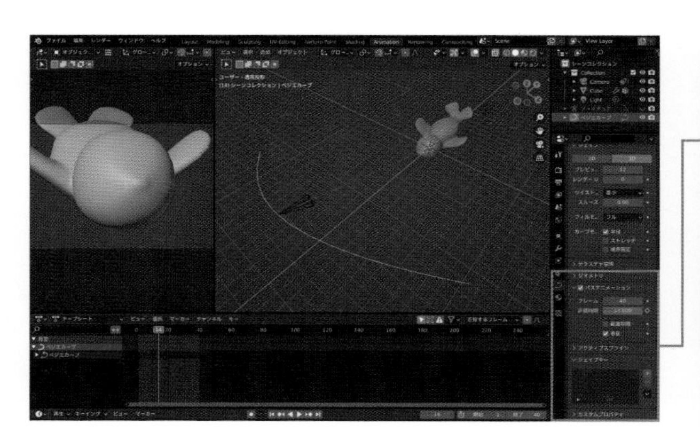

❶［パスアニメーション］パネル内の［フレーム］の値を「40」にする

POINT

左側のカメラ視点での 3D ビューポートを確認し、もしアザラシが画角に収まりきっていなかったり、遠すぎたりした場合は再びカーブオブジェクトの［編集モード］へ入り、頂点やハンドルを動かすことによりうまく画角に収まるように調整してみてください。

できた !!

これにてカメラの動きを完成させることが出来ました。この**トラックコンストレイント**と**カーブ追従**の組み合わせは、自然なカメラの動きを付ける上で最も重要で基本的なテクニックとなります。

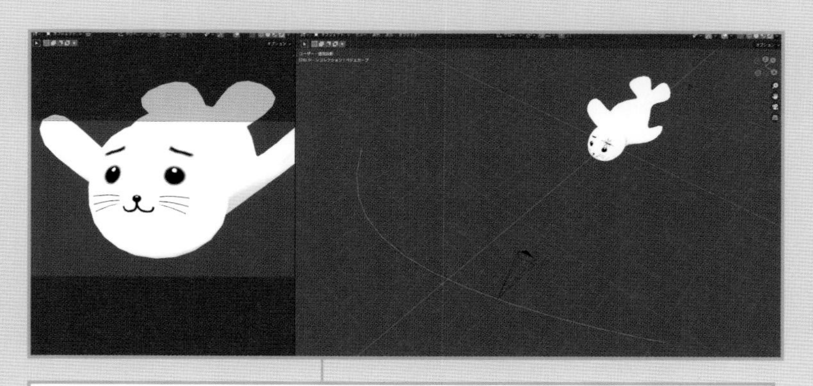

3D ビューのシェーディングを［レンダーモード］（P.178 参照）に切り替え動作確認

Chapter

05

レンダリングしてみよう

いままで 3D ビューポート上で表示されていたモデルの描画はあくまでプレビュー用であり、表示が重くなりすぎないように処理を一部省略した、ある程度簡易的なものでした。これに対し、画質を最優先とし、可能な限り綺麗に最終的な出力を得る工程がレンダリングとなります。いよいよ、3DCG 作成の手順としては最後となります。

サンプルファイル　samplefile/Chapter5/5-1

アザラシのレンダリング

レンダリングに関わる操作

ここでは、前章までで作成したアザラシキャラクターにアニメーション、カメラワークを付けたファイルを例として使用します。Blender では F12 を押すことでレンダリングが行われます。

基本的なレンダリングと保存

最も基本的なレンダリングの流れは以下の通りとなります。

1. F12 を押すとカメラからの視点で、レンダリング用に設定した画面サイズ、画質で画像が作成され、別ウィンドウに表示されます❶。
 このレンダリング結果を表示する専用のウィンドウのヘッダーメニューにある **[画像]** から、**[保存]**（Alt+S）あるいは **[名前をつけて保存]**（Shift+Alt+S）でこの画像の保存を行います❷。

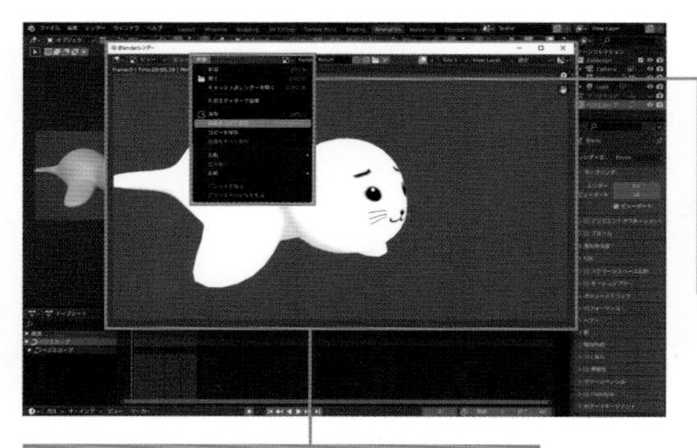

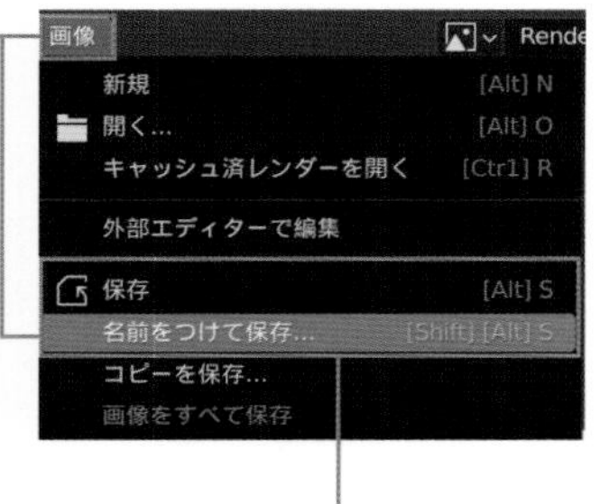

❶ F12 でBlenderレンダーウィンドウを表示

❷［画像］から［保存］あるいは［名前をつけて保存］でファイルに保存

2. 保存時は Blender 独自のファイルブラウザが開き、この画面では左側の列でディレクトリの選択、右側の列で保存形式の設定を行います❶。
 [ファイルフォーマット] ではファイルの形式を選択でき、選択した形式に従ってその下の設定項目が変化します。下の欄でファイルの名前を入力し、その右の **[画像を別名保存]** をクリックでファイルが保存されます❷。

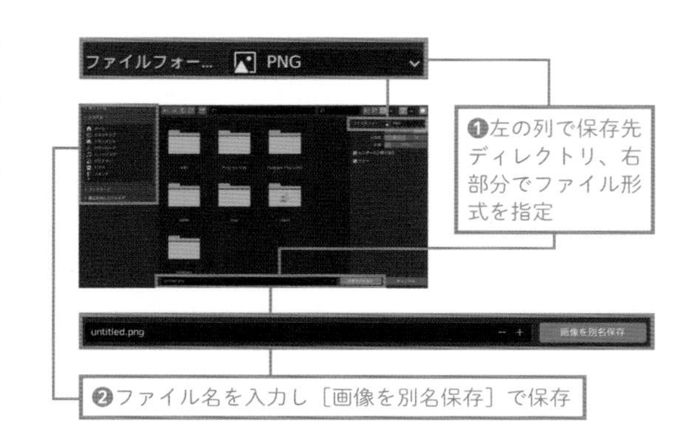

❶左の列で保存先ディレクトリ、右部分でファイル形式を指定

❷ファイル名を入力し［画像を別名保存］で保存

レンダリングの設定項目

レンダリングに関する主要な設定項目をご説明します。

レンダー

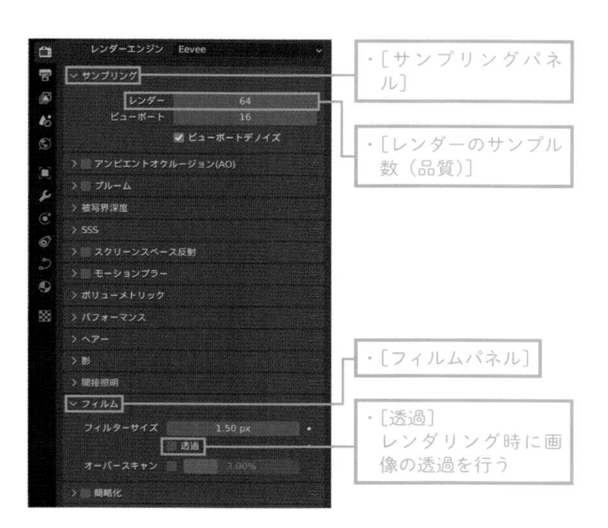

プロパティエリアのデジカメディスプレイのようなアイコンのタブ（レンダープロパティ）の、**[サンプリング]** パネルにある **[レンダー]** の欄で、デフォルトでは「64」となっている数字で、レンダリングのサンプリング数（品質）を設定します。

お使いのパソコンのスペックに不安がある場合は、最初にレンダリングするときはこの数値を低めに設定して様子を見て、もし画質（特にジャギー感や粒子感）に不満があった場合は、この数値を上げてレンダリングをし直す、といった試行を繰り返します。

[フィルム] パネルの **[透過]** にチェックを入れていると、レンダリングした画面内のオブジェクトが何もない状態の部分で画像の透過を行います。透過ありの状態でレンダリングしたときは、png 等のアルファ付きの形式で保存すれば、透過をアルファチャンネルで保存してくれます。

レンダリングの解像度

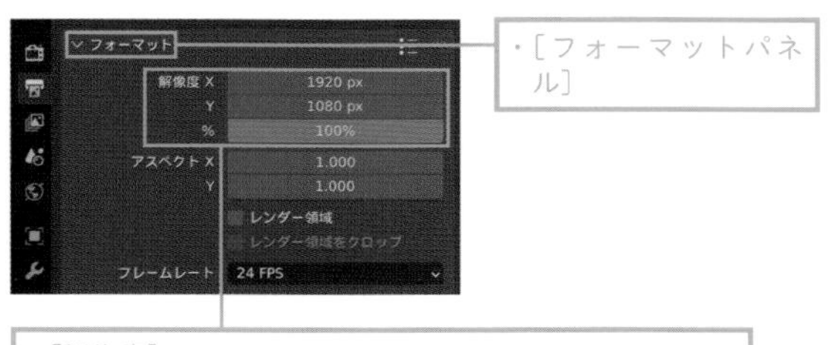

[レンダープロパティ] タブの下の、プリンターから絵が出ているようなアイコンのタブ（出力プロパティ）内にある **[フォーマット]** パネルの [解像度] で、レンダリングする画像の縦横のピクセル数を指定できます。

また、**[X]（横）[Y]（縦）** をそれぞれ指定でき、その下の **[%]** では、上で指定したピクセル数からの割合で出力サイズを指定できます。例えば、大雑把なレンダリングの出来を見たいけれどレンダリング時間がもったいないといったような場合、小さい画像でのレンダリング確認を素早く行うといったことに利用できます。

出力設定

[フレームレート] のプルダウンメニューでは、動画出力の際の１秒間に対するフレームの枚数を指定できます。

[フレーム範囲] パネルの［**開始フレーム**］と **[終了]** では、どこからどこまでの範囲のフレームをレンダリングするかを指定でき（動画出力の場合）、これはタイムラインのヘッダーにあったものと共通なので、それぞれは連動します。**[出力]** パネル一番上の欄では、動画出力の際にファイルを出力する場所をファイルブラウザにより指定します。相対位置での指定も可能です。

その下の **[ファイルフォーマット]** 以下の項目はレンダリング画像保存時にファイルブラウザ右列にあったものと同様、出力ファイルの形式やその形式に沿った詳細な設定を行うものになります。**[透過]** レンダリングを行っていた場合、ここで **[RGBA]** を指定することによりアルファ付きのファイルを出力可能です。

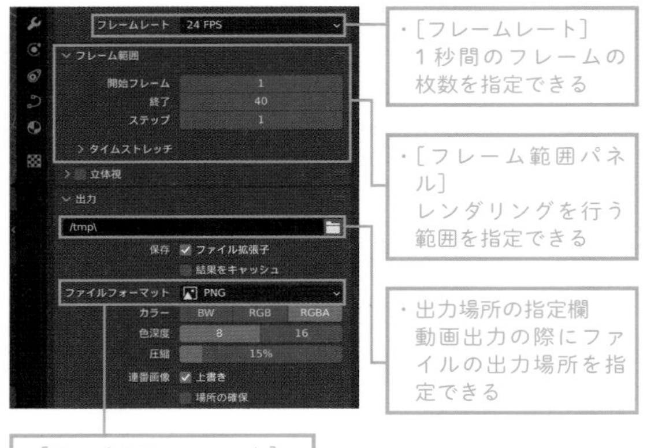

ファイルフォーマットでの操作

❶ **[ファイルフォーマット]** プルダウンメニューを開いた時、一番右側の列３つが動画の形式になります。これら以外を選びアニメーションレンダリングを行うと、連番画像出力となります。ここでは **[FFmpeg 動画]** を選択します❶。

❷ [FFmpeg 動画] を選択すると、下に **[エンコーディング]** を設定する項目が現れます。

この項目右に表示されている３本線のようなアイコン をクリックすると、あらかじめエンコーディングの設定を主要なものを中心に設定したプリセットが表示されます。この中から使用するプリセットを選択することによってエンコーディング設定が自動的に入力されます❶。

昨今よく使われるものは **[H264 in MP4]** だと思われますので、よくわからない場合は [H264 in MP4] を選択しておいてください。

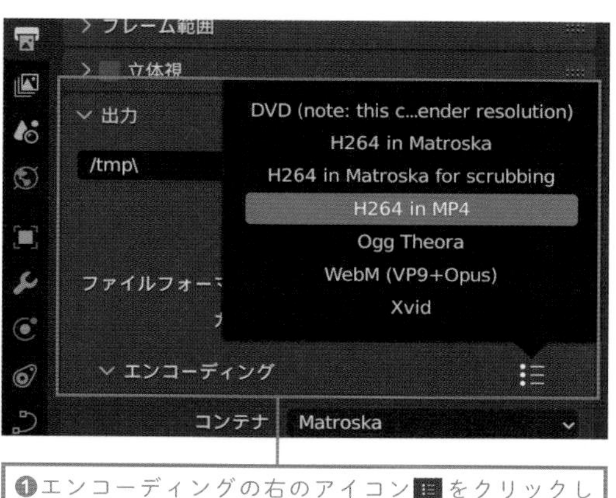

❶エンコーディングの右のアイコン をクリックし「H264 in MP4」を選択

❸ 動画に音声を付加したい場合はその下の **[オーディオ]** も設定する必要があります。**[音声コーデック]** プルダウンメニューから目的に沿ったものを選択します。よくわからない場合は **[MP3]**、**[AAC]** あたりが無難かと思われます❶。

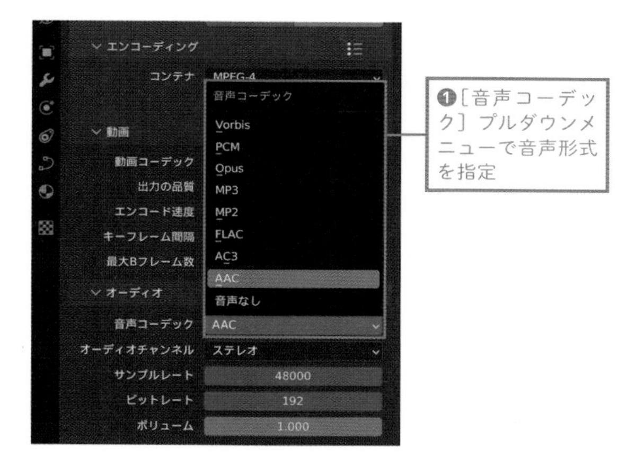

❶［音声コーデック］プルダウンメニューで音声形式を指定

動画のレンダリング

動画のレンダリングは Blender の一番上のヘッダーメニューに有る［レンダー］から **[アニメーションレンダリング]**（ショートカットキー Ctrl + F12）を実行します。

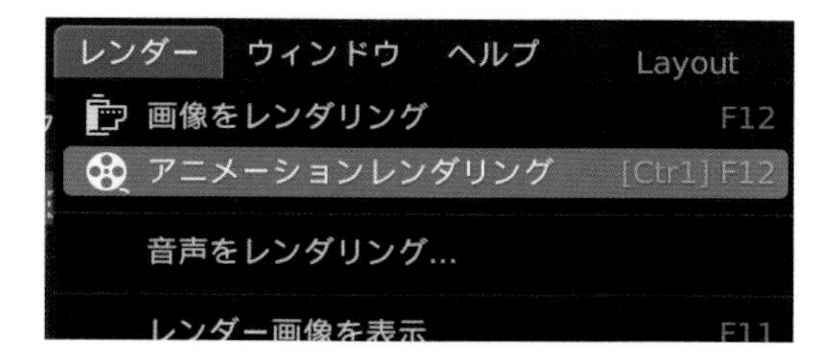

動画に音声を追加する操作

❶ 動画に音声を付加したい場合、タイムラインヘッダーの一番左のプルダウンメニューから**［ビデオシーケンサー］**を選択します❶。

するとタイムラインが［ビデオシーケンサー］に切り替わります。

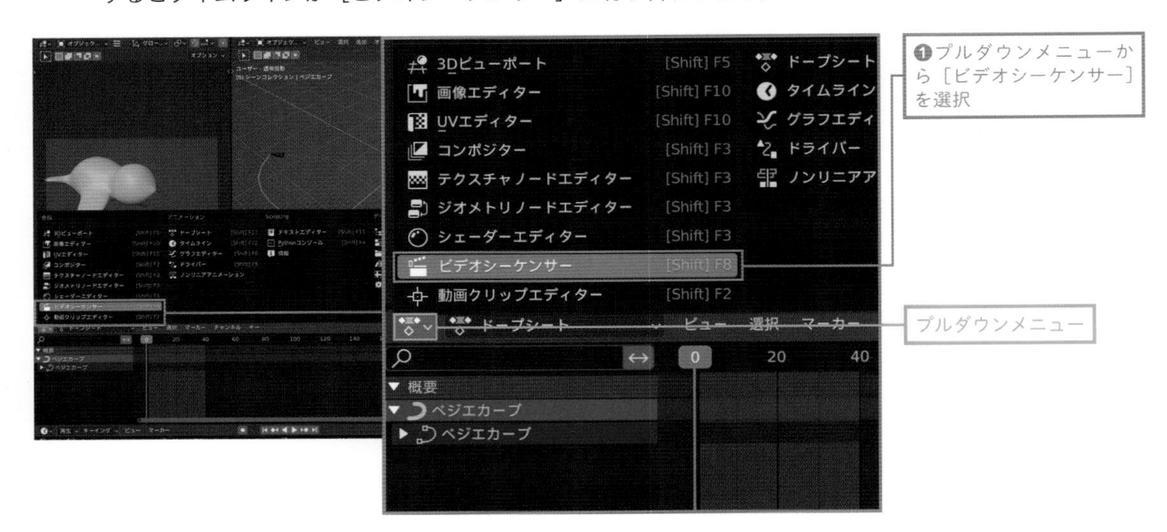

❷ ［ビデオシーケンサー］選択後、このヘッダーメニューの**［追加］**から**［音声］**を選択し、ファイルブラウザから目的の音声ファイルを選択します❶。

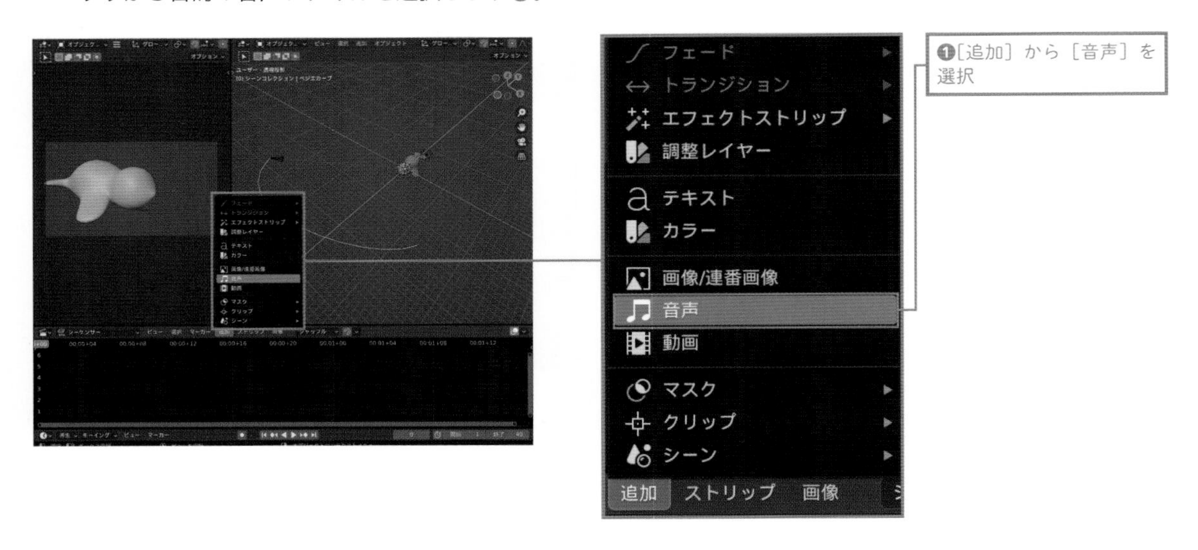

❸ または、このビデオシーケンサーエリア内に音声ファイルアイコンをドラッグ＆ドロップで挿入します❶。

するとビデオシーケンサー内に薄緑色の帯が追加されます。

ストリップ

これは**「ストリップ」**と呼ばれ、動画や音声の長さを横軸で表現したもので、これを G 等で移動させることによってそのストリップがフレーム内のどの位置で再生されるかを編集することが出来ます。N をクリックすると 3D ビューポートと同様、サイドバーが表示され、その中の**［ストリップ］**タブ内の**［サウンド］**パネルにある**［波形を表示］**にチェックを入れることによって音声の波形をストリップ内に表示することが出来ます。これによりどのフレームで音を鳴らさせるかを視覚的に確認しながら編集することが可能になります。

また、Space によりアニメーションを再生させると、ここで配置した音声も再生してくれます（今回こちらで使った音声は「魔王魂」さん https://maou.audio/category/se/se-voice/ よりダウンロードさせていただきました）。

URL 魔王魂（https://maou.audio/category/se/se-voice/）

サンプルファイル　samplefile/Chapter5/5-2

ワイングラスのレンダリング

今度は、ワイングラスに対するレンダリング設定を行ってみたいと思うのですが、今回は背景用に特殊な画像が必要になるため、そちらの調達からはじめます。

ワイングラスに背景をつける

3D 空間における背景は 360° どちらの方向も写った画像が必要になるため、通常の平面な画像だけでは画角が足りません。ほとんどの 3D ソフトでは**正距円筒図法**というマッピング方法で 360° の風景を平面画像へ変換した画像を使用しており、Blender でもこれを使用します。

背景画像の調達

スマートフォン等で 360° 撮影しても得ることは可能ですが、今回は正距円筒図画像を CC0 ライセンス※で公開してくれている「Poly Haven」さん https://polyhaven.com/hdris よりダウンロードしたものを使用してみます。このうち、どの画像を選択していただいても構いません。

※：第三者が著作権による制限を受けないで、自由に、作品に機能を追加し、拡張し、再利用することができる。

❶ こちらのサイトではダウンロード時に画像サイズと形式が選択できます❶。

お使いの環境のスペックがあまり高くない場合、サイズは 4K 以下を選択してください。形式は［HDR］［EXR］どちらでも構いません。

❶使用したい画像を選択し４K以下のサイズでダウンロード

URL Poly Haven（https://polyhaven.com/hdris）

背景画像を設定する

❶ ワイングラスのファイルを開き、プロパティエリアの地球儀のようなアイコン（ワールドプロパティ）で、［サーフェス］パネル内の［カラー］の欄の黄色い丸のアイコンをクリックし、**[環境テクスチャ]** を選択します❶。

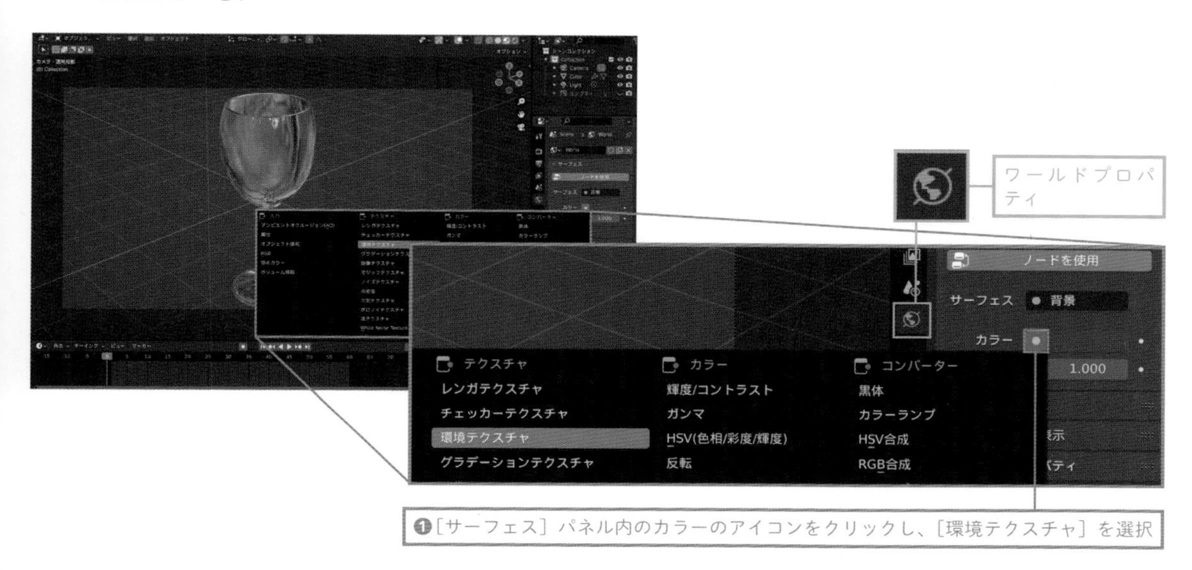

❷ すると現れる［開く］のボタンからファイルブラウザを使って先程ダウンロードした正距円筒図画像を読み込んでください❶。

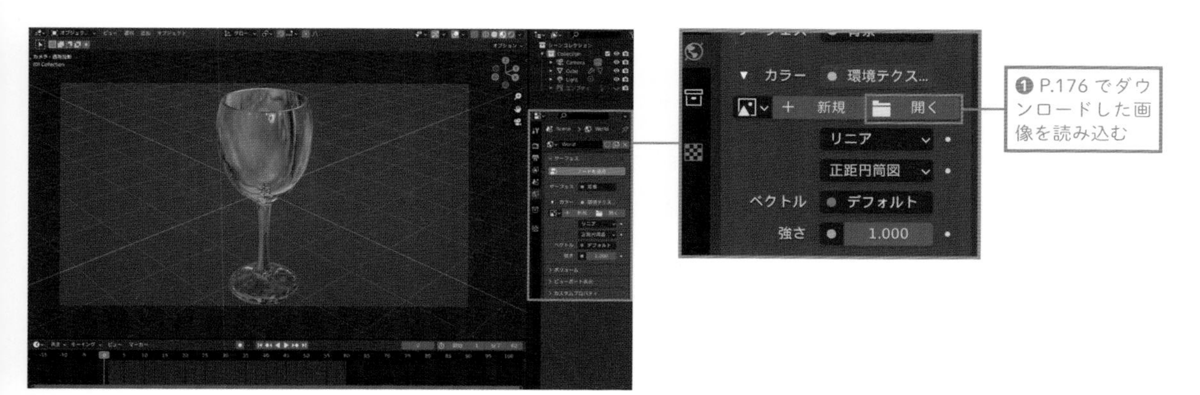

3. 3D ビューポートヘッダーの一番右あたりにある球体のアイコン をクリックすると（あるいは Z から［レンダー］)、今読み込んだ画像を背景に置いた状態で 3D 空間を確認することが出来るようになり、これはレンダリング結果と同じ状態となります❶。

❶ 3D ビューのシェーディングを［レンダー］に切り替える

EEVEE レンダリングでよく使う機能

他にも EEVEE レンダリングでよく使う機能をご紹介します。

ブルーム

［レンダープロパティ］タブ の **［ブルーム］** にチェックを入れ、このパネル内のパラメーターを調整すると、画面内の指定以上の明度を持ったピクセルがまるで光が漏れるようにそのピクセル周りに明るさが追加され、グロウのような効果をリアルタイムで付加してくれます。まぶしい光のような効果を得るのに非常に役に立ちます。

・ブルーム
まぶしい光の効果を加えられる

アンビエントオクルージョン

他にもよく使う機能として、**アンビエントオクルージョン**というものがあるのですが、これはワイングラスのような透明のものには適さないので簡易的に用意した別のモデルでご説明します。

［レンダープロパティ］タブ の［アンビエントオクルージョン（AO）］にチェックを入れこのパネル内のパラメーターを調整すると、モデル内の「狭さ」を判定し、狭い空間が暗くなるような効果をリアルタイムに追加します。これを追加するだけでリアルさが大幅に向上するので、リアル系のレンダリングを目指す場合は是非付けておきたい効果です。

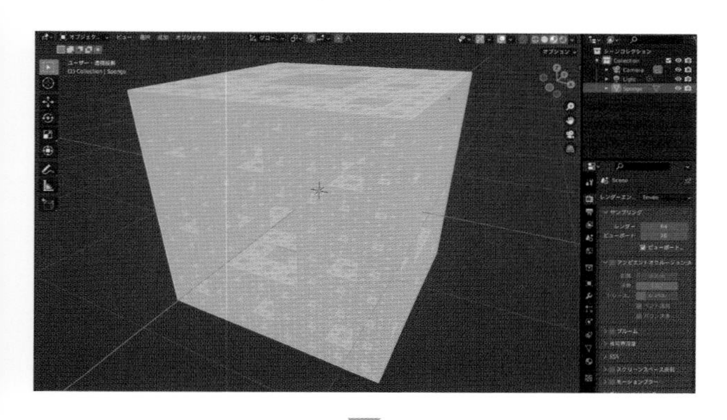

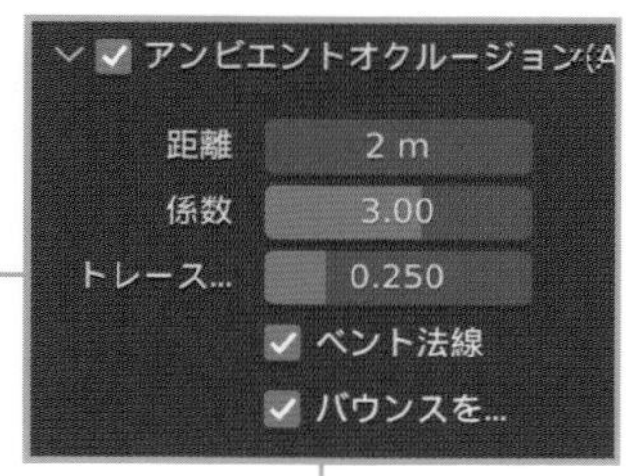

・［アンビエントオクルージョン（AO）］チェックを入れるとモデル内の狭さを判定し効果を加える

サンプルファイル samplefile/Chapter5/5-3

チェスセットのレンダリング

チェスセットのレンダリング設定を行います。こちらはレンダーエンジンをワイングラスの時の **EEVEE** はなく **Cycles** を選択していたため、少し設定項目が変わります。

レンダーエンジン「Cycles」の特徴

EEVEE のときよりも Cycles ではユーザーが設定すべき項目は少なく、一番大きな特徴は**デノイズ**の存在になります。Cycles は、現実の物理定数をなるべく忠実に再現し、ユーザーが特別な工夫を凝らさずともリアルなレンダリング結果が得られるようにという設計思想を持って作られたレンダーエンジンと言えます。光源から放たれた光子が描画される対象のオブジェクトの表面で反射し、カメラへ向かうといった光の道筋を模倣しているようなイメージで画像が作られています。レンダリング設定の**サンプル数**は、その光の道筋の数のようなものと捉えてください。

デノイズ

こういった方法でレンダリングを行うため、Cycles では EEVEE の時とは違い、レンダリング結果に粒子状のノイズのようなものが現れます。[レンダープロパティ] タブの [レンダー] パネル内にある [最大サンプル数] が、Cycles によるレンダリング時にいちばん考慮することになるパラメーターとなります。この値を上げるほどノイズは少なくなりディティールが正確になりますが、同時に計算負荷も大幅に上がってしまいます。非力なパソコンではそもそも複雑なシーンのレンダリングが不可能になってしまうほどなので、その対策措置としてデノイズという機能も用意されています。

光子の走査によって対象の形状を正確に捉えるサンプリングと違って、この**デノイズ**はレンダリング結果の二次元画像に対して周辺の状況を考慮したノイズの修正を行っているに過ぎないので、ディティールは不正確なものになる可能性があります。まずは低負荷設定で一度レンダリングを行ってみて、どの程度のレンダリング時間がかかったかを確かめてから、結果のディティールとレンダリング時間を天秤にかけ、[最大サンプル数] と [デノイズ] のチェックの有無を決定してください。

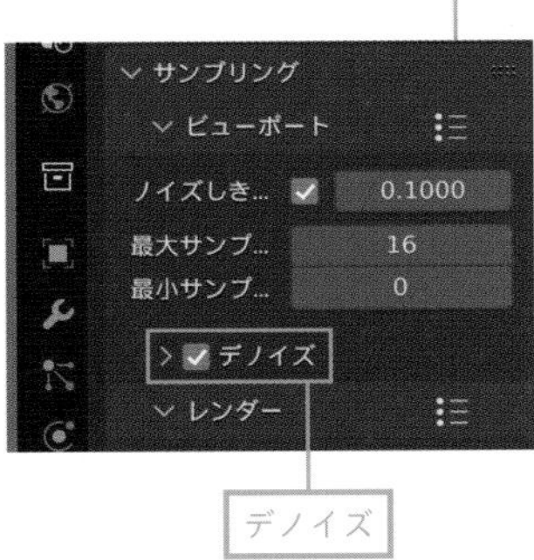

デノイズ

デバイス

　もしお使いのパソコンに強力なグラフィックボードが搭載されている場合は、［レンダー］タブ上の方の**［デバイス］**プルダウンメニューから**［GPU演算］**を選択するとレンダリング速度が大幅に向上します。ワイングラスの時と同様の手順で背景画像を設定し、レンダリングしてください。

GPU 演算

POINT

　擬似的に光の振る舞いを再現するEEVEEとは違い、「狭い場所ほど光が届きづらくなって暗くなる」といった現実の光の特徴をそのまま再現しているCyclesでは明示的に**アンビエントオクルージョン**を設定する必要はないため、項目がありません。

できた!!

　チェスセットではなるべく多くの種類のマテリアル設定を含ませるために金やガラス等のチェスらしからぬ質感ばかりを設定してしまい、あまり良い見た目ではありませんでした。

　きちんと設定すればこのような見た目にすることも出来ます。この木目のようなマテリアルはまた少し高度な機能を使う必要があるので、次章の実践編にてご説明します。

5-4 ライティング

本節では Blender のライティングについて説明します。

ライトオブジェクト

1 つ目のモデル、アザラシキャラクターでは、ライトによって出来る陰影はテクスチャに自分で描くという方法を採りました。2 つ目のワイングラス、3 つ目のチェスセット共に、背景に画像を置くという方法で作ったため、その背景の明暗がそのままライティングの代わりとなっていたので実際にライトを自ら作る必要はありませんでした。ですが、例えばアニメ調のレンダリングを目指したい場合や、背景に画像を使わず背景自体も 3D モデルで作成する場合などには、はっきりとした光源が必要になります。Blender を起動した直後からカメラオブジェクトと共にずっと宙に浮かんでいた、円と二重破線円で出来たような小さなオブジェクトが**ライトオブジェクト**となります。この節では画的なわかりやすさのために、中央にメンガーのスポンジを置いて説明していますが、置くオブジェクトはどんな形のものでも構いません。

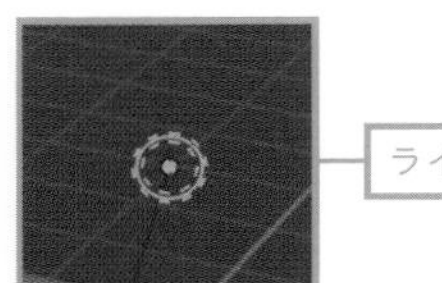

ライトオブジェクト

ライトオブジェクトを設定する

❶ **ライトオブジェクト**は Shift + A の［ライト］から追加可能です❶。
ライトオブジェクトは複数配置することも可能です。

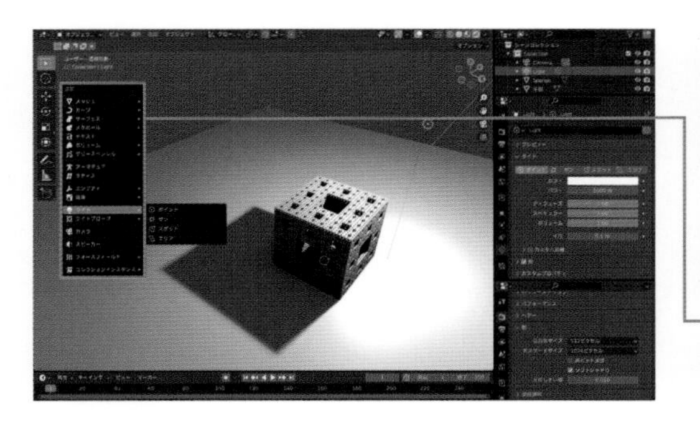

ライトオブジェクトの種類（詳細は P.183）

❶ Shift + A の［追加］メニューからライトオブジェクトを追加

❷ デフォルト状態の、背景に何も画像を適用させていない状態で、3D ビューポートヘッダーの一番右の方にある球のアイコン◎（レンダー表示）に切り替えておくと、ライトの効果をよく確認できます❶。

下に板状の床を用意しておくと、オブジェクトが落とした影も確認できるので追加しておきましょう❷。

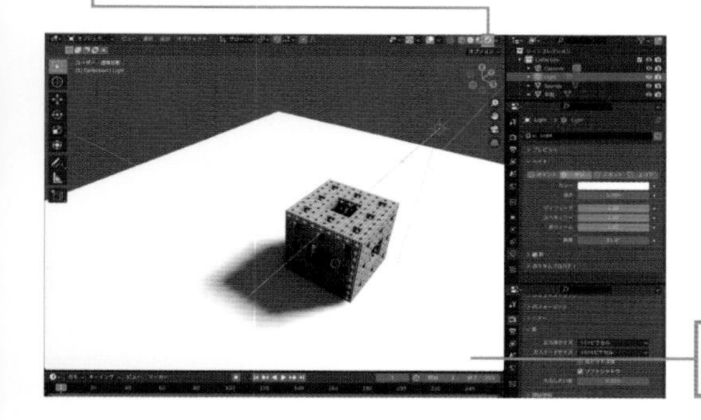

ライトの種類

ライトには**ポイント**、**サン**、**スポット**、**エリア**の四種類があり、追加時に選択できるほか、追加後もライトオブジェクトを選択した状態でプロパティエリアの電球のようなアイコン💡のタブ（オブジェクトデータプロパティ）の［ライト］パネル内の上段のボタンで切り替え可能です。ライトの種類の説明は以下の通りです。

- ポイント
  1 点から全方位へ光を放つ点光源です。

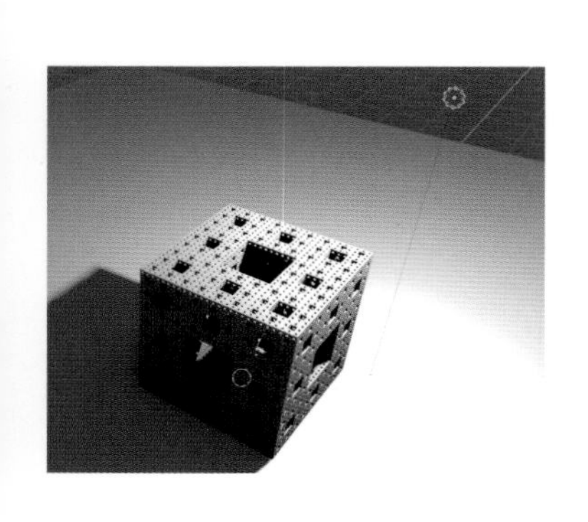

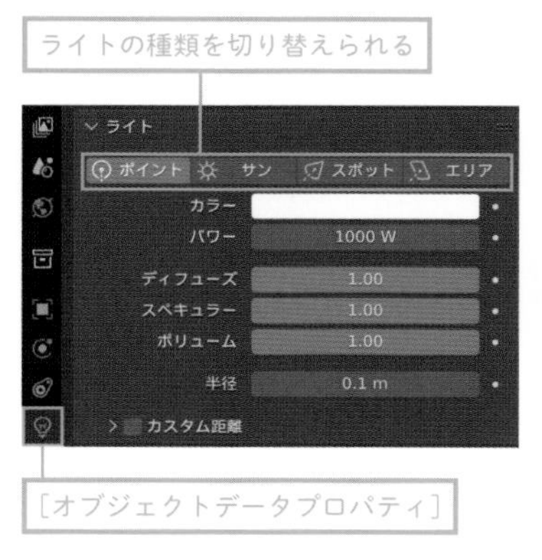

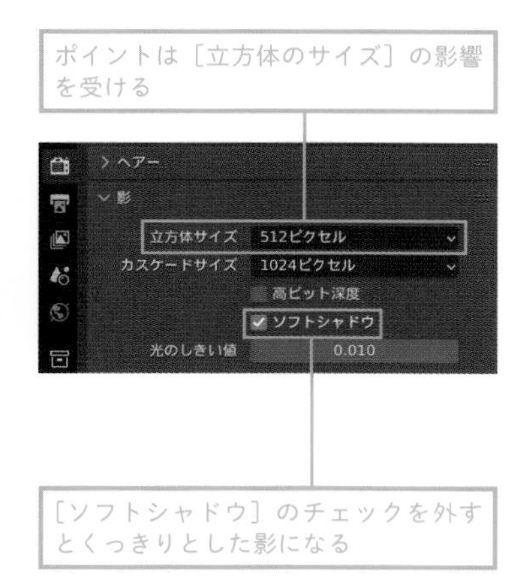

- サン

シーン全てに平行に光を投影する太陽を模した光源です。

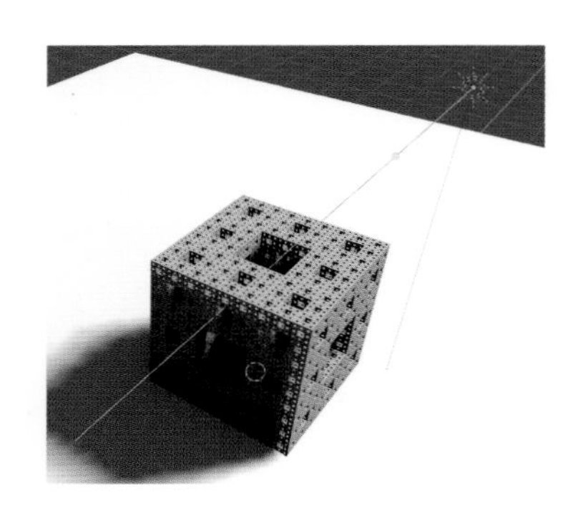

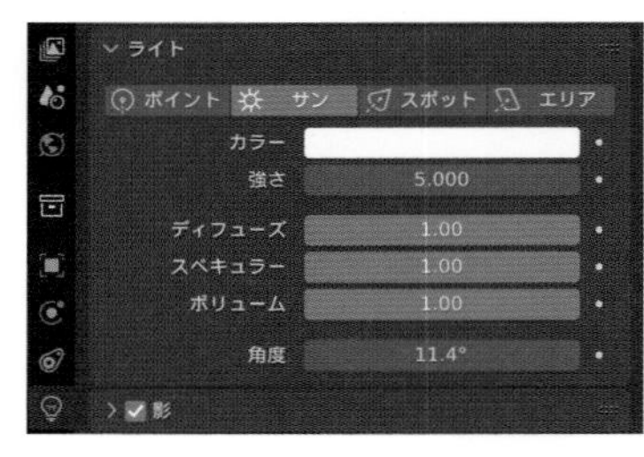

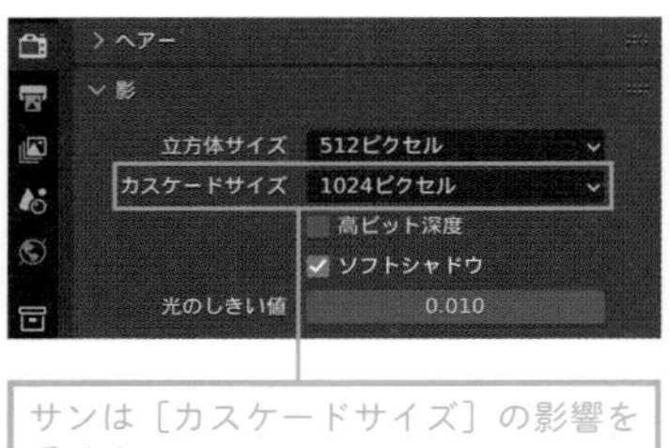

サンは［カスケードサイズ］の影響を受ける

- スポット

1点から円錐状に範囲を絞って光を当てる照明です。

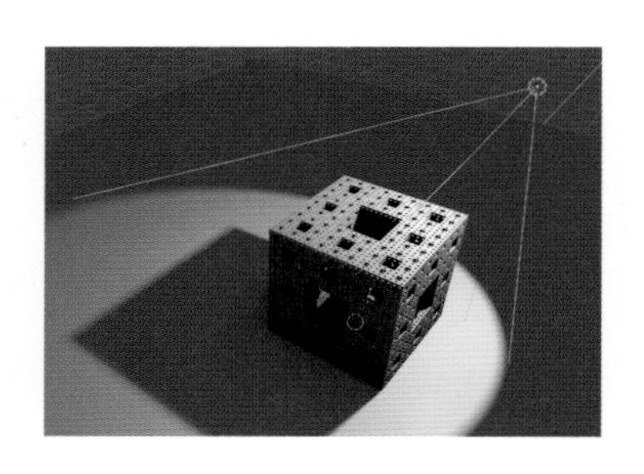

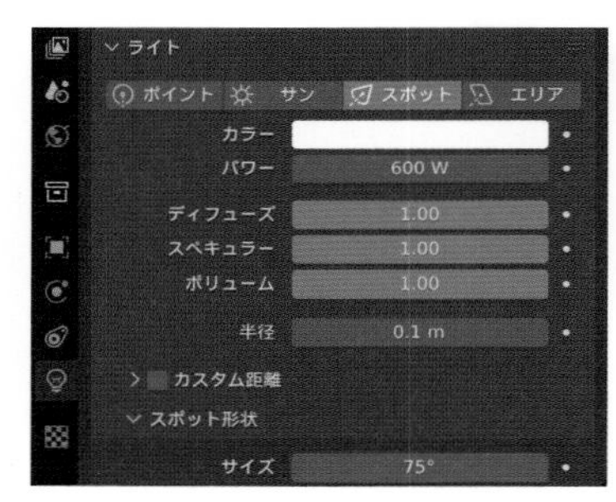

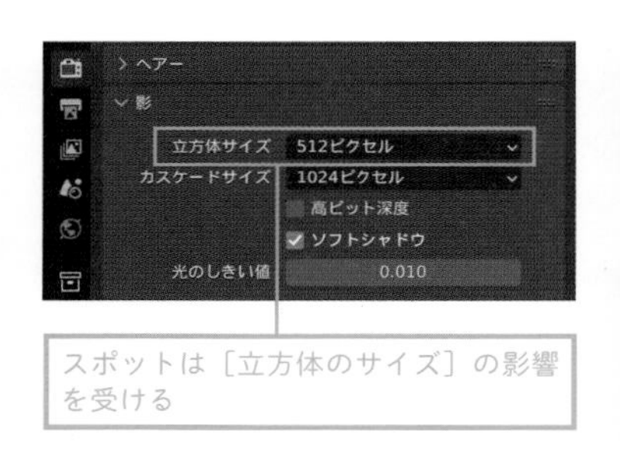

スポットは［立方体のサイズ］の影響を受ける

- エリア

面積を持った光源から放たれる光を再現します。

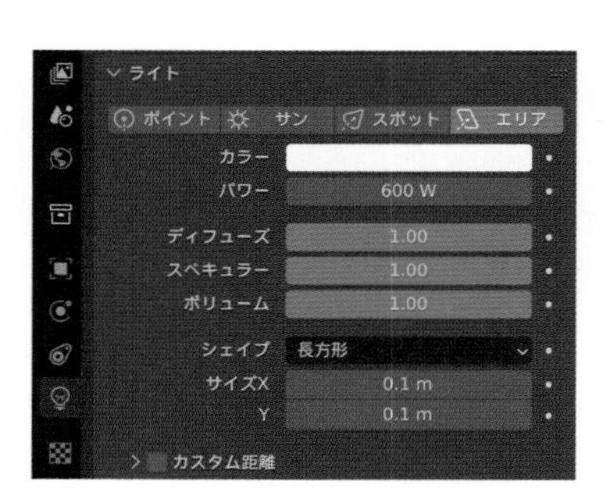

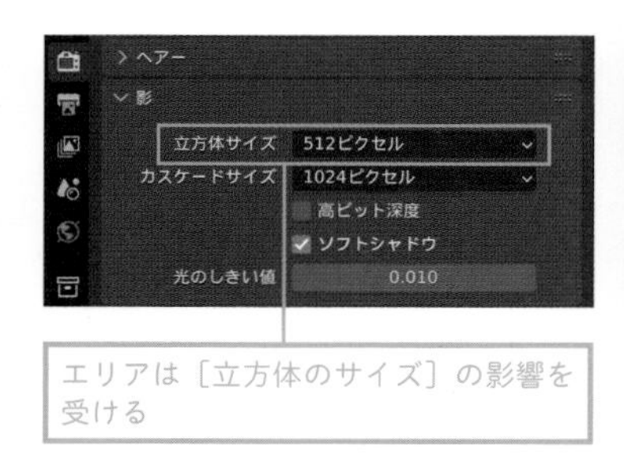

エリアは［立方体のサイズ］の影響を受ける

［プロパティ］エリアの［レンダー］プロパティタブにある［影］パネル内で、それぞれのライトが落とす影の解像度を設定することが出来ます。［立方体サイズ］は**ポイント**、**スポット**、**エリア**に影響し、**［カスケードサイズ］**は**サン**に影響します。**ソフトシャドウ**のチェックを外すと、ボカしの無いくっきりとした影になります。

Chapter
06

実践編
キャラクターをつくろう

前章まではBlenderを初めて触った方が、とりあえずBlender全体の一通りの機能を大まかに習得できるように、途中で挫折したりしないように、難しい細かい部分は省いて駆け足で説明してまいりました。ですのでここからは、前章までで省いてきてしまった部分を補足しつつ、実践的なテクニックも交えながら人型キャラクターの作成を例に解説していきます。

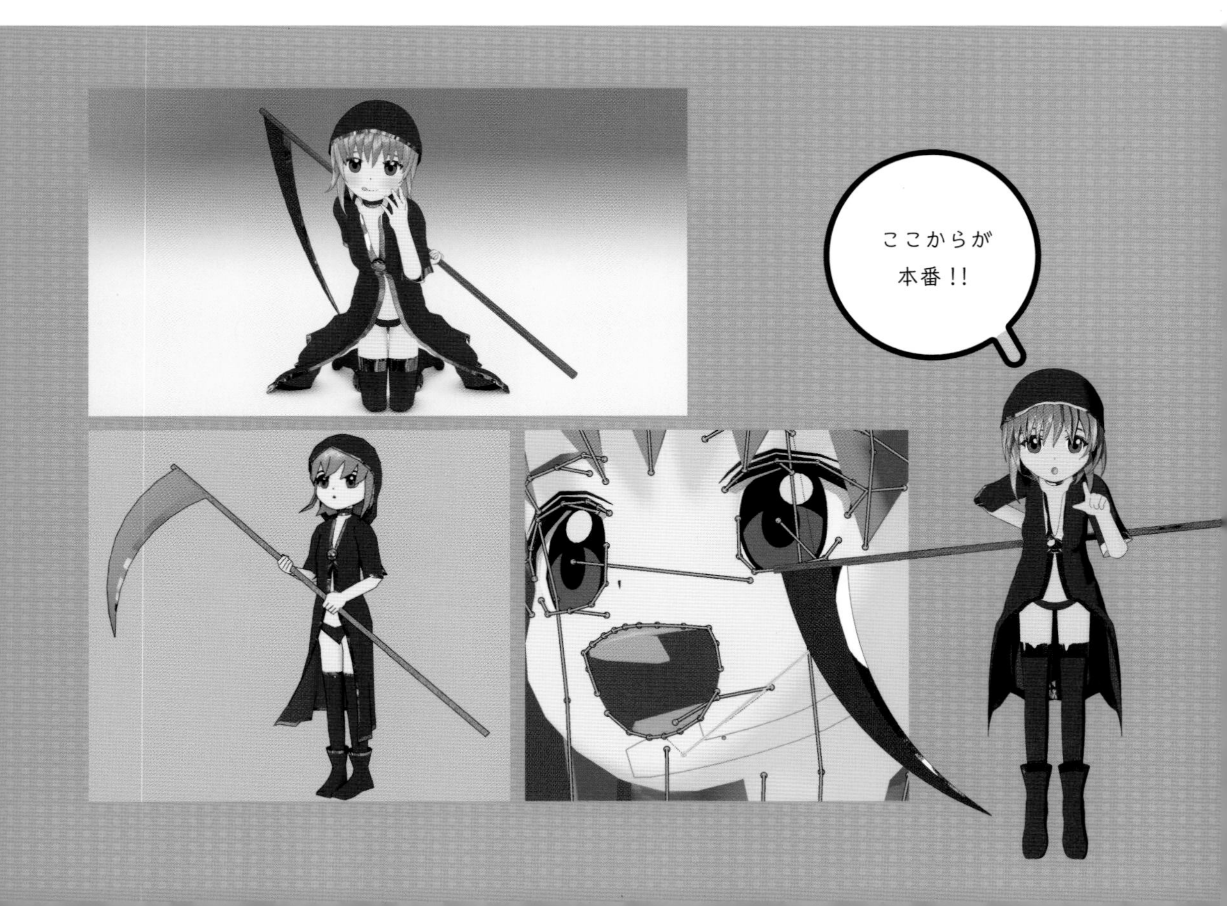

Blender の自由な画面構成

前章までででは、流れの中で Blender のエリア構成の変更等を行ってきましたが、ここで一度しっかりとその構造を理解しておくことで、製作工程中に必要になる様々な機能へのアクセスを自在にこなせるようになっておきましょう。

自由な画面構成

3D ビューポートとタイムラインの境目にマウスカーソルを持っていき、上へドラッグすることでエリアのサイズを変化させられることは第４章のアニメーションの説明（P.142）で少し触れました。本節ではエリアのサイズ変更についてもう少し解説します。

各エリアのサイズ変更

Blender では 3D ビューポートとタイムラインの２エリア間のサイズ変更に限らず、すべてのエリアとエリアの間でマウスドラッグによりサイズを変更することが出来ます。

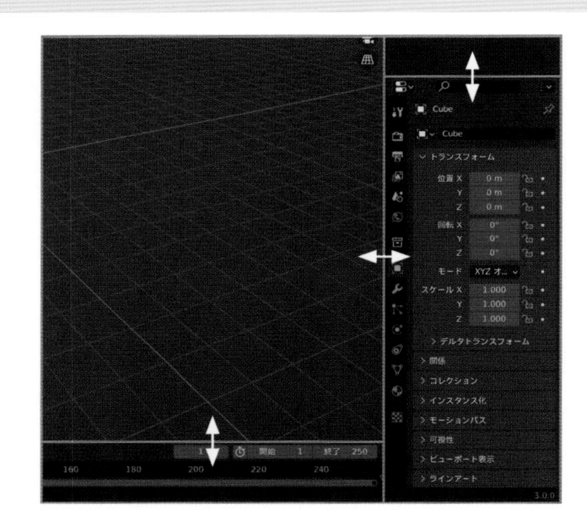

右クリックによるエリア分割

また、このエリア間の境界にマウスカーソルを合わせ右クリックすることで **［エリア設定］メニュー**が開き、**［垂直に分割］** や **［水平に分割］** を選択することで分割線が表示されます。この状態で、マウスを動かし任意の位置で左クリックの決定でエリアを分割できます。例えば 3D ビューポートの内側へこの分割線を入れるように操作すれば、3D ビューポートが２つへ分割されます。

❶ エリアを垂直方向に分割します❶。

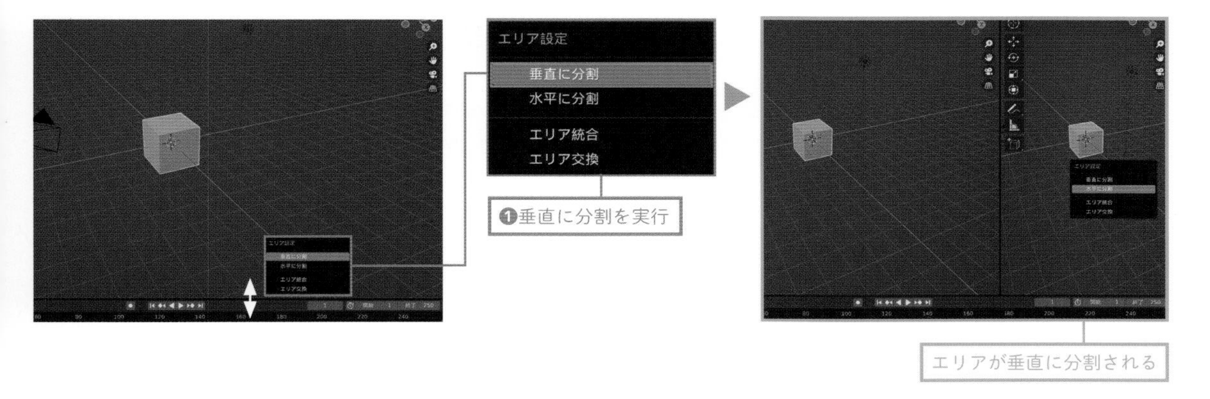

❷ エリアを水平方向に分割します❶。

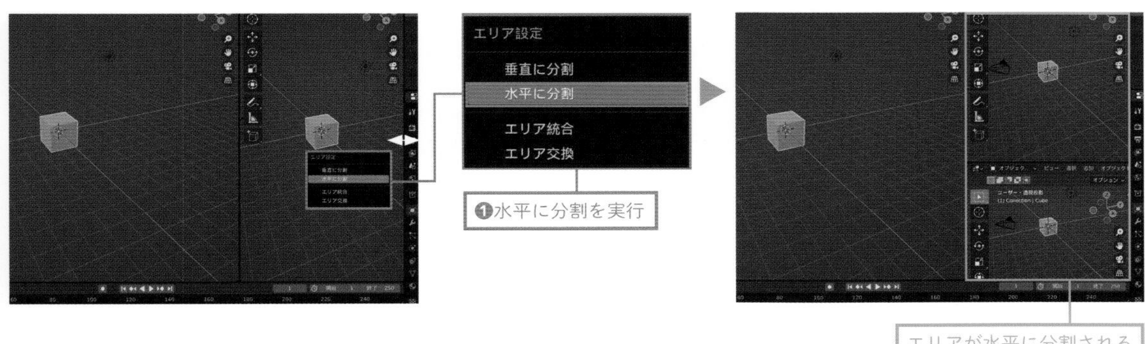

ドラッグによるエリア分割

すべてのエリアの四隅には、マウスカーソルをクロス型に変化させる領域があります。クロス型になった状態でマウスをドラッグすると、ドラッグした方向に応じてエリアを分割することが出来ます。

❶ 例えば3Dビューポートの四隅のどれかで3Dビューポート内側へ向かうよう横方向に移動させた場合は縦に、縦方向に移動させた場合は横に3Dビューポートが分割されます❶。

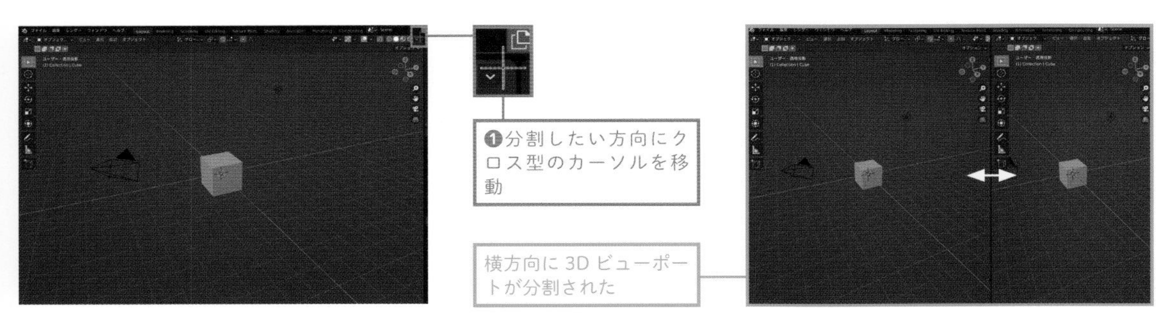

エリア統合

増やしてしまったエリアを元に戻す（減らす）手順は以下のようになります。

❶ カーソルがクロス型になったときにエリアの外側へ向かう方向へドラッグする、またはエリア間の境界で右クリックをして、**［エリア統合］**を選択して統合したいエリアの方向へマウスカーソルを動かして左クリックで決定します❶。

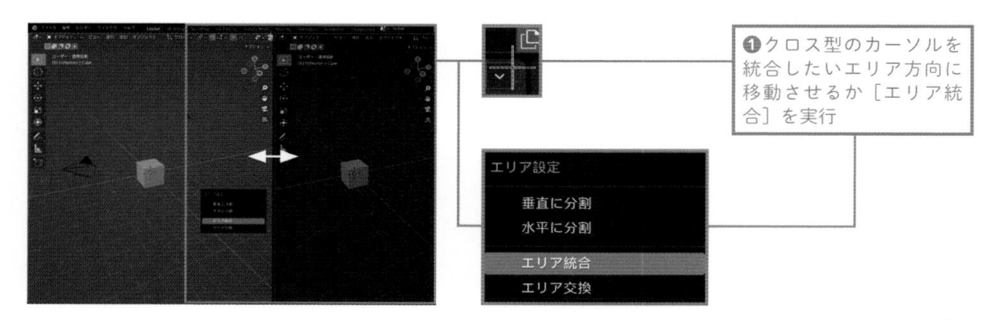

POINT
エリアの統合は分割されているエリアの境界において左右、または上下で、エリアの数が一致していなかった場合はエリア数が減ることはなく、エリアの配置が変わるのみになります。

エリアを別ウィンドウに切り離す

次にエリアを別ウィンドウに切り離す方法について解説します。

❶ カーソルがクロス型になっている時、Shift を押しながら左ドラッグすることで、このエリアを複製して別ウィンドウへ切り離します❶。

POINT
この機能は、マルチモニターで作業している場合や、ウィンドウ全体を長方形以外の配置にさせたほうが便利な場合（例えば別のビュアーソフト等で資料を表示させたまま作業したい時等）に便利です。このように、Blender の画面構成はかなり自由自在に自分に合わせた形に変更可能になっています。

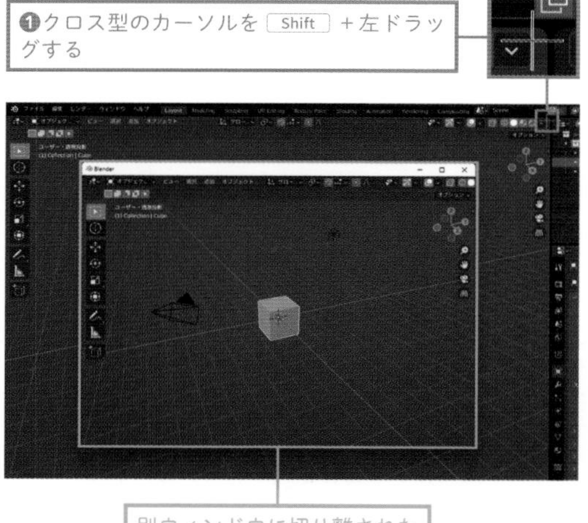

エディタータイプ

各エリアの一番左上（ヘッダーの一番左端）には、そのエリアが何の作業をするためのエディターなのかを示すアイコン（エディタータイプ）が存在します。このエディタータイプのプルダウンメニューから、エリアに配置するエディターの種類を変更することが出来ます。

エディターの種類

エディターの種類は**［全般］［アニメーション］［Scripting］［データ］**といったカテゴリに分かれており、バージョン3.1現在で23種類ものエディターが用意されています。この章で使うものはこのうち、**［3Dビューポート］［画像エディター］［UVエディター］［コンポジター］［ジオメトリノードエディター］［シェーダーエディター］［ドープシート］［タイムライン］［アウトライナー］［プロパティ］［ファイルブラウザー］**となります。

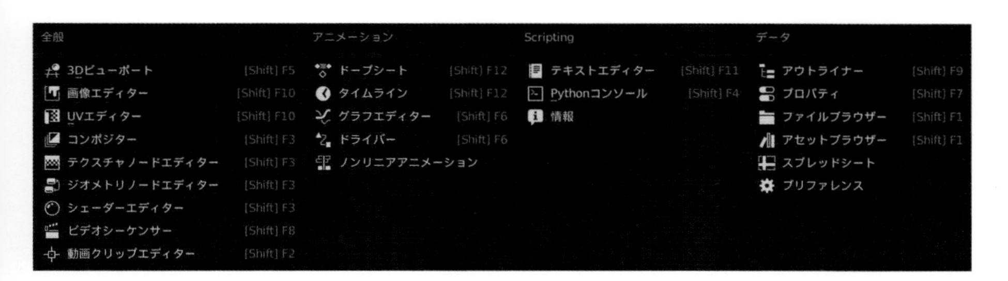

エリアの配置

これは、無理やりBlenderウィンドウ内に全てのエディターを表示させてみた例です。自由すぎるBlenderのユーザーインターフェイスではこのようなことすら可能ですが、当然見づらいだけなので、そのときに必要なエディターに絞って使いやすいエリア配置を自分で考え作ってみてください。

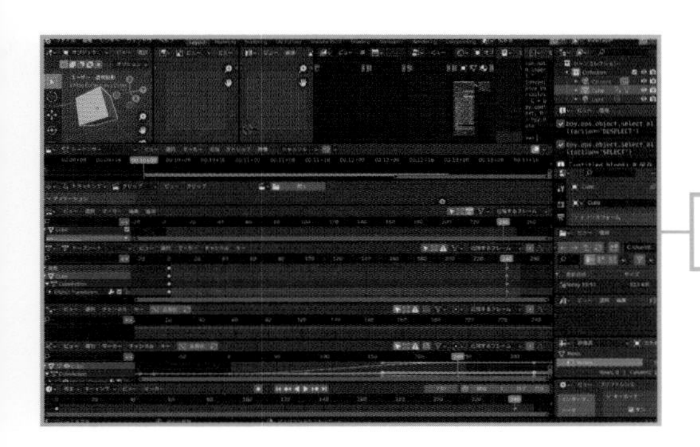

全てのエディターが表示されている状態

POINT

この章では、特に断りを入れることなくエディター配置を変更した画像を用いて説明を進めていく場合があることに注意してください。

4 分割表示

3D ビューポートは少し特殊で、このエディターのみ Ctrl+Alt+Q で 4 分割画面に切り替えることが出来ます。左上が真上からの視点、左下が正面からの視点、右下が真横からの視点、そして右上は自由に視点移動が出来る画面といった構成になり、再び Ctrl+Alt+Q を押すことで元に戻ります。モデルをあらゆる視点で同時に確認しながら作業できるので、複雑で難しい形状を作る時などに思い出して活用してみましょう（かつては全てのエディターでこの 4 分割が可能なバージョンも存在しましたが、当然意味が無いので無効にされてしまいました）。

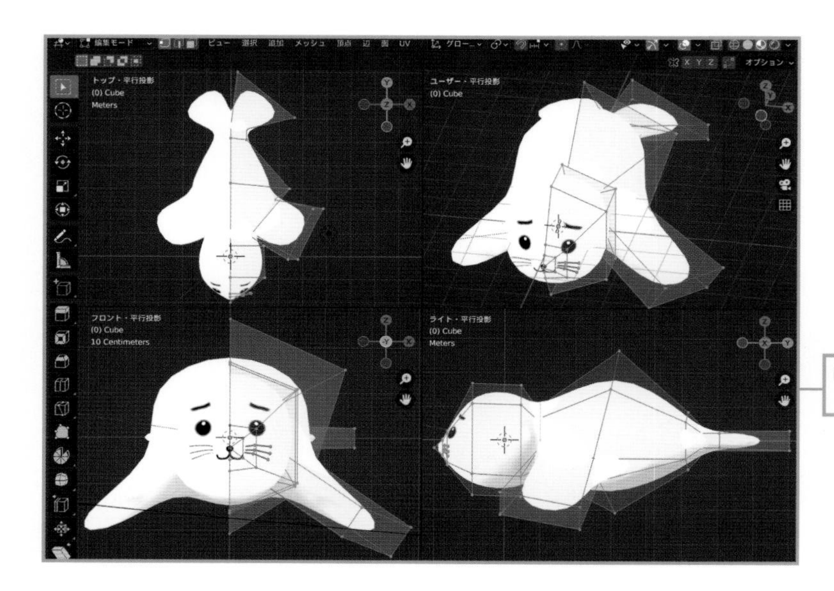

Ctrl+Alt+Q で 4 分割画面されている 3D ビューポート

サンプルファイル samplefile/Chapter6

6-2 頭部のモデリング

これまでの章で学んできたことを応用し、人物キャラクターの作成を行います。工程の中に前章までのものと重複してしまうような操作があった場合は、説明を省略してしまう場合があることをご了承ください。あまり複雑な作業が入ってしまわないようシンプルめなデザインを考えてみました。

キャラクターの頭部を作ろう

基本的に上記のキャラクターを例に作成手順を紹介していきますが、自分でオリジナルのデザインを考えて作っていってしまっても構いません（例えば色だけ独自のものに変えてしまう等）。シンプル故にいくらでも独自に拡張してしまえるような工程になっていると思いますので、自信のある方はある程度挑戦しながら、そうでない方はなるべく本書に忠実に進めてみてください。最初は、頭部の作成から進めていきます。顔を上手く作ることができれば、その後の工程へのモチベーションにも繋がります。

大まかに輪郭を作る

❶ 平行投影で真正面を見ている視点（テンキー 5、テンキー 1）で、3D カーソルが中央にあることを確認し（Shift+C）、Shift+A から［メッシュ］>［円］を追加します❶。

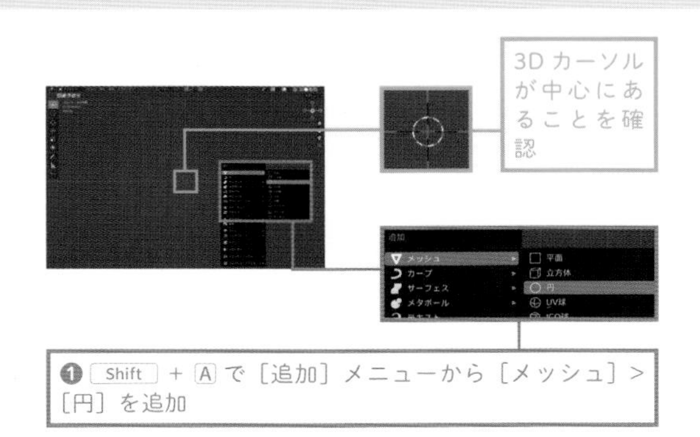

❶ Shift + A で［追加］メニューから［メッシュ］>［円］を追加

❷ 追加した直後、左下の［フローティングウィンドウ］から［整列］を［ビュー］にすることで円を正面向きの角度に変えます❶。

更に、［頂点］の値を少なめに設定して、円を構成する頂点の数を変えます。この数は左右対称を維持するために偶数にしておいてください❷。

POINT

［頂点］の値は偶数であればいくつでも構いませんが、円とわかる形状を保つ範囲でなるべく少ない頂点数であることが理想です。

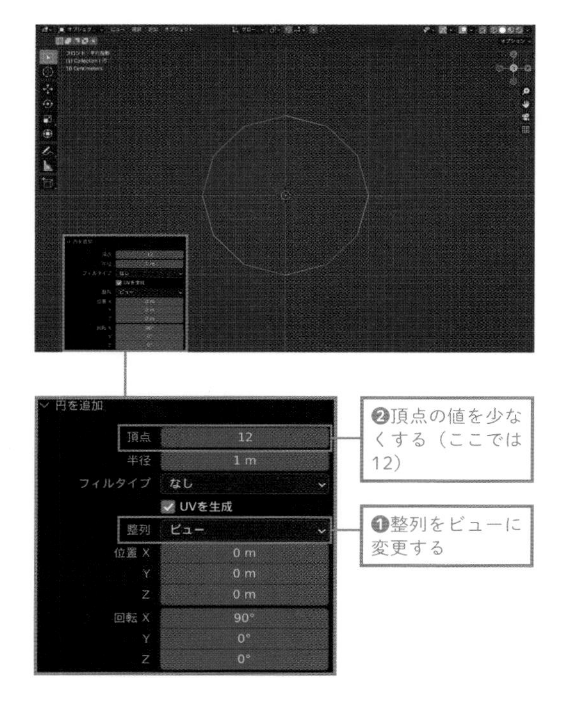

❸ このまま正面を見た視点で、S → X により幅を狭め、縦長の楕円にして顔の輪郭に近づけます❶。

テンキー 3 の真横からの視点で、最も上にある頂点を選択してから E による押し出しで前方（-Y 方向）へ辺を追加していきます❷。

そして大雑把でも良いので横顔の輪郭になるように E による押し出しの連続で形を作っていきます❸。

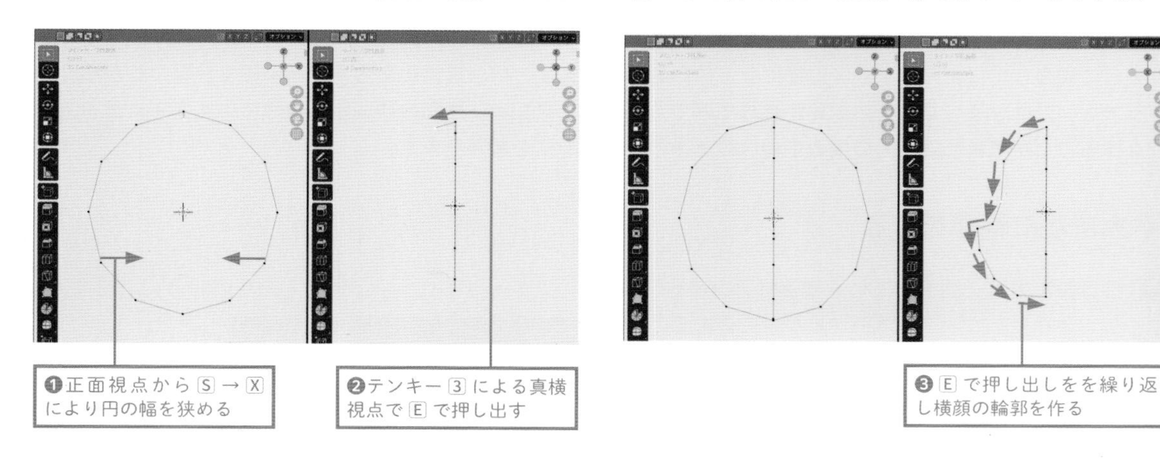

※本手順の画像は、頂点の位置をわかりやすくするため一時的に背景を白にしています。

❹ 一番下まで行ったら、一番下の頂点と F や M を利用して繋げます❶。

同じように、一番上の頂点から今度は反対側（+Y 方向）へ押し出していき、後頭部の輪郭になるように丸く形を作っていきます❷。

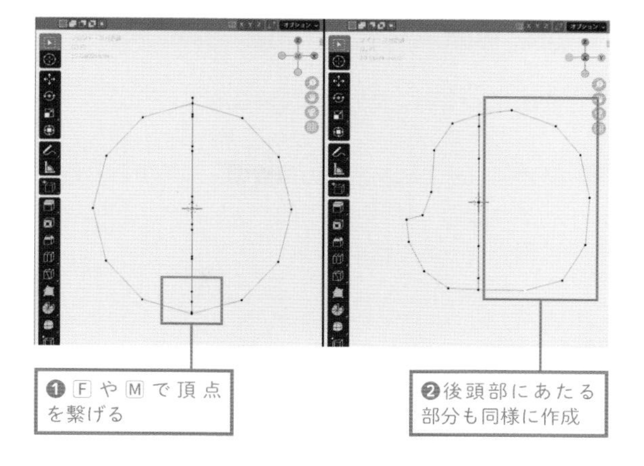

※本手順の画像は、頂点の位置をわかりやすくするため一時的に背景を白にしています。

MEMO

ちなみに、背景の色を変えるには 3D ビューポートヘッダーの一番右の ⌄ ボタンをクリックし、［背景］を［ビューポート］に切り替え、その下のカラーボックスで色を選択します。元に戻すには［テーマ］を選択します。

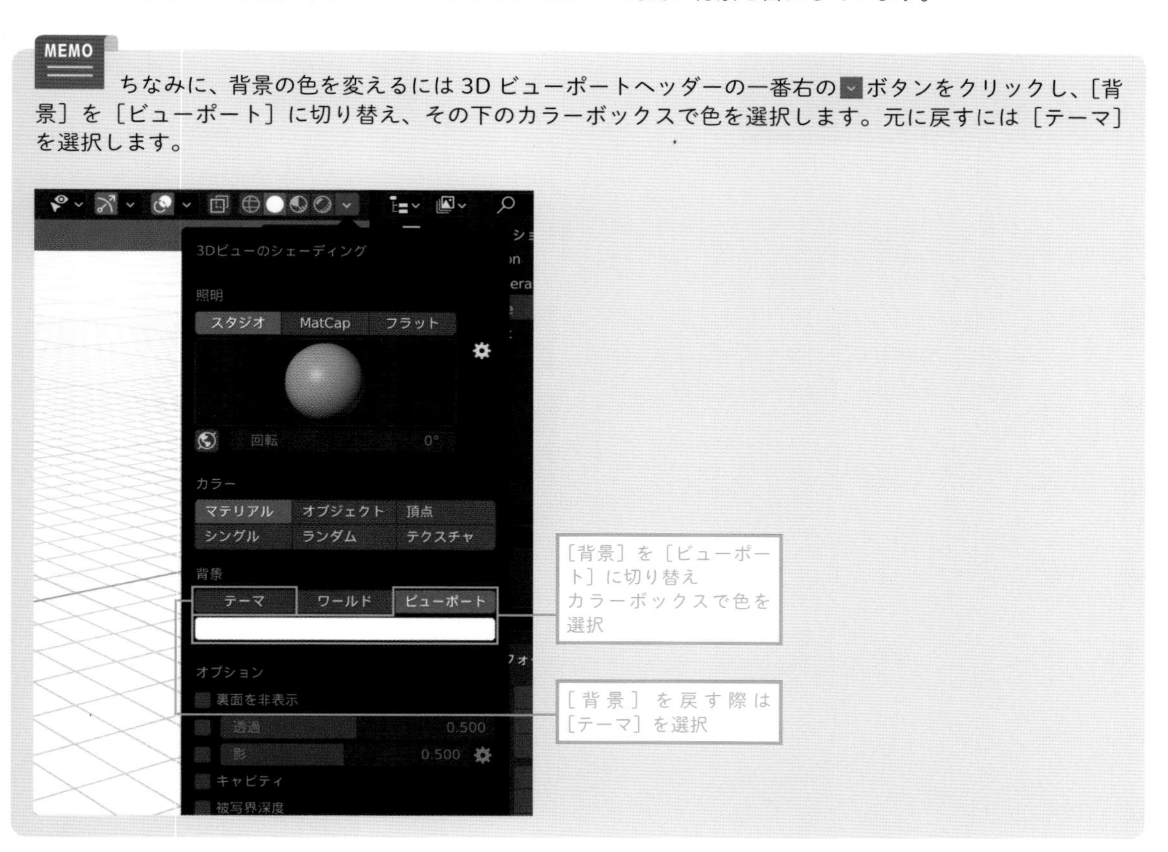

面を貼る

作成した輪郭に面を貼っていきます。

① 後頭部の線と右側の線の頂点を、一番上と一番下の頂点を除いて全て選択します❶。

その状態で Ctrl+E から［辺ループのブリッジ］を実行すると、この2本の間を埋めるように自動的に面を貼ってくれます❷。

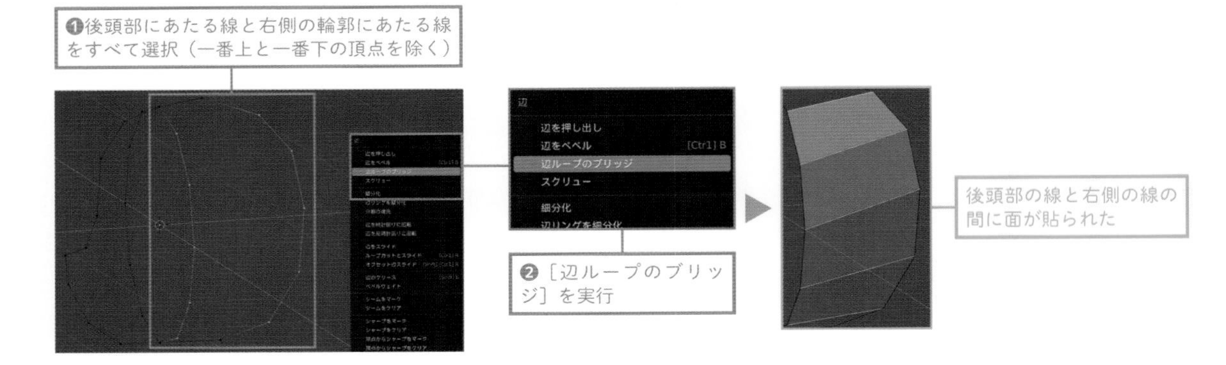

POINT この時、この2本の線の頂点数が一致していなくともある程度綺麗に面は貼ってくれますが、その場合必ずどこかに斜めの辺が追加されてしまいます。

② 次に、［辺選択モード］にした上で今ブリッジによって繋がれた水平側の辺を全て選択します❶。

そして右クリックから［細分化］を実行します❷。

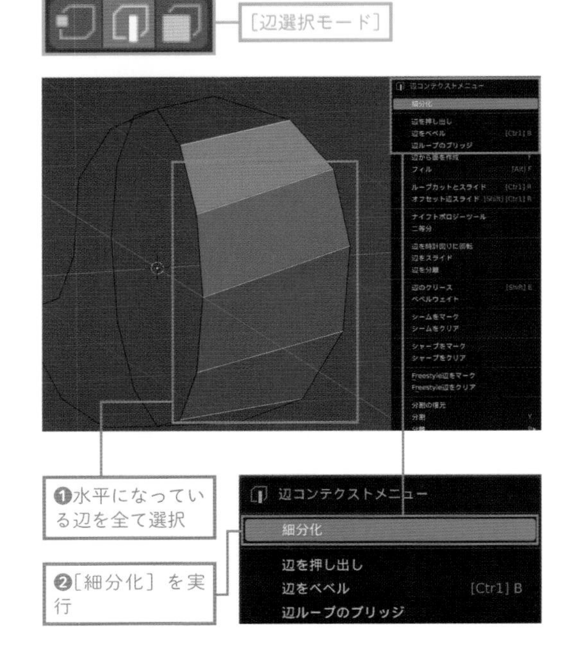

❸ そのときに左下に現れる［フローティングウィンドウ］から、［分割数］を「2」に増やします❶。

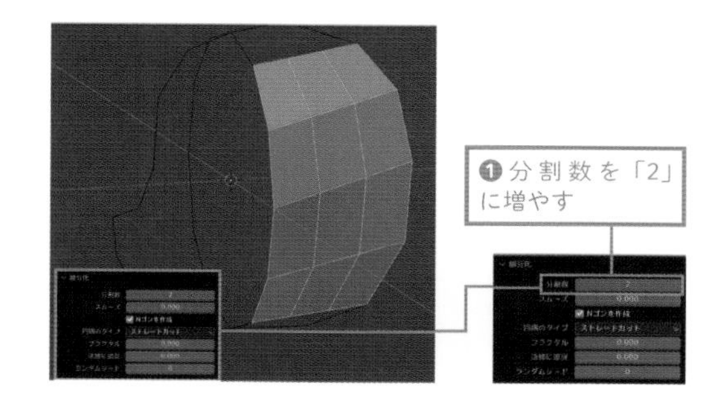

正面側にも面を貼る

同じように右側輪郭線と正面側輪郭線（鼻のある方）の間も面で補間します。こちらは鼻の突起がある分少し複雑になってしまい、先程のような辺ループのブリッジ接続はうまく使えません。1 枚 1 枚手動で繋げていく必要があります。

❶ 右側輪郭線の一番上の方の 2 頂点と、正面側輪郭線一番上の方の 2 頂点を選択します❶。

そして F を押すことで面を貼ります❷。

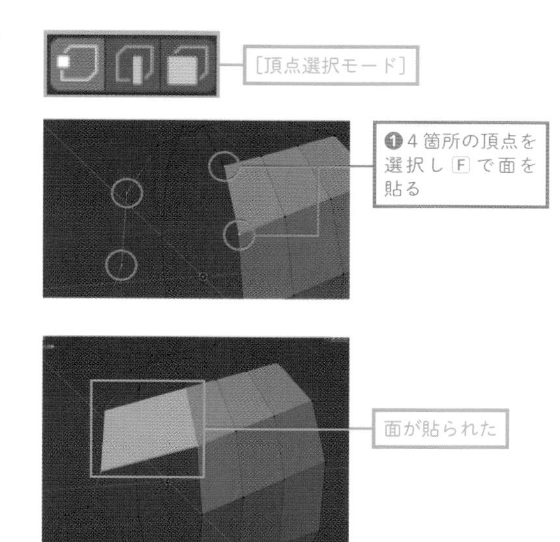

❷ なるべく四角面で構成していったほうが良いので、このように 4 頂点を選択して面を貼る、という手順を心がけます❶。

同じ手順で輪郭の下の方まで面を貼っていき、一部でどうしても三角面になってしまう部分はここでは一旦後回しにします。

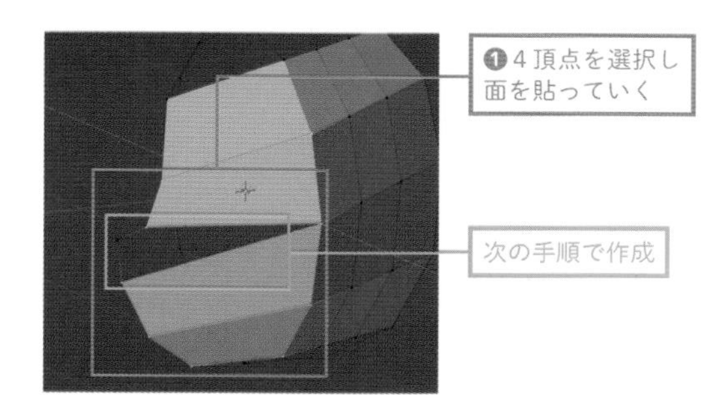

❸ 面が四角面のみで繋がった帯状に構成されていれば、Ctrl+R によるループカットが使えるのでこれを利用して後頭部側と同じように縦に分割線を 2 本追加します❶。

その後、間を埋めるように 1 枚ずつ F による面貼りを行います❷。

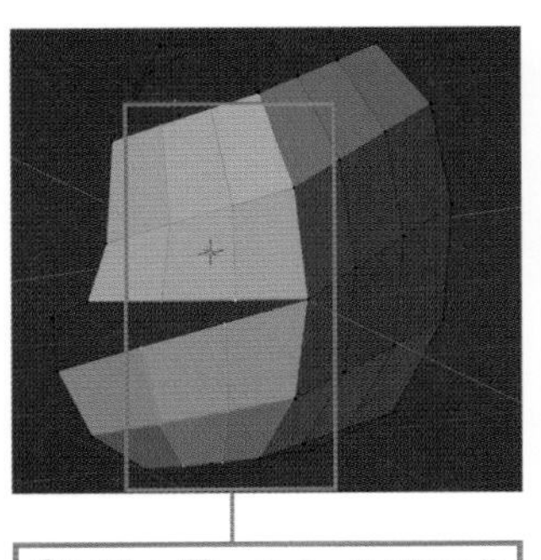

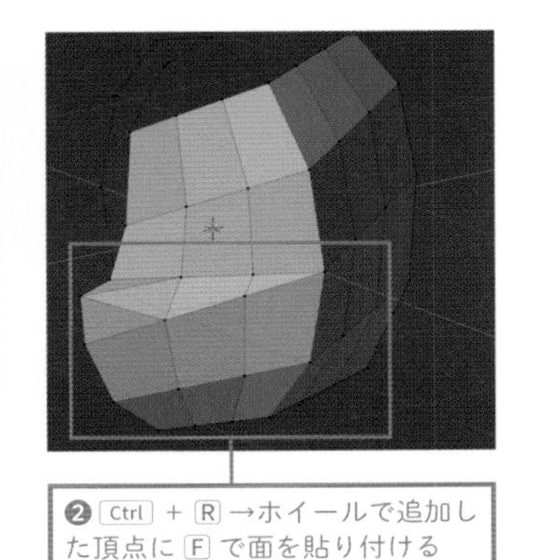

輪郭を左右対称にする

ここからは 2 章の P.45 で解説したミラーモディファイアーを使用して輪郭を左右対称にする操作を行います。

❶ アザラシモデルで行ったのと同様、向かって左半分の頂点を削除します❶。

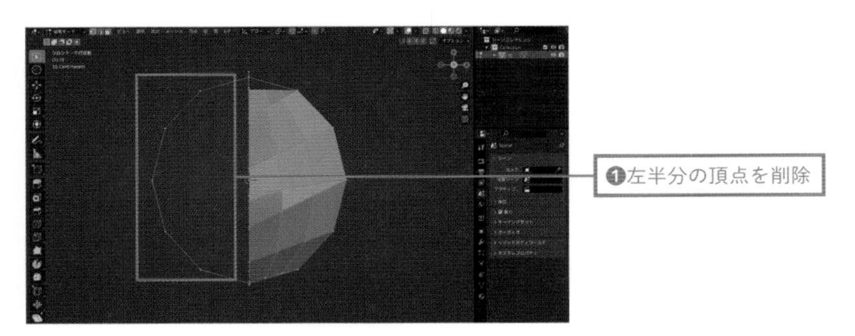

❷ そして［オブジェクトモード］に切り替え［ミラーモディファイアー］を設定します❶。

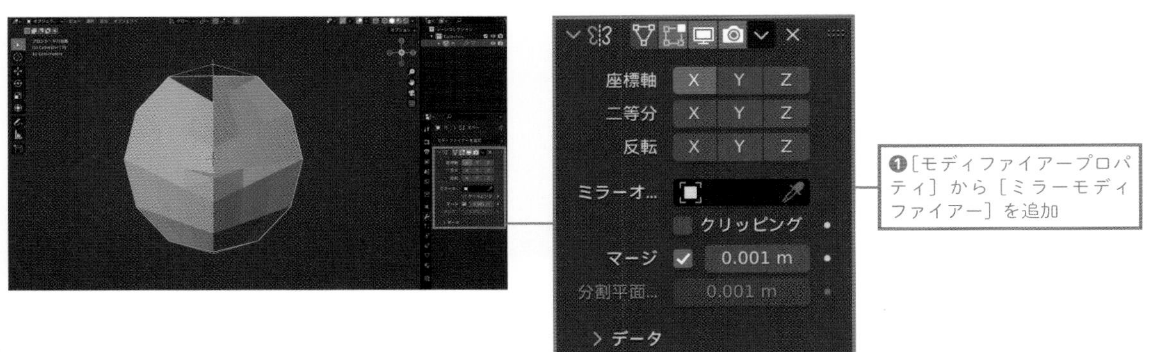

天頂部と底面の穴を埋める

天頂部と底面はまだ穴が空いた状態になっているので、この部分も F による面貼りによって埋めます。

❶ 天頂部と底面において、うまく四角面のみで埋められるように頂点の数が合っていなかった場合は、頂点数の少ない部分の隣り合った複数頂点を選択し、右クリックから［細分化］を実行することによりその頂点間に新たに頂点を作成して数を合わせます❶。

▶ 天頂部

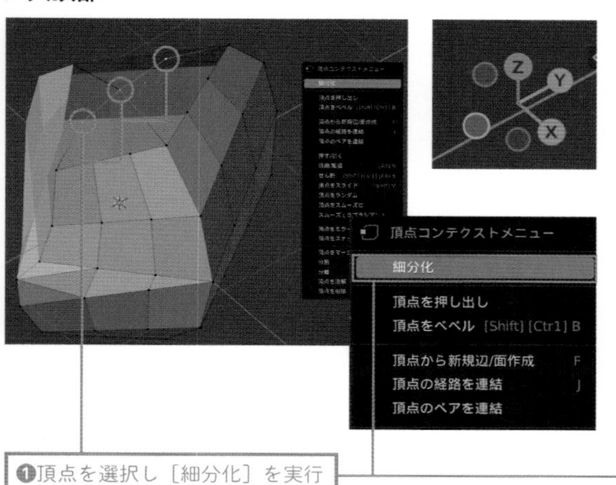

▶ 底面

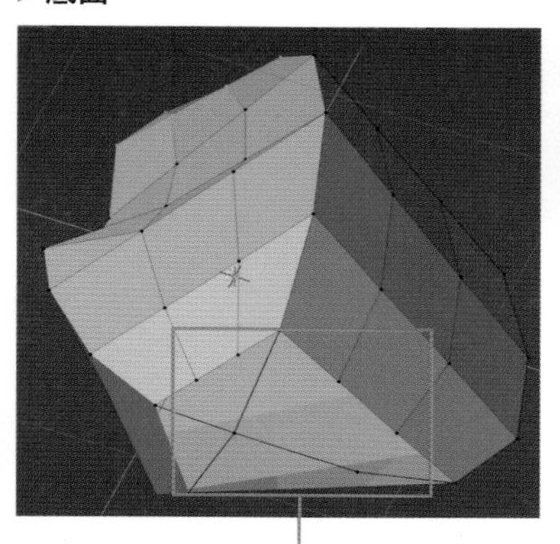

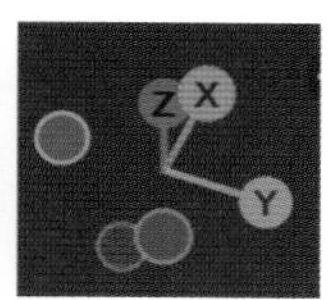

❶頂点を選択し［細分化］を実行

❷ これにより天頂部、底面ともに完全に穴が埋まるよう全てに F で面を貼り終えます❶。

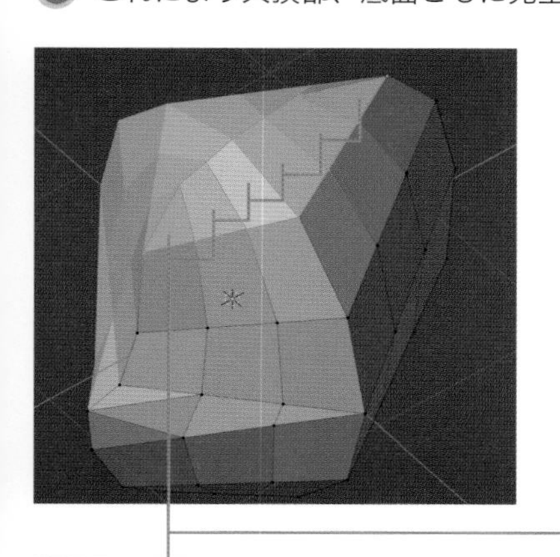

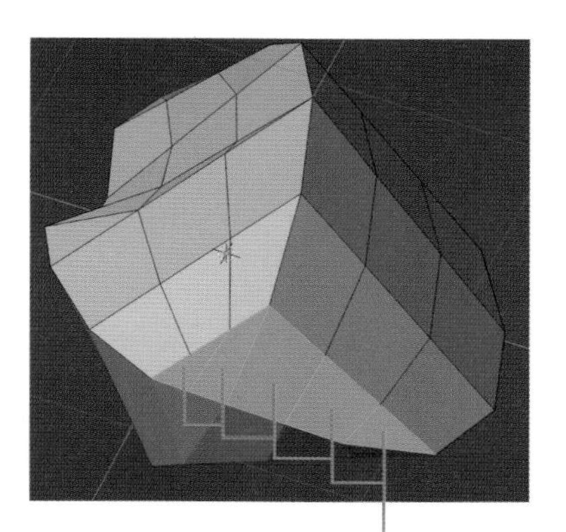

❶ F で面を貼り付ける

頭部のメッシュを調整する

これで、頭部を構成する大まかなメッシュが出来上がりました。ですがこのままでは形がいびつなので、頂点の調整を行います。

❶ G による頂点移動によって頂点の位置を一つひとつ調整していきます❶。

特にテンキー 7 によって真上から見た視点では菱形のようになってしまっているはずなので、これをなるべく楕円形になるように形を変形していきます。

❶頂点を調整し右画像のようにする

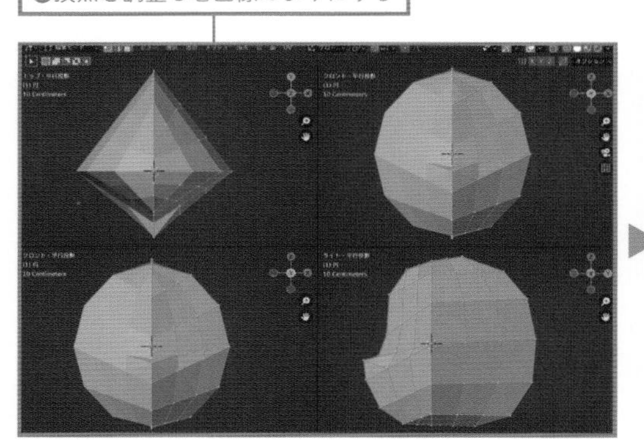

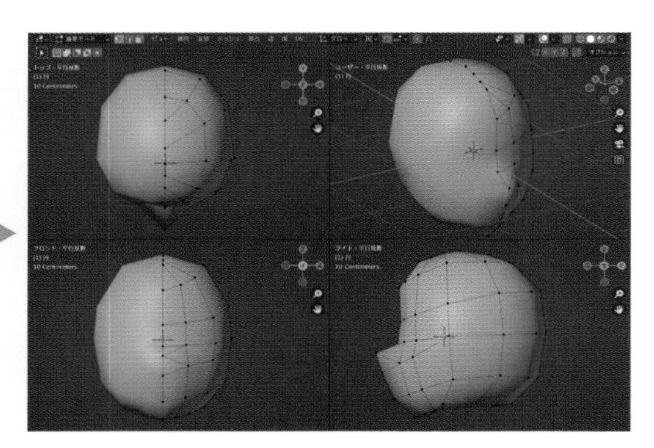

POINT

頂点を一つひとついじらなければいけないため、この時点で頂点数が多すぎると大変になってしまいます。なので、このように最初は大雑把なメッシュ構成から開始して全体的な大まかな形を作ってから、細部を作り込んでいきます。

MEMO

球体を構成するメッシュを真横から観察すると縦に走る辺が中心のものは縦にまっすぐに、端に近づくにつれ外側へ膨らむ形になっていくことがわかります。

同時に、隣り合った縦線の間隔は端に近づくにつれ狭くなっていくこともおわかりでしょうか。頭部のような球体に近い形も当然、おおよそこの法則に従います。上手く球体のような形を作るには真上からの視点でも確認しながらというのが理想ですが、形が入り組んでいたりして真横からの視点のみで完成形を想像しながら頂点位置を調整する必要がある場面もあります。そのような場合はこういった、奥にある縦線ほど間隔が狭くなっていくという配置を心がけると、丸みを帯びた形状を上手く作ることが出来ます。

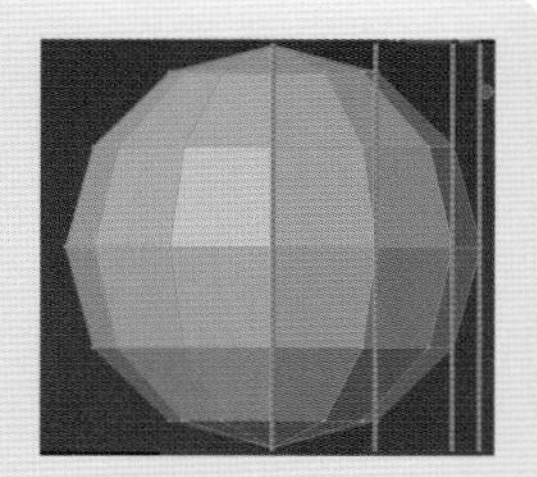

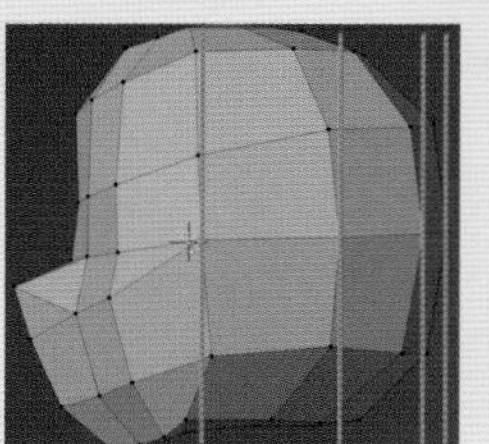

髪の毛の作成

髪の毛用のメッシュも作成します。

❶ ［オブジェクトモード］で、Shift+A から、［メッシュ］>［UV 球］を追加します❶。

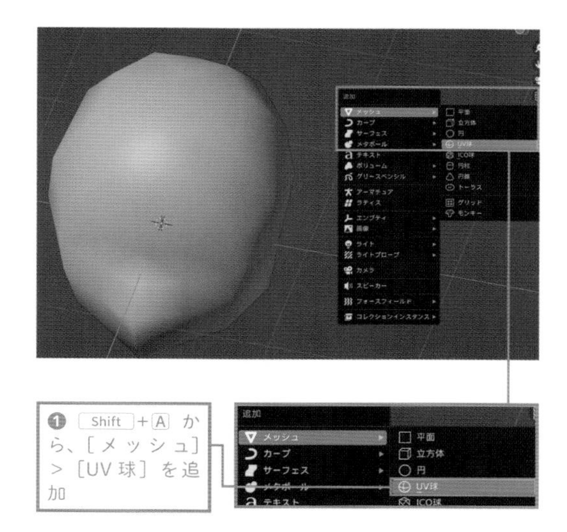

❷ 左下の［フローティングウィンドウ］で、この UV 球のパラメーターを［セグメント］を「12」程度（偶数にしておいてください）、［リング］を「9」程度に設定します❶。

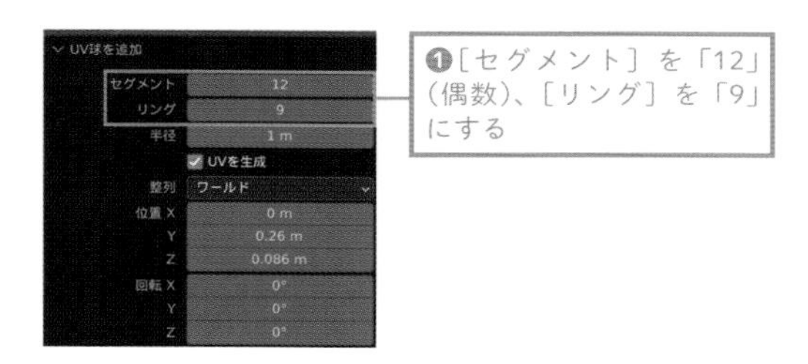

❸ そして［位置］の［X］と［Y］欄をドラッグすることで頭部モデルの上に被さるような位置に調整します❶。

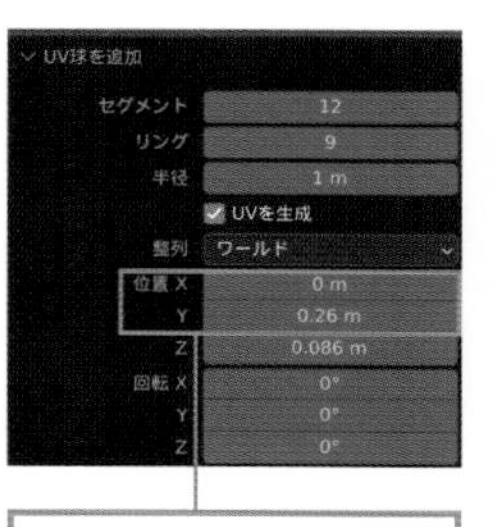

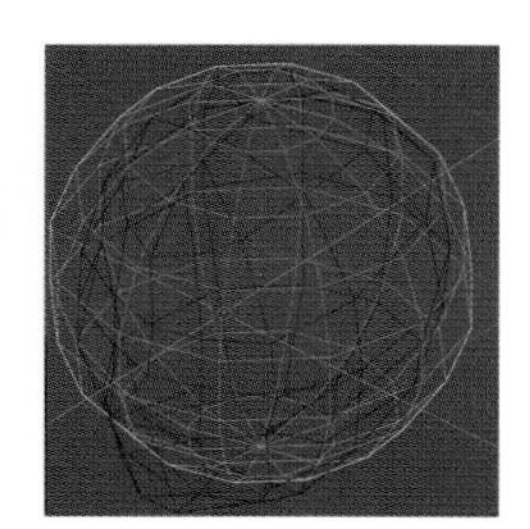

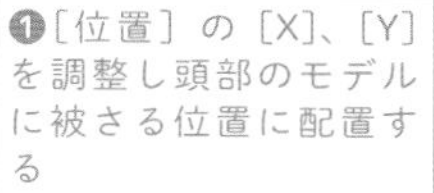

❹ UV球の［編集モード］で髪の形状には余分な前面下部分の頂点を削除します❶。

そして［辺選択モード］で前髪に当たる辺から E の押し出しにより下の方へ面を伸ばし、S の縮小で先端を尖らせた形状にします❷。

この作業を繰り返し、前髪をギザギザに押し出して大まかに全体の髪の形状を作っていきましょう。

❶顔の位置にある頂点を削除

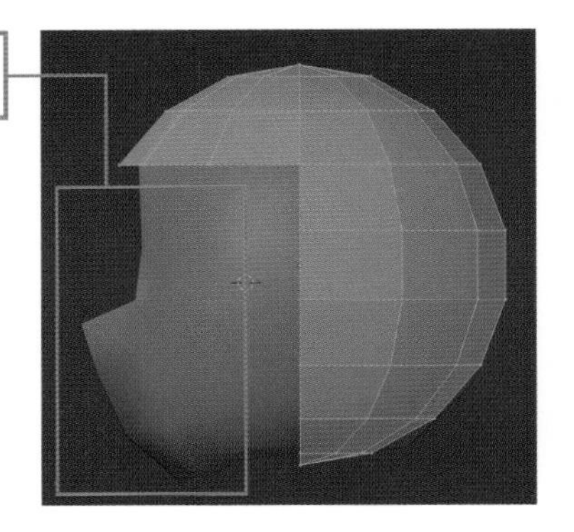

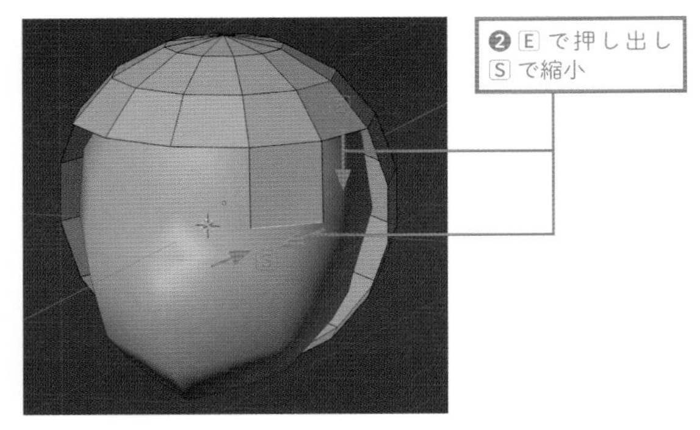

❷ E で押し出し S で縮小

POINT

向かって左側の頂点を全削除してミラーモディファイアーを付加するという処置も行っておきます。後ろ髪も、どこを削除しどこを押し出せばこのような形になるか、考えながら作ってみてください。

❺ 細かい分割が必要に感じた部分では Ctrl+R のループカットを使用したり、逆に頂点をひとまとめにしたい部分などでは M のマージによる結合を行います❶。

POINT

2章のチェス作成で行ったのと同じように(P.77)、［ノードを使用］を外したマテリアルを設定しておくことでオブジェクトを色分けしておき、見た目にわかりやすくしておきます。

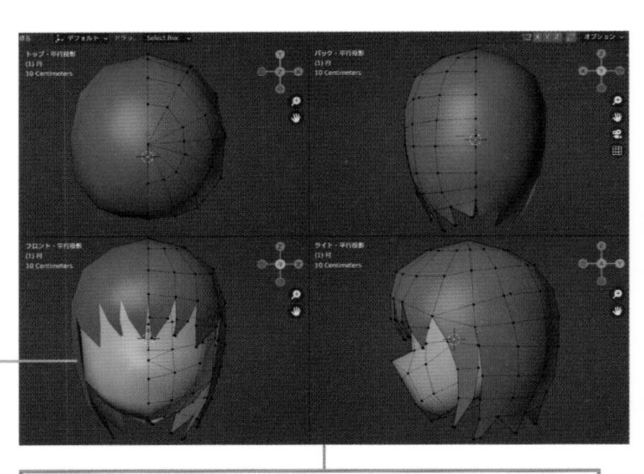

マテリアルで髪の色、肌の色を設定

❶ループカット（Ctrl+R）やマージ（M）で髪を調整する

ループカットが上手く使えない部分の対処

ループカットのように面を連続して分割させたいものの、綺麗に四角面が帯状に繋がっているわけではないのでループカットが上手く使えない部分も出てきます。そのような場合の対処方法について解説します。

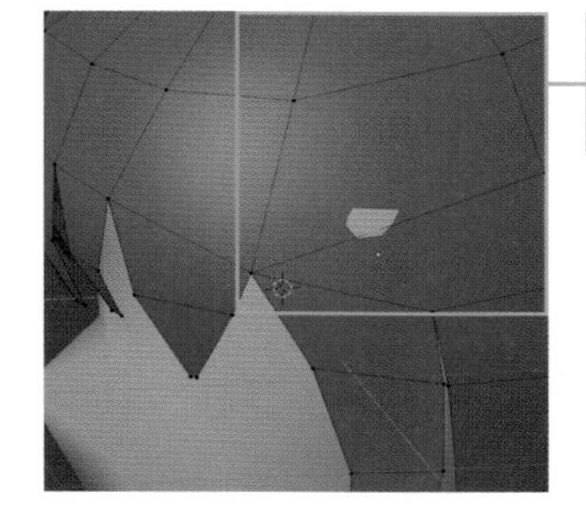

❶ 連続して分割させたい辺を［辺選択モード］ですべて選択した上で、右クリックの［細分化］を行うことで、分割した頂点同士を繋げるように辺を作成してくれます❶。

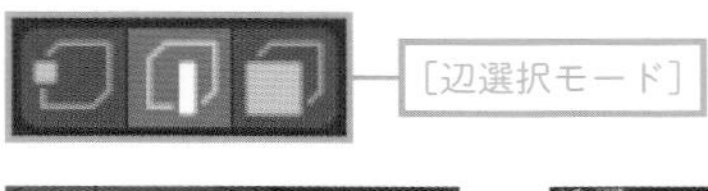

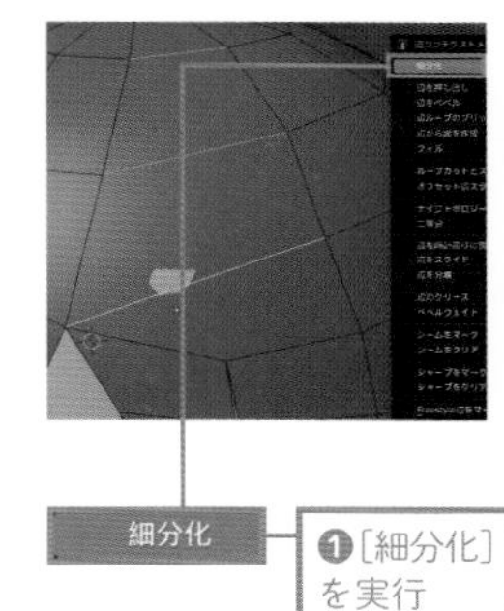

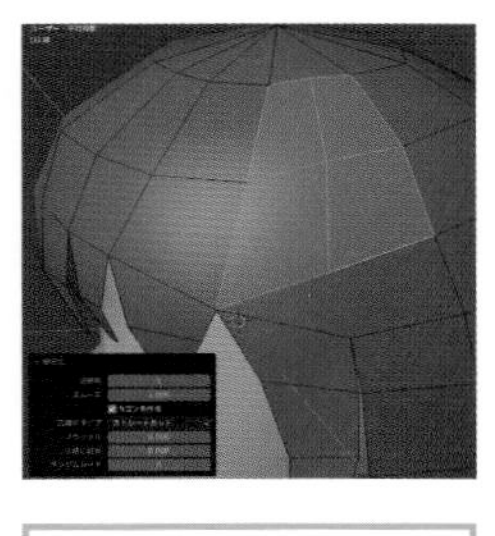

❷ この際、左下の［フローティングウィンドウ］で［スムーズ］の値を上げると、面の曲がりを考慮した位置へ頂点の位置を調節してくれます❶。

また、2頂点を選択した状態で J を押すことにより、その2頂点を繋ぐようにその間の面を分割することが出来ます❷。

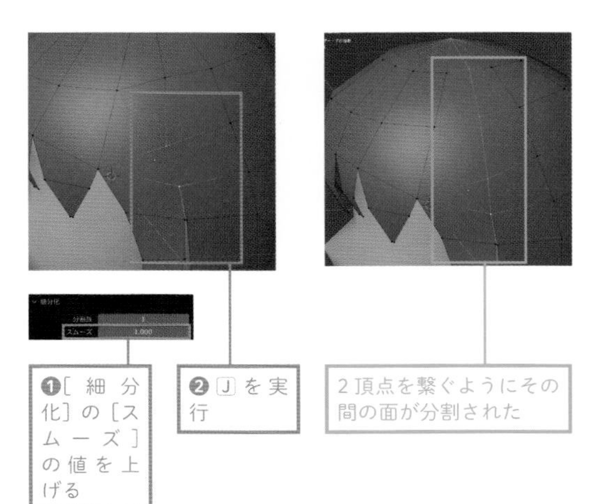

MEMO

2つの面を選択した状態で、F を押すと面が結合され1つの面となります。ただし、この結合された面を再び2つの面に別れさせようと2頂点を選択した状態で F を押すと、面が2つに分かれるわけではなく面の上に辺が重なって生成されてしまいます。見た目上は前述の J の面分割と似ているため非常に間違いやすい部分ですので注意しましょう。

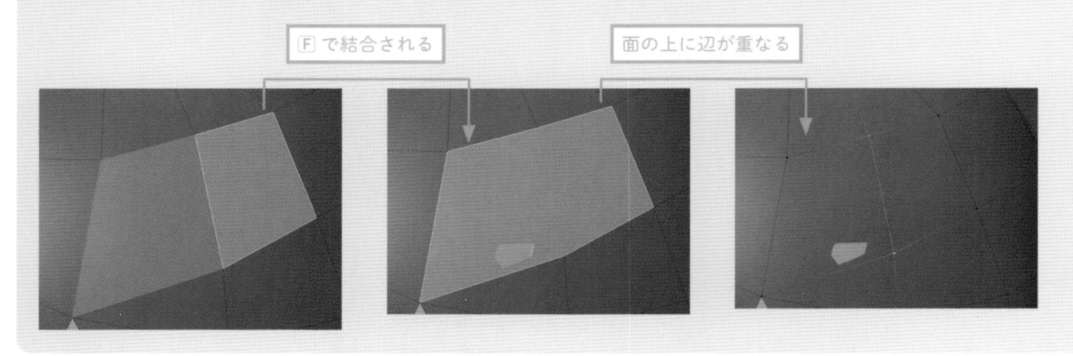

まつ毛を作る

まつ毛を作成します。

❶ オブジェクトモードで Shift+A により［メッシュ］>［平面］を追加します❶。
そして正面視点で［フローティングウィンドウ］の［整列］から［ビュー］に切り替えます❷。

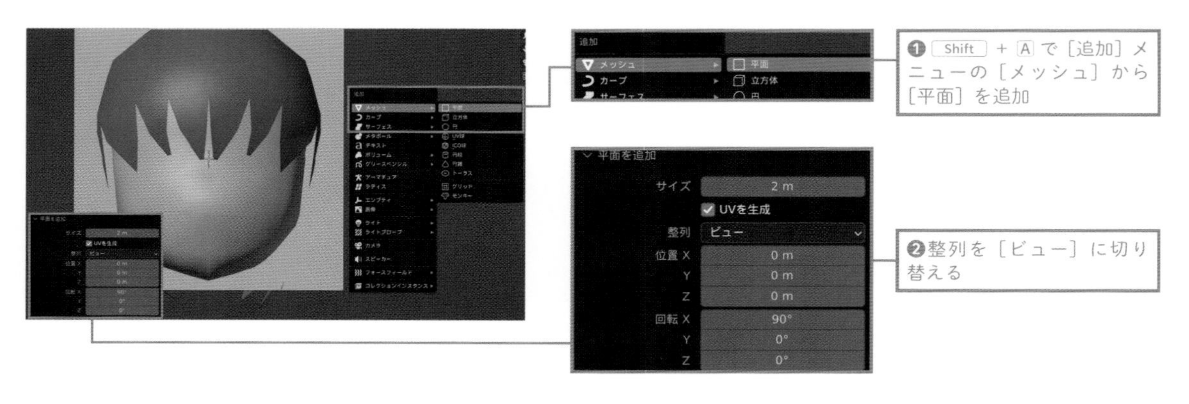

② このオブジェクトももちろん［ミラーモディファイアー］を追加しておきマテリアルも黒に設定しておきます❶。

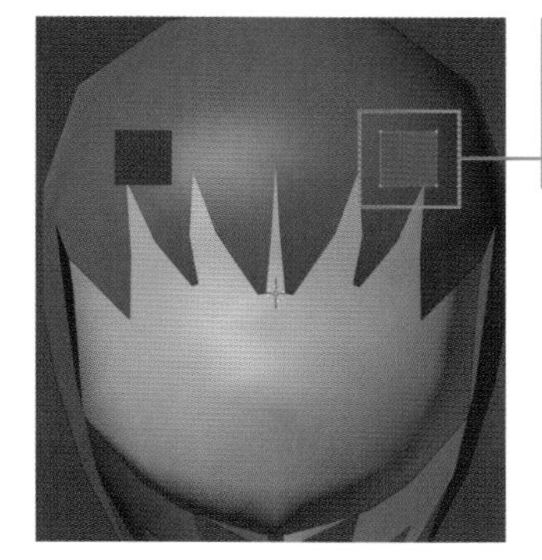

❶［ミラーモディファイアー］を追加しマテリアルカラーを黒にする

③［編集モード］でメッシュを縮小し、まつ毛に当たる部分に移動させて S のサイズ変更や E の押し出しにより、まつ毛を形作っていきます❶。

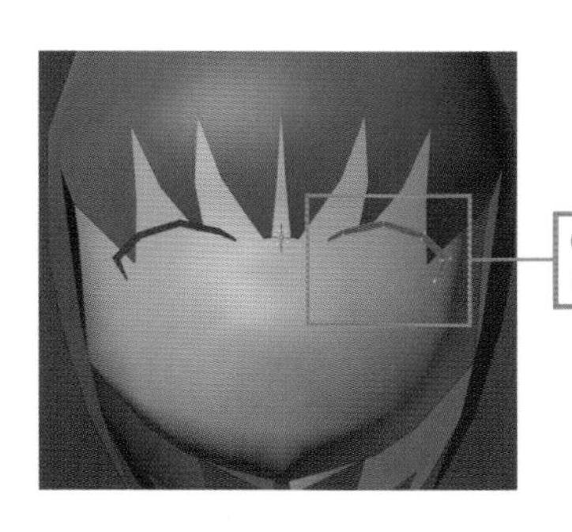

❶ S や E を使いまつ毛を作成する

POINT

この際、髪の毛が邪魔で見えづらくなる場合、［オブジェクトモード］に戻り髪の毛オブジェクトを選択した上で H を押して一時的に非表示にしてしまいましょう。

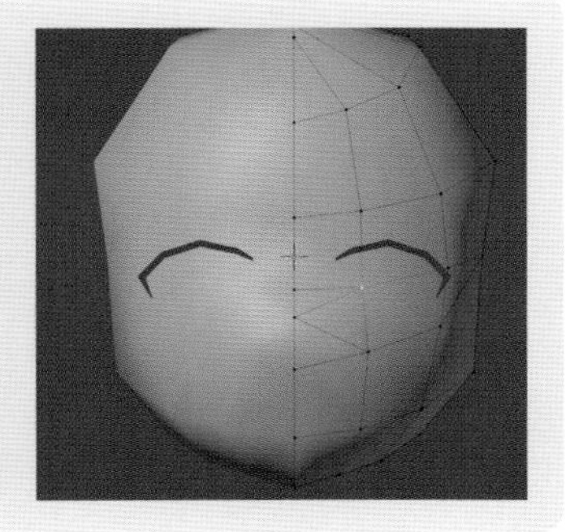

④ まつ毛の形が大体できたら、顔オブジェクトの方の［編集モード］で目の孔に当たる部分に沿った構造にメッシュを整え、そこに穴が空くように X の［削除］メニューから不要な頂点を削除します❶。

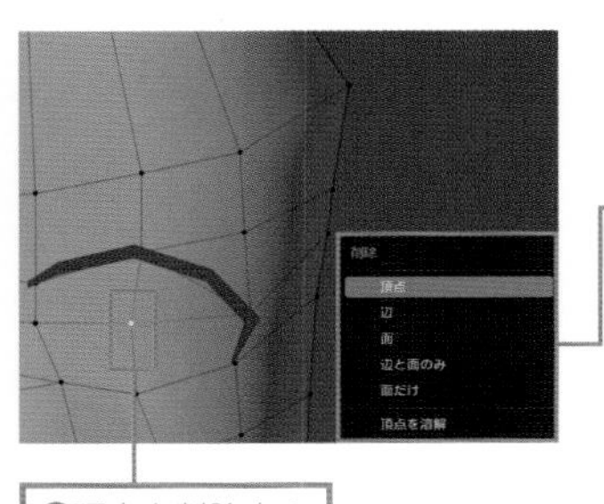

❶頂点を削除する

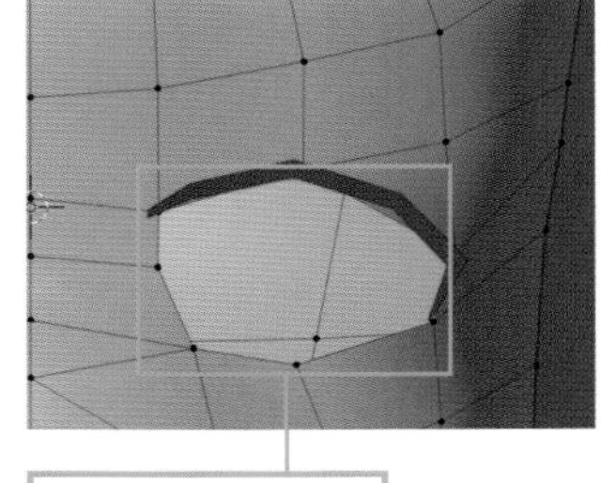

目の孔にあたる箇所

眼球を作成する

まだまだ形は不格好ですが、構わずパーツを作っていきます。

❶ ［オブジェクトモード］で、眼球があるとしたらこのあたり、と当たりをつけた場所で Shift +右クリックを押して3Dカーソルを移動させ、Shift + A からの［メッシュ］>［UV球］を追加します❶。

正面からの視点にして［フローティングウィンドウ］で、［整列］を［ビュー］にして、［セグメント］、［リング］といった解像度を低めに設定し、［半径］の値でちょうど眼球の大きさになるように左ドラッグで調節します❷。

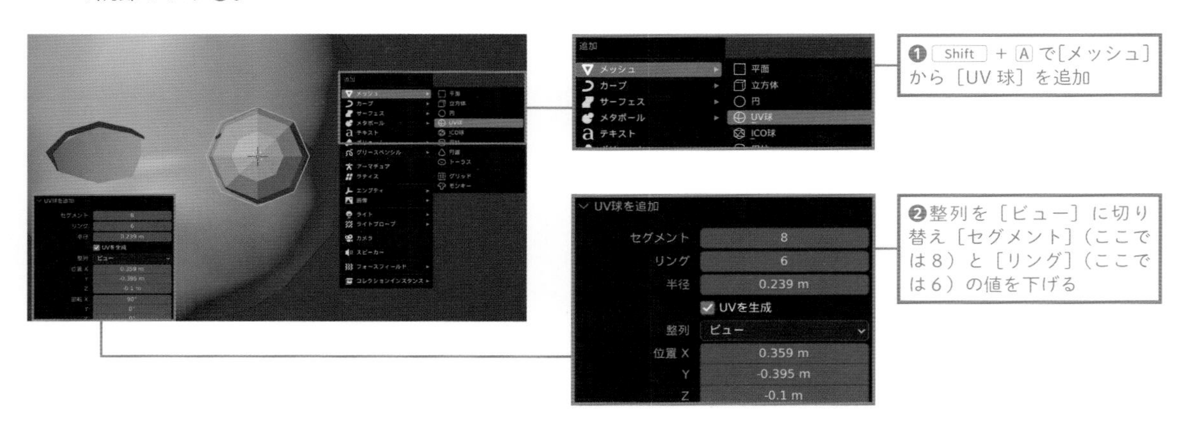

POINT

解像度は基本的にはいくつでも構いませんが、UV球のセグメントについては「8」や「16」や「32」のような、約数の多い偶数にしておくと、後々に困ることが少なくなります。また、先程の3Dカーソルの位置決定がいまいちだったとしても、ここの［位置］のX、Y、Zの値で改めて微調整していただいても構いません。

❷ 横からの視点で［編集モード］に入り、眼球頂点を全選択して S → Y により奥方向にある程度つぶれた形状にしておきます❶。

POINT

実物の眼球はこんな形はしていませんが、アンリアルなキャラクターの場合は異常に目が大きいため、素直に実物の眼球を模してしまうとどこかではみ出してしまいます。

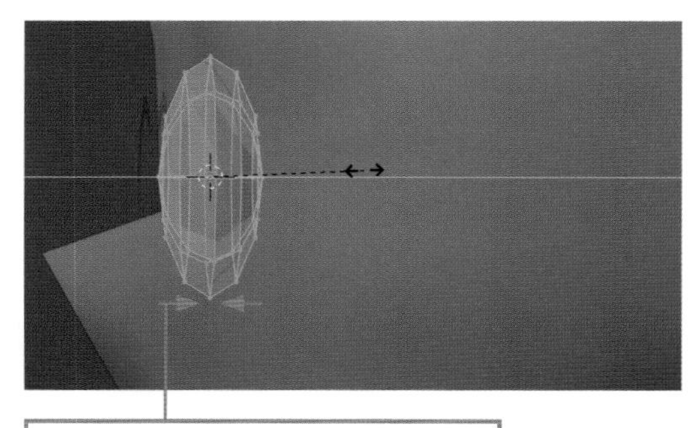

❶ S → Y でY軸方向にUV球を狭める

3 眼球の奥側に当たる半球はどうせ見えることがないので削除してしまい、前面のみの半球状としておきます❶。

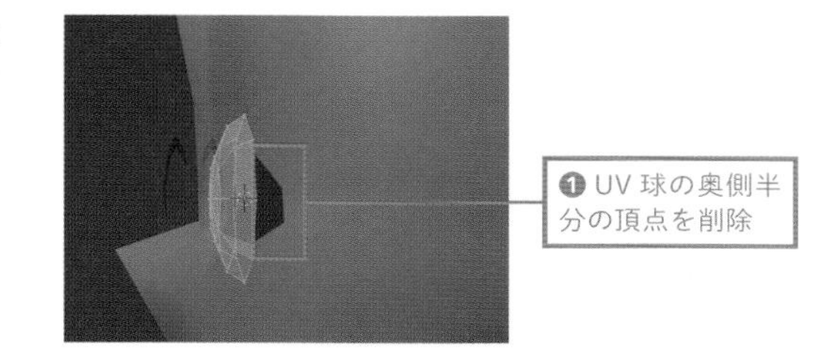

4 真上からの視点で R によりこの半球が少し外側へ向くよう角度をつけておきます❶。

　こちらも実物の眼球ではありえない角度ではありますが、やはりアンリアルなキャラクターならではの処置となります。

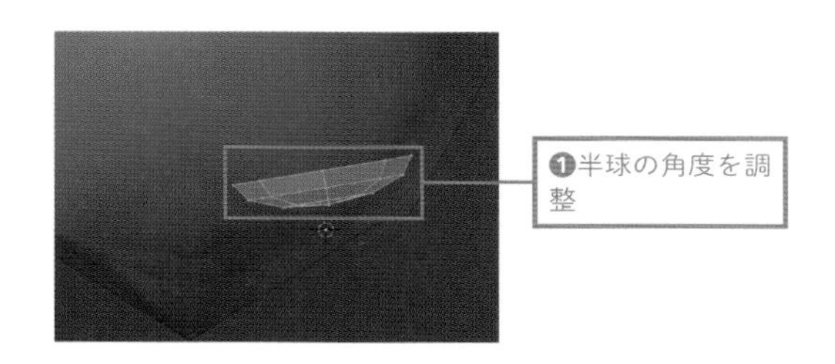

5 現時点ではまだ、この眼球と眼孔がぴったり塞ぎ合っている必要はないので、それなりに辻褄があうように眼球の位置、眼孔のメッシュ構造を作っていきましょう。

　ある程度形ができたら、[オブジェクトモード] で Shift + C により 3D カーソルを中心に戻しておき、眼球オブジェクトを選択した状態で右クリックからメニューの [原点を設定] > [原点を 3D カーソルへ移動] により、眼球の原点を「X=0」の位置に移動させます❶。

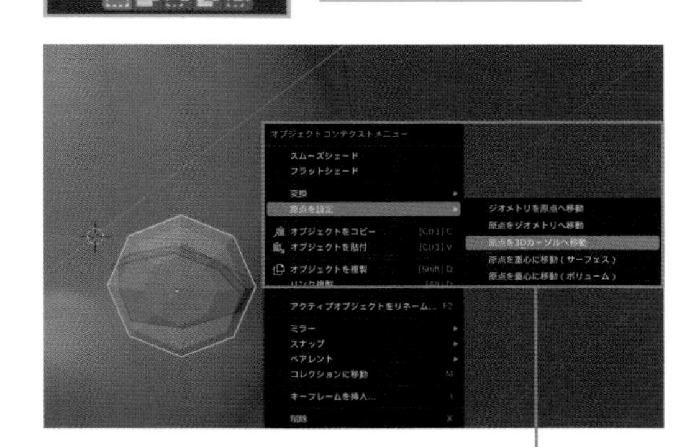

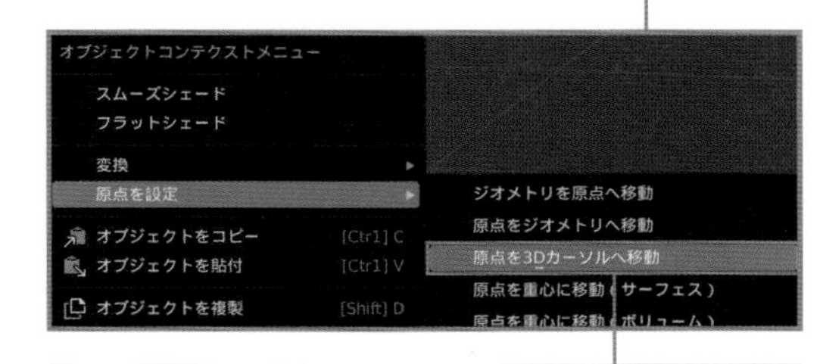

❶ [オブジェクトコンテクスト] メニューで [原点を設定] > [原点を 3D カーソルへ移動] を選択

❻ その上で［ミラーモディファイアー］をかければ、右目も自動的に作られた状態となります。Alt+H で髪の表示を戻しておきます❶。

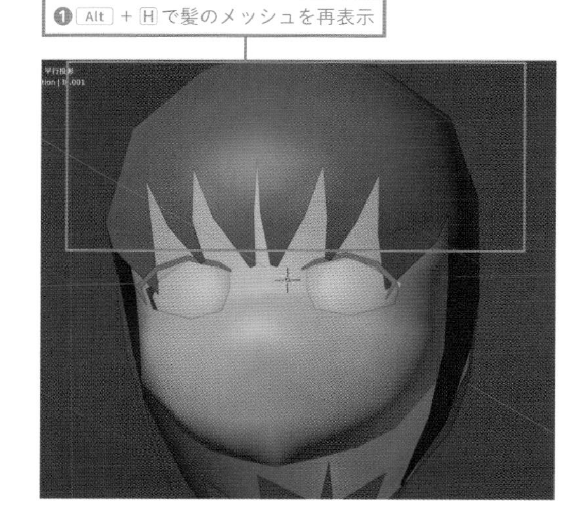

瞳を作る①

白目のままでは不気味なので、先に瞳を描いてしまいましょう。本来であればモデリングパート、テクスチャパートといった具合にきっちり分けて進めていくべきところかもしれませんが、Blender は柔軟に様々な制作作業を複合して同時進行していくことにも耐えられる能力を持っていますので、その優秀さを存分に活かしながら、また、実際に作り慣れた人間の作業手順をなるべく踏襲していただきながら進めてまいります。

❶ 3D ビューポートのエリアを 2 分割し、片方のエリアを左上のプルダウンメニューから［UV エディター］に切り替えておきます❶。

3D ビューポートの方で眼球の［編集モード］に入り、眼球メッシュを全選択した状態で U から［展開］を実行して UV 展開を行います❷。

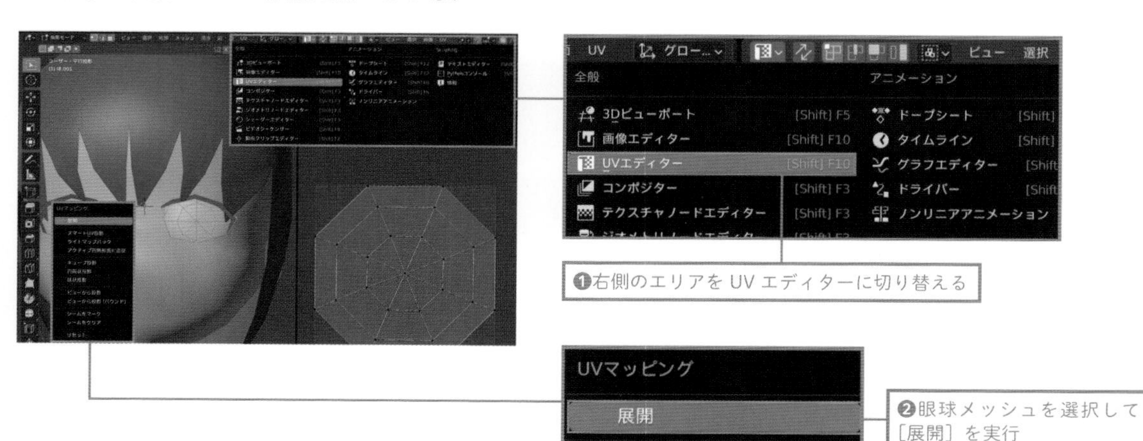

❷ UV エディターヘッダーの［+ 新規］からカラーを白にして［OK］をクリックし白いテクスチャ画像を作成します❶。

❸ 特に名前をつけていなければ［無題］という名前になりますので、プロパティの［マテリアルプロパティ］タブで眼球に適用しているマテリアルの［ノードを使用］を「オン」の状態で［ベースカラー］を［画像テクスチャ］にして、今作った［無題］のテクスチャを選択します（詳しい手順を忘れてしまった方は3章 P.114 を参照してください）❶。

3D ビューポートの方で、モード切り替えプルダウンメニューから［テクスチャペイント］に切り替えます❷。

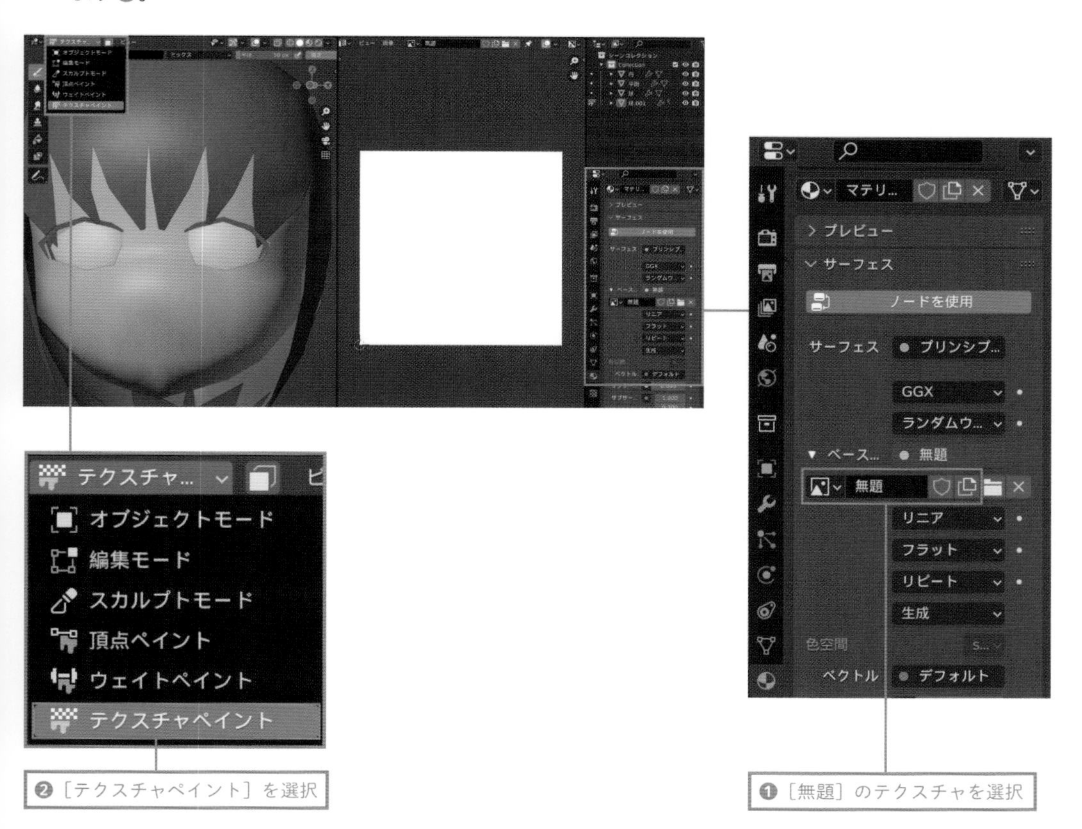

瞳を作る②

UV の向きを修正します。

❶ ブラシの色を黒に設定し、適当に眼球に縦に線を描き込んでみてください。即座に UV エディターの画像の方にも反映され、実際にどう描き込まれたかが確認できます。状況にもよりますが、大抵の場合 UV エディターの方では素直に縦に線が描かれず、斜めになってしまうかと思います❶。

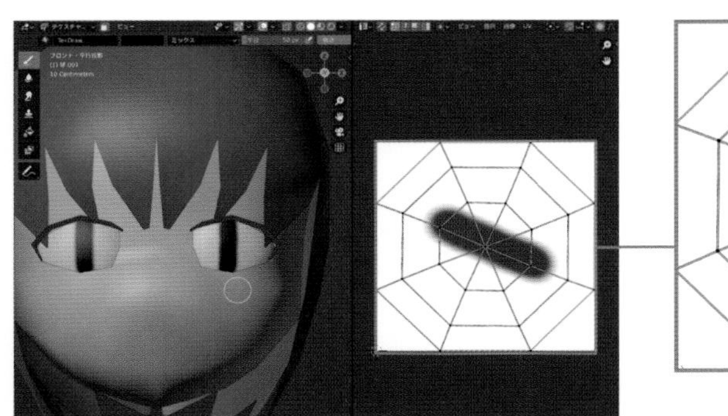

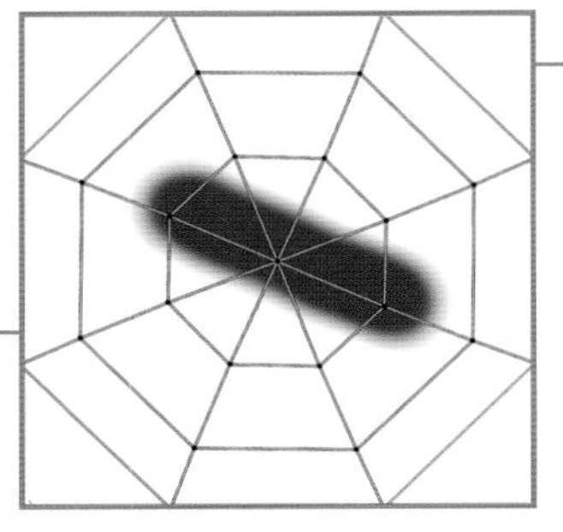

❶描き込みが斜めに表示される

❷ この情報から、UV は斜めに開かれてしまったと察することが出来るので、この傾きをまっすぐに直すように、UV エディターの方で A により UV 頂点を全選択し、R の回転で向きを修正します❶。

この時、UV の頂点が画像からはみ出してしまうようなことがあれば、S による縮小で画像内に収めてください。再び 3D ビューポートのテクスチャペイントで、一旦白で線を消し黒で縦線を引いてみて、UV エディターの方でもまっすぐ縦に線が引かれれば修正は成功です（上下が合っているかどうかも注意してください）。

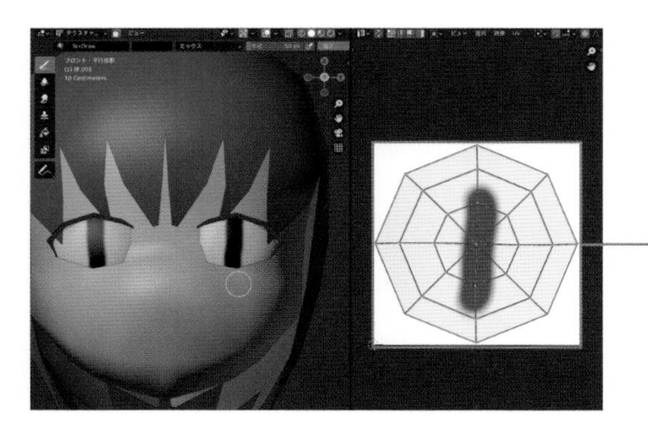

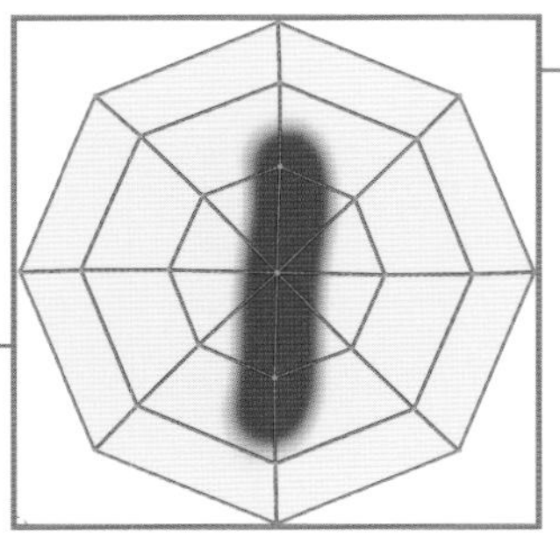

❶ R（回転）でまっすぐになるように調整

瞳を作る③

ここからも3章でアザラシを作成したとき（P.120）と同様の手順で、一旦仮のテクスチャを描き入れます。

❶ 3Dビューポートの方は［オブジェクトモード］に戻しても構いませんが、ヘッダーの一番右端の ボタンから［カラー］を［テクスチャ］にしておくことでテクスチャが表示されるようにしておき、UVエディターのエリアを画像エディターに切り替え、［ペイントモード］に切り替えて瞳の絵を描き入れます❶。

ヘッダーにある画像名右に、箱に紙が入っているようなアイコン があればこの画像がパックされた状態なので、このアイコンを押し［現在のディレクトリに保存（ファイルがある時は上書き)］をクリックします❷。

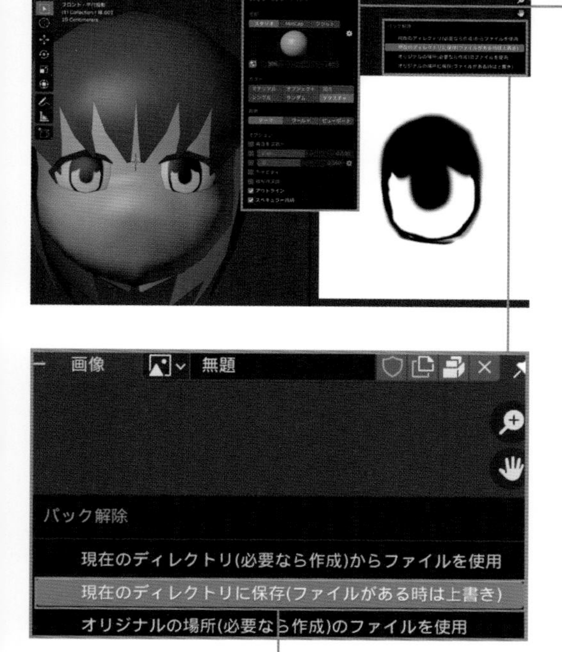

❷［現在のディレクトリに保存（ファイルがある時は上書き)］をクリック

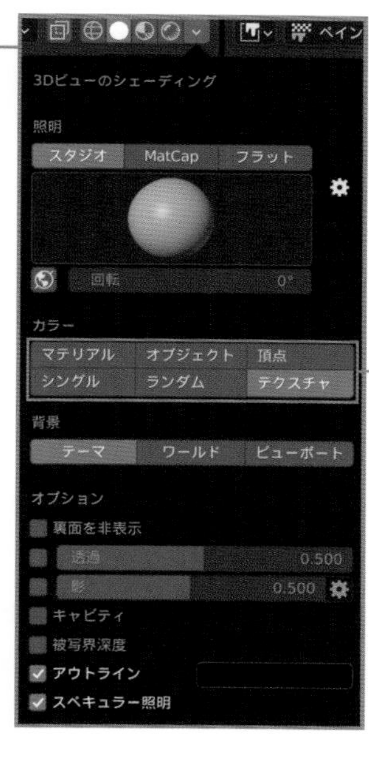

❶［カラー］から［テクスチャ］を選択

POINT

［現在のディレクトリに保存（ファイルがある時は上書き)］をクリックした場合、Blenderのファイルと同ディレクトリに「textures」というフォルダが作られ、そこに画像ファイルが入れられます。パックされていない場合、Alt+S により任意のフォルダに画像を保存します。

❷ そうして外部に保存した画像ファイルに描かれた瞳の絵のアタリを参考に、お好みの画像エディターで本番の瞳の絵を描いておきます❶。

UV エディターヘッダーのテクスチャ画像名の右にあるフォルダアイコン から描いた瞳の絵の画像を読み込み、[マテリアルプロパティ] の画像テクスチャの方でも今読み込んだ画像の名前をリストから選択して切り替え、3D ビューポートの方でもきちんと本番の瞳の画像になったことを確認してください❷。

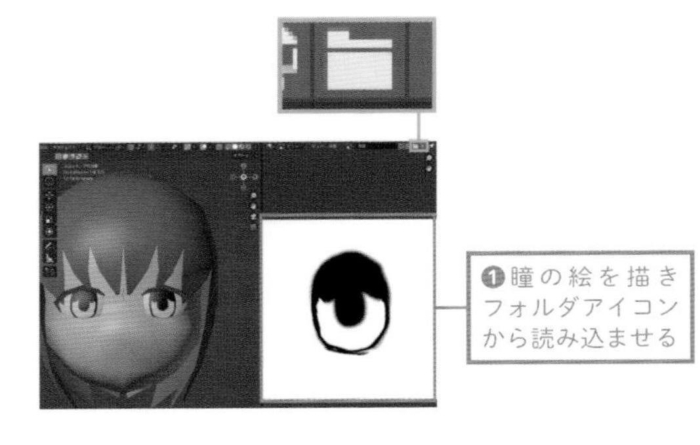

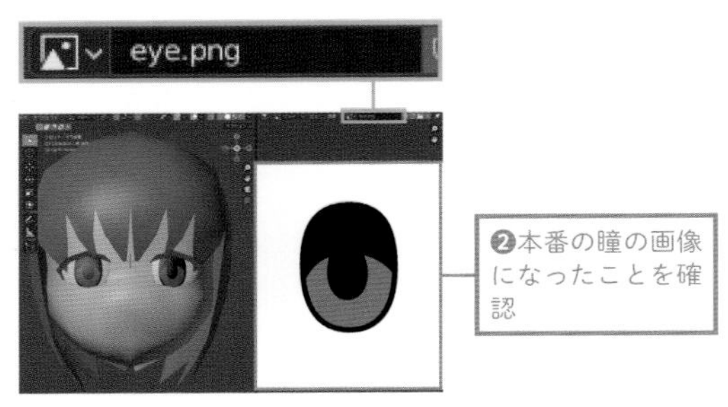

POINT
今回は、ハイライトは別メッシュで作成する予定なので、絵にはハイライトを省いておきます。

目のハイライトを作る

目のハイライトを別メッシュで作成します。

❶ おなじみの手順ですが Shift+A から [メッシュ] > [円] を作成し、正面の視点で [整列] を [ビュー] に切り替え、[頂点] の解像度、[半径] を調節して位置をハイライトに置きたい位置になるよう調節します❶。

❷ 今回の作例では単純な円のままにしてしまいますが、画風に合わせたお好みの形にしてしまっても構いません。

右目側のハイライトは［オブジェクトモード］で今作成した左目用のものを Alt + D で［リンク複製］して配置しておけば、形状修正は片方だけで済ませることができます❶。

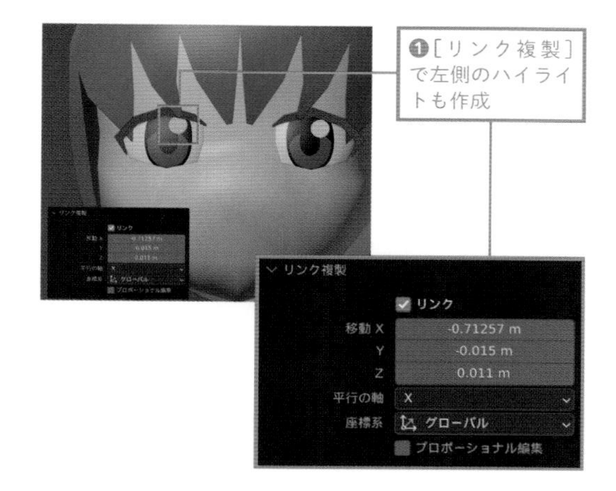

口を作る

口の作成を行います。
頭部以外のオブジェクトは邪魔なので一旦非表示にしています。

❶ 頭部オブジェクトを選択して Shift + H により、選択オブジェクト以外のすべてを隠すことができます❶。

口に当たる部分のメッシュの分割が足りなかった場合、Ctrl + R のループカット等により細かく分割しておきます❷。

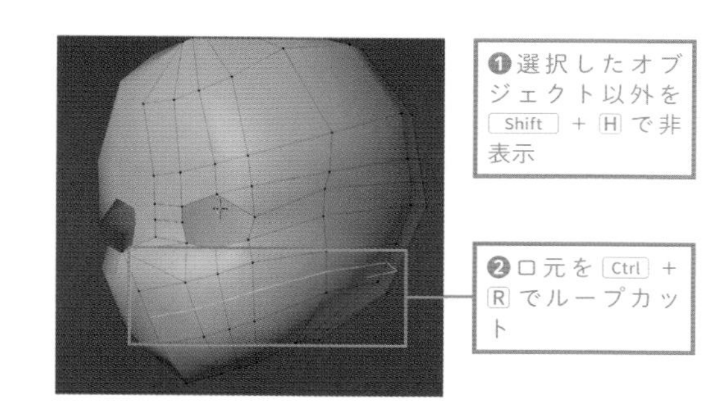

❷ ここを裂けば口にできそう、という位置の頂点を選択して、V により上下方向へ頂点を切り離し口を作ります❶。

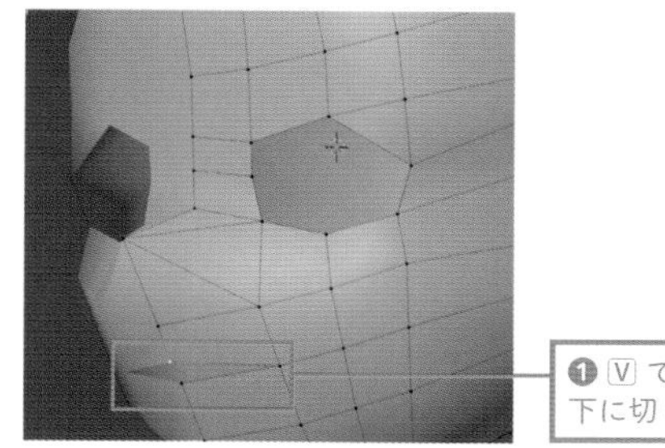

❶ V で頂点を上下に切り離す

3 口を作ろうと思うと、これまでより細かくメッシュを細分化する必要が出てきます。Ctrl+R のループカットを使って、頭部全体のメッシュの細かさを徐々に上げていき、同時に頂点一つひとつを細かく移動させて丸みを帯びるように形を整えていきます❶。

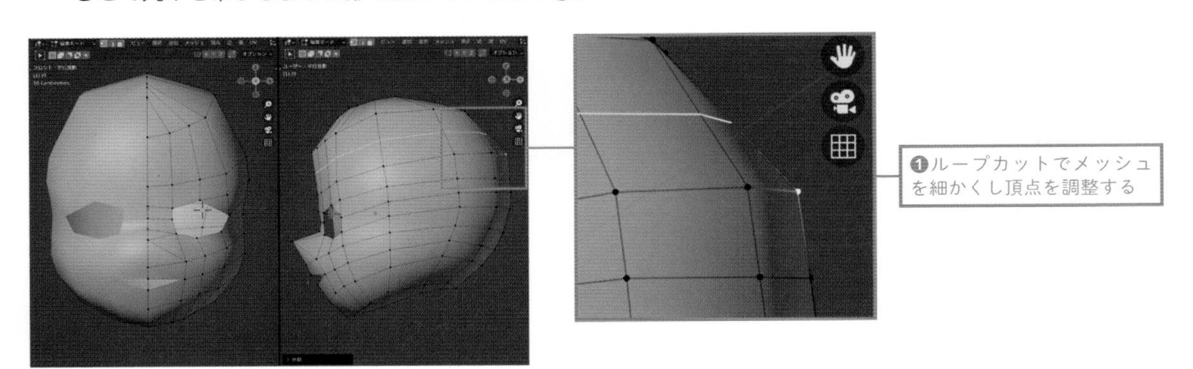

4 四角面が帯状に繋がっておらず上手くループカットができない箇所では、［辺選択モード］でループカットのように一直線に分割したい帯の辺をすべて選択した状態で右クリックからの［細分化］により擬似的なループカットを行い、細かさを上げていきます❶。

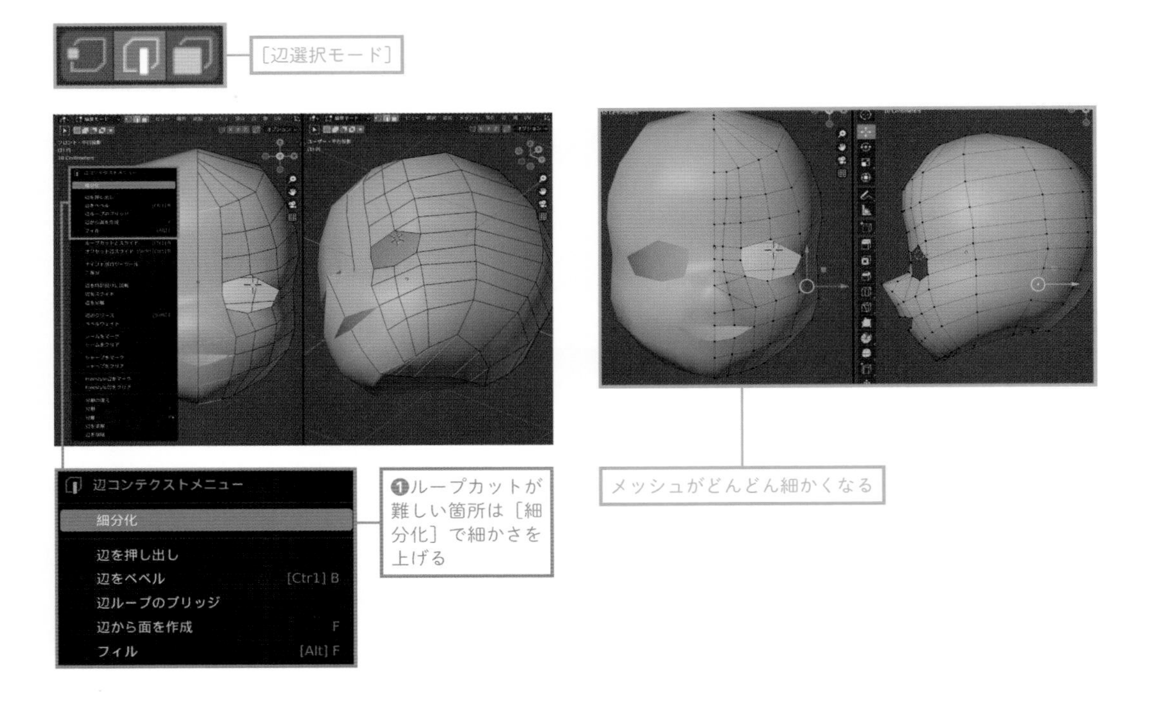

まつ毛を顔に貼り付ける

まつ毛をまぶた付近に移動させます。

❶ まつ毛の［編集モード］でまつ毛メッシュの頂点一つひとつをY方向へ移動させて眼孔にピッタリくっつくように形作ります❶。

まつ毛を作った手順と同じように眉毛、二重の線等を作れば、顔のパーツはほぼ揃います。

POINT

全体のバランスを見るため［オブジェクトモード］で Alt + H で隠していたオブジェクトを再表示します。

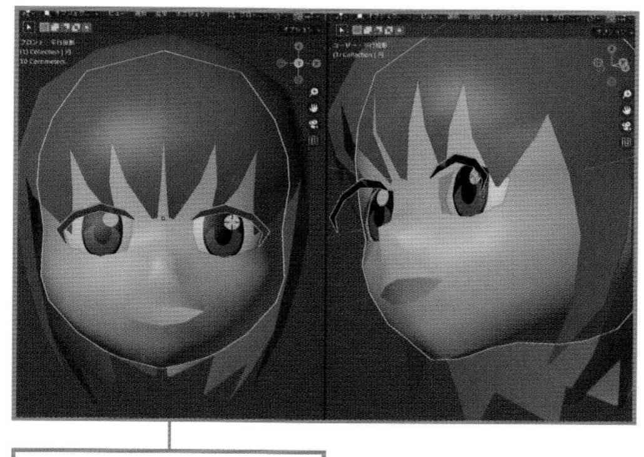

❶まつ毛を眼孔に合わせる

造形を整える

この段階で、ある程度本気で顔が可愛く（かっこよく）なるよう、時間をかけて形を整えます。オウトツのメリハリをはっきりさせたい箇所はループカットや細分化を駆使して頂点数を増やし、逆にまとめても良さそうな面は F や M の結合で頂点を減らしたりして、色々な角度から観察しながら、頂点の位置を一つひとつちまちまと移動させては視点を回転させて確認の繰り返しで、少しずつ形を整えていきます。

完全に納得行くまでと思うと永久に終わらなくなってしまうのである程度の所で切り上げて次の段階に進みますが、この後の工程の中でも１つ段階が進めばまた直したい箇所が出てくるので形を整え、また１つ段階が進めば……といった具合に工程の中でも気になる所が出てくればどんどん直していってしまいます。本書の画像の中でも解説ではその部分に触れてなかったのにいつの間にか形が変わってる……といった部分が出てきてしまいますがご了承ください。

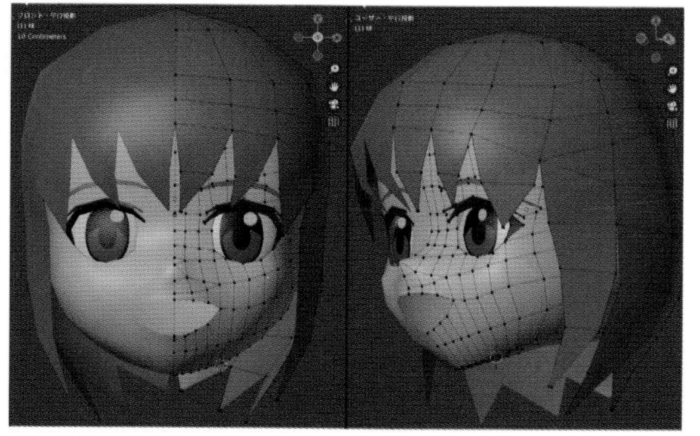

頂点を減らす

顔の様々な箇所を整えていく中で、特にアゴのあたりのメッシュ構造は少々難易度が高いかと思います。

真下に近い角度からしっかり確認しながら、線がガタガタになってしまわないように気を払います。顔を構成していたメッシュの流れが、狭いアゴ下の領域内に集中してしまうので、どうしても必要以上に細かいメッシュになってしまいます。

こういった場合 M のマージである程度隣り合った頂点同士で結合してしまいます。帯状に連なった面の両側頂点を一気に結合してしまいたい場合、[辺選択モード] で帯状に選択してから M の [束ねる] を使えば選択対象のうち、隣り合った頂点同士のみで結合してくれます。また、三角面同士が隣り合った形状であれば、その 2 面を選択して F によりひとつの四角面としてしまうのも有効です。モデリングは**「すべての頂点を管理する」**ぐらいの気持ちでいなければいけないため、頂点数が多くなりすぎると管理しきれなくなってしまいます。頂点数を増やすほどディティールを作り込むことができますが、反面、曲面を人間が綺麗に配置しようとしてもガタガタになりやすくなってしまいます。説得力を持たせられる形を保つ範囲で最小の頂点数に抑えることを心がけることもモデリングの大切なことなので、こういった頂点を減らすテクニックも重要になってきます。

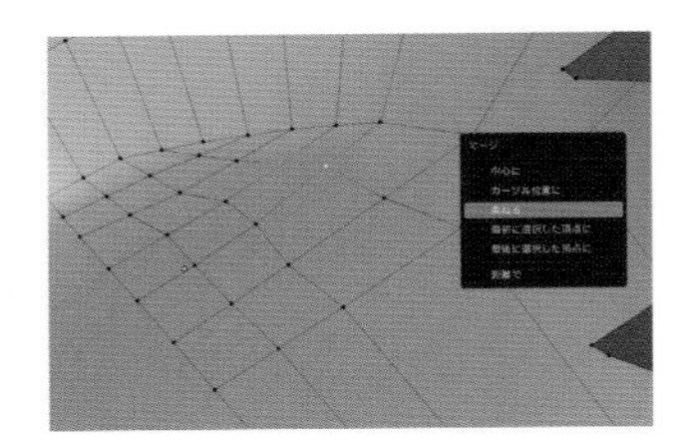

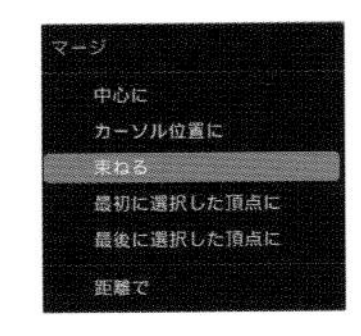

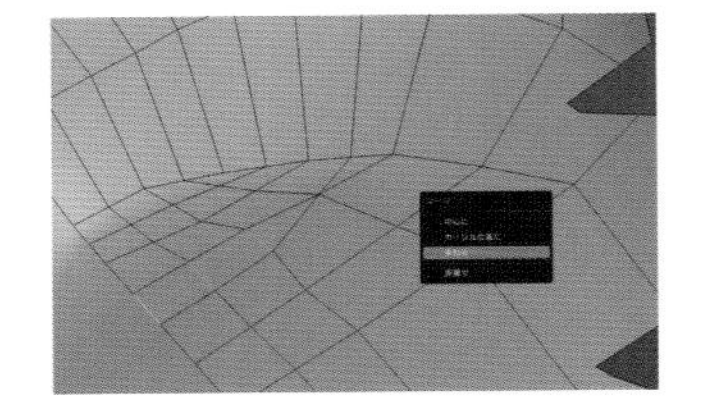

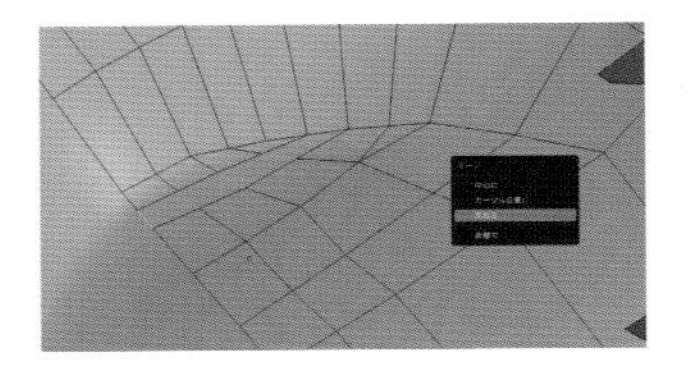

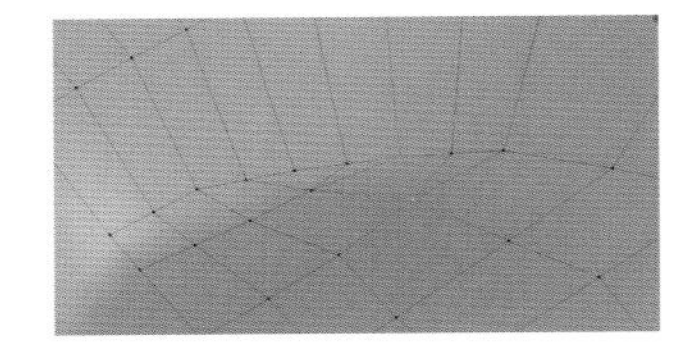

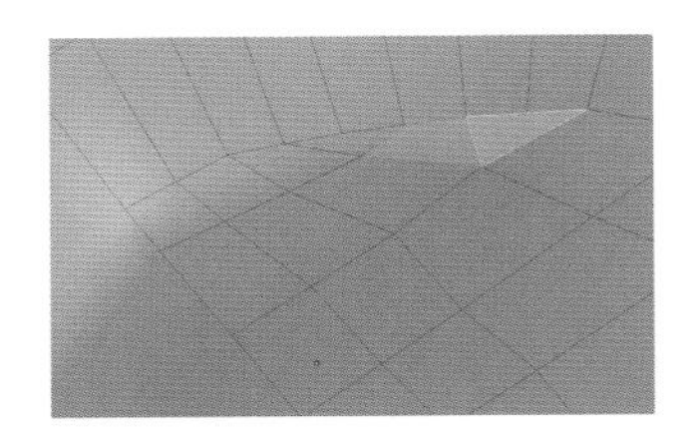

列を 2 本に分割

辺の列と列の間に新たな列を作るにはループカットや細分化が適していますが、列自体を２本の列に分かれさせたいといったケースも出てきます。その場合 Alt + 左クリック等で辺の列を選択し、Ctrl + B を押した後にマウスを動かして幅を調整し、左クリックで決定します。また、このマウス移動中にマウスホイールを上下させることで分割数を増減させることができます。

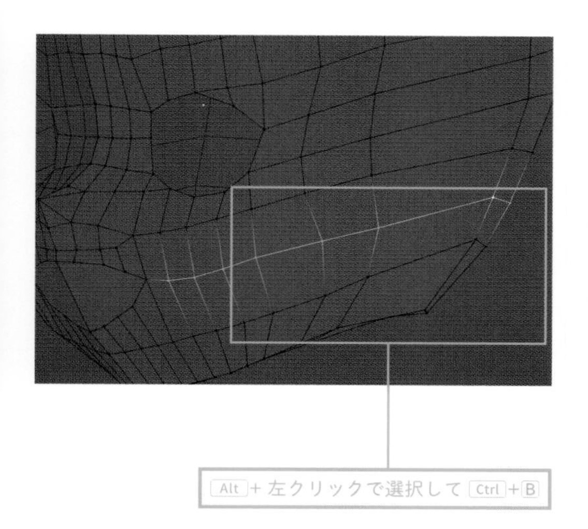

Alt + 左クリックで選択して Ctrl + B

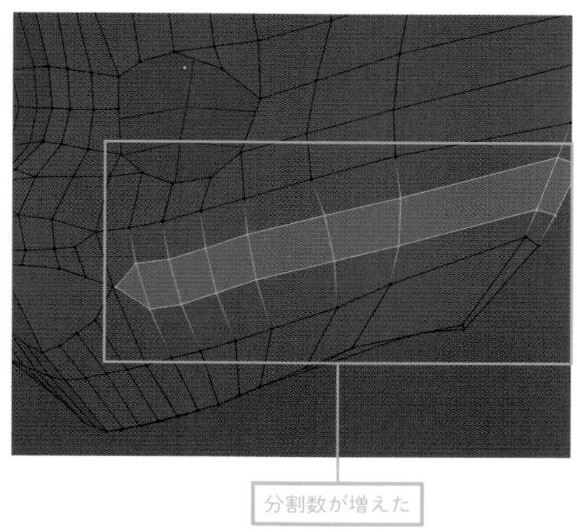

分割数が増えた

J による辺の分割

J による辺の分割は選択頂点が両方とも同じ面に接している必要はなく、離れた位置の２頂点を選択していた場合も、その間の面を横断して分割し辺を挿入してくれます。これらを駆使し、綺麗なメッシュ構造となるように頂点同士の繋がりを組み替えていきます。

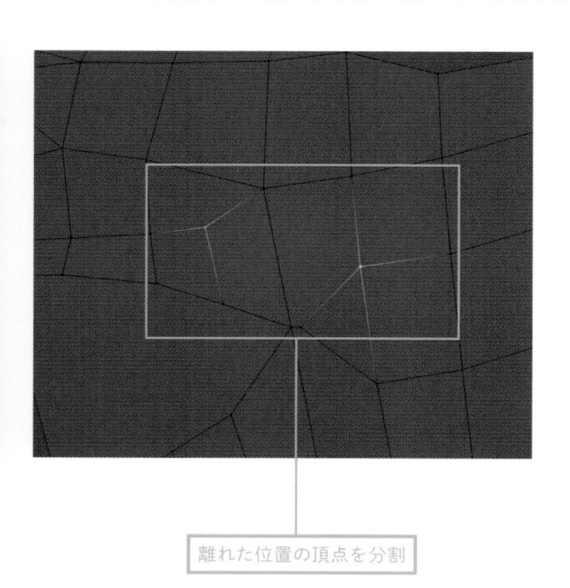

離れた位置の頂点を分割

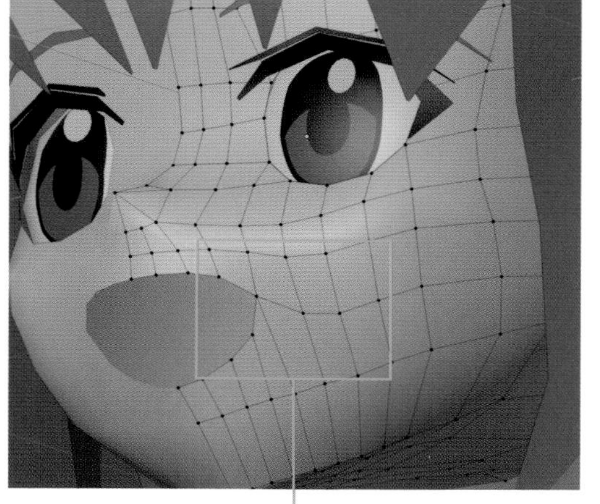

キレイなメッシュ構造にできる

耳を作る

耳を作成します。

❶ 耳に当たりそうな部分の辺を選択して Alt+V で辺を裂きます❶。

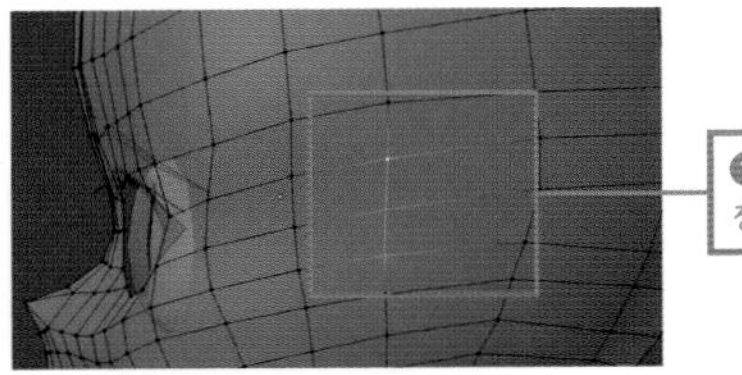

❶ Alt + V で辺を割く

POINT

Alt+V は、V のみの裂きと違い裂いた部分に新たに面を作成してくれます。

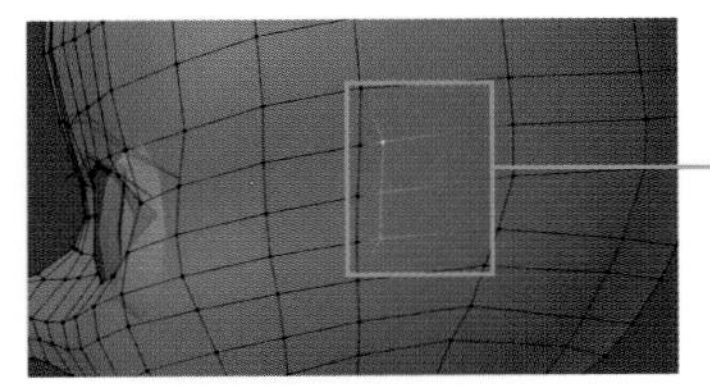

割いた部分に新たな面が作成される

❷ そうしてできた新たな面を選択して E による押し出しで耳の大きさの分押し出します❶。

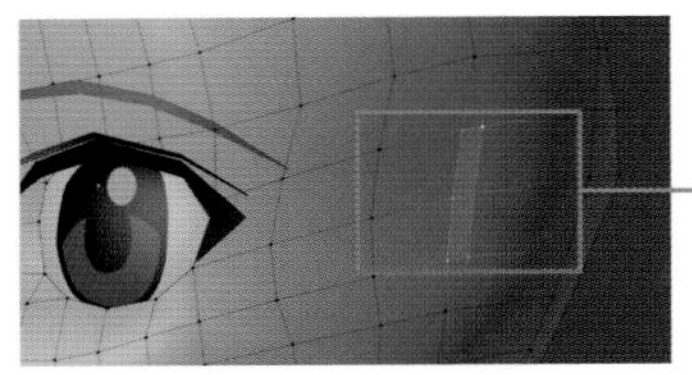

❶❶で作成された新たな面を選択し押し出す

❸ Ctrl+R により縦にループカットを入れメッシュを細かくして、S → Z の拡大等で楕円に近い形に調節します❶。

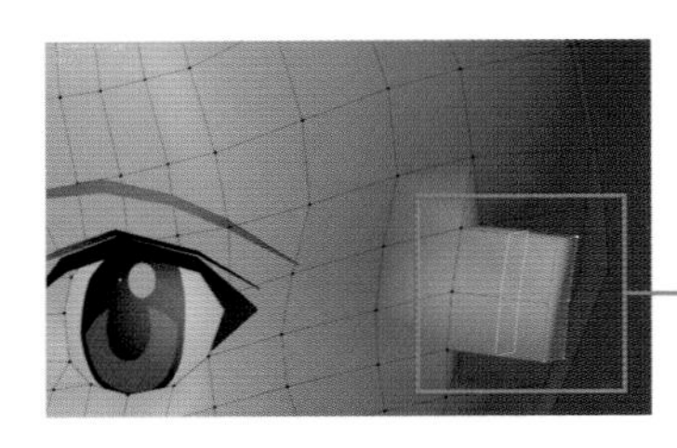

❶ループカットで細かくし S → Z で大きさを調整

❹ あとはこの耳部分全体を選択して R → Z 等で Z 軸基準で回転させたり、頂点一つひとつを移動させたりして耳の形になるように整えます❶。

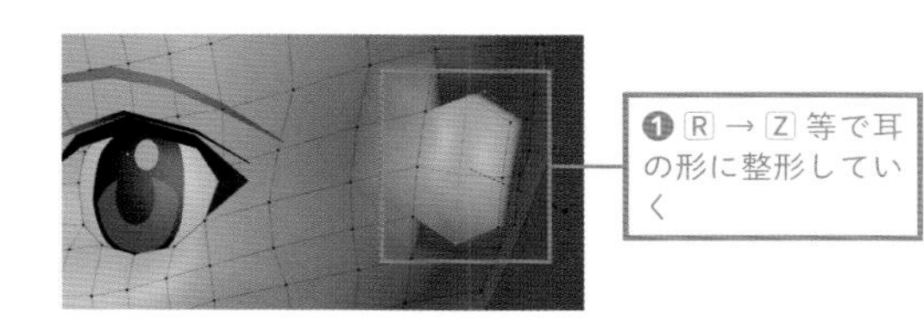

POINT

全ての場所で言えることですが、このように最初は最小の頂点数で構成して大まかな形に頂点を整えてから、細かくディティールを作り込んでいくという流れが基本となります。

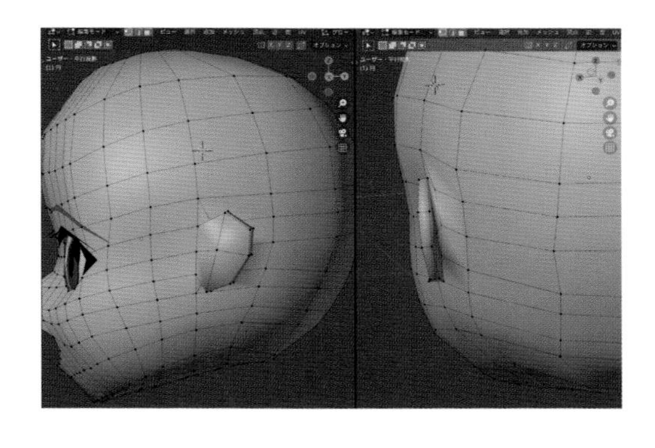

耳の細部を作る

耳の大まかな形ができたら次は細部の作成を行っていきます。

❶ 耳の外周に当たる２本のエッジをすべて選択した状態で、右クリックから［細分化］を実行することで耳の頂点数を増やします❶。

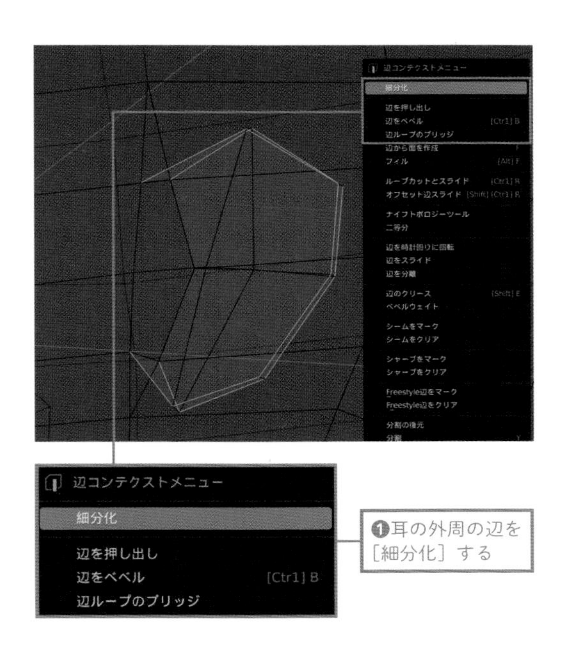

❷ [フローティングウィンドウ] で [スムーズ] の値を上げると、丸みを考慮した位置へ [細分化] で増えた頂点が移動してくれます❶。

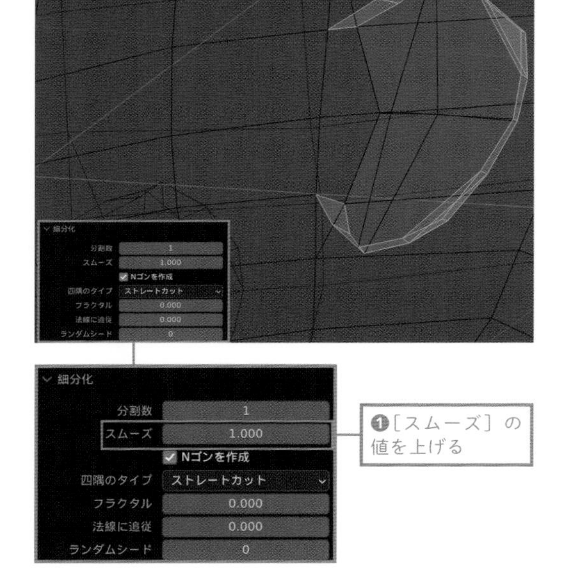

POINT

ただしこのスムーズの操作だけでは思い通りの形になってくれることは少ないので、やはり頂点一つひとつを移動させて自分で形を整える必要はあります。

❸ この細分化操作によって、耳の底面にあたるメッシュの構造が少し扱いにくいものになってしまうので、底面に当たる面すべてを選択し、F で 1 旦 1 枚の面（N ゴン）にしてしまいます❶。

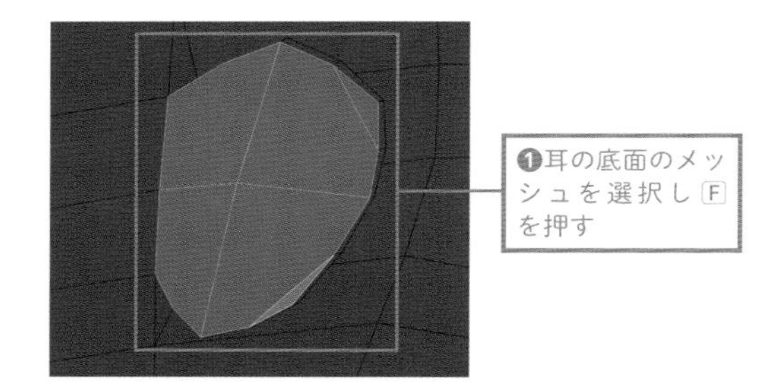

❹ そのまま、Ctrl+F の **[扇状に分離]** を実行することで複雑だった底面の構造を単純な扇状に構成し直すことができます❶。

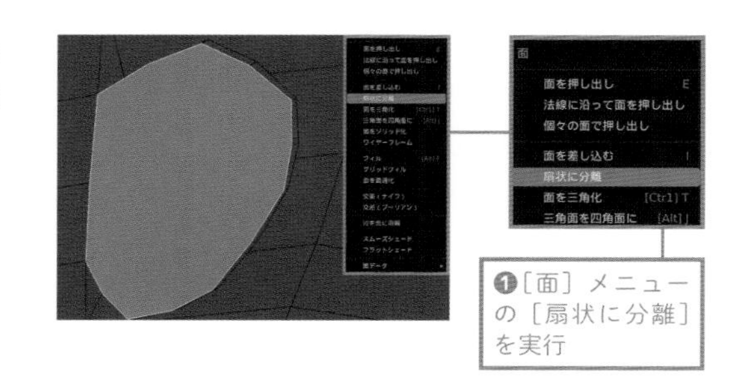

5 その選択状態のまま、今度は I の **［面を差し込む］** 機能により、耳の内側へ差し込み、E により内側へへこませることで大まかな耳の形を再現します❶。

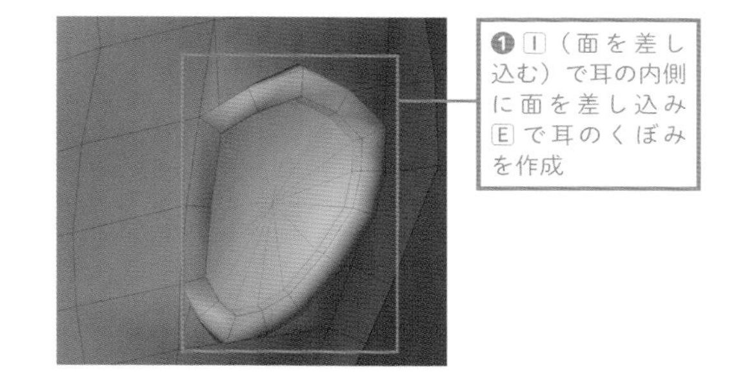

6 あとはここから、頂点一つひとつの移動による調整で形を整えます❶。

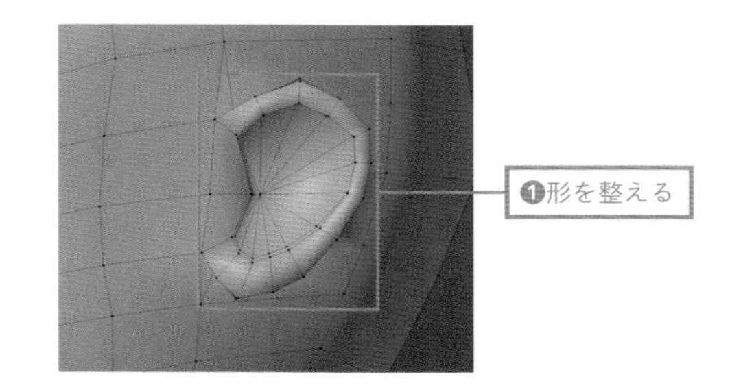

口内にあたる頂点を作る

口の内側を作成します。

1 口用に開けていた穴の縁の頂点をすべて選択して、真横の視点で E の押し出しから頭部の内側へ頂点を押し出します❶。

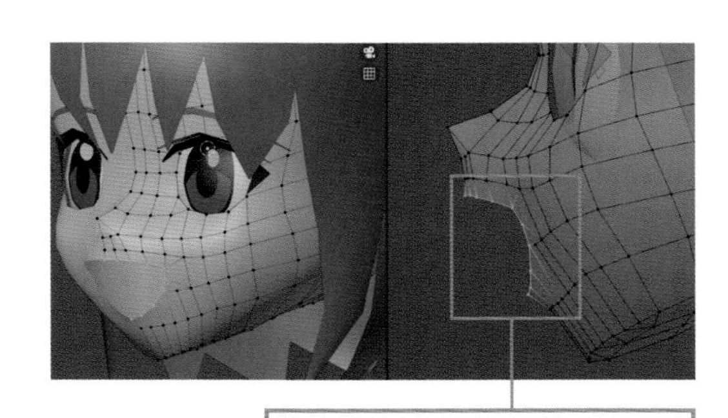

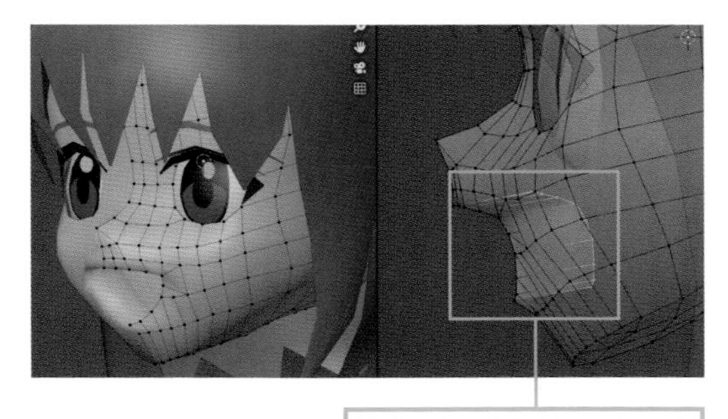

❷ 押し出した内側の穴を塞ぐため、中心（X=0）の両頂点を F で辺で繋いだ上で、穴の縁の頂点をすべて選択して Ctrl + F から **［グリッドフィル］** を実行します❶。

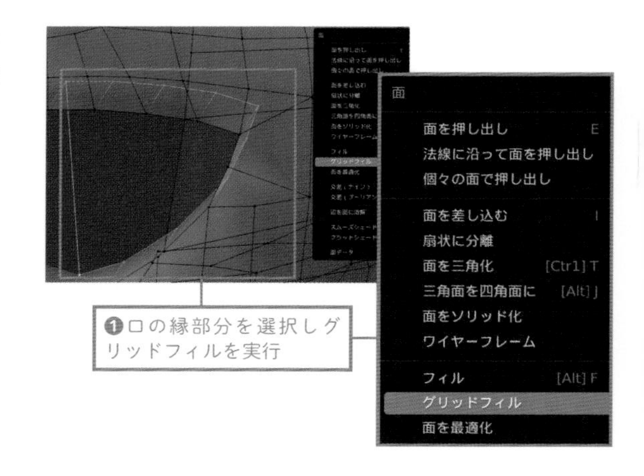

● グリッドフィル

選択した頂点内に面を貼るコマンドですが、F によるものとは違い 1 つの面で塞ぐわけではなく、なるべく綺麗な格子状になってくれるように面を貼る賢い機能です。ただし、頂点の位置関係によっては斜めにねじれて格子が出来ることがあり、その場合は［フローティングウインドウ］で［オフセット］の値を操作することで解決できる可能性があります。

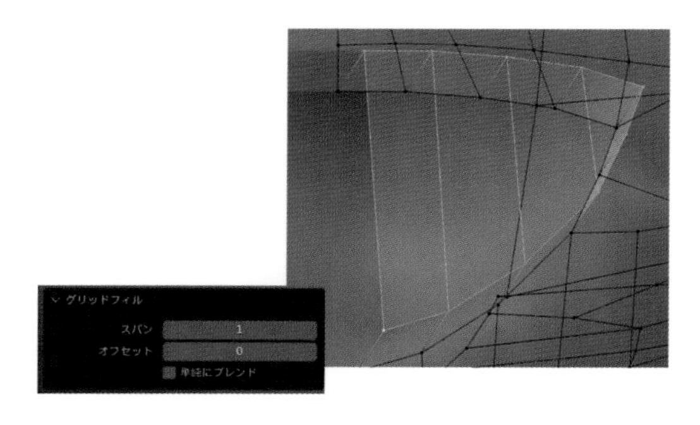

❸ 今回の場合は、縦に長い格子のみで構成されてしまったので、横方向に Ctrl + R でループカットをすることでより格子に近いメッシュ構造にしておきます❶。

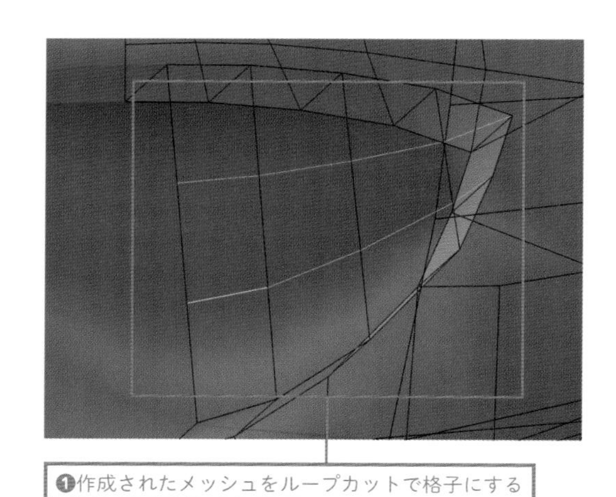

口の内部側のメッシュのみを表示させる

口の内側のメッシュは、袋状に形を整える必要があります。ところがこういった入り組んだ構造になってくると、他の部分のメッシュが重なってしまい非常に見づらく、また頂点を選択しづらくなってしまいます。こういった場合は、一時的に他のメッシュを非表示にしてしまいましょう。

❶ 口の内部側のメッシュのみをすべて選択した状態で Shift + H により選択頂点以外の全てを隠すことができます❶。

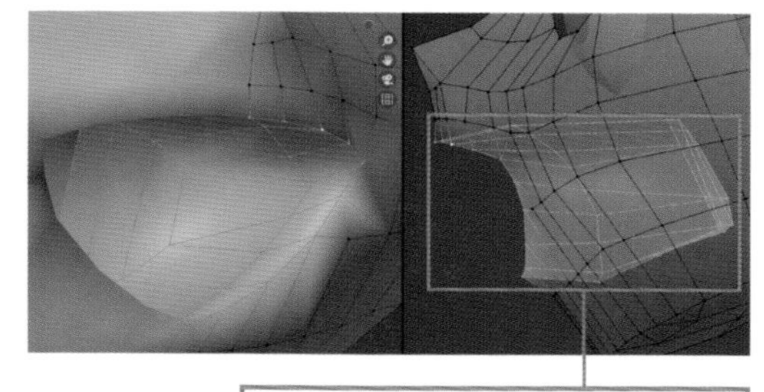

❶口内の頂点以外を Shift + H で隠す

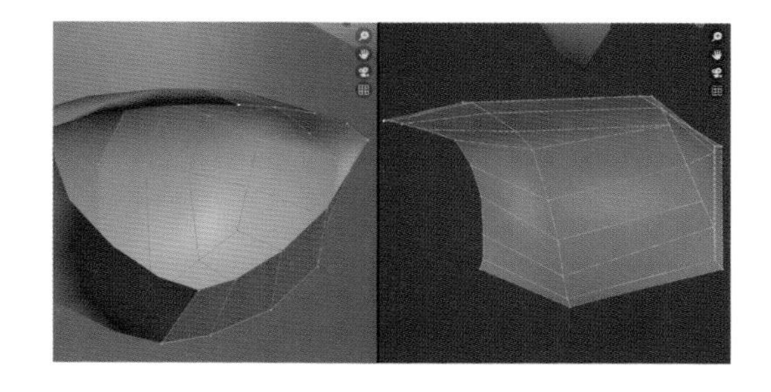

POINT

ただし上記の操作は１つのオブジェクト内で、［編集モード］時のみの効果となりますので、他のオブジェクトが邪魔になってしまう場合は［オブジェクトモード］へ戻り、他のオブジェクトを Shift + H で非表示にしてしまいましょう。口内部や、頭部の髪に隠れてしまう部分など、あまり見えることがないメッシュは頂点数をなるべく少なくして節約してしまうというのもモデルの使用目的によっては考慮するべき点かもしれません。

シャープを設定する

口の縁の部分で、陰影の付き方が少しおかしいとお気づきでしょうか。これは、スムーズシェードにより口の外側と内側の面の繋がりが無理やりスムーズになるよう処理されていることが原因となります。よって、この外側と内側の境界の辺でシェードが繋がらないように処置しておく必要があります。

❶ 口の縁にあたる頂点をすべて選択して、Ctrl + E から［シャープをマーク］を実行します。すると、選択辺がシアンに色付けされます❶。

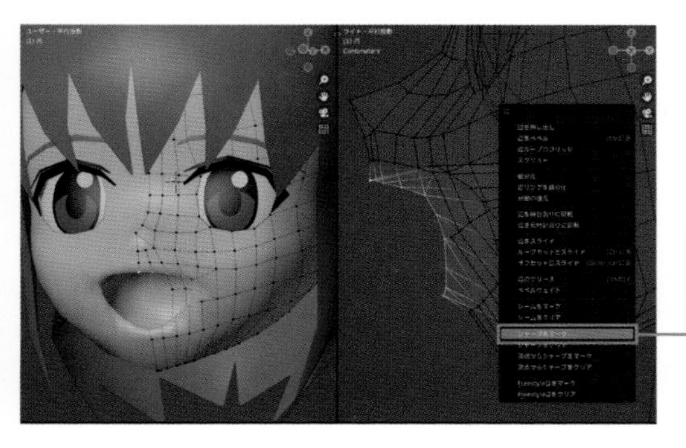

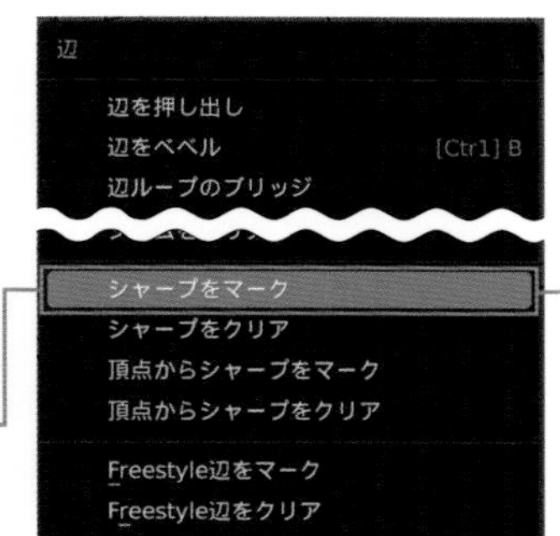

❶口の縁の頂点を全て選択し Ctrl + E から［シャープをマーク］を実行

❷［モディファイアープロパティ］🔧で、［**辺分離モディファイアー**］を追加して、パネル内で［辺の角度］チェックを外します❶。

すると、［編集モード］上では接続されている頂点でも、今［シャープをマーク］した辺のみは分離された状態とすることが出来、前述のスムーズシェードの問題が解決されます。

❶辺分離モディファイアーを追加し［辺の角度］チェックを外す

POINT

シャープマークを付けるもう１つの利点として、口の内側の頂点１つを選択した状態でCtrl+Lにより接続面選択し、フローティングウィンドウで［シャープ］のボタンをクリックすると、シャープをマークされた辺で囲まれた内側のみを選択することが出来るようになります。

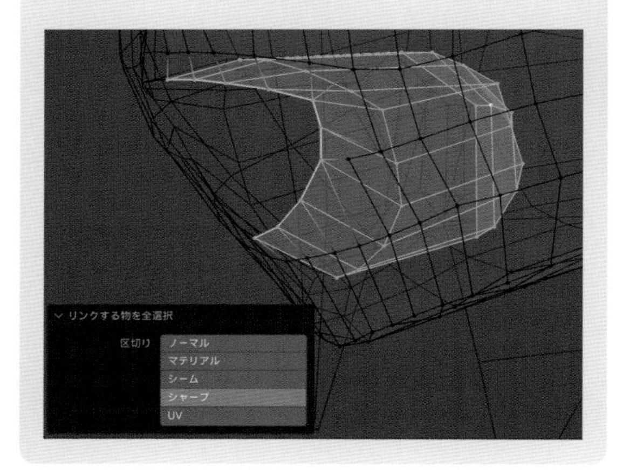

❸口内メッシュが選択された状態で［マテリアルプロパティ］の＋マークで新たにマテリアルスロットを作成し、［割り当て］と赤いマテリアル作成により口内を赤く染めます❶。

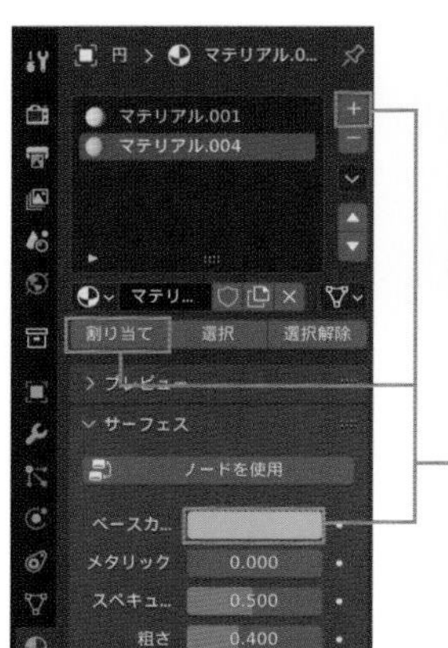

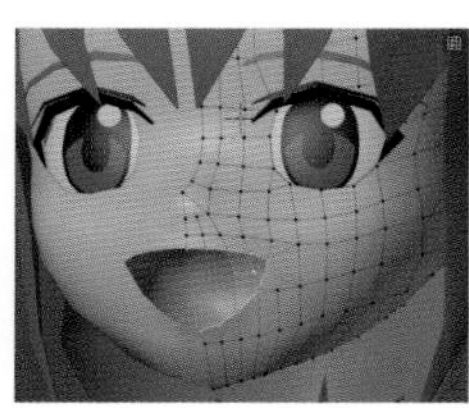

❶＋でマテリアルスロットを追加し［割り当て］で赤いマテリアルを適用する

歯を作る

ソリッド化モディファイアーを利用して歯を作成します。

❶ Shift+C で3Dカーソルを中央に戻すのを忘れずに、おなじみの新規追加から［メッシュ］>［円柱］を作成し、［フローティングウィンドウ］から周囲の頂点数、半径、深度や位置を調整して歯の位置に来るようにします❶。

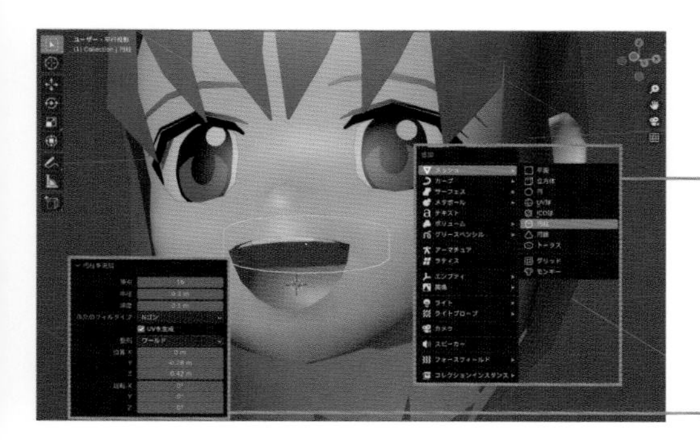

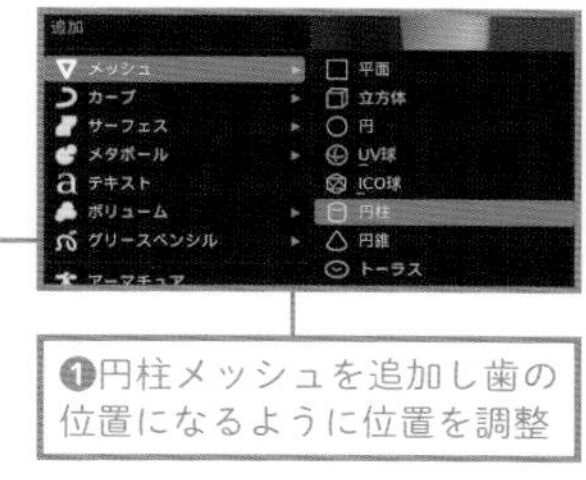

❶円柱メッシュを追加し歯の位置になるように位置を調整

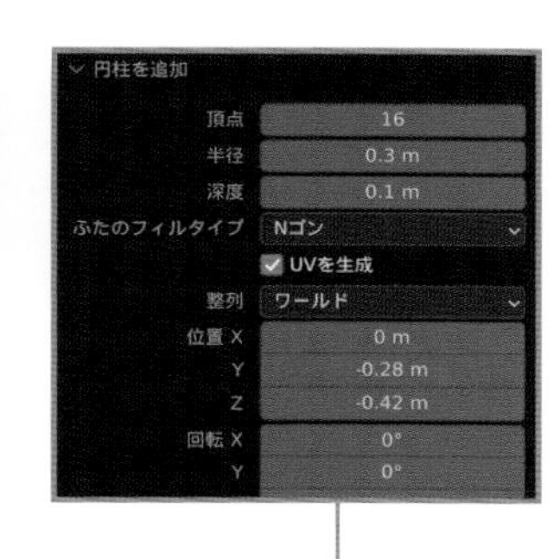

❷ ［編集モード］に切り替え円柱の上下の底面や不要な奥側の頂点を削除して弧状にします❶。

［モディファイアープロパティ］から［ミラーモディファイアー］、［ソリッド化モディファイアー］を追加します❷。

向かって左半分の頂点も削除し、［ソリッド化モディファイアー］パネルの［幅］の値を歯のサイズになるように調整します❸。

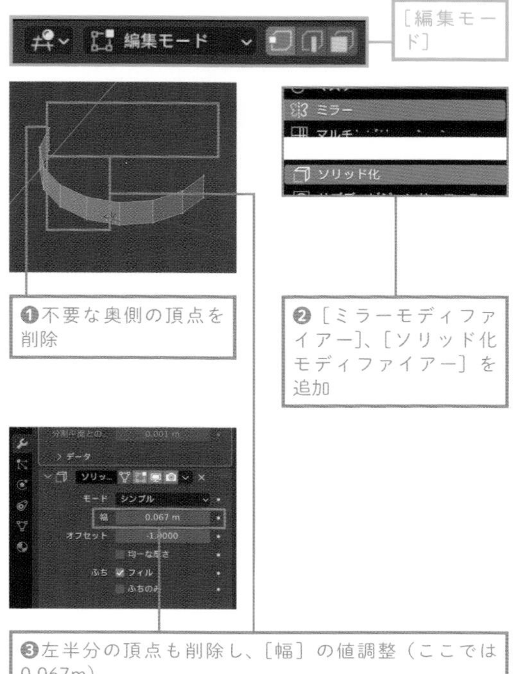

［編集モード］

❶不要な奥側の頂点を削除

❷［ミラーモディファイアー］、［ソリッド化モディファイアー］を追加

❸左半分の頂点も削除し、［幅］の値調整（ここでは0.067m）

❸ 3D ビューポート内で、テンキー［/］を押すと［ローカルビューモード］に切り替わり、選択していたオブジェクトのみを表示するようになります❶。

歯の奥側で［E］により奥へ押し出し、U 型になるようにするとより歯のような形になります❷。

POINT

ローカルビューモードは他のエリアに影響されないので、3D ビューポートエリアを 2 つ表示させておいて、片方のみをローカルビューにしておくとこういった入り組んだオブジェクトの形状を確認しながら変形させるといった作業がやりやすくなります。元の表示に戻すには再びテンキー［/］を押します。

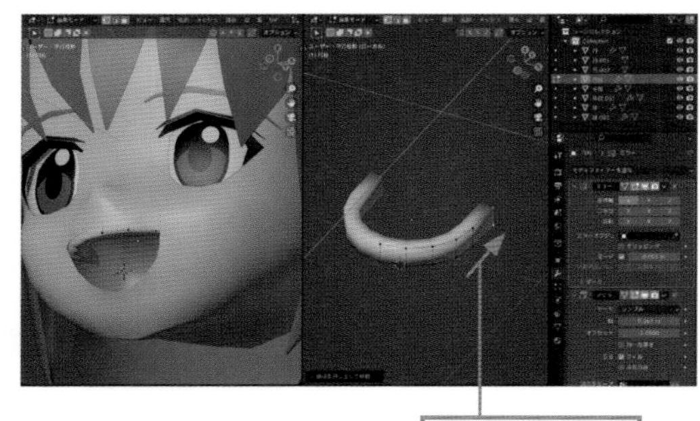

❹ ［Alt］+［D］により下側の歯も作成し、［オブジェクトモード］上で位置や角度を調整します❶。

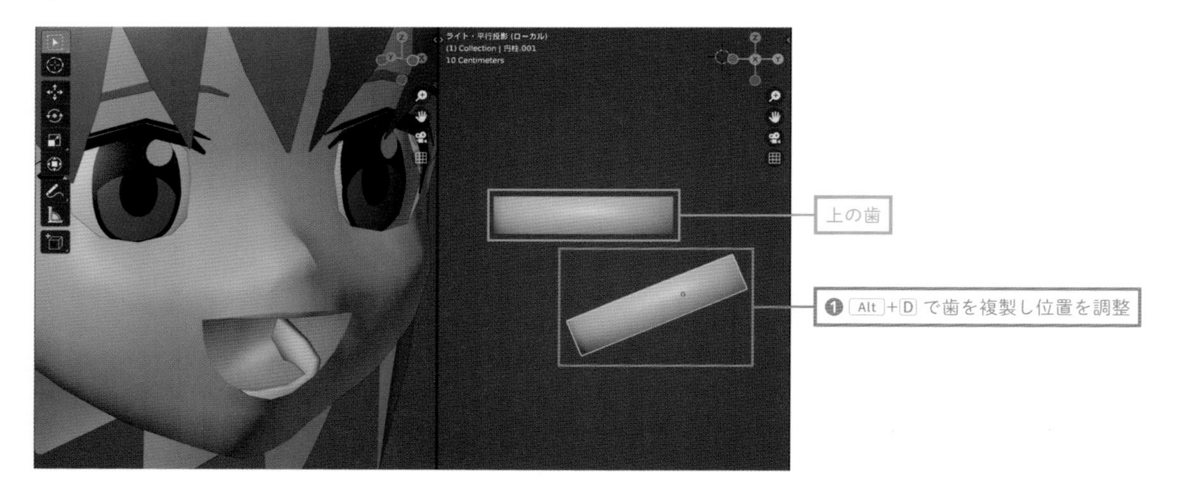

舌を作る

あと少しでキャラクターの頭部の完成です。続いては舌を作成します。

❶ Shift+A から［メッシュ］＞［UV 球］を作成し［セグメント］や［リング］をなるべく少ない偶数に設定し、位置、サイズ、角度を口の中に収まるように調整します❶。

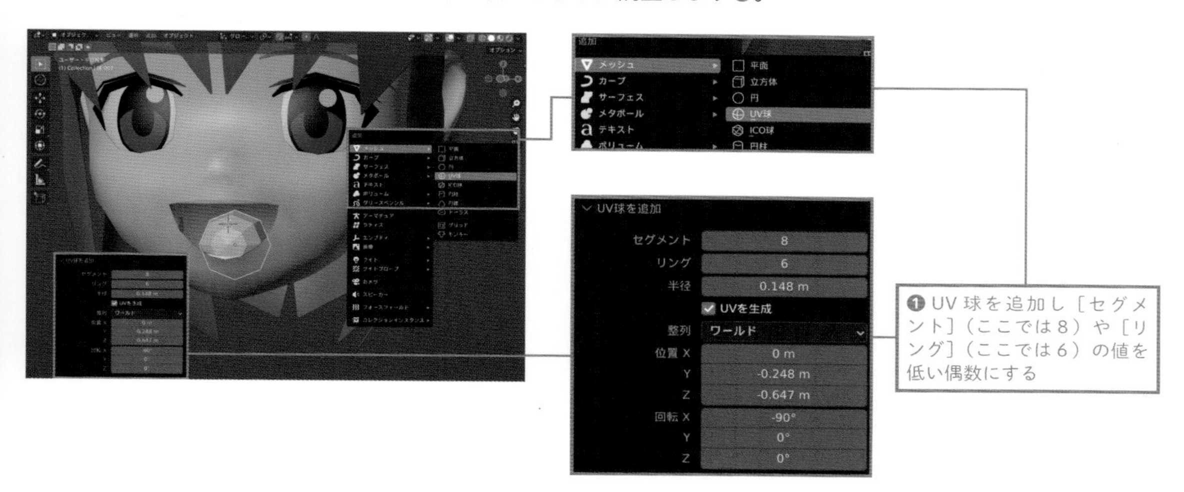

❶ UV 球を追加し［セグメント］（ここでは 8）や［リング］（ここでは 6）の値を低い偶数にする

❷［編集モード］で左半分を削除しミラーモディファイアーを付加、仮のマテリアルで赤く染めて頂点を 1 つずつ位置移動させて形を整えるという今まで通りのおなじみの手順です❶。

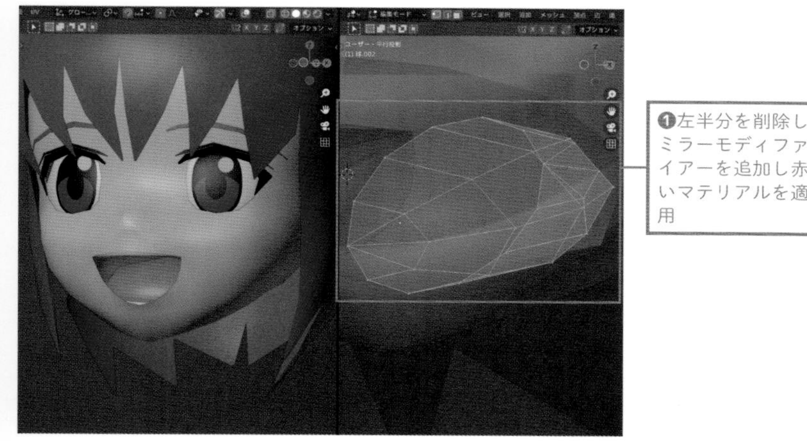

❶左半分を削除しミラーモディファイアーを追加し赤いマテリアルを適用

首を作る

押し出しにより首を作成します。

❶ 頭部メッシュの底面の構造を調整して、首が生えそうな位置に円状に近いようなメッシュ構造を作っておきます❶。

この円状の面をすべて選択して E により真下に下ろせば首が作成できますが、単純にこの手順でやってしまうとミラーモディファイアーによる鏡像との間、つまり「X=0」の位置に面が作られてしまい、上手く鏡像と接続されなくなってしまいます。こういった現象を避けるため、［ミラーモディファイアーパネル］の［クリッピング］にチェックを入れておきます❷。

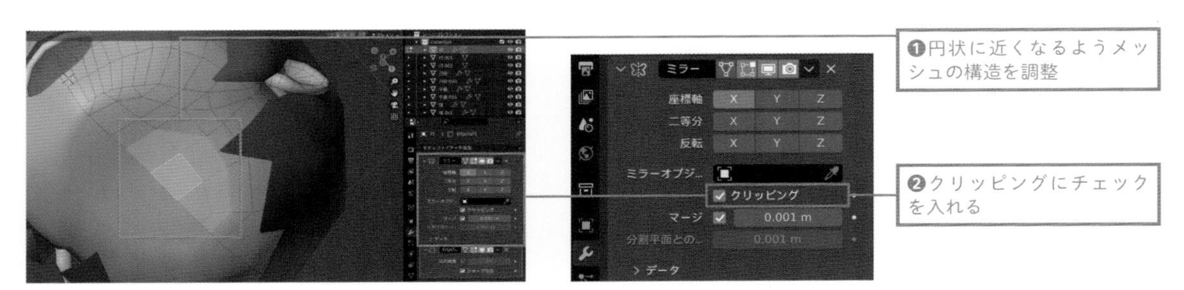

クリッピング

鏡像との間に余計の面が作られてしまうのを防ぐと同時に、一度「X=0」の位置に置かれた頂点が操作ミスによりずれてしまわないように「X=0」に固定してくれる機能を持ちます。いつの間にか「X=0」に面を作ってしまうというミスはよく起こりがちなので基本的にこのチェックは入れておくようにしておき、「X=0」の頂点をやっぱり「X=0」以外に置きたいという場合にのみ一時的にチェックを外す、という運用をおすすめします。

❷ 底面が塞がれた状態なので X で削除して形を整えます❶。

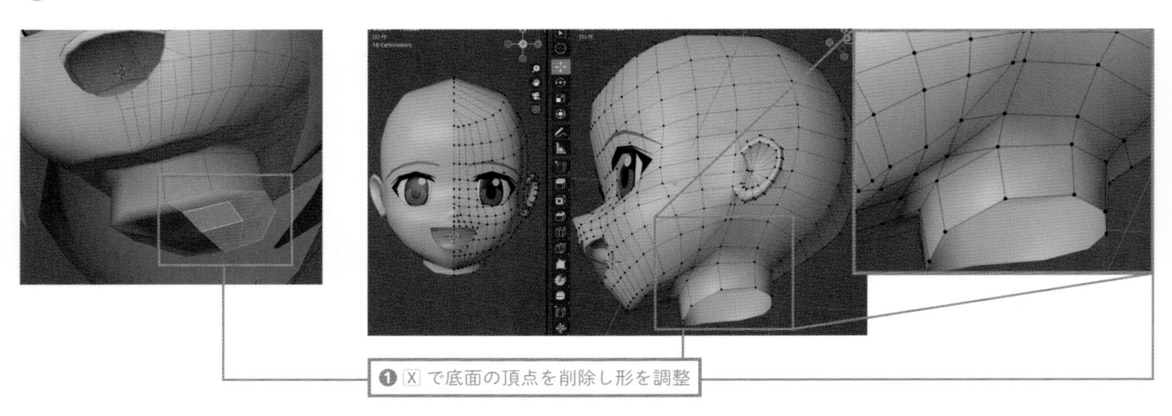

眼孔の隙間を埋める

眼孔と眼球の間に隙間が空いており、このままでは角度によっては隙間が見えてしまうので調整を行います。

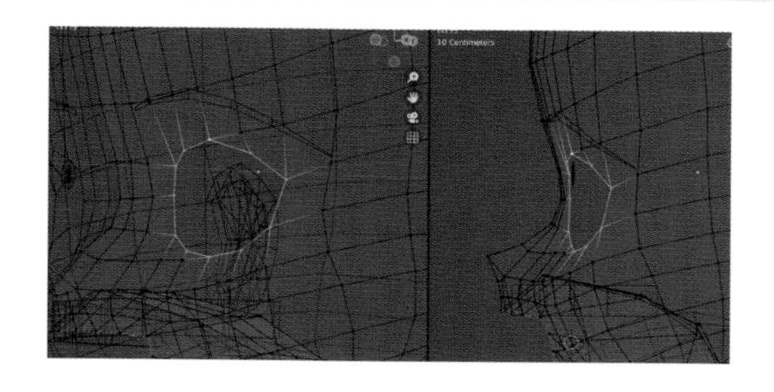

❶ 眼孔の縁の頂点をすべて選択し、E で奥側へ押し出します❶。

律儀に眼球が収まる空洞の形に作ってもいいですが、絶対に見えることのない部分にはなるべく頂点数を割かないことが賢明です。

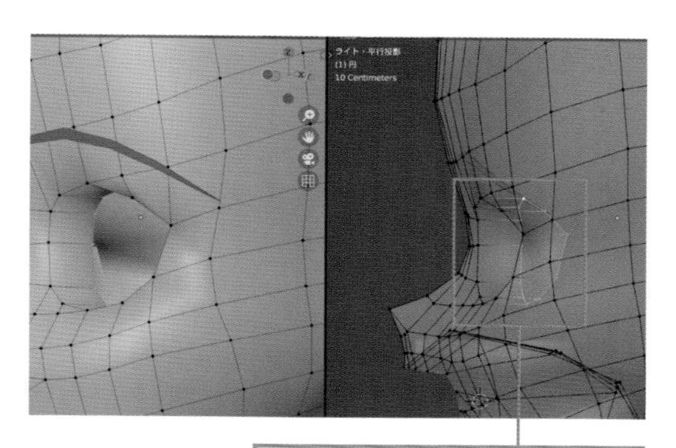

❶眼孔の縁の頂点をすべて選択し、E で奥側へ押し出す

できた !!

これで顔のパーツは全て揃いました。満足いくまで、全体の形状を整えておきましょう！

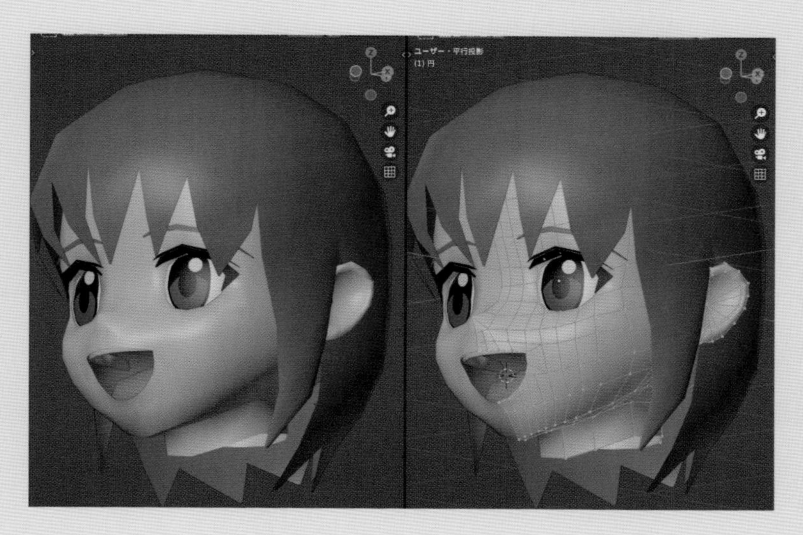

MEMO

真正面、真横からの輪郭はわかりやすく、誰もがそこは整えることが出来ますが、立体的に上手い形状を作るにはそれ以外にも様々な「輪郭」を意識する必要があります。
特にここを綺麗に整える意識を持ったほうが良い、という部分は、真上から見た時のおでこの形状、耳のあたりから目のくぼみで一旦へこみ、鼻筋のあたりへ向かうライン、耳のあたりから頬骨で膨らんだ後また少しへこみ、鼻先へ向かうライン、正面から見た時のアゴのライン、口横から出て耳の方へ緩やかに上るライン、鼻先から一旦少し下へ行き耳の方へ向かうライン、真後ろから見て耳後ろは綺麗に縦長の楕円状になり首へ向かうラインと、エラ骨は後ろからもはみ出て見えアゴへ向かるライン、また、エラ骨のラインと耳後ろから下へ向かうラインにはある程度段差を設けるようにしましょう。

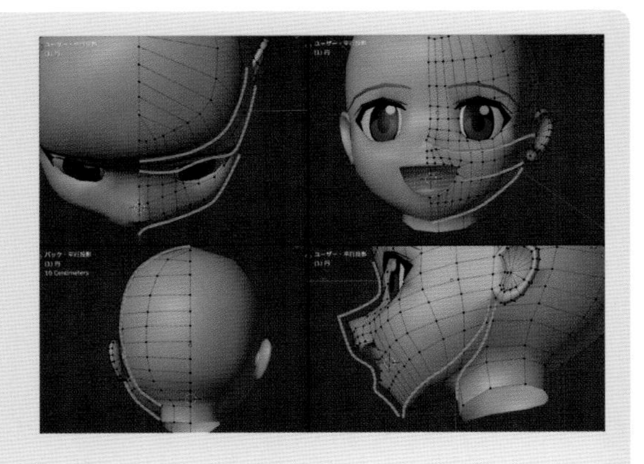

そしてそういったわかりやすいラインだけではなく360°どこから見ても綺麗に見えるように、視点をゆっくり回転させながら確認していき、なにか違和感を覚えたり**「あそこが少し突き出てる！」**というようなことを発見し次第その角度で頂点を移動させるといったことを繰り返します。

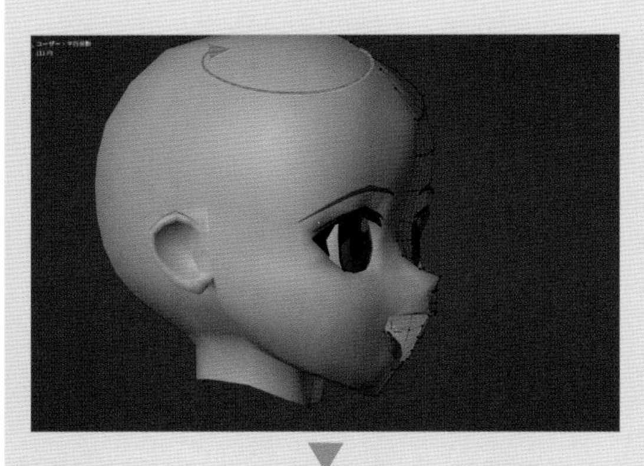

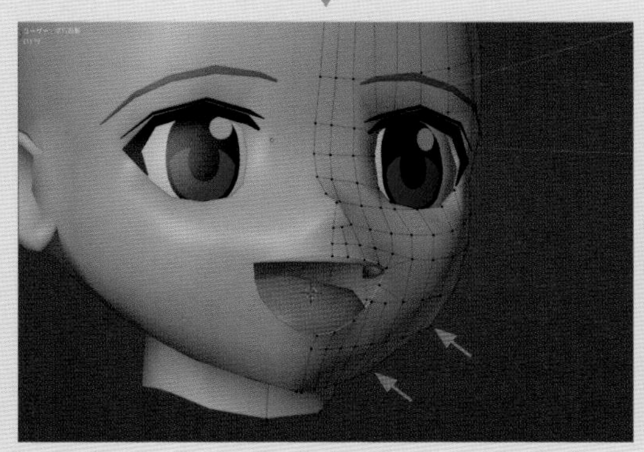

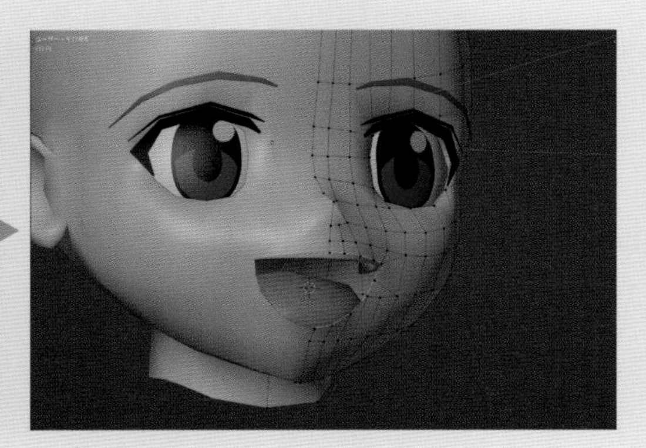

髪の毛に厚みを付ける

髪の毛がまだ薄っぺらい板のみの状態なので、これに厚みを付けます。

❶ 髪の毛オブジェクトの［編集モード］で、全頂点を選択して Ctrl + G の**［新規グループに割り当て］**を実行します❶。

［新規グループに割り当て］を実行して［オブジェクトデータプロパティ］の頂点グループのパネルを確認すると、リストに［グループ］という名の項目が追加されていることを確認できるかと思います。現在、この［グループ］という名の［頂点グループ］に、髪の毛メッシュの全頂点がウェイト（適用度）「1」で適用されている状態となっています。

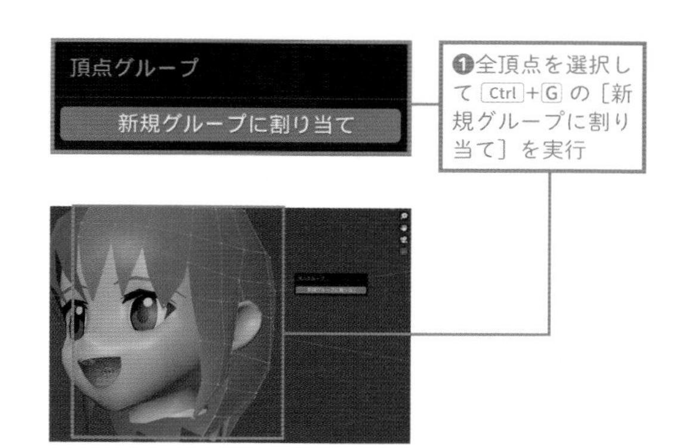

❷ 髪の毛の先端に当たる頂点をすべて選択して、この［ウェイト］の値を「0」にした状態にします❶。

そして［割り当て］をクリックしてください❷。

すると、髪の毛先端の頂点のみこの［グループ］のウェイトが「0」に変更されます。

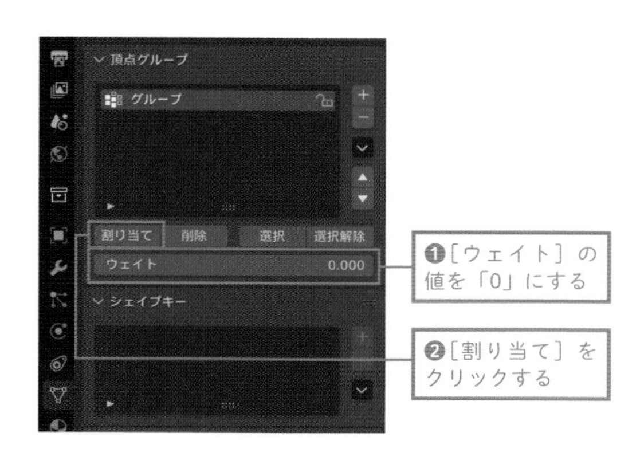

❸ ［モディファイアープロパティ］で［ソリッド化モディファイアー］を追加します❶。

追加した［ソリッド化モディファイアー］パネルの［頂点グループ］の欄で先程の［グループ］選択入力します❷。

すると、先端のみがウェイト（適用度）が「0」なため、先端のみ厚みがつかない状態となります。あとは［幅］や［オフセット］の値を調整します❸。

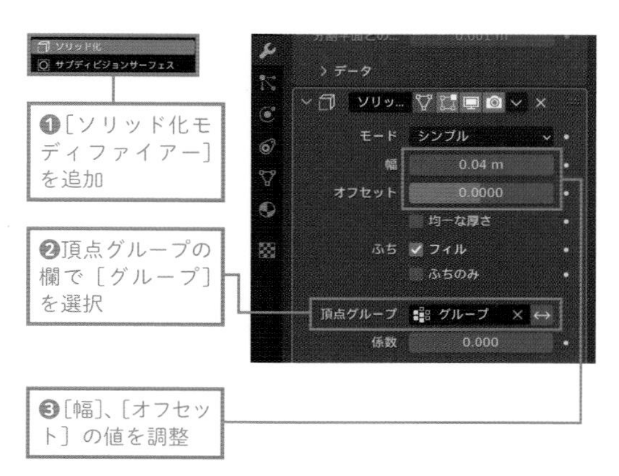

髪に厚みがでた

透過とモディファイアーのオフ

［ソリッド化モディファイアー］を付加した状態だと、耳からはみ出したりとまた頂点単位で修正したくなる部分が出てきます。ところがソリッド化モディファイアーのオフセットの値次第では、頂点が3Dビューポート上でよく見えなくなってしまうことがあります。

Alt+Z の透過表示を使用しても、必要以上に髪の毛が透けて表示されてしまいよく見えません。こういった場合、3Dビューポート一番右の から、［透過］の値を「1」にしてしまいます。

こうすると、面は透過されず、編集頂点や辺のみが表示されるようになってくれます。

また、［モディファイアーパネル］の四角形メッシュのようなマーク をオフにすると、［編集モード］時のみそのモディファイアーをオフ表示にしたりといったことも出来ます。モデルが複雑になってくると、こういった表示切り替え機能の利用も必要になってきます。

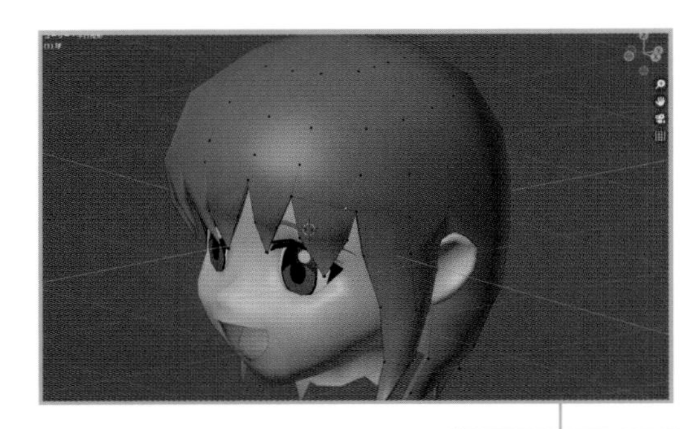

頂点が見づらくなる

透過を「1」にする

編集モード時表示をオフにする

6-3 頭部のマテリアル（シェーダーノード）

サンプルファイル samplefile/Chapter6

本節では先ほど作成した頭部にマテリアルの設定を行います。

マテリアルの設定

セオリーで行けば頭部のモデリングの後は身体のモデリングに行くべきところですが、先にかわいい（かっこいい）顔が完成した状態の方がモチベーションが上がるはず、という持論に基づき次は頭部のマテリアルに進みます。実際、こういった順序で作成しても問題になるようなことは殆どありません。

マテリアルの設定準備

マテリアル設定に適した画面構成を行います。

1. まずは3Dビューポートエリアを2つに分割し、片方をシェーダーエディターに切り替えてください❶。
   3Dビューポートの方はヘッダー右の方のアイコンで［マテリアルプレビュー］に切り替えます（Zからも切替可能です）❷。
   シェーダーエディター内には、現在選択中のマテリアルの［シェーダーノード］の状態が表示されています。

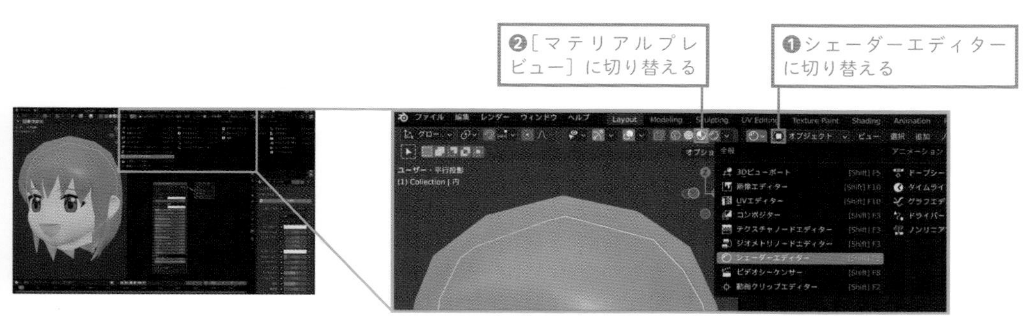

ノードを使用

通常、新規に作成されたマテリアルは［ノードを使用］がデフォルトでオンになっています。オンになっているかどうかはシェーダーエディターヘッダーの［ノードを使用］チェックマークや［マテリアルプロパティ］の［サーフェス］パネル内の［ノードを使用］ボタンで確認や切り替えが出来、この2箇所の状態は同じものを示しているためリンクします。

● ノード

シェーダーエディター上には、デフォルトでは**プリンシプル BSDF** と書かれたボックスと、**マテリアル出力**と書かれたボックスが紐でつながったような状態で表示されています（もし無かった場合、[ノードを使用] をオンにすることで現れます）。このボックス一つひとつのことを**ノード**と呼びます。このうちの、**プリンシプル BSDF** ノードと、[マテリアルプロパティ] 内の [サーフェス] パネルの内容とを見比べてみてください。各項目の名前や並びが全く同じであることにお気づきでしょうか。更に、これらの項目のパラメーターを変更すると、両者の数値が完全にリンクしていることがわかります。つまり、[マテリアルプロパティ] 内で起きていることを、「ノード」の形で詳細に視覚化しているのがこのシェーダーエディターなのです。何故わざわざそんなことをと思うかもしれませんが、このシェーダーエディターは [マテリアルプロパティ] では実現が難しかった更に高度で複雑なマテリアルを作成可能にします。

ノードを理解する

ノードの説明のために、少し制作過程とは外れた操作を行います。

❶ シェーダーエディター内で、Shift+A の［追加］メニューから、［テクスチャ］＞［ノイズテクスチャ］を選択してみてください❶。

すると、シェーダーエディター内に新たに**ノイズテクスチャ**ノードが追加され、左クリックで確定した位置にノードが置かれます。

この［追加］はシェーダーエディターヘッダーメニューの［追加］からも可能です。

❶［追加］メニューから、［テクスチャ］＞［ノイズテクスチャ］を選択

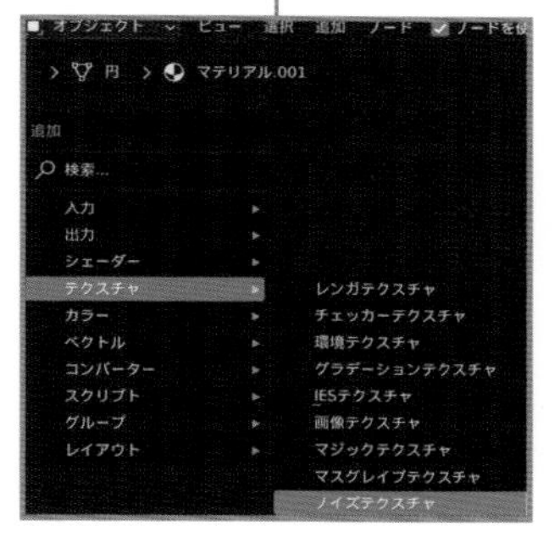

ノイズテクスチャ

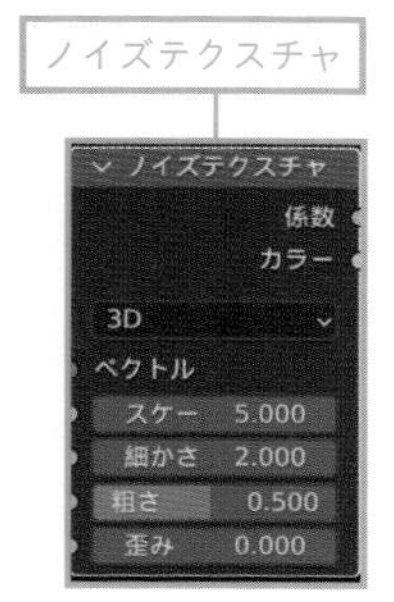

❷ 追加された**ノイズテクスチャ**ノードの［カラー］端子から、**プリンシプル BSDF** の［ベースカラー］端子へ左ドラッグすると、この 2 端子を繋げることが出来ます❶。

ノードの端子

全てのノードには左側に入力端子、右側に出力端子が付いており（どちらか片方だけのノードもあります）、入力端子と出力端子はドラッグで繋げることが出来ます。ドラッグする方向は逆でも同じ動作になります。それぞれのノードは役割を持っており、そのノード内部で行われた処理の結果が出力端子から出力され、この線を通って入力端子から当該ノードに入力される、というイメージです。

❶ノイズテクスチャノードの［カラー］端子とプリンシプル BSDF の［ベースカラー］端子を繋げる

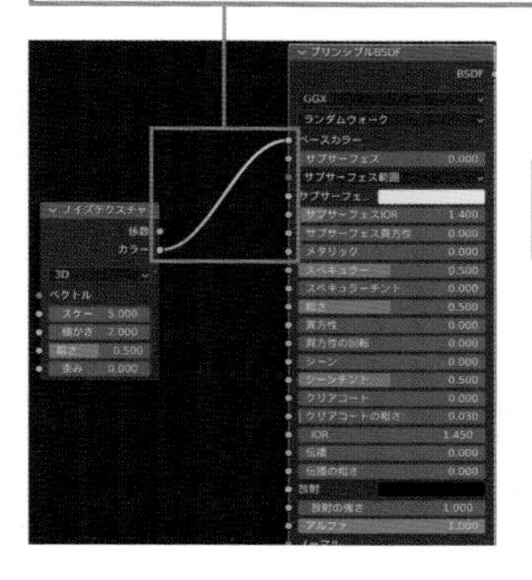

ノイズテクスチャが適用された状態

ノイズテクスチャ

ノイズテクスチャノードはその名の通りノイズを生成する機能を持っており、その結果は 3D ビューポートで確認できる通り、様々な色がランダムに混ざったようなマテリアルになっています。

❸ ノードの接続を切るには、繋がっている線の入力側からドラッグして何もない空間にリリースする、または線を Ctrl を押しながら右ドラッグで切るようになぞります❶。

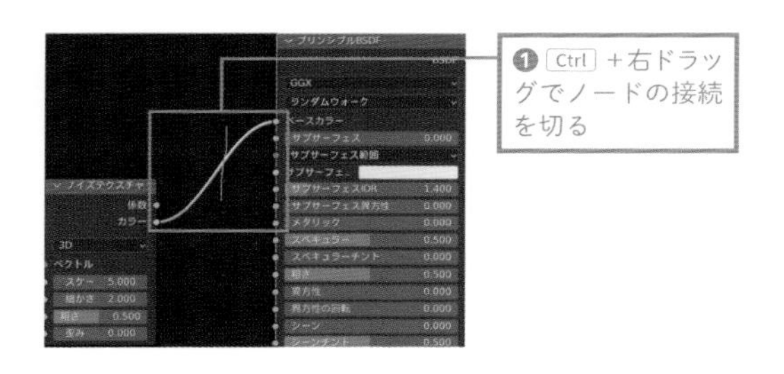

POINT

各ノードは選択して G で移動させることが出来、繋がっている線の上にノードをドロップすることで間に挟み込むように接続を繋げることが出来ます。

プリンシプル BSDF

ノイズテクスチャノードを直接**マテリアル出力**ノードに繋げた時と、間に**プリンシプル BSDF** ノードが入っている時の 3D ビューポート上の結果の違いがおわかりになるでしょうか。直接繋げていた時は陰影が無くのっぺりしたノイズのみで塗られていて、**プリンシプル BSDF** を入れた時は陰影が付いています。このことから、**プリンシプル BSDF** は陰影をつける機能を持っていることがわかります。

プリンシプル BSDF あり

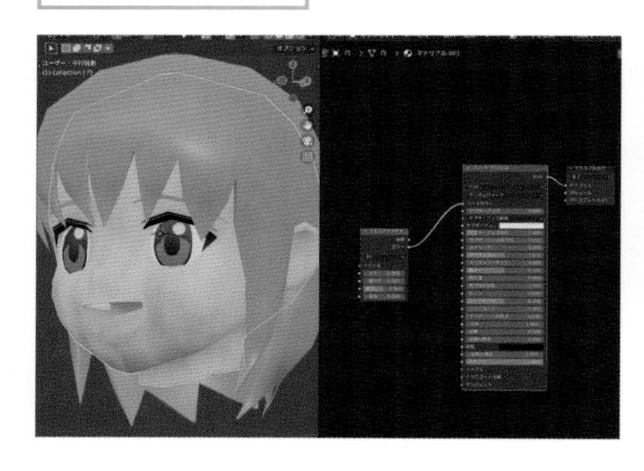

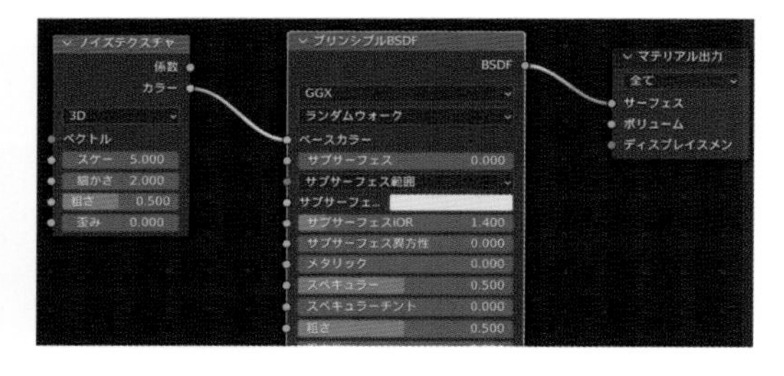

プリンシプル BSDF なし

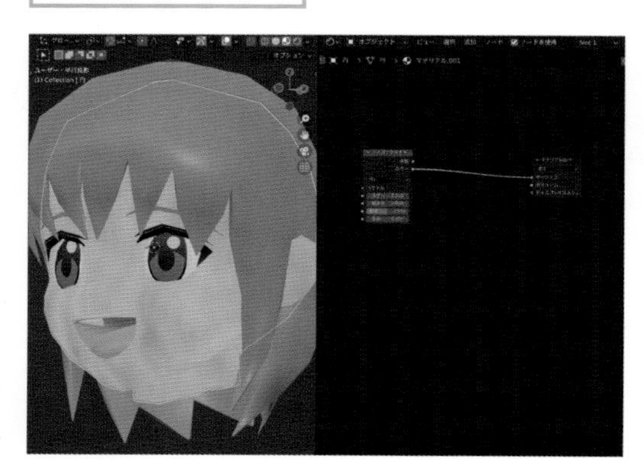

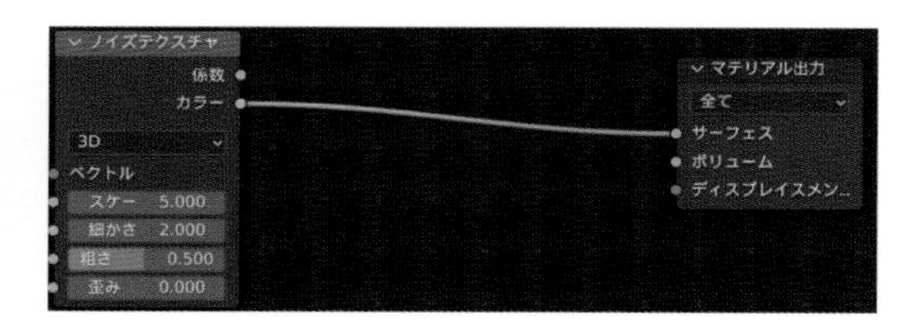

顔のマテリアル

ここからは、通常の制作手順に戻ります。顔の肌にあたるマテリアルの設定を行います。

❶ 顔の肌として仮に作っていたマテリアルを選択した状態で［ノードを使用］にチェックが入っている状態にします。余計な**ノイズテクスチャ**ノードや、**プリンシプルBSDF**ノードが有った場合はそれらを選択して X や Delete で削除し、**マテリアル出力**ノードだけがある状態にします❶。

❶［ノードを使用］にチェックを入れる

❷ノイズテクスチャノード、プリンシプルBSDFノードを削除

❷ この段階で3Dビューポート上で顔が真っ黒になっていれば正常です。 Shift + A から、［シェーダー］＞［ディフューズBSDF］を追加します❶。

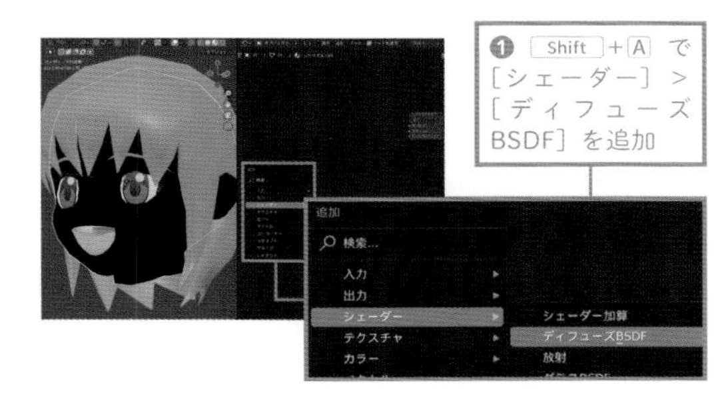

❶ Shift + A で［シェーダー］＞［ディフューズBSDF］を追加

❸ **ディフューズBSDF**の出力を**マテリアル出力**ノードの［サーフェス］端子に繋ぎ、次に［コンバーター］＞［シェーダー］＞［RGBへ］を追加します❶。

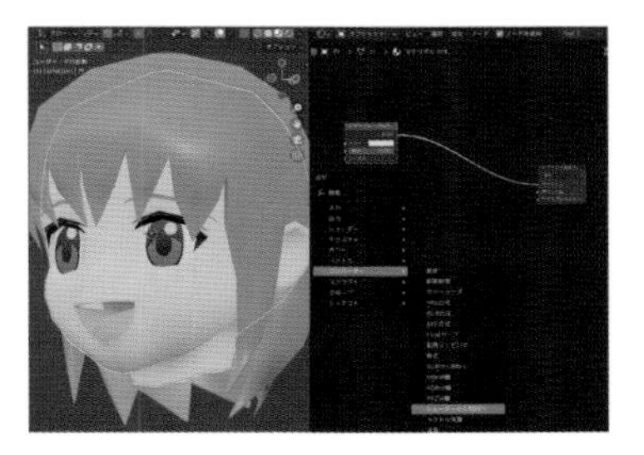

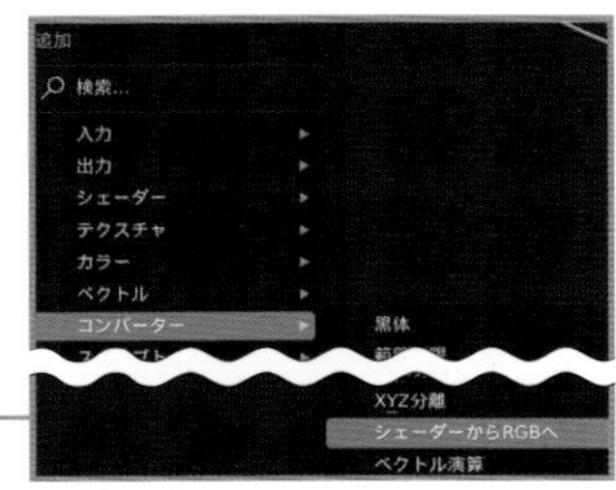

❶ Shift + A で［コンバーター］＞［シェーダー］から［RGBへ］を追加

❹ 追加した**シェーダーからRGBへ**ノードを繋がっている２つのノードの間に挿入し、さらに［コンバーター］＞［カラーランプ］を追加してその後ろに挿入します❶。

左側の［カラーストップ］を肌の陰の色、右側を肌の光があたっている部分の色に変更し、右側のカラーストップを中央付近に移動させてみてください❷。

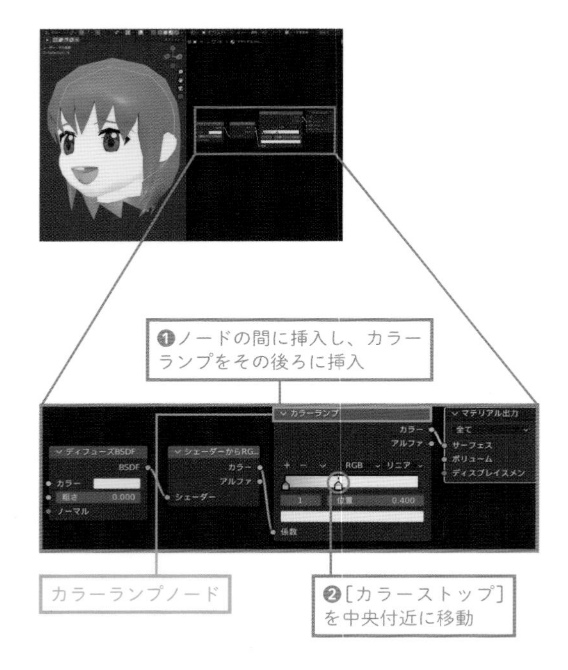

● カラーランプノード

カラーランプノードには中央にバーのようなものがあり、その中には四角形の上に三角形が乗ったような形の小さなツマミが２つ存在しています。このツマミは名称を［カラーストップ］といいます。［カラーストップ］は個別に選択することが出来、選択中はその［カラーストップ］の色を下の欄をクリックすることで変更することが出来ます。

❺ 3Dビューポート上ではかなりアニメ塗りのような雰囲気に近くなってきました。更に、この陰影を3Dシーン上にあるライトに影響されるようにしましょう。3Dビューポートで Shift + A の［追加］から［ライト］＞［サン］を追加して R → R により３軸回転させて、キャラクターの方へ斜め上から光が指すように操作します❶。

この光による影響を3Dビューポート上で確認できるようにするために、3Dビューポートヘッダーの一番右の∨から［シーンのライト］、［シーンのワールド］両方にチェックを入れます❷。

シェーダーエディターの方で２つの［カラーストップ］をかなり近づけた位置へ移動させると陰影が２値化されたようになり、かなりアニメのセル塗りに近い雰囲気になります。

MEMO

Blender では、カラーマネジメントによりフォトリアル（実写のような表現）なレンダリングをアシストするためのフィルターが用意されており、バージョンによってはこれがデフォルトで有効になっていることがあります。今回の作例のようにノンフォトリアルなキャラクターを作る場合には邪魔にしかならないので、［レンダープロパティ］の［カラーマネジメント］パネルを開き、［ビュー変換］の項目が［Filmic］になっていた場合はこれを［標準］に切り替えておきましょう。

・［Filmic］
フォトリアルなレンダリングのアシストをする

不要な場合は標準に切り替える

髪の毛と瞳のマテリアルを設定する

全く同じ手順で、今度は髪の毛の方のマテリアルも設定します。

❶ 今度は［カラーストップ］の色は肌の色ではなく髪の影色、地色にしておきます❶。

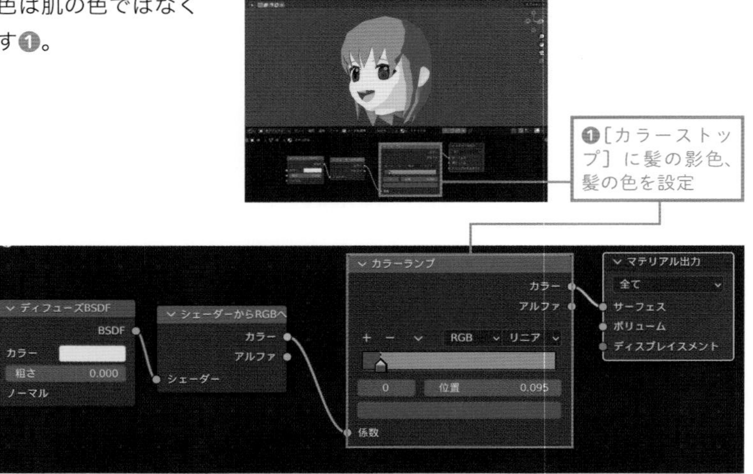

❶［カラーストップ］に髪の影色、髪の色を設定

❷ 他のすべてのマテリアルも同様の手順で作成しますが、目についてだけは少し特殊な状態になっています。手順通りに進んでいれば、プリンシプルBSDFに瞳の画像テクスチャのノードが繋がっている状態になっているはずです❶。

❶瞳の画像テクスチャ（eye.png）とプリンシプルBSDFが繋がっている

❸ このマテリアルでは特別に、Shift+A から［カラー］＞［RGB ミックス］を追加し、**RGB ミックス**ノードのプルダウンメニューから［乗算］に切り替え、以下の画像の通りに接続してください❶。

以降、ノードの接続構造については言葉で説明するよりも画像で見てもらったほうが早いため、画像の通りに接続してくださいという指示ばかりになってしまいますがご了承ください。

乗算

この RGB ミックスの **［乗算］** は、2D 画像編集ソフトを使い慣れている人にはおなじみの、レイヤーの乗算合成と同じことを行っています。これにより、画像に描いた瞳の絵に陰影の陰が乗算合成されることになります。

瞳のハイライトおよび舌にマテリアルを設定する

瞳のハイライト用に作ったオブジェクトに適用しているマテリアルは、陰影が全く付かない状態にしておきたいため以下の操作を行います。

❶ Shift+A から［シェーダー］＞［放射］を追加します❶。

そして［カラー］を白（あまり真っ白すぎると不自然かもしれません）にしたものを**マテリアル出力**に繋げます❷。

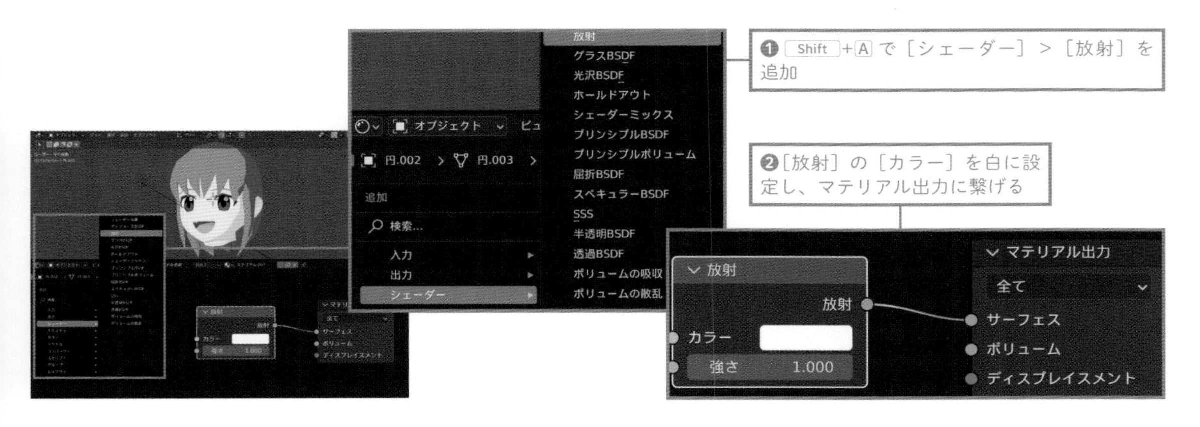

❷ 舌のように少しテカリを入れたいマテリアルの場合は、**カラーランプ**ノードの左上にある＋ボタンで［カラーストップ］を追加し❶、カラーバーが3色になるように分け一番右の［カラーストップ］をテカリの色にしてそれぞれの［カラーストップ］の位置を画像のように調整します❷。

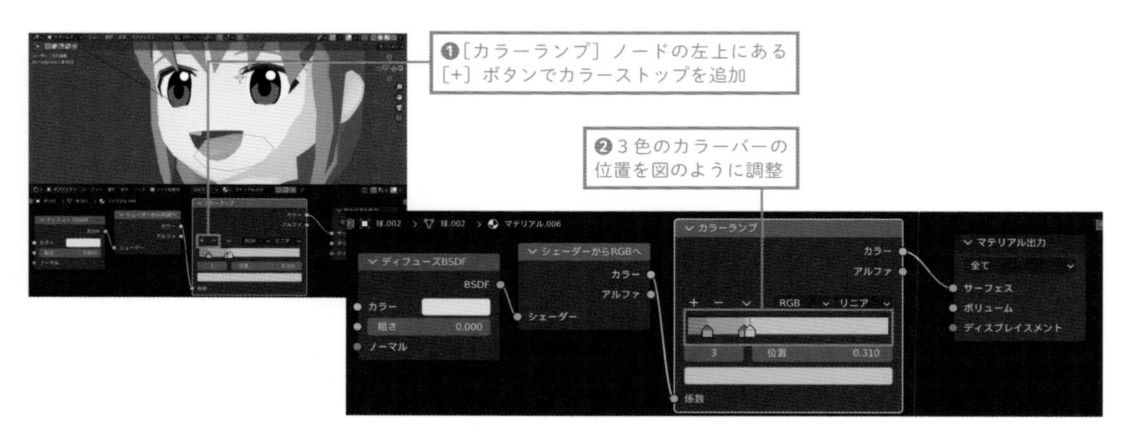

髪の毛のキューティクルを作成

髪の毛のマテリアルに、キューティクルを追加します。少し高度な構成になりますが、まずは以下の画像の通りに正しく繋げてみてください。

必要となるノード

新たに必要になるノードは左から［入力］＞［テクスチャ座標］、［テクスチャ］＞［ノイズテクスチャ］、［コンバーター］＞［XYZ 分離］、［コンバーター］＞［数式］（プルダウンから［積和算］）、［コンバーター］＞［カラーランプ］、［カラー］＞［RGB ミックス］（プルダウンから［覆い焼きカラー］）となります。

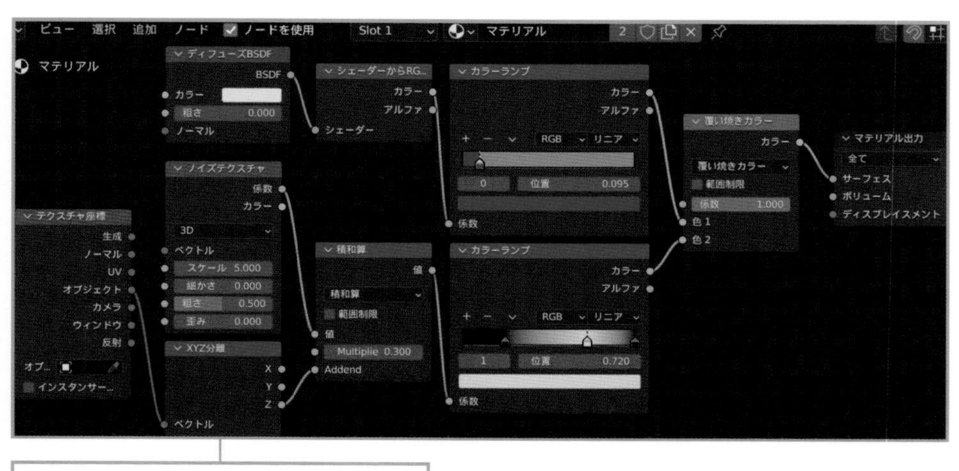

キューティクルを追加するうえでのノード構成

❶ **覆い焼きカラー**の係数は「1」にして、**カラーランプ**の［カラーストップ］は３つに増やし、両側は真っ黒、真ん中は白にして、この白の明るさの強さによってキューティクルの明るさが決定されます❶。

ノイズテクスチャの細かさを「0」にしておき、スケールの大きさによってキューティクルのギザギザの幅を調整し、［積和算］の［Multiplie］の大きさでギザギザの縦の強さが変わります❷。

何故こう接続するとこうなるのかについては、この章の終盤にて解説します。

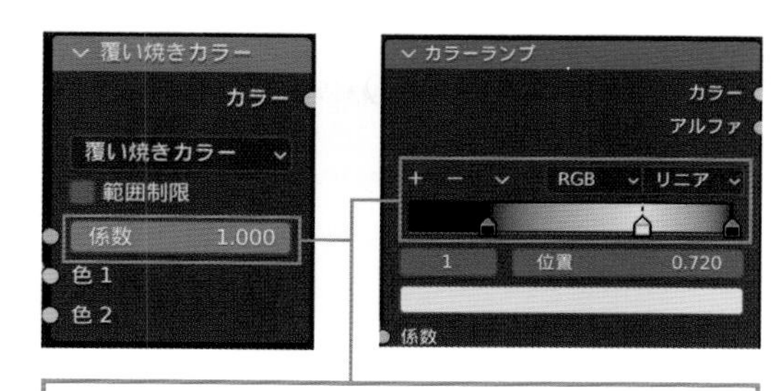

❶覆い焼きカラーの係数は「1」に設定し、３つカラーストップを両側は真っ黒、真ん中を白にする

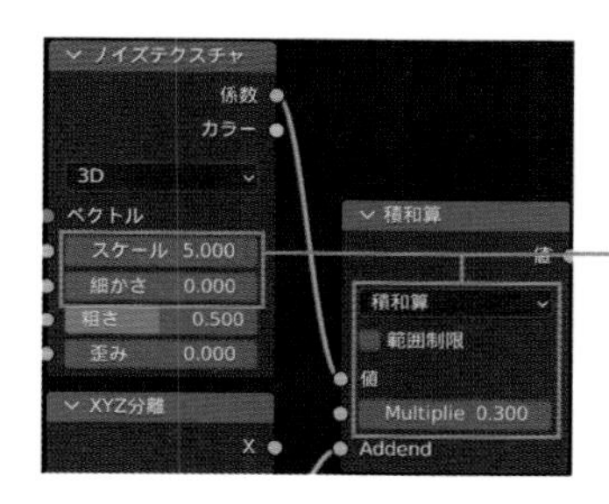

❷ノイズテクスチャの細かさを「0」にし、スケールでギザギザの幅を調整する

POINT

両端の［カラーストップ］を内側へ絞る度合いによって、キューティクルの幅を狭めることが出来ます。

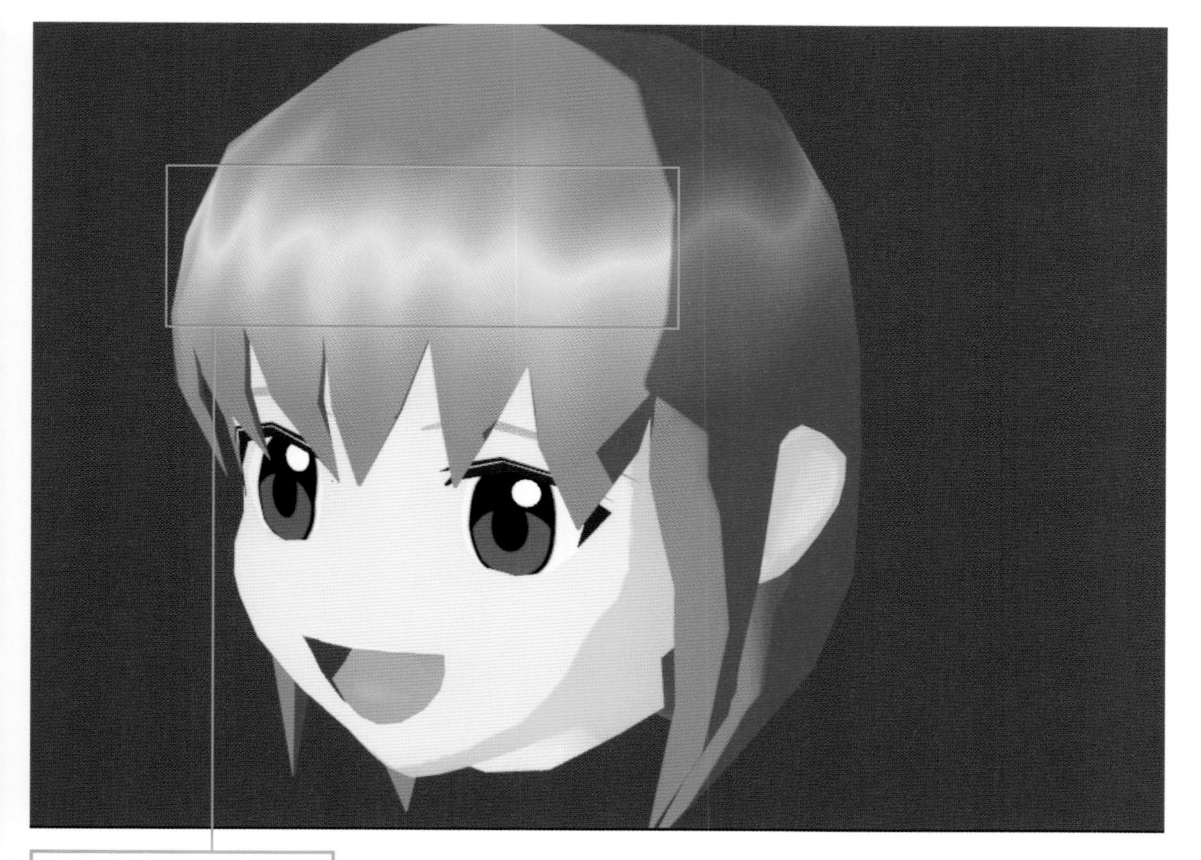

本手順で作成したキューティクル

髪の毛の影を作る

髪の毛で遮られて顔に落ちる影もくっきりとさせたい場合、シェーダーではなくライトの設定を変更します。

❶ 3Dビューポート上にある［サン］ライトを選択します❶。

［オブジェクトデータプロパティ］の［影］パネル内にある［コンタクトシャドウ］にチェックを入れます❷。

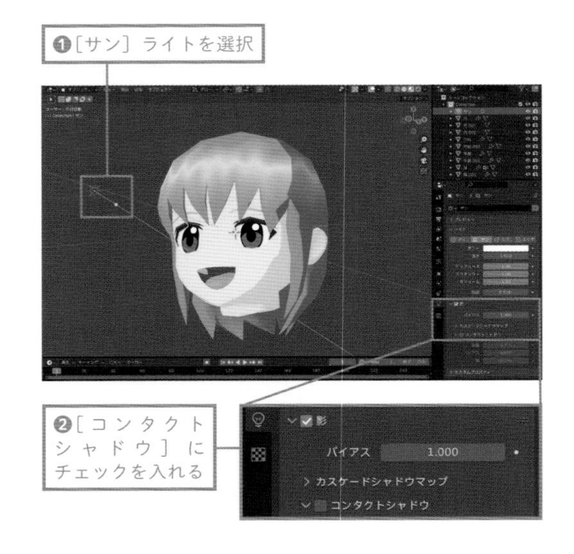

❷ ［距離］で、遮る側の面から影が落ちる側の面までの距離を設定します❶。

影が多すぎて不自然な場合は［バイアス］を上げ、［幅］の値を下げます❷。

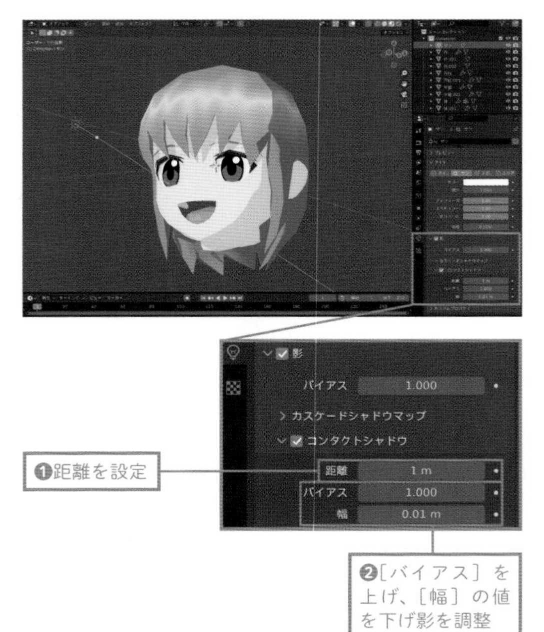

眼球の影を再現する

眼球に落ちる影を再現します。アニメ的なデザインでは、しばしば物理的にはありえない場所にも演出的に影が落ちている表現が成されることがあります。こういったものはライトやシェーダーを通常通り扱っても実現できないことが殆どで、ある程度奇抜な工夫を凝らす必要が出てきます。その方法は必要とされる表現によって様々考えられますが、今回は物理的な半透明メッシュを置いてしまう、という方法を採ってみます。

❶ まつ毛の［編集モード］に入り、まつ毛の下側にあたる辺ループを Alt + 左クリック等で選択します❶。

そして E で下方向へ押し出した後に S で少し縮める事により、眼球の上部を覆うような形にします❷。

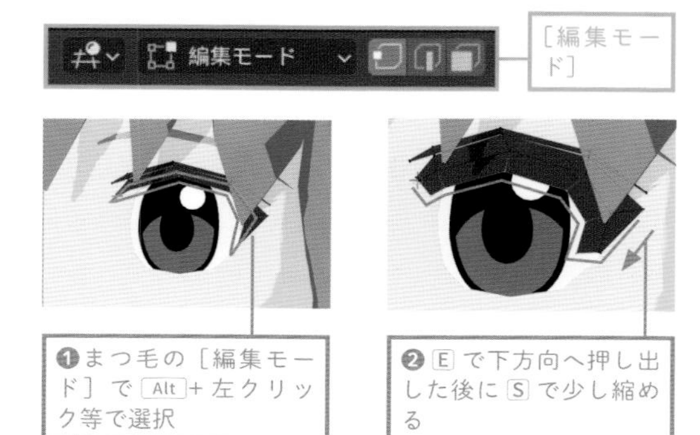

❷ そのまま Ctrl + テンキー + による選択の拡大等により、今押し出した分のメッシュをすべて選択します❶。

［マテリアルプロパティ］ で新規に作成したマテリアルを割り当てます❷。

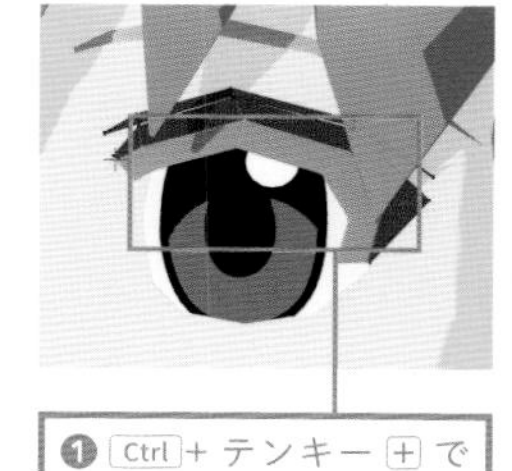

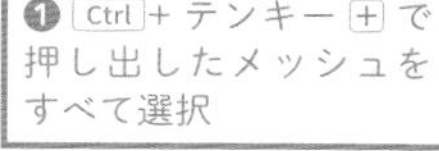

❸ このマテリアルは、シェーダーエディターで［シェーダー］＞［透過 BSDF］をマテリアル出力に繋げた状態のものを作ります❶。

シェーダーエディター内で N を押して出し入れできる［プロパティーバー］の［オプション］タブにある［設定］パネル、または［マテリアルプロパティ］ の［設定］パネル（この両者は同じもので、リンクしています）で、［ブレンドモード］を［アルファブレンド］に切り替えます❷。

透過 BSDF ノードの［カラー］の明るさによって透明度が変わるので、3D ビューポートを見ながら調節してみてください。

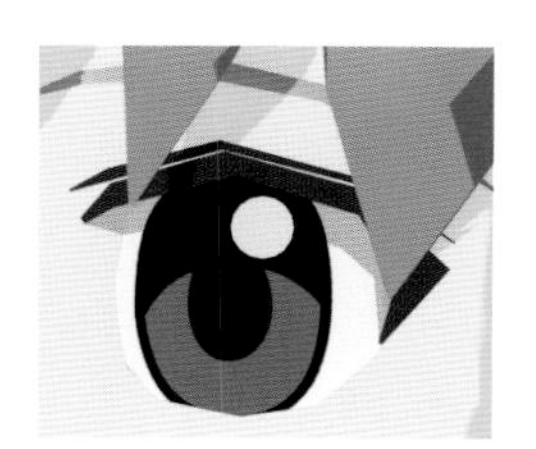

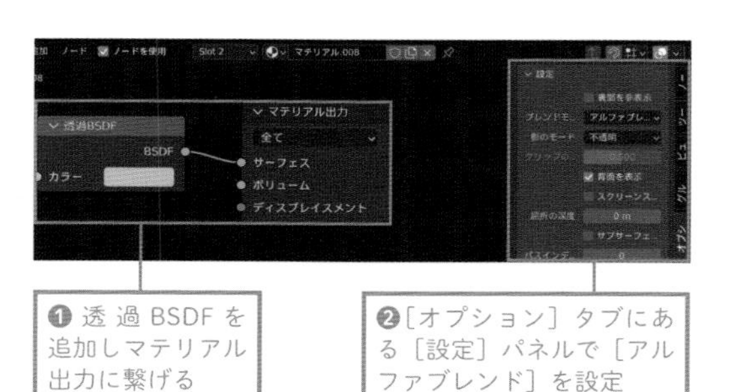

鼻を表現する

横顔では問題にならないのですが、正面から見た時、鼻の位置がどこにあるかわからなくなってしまい、鼻無しに見えてしまいます。イラスト等では、ちょんと鼻の先端に線を描いて鼻の場所を表現しているのをよく見かけるので、それを模倣してみます。

❶ 顔の［編集モード］で鼻先端付近の面を選択して Shift +D により面を複製し、少し鼻より前へ移動させて黒いマテリアルを適用しておきます❶。

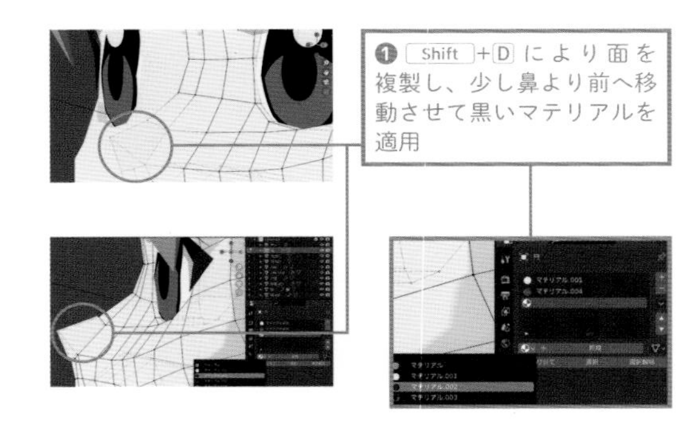

❷ この面を先端へ向かうよう縮小するのですが、この際、一番先端の頂点をアクティブにしておいてからピボットポイントを **［アクティブ要素］** にして縮小すると、こういったケースに適した縮小を素早く行うことが出来ます❶。

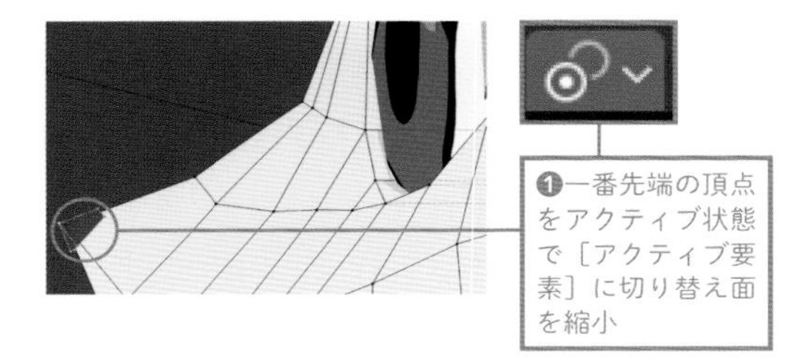

❸ とはいえ、最終的には頂点一つひとつの移動による整形で、どの角度から見ても不自然内容に整えます❶。

ソリッド表示における疑似的な非表示

モデル作成中は、Z により頻繁に **［マテリアルプレビュー］表示、［ソリッド］表示、［ワイヤーフレーム］表示**を適宜切り替えていくことになります。［ソリッド］表示は［マテリアルプレビュー］表示と違い半透明表示に対応できないため、［ソリッド］表示に切り替えてみると先程眼球の影のために作ったメッシュにより眼球が見えづらくなってしまっています。そこで、少し裏技的ではあるのですが、この影用の面を全部選択した状態で Alt + N の［ノーマル］メニューから［反転］を実行し、3D ビューポートヘッダーの一番右端の ボタンから［裏面を非表示］にチェックを入れることによって、［ソリッド］表示時にこの影用メッシュを見えないようにすることが出来ます。

Blender では、全ての面は裏表が区別されています。裏面を透過させる設定を利用して、このように表示したくない面のみを裏返してしまうことで擬似的に［ソリッド］表示時のみ非表示にすることが出来ます。ここまで面の裏表については説明してこなかったので、もしかしたら今まで作成した面の中には意図せず裏返ってしまっている箇所もあるかもしれません。そういった場合は［編集モード］で全ての面を選択し、Alt + N の［ノーマル］メニューから［面の向きを外側に揃える］を実行してください。

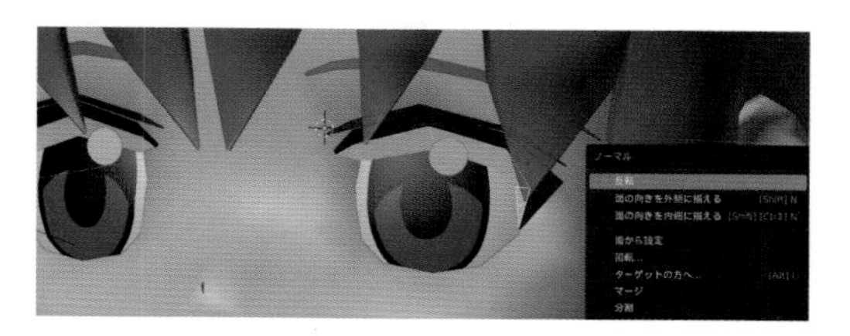

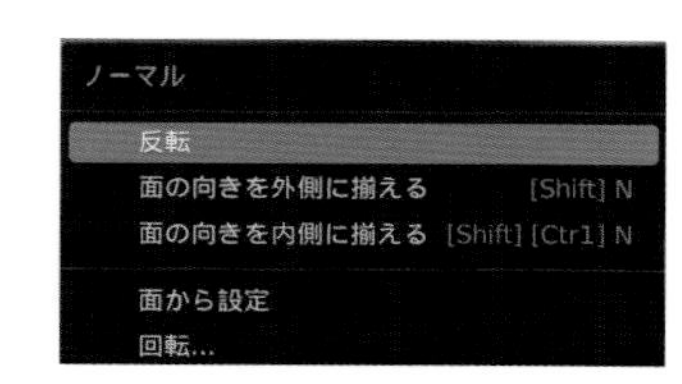

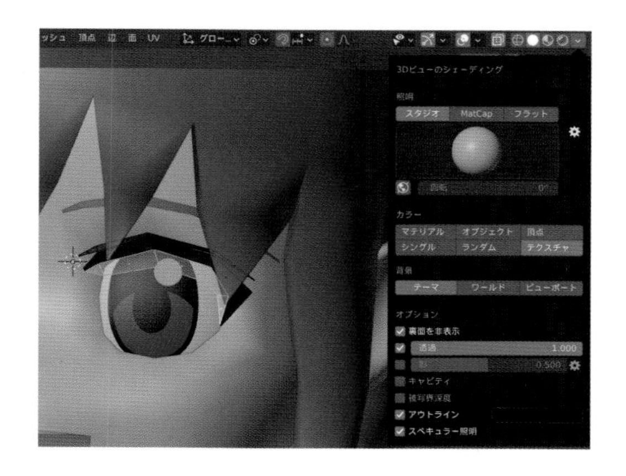

頭部のマテリアル設定

頭部のオブジェクトで、髪の毛の下に隠れてしまう頭の面も全て髪の毛用のマテリアルを割り当ててしまえば、万が一髪の毛オブジェクトが頭部の内側へめり込んでしまったとしても目立たなくなります。

❶ 頭部オブジェクトの［マテリアルプロパティ］で をクリックしてマテリアルスロットを追加します❶。
新規を押すのではなく左側のプルダウンメニューから髪の毛用のマテリアルを選択し、髪の色にしたい面すべてを選択した状態で［割り当て］をクリックします❷。

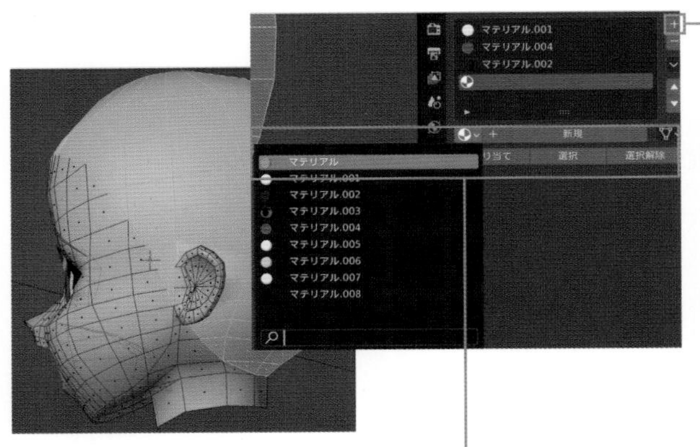

❶頭部オブジェクトの［マテリアルプロパティ］で をクリックしてマテリアルスロットを追加

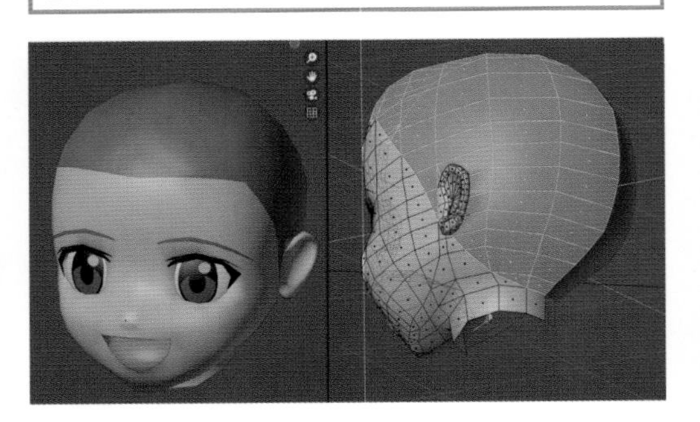

❷髪の色にしたい面すべてを選択した状態で髪の毛用のマテリアルを割り当てる

マテリアル名

そろそろオブジェクトの数やマテリアルの数が多くなってきました。どれが何のオブジェクト／マテリアルだったかわからなくなってしまうので、このあたりで名前を付けておきましょう。アウトライナーのエリアで、左端に があるの項目がメッシュオブジェクトになります。これらの項目は、ダブルクリックすることにより名前を変更することが出来ます。マテリアル名も、マテリアルスロットの項目をダブルクリックすることにより名前を変更できます。日本語でも大丈夫ですが、日本語入力モードのまま戻すのを忘れると、Blenderのバージョンによってはショートカットキーが効かなくなってしまうので注意してください。

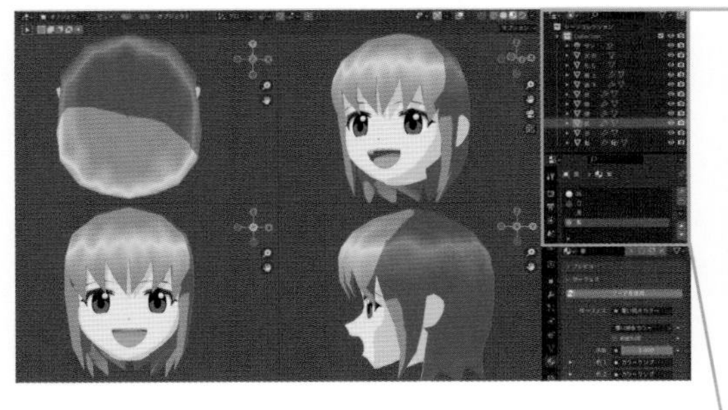

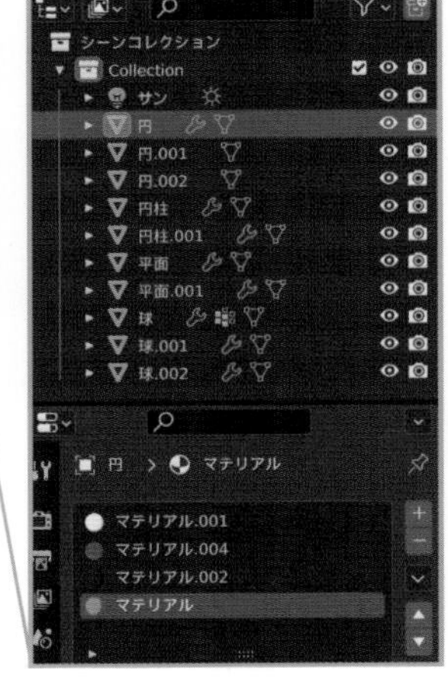

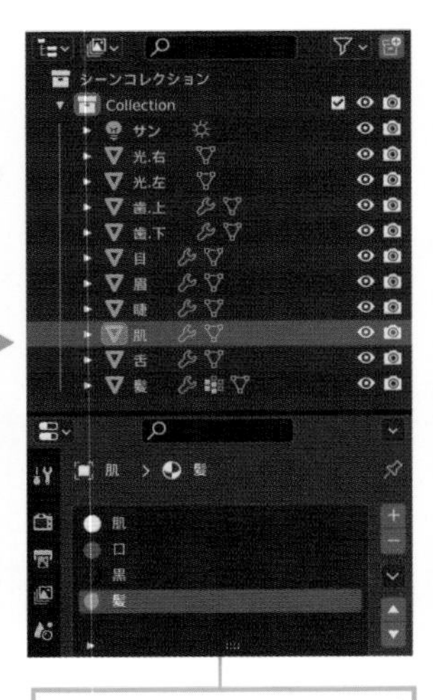

オブジェクト／マテリアルが命名された状態

マテリアルの共有化

　マテリアルは現在、アニメのセル塗りのように陰と光がくっきり別れた２値化した表現で作ってありますが、やっぱりこんなにくっきりじゃなくもっと柔らかくグラデーションを掛けた表現に変更したい、となった場合、肌、髪、目、舌、歯、口と全てのマテリアルで設定を変更しなければならず、非常に面倒です。これをもっと便利に、後からの変更も柔軟に行えるように、それぞれのマテリアルの共通する部分をひとまとめに共有化してしまう方法が存在します。やや考え方が複雑なものになるので、難しいのは嫌！　という方はこの部分は飛ばしてしまっても構いません（その場合次節の体のモデリング（P.253）へ進んでください）。

❶ 肌用のマテリアルをシェーダーエディターで確認すると、手順通りに進んでいれば**ディフューズBSDF**、**シェーダーからRGBへ**、**カラーランプ**、**マテリアル出力**という順に繋がっていると思います❶。

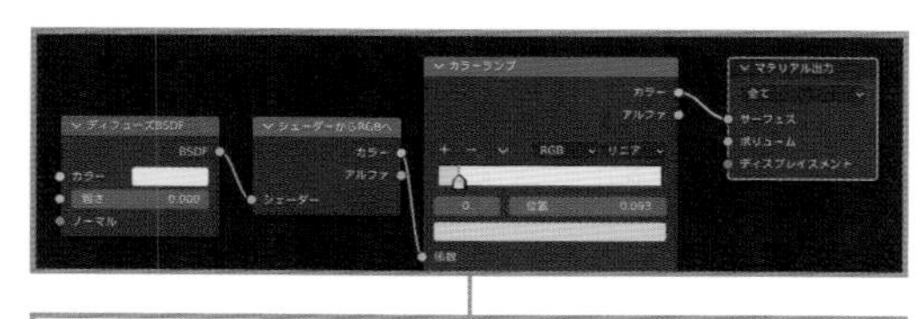

❶左側からディフューズBSDF、シェーダーからRGBへ、カラーランプ、マテリアル出力という順で接続されていることを確認する

❷ このうち、**カラーランプ**の**［カラーストップ］**の色を肌色に設定していたのを左側を真っ黒、右側を真っ白に設定し直し、［カラー］＞［RGBミックス］ノードを追加します❶。

　［係数］端子の方にカラーランプの「カラー」出力を繋いで、**RGBミックスノード**の「色１」を肌の影色、「色２」を肌の地色に設定して出力を**マテリアル出力**へ繋ぎます❷。

　この状態は、もとのカラーランプで肌色を付けていた状態と結果は同じものになります。

❶カラーランプの［カラーストップ］の色を設定しRGBミックスノードを追加する

❷［係数］端子の方にカラーランプの［カラー］出力を繋ぎ、色を設定したRGBミックスノードをマテリアル出力へ繋ぐ

❸ その上で、**ディフューズBSDF**、**シェーダーからRGBへ**、**カラーランプ**、**ミックス（RGBミックス）**ノードを選択した状態で Ctrl + G を押します❶。

　すると今選択していたノードがひとまとめにグループ化され、そのグループの内側を表示した状態になります。

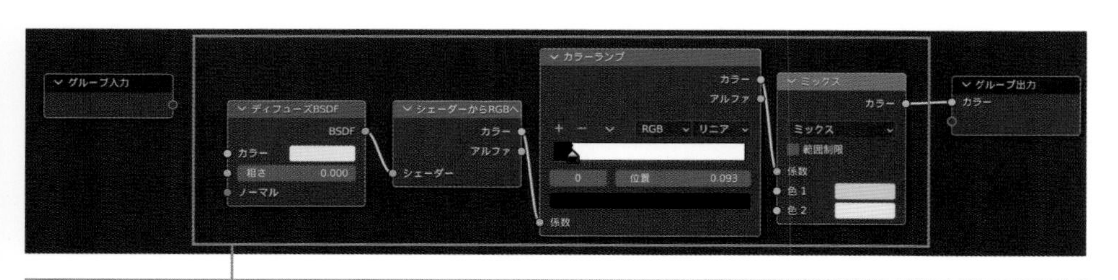

❶ディフューズBSDF、シェーダーからRGBへ、カラーランプ、ミックス（RGBミックス）ノードを選択した状態で Ctrl + G を押す

❹ ヘッダーの矢印が上を向いているアイコン、または Ctrl + Tab を押すとこのグループ内表示からグループの外側に出ることができます。グループの外側に出ると、**NodeGroup** というノードとマテリアル出力ノードのみの状態になっていると思います❶。

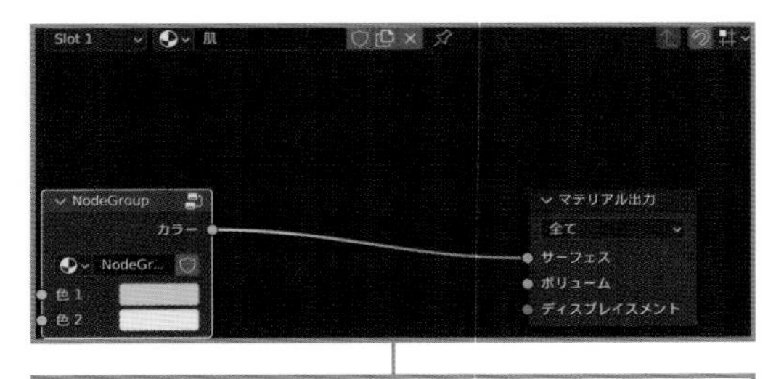

❶ Ctrl + Tab を押し NodeGroup というノードとマテリアル出力ノードのみの状態であることを確認

❺ **NodeGroup** の中に先ほどの**ディフューズ BSDF**、**シェーダーから RGB へ**、**カラーランプ**、**ミックス（RGB ミックス）**が入っている状態になっていて、これを選択した状態で Tab を押すと、再びこの中身が見れる状態になります。

　このグループ状態では、中に**グループ入力**、**グループ出力**というノードが作られており、これに繋いだ端子がグループノードの入力端子、出力端子に新たに作られます。

　ミックス（RGB ミックス）ノードの、「色 1」、「色 2」端子の両方とも**グループ入力**ノードの右側の端子へ繋いで❶、再び Ctrl + Tab でグループの外側へ出ると、**NodeGroup** ノードに「色 1」、「色 2」端子が新たに作られていることが確認できます❷。

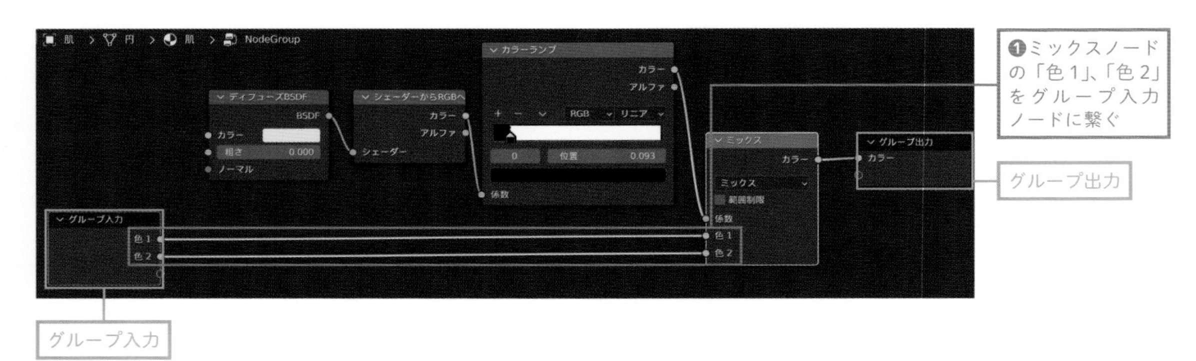

❶ミックスノードの「色 1」、「色 2」をグループ入力ノードに繋ぐ

グループ出力

グループ入力

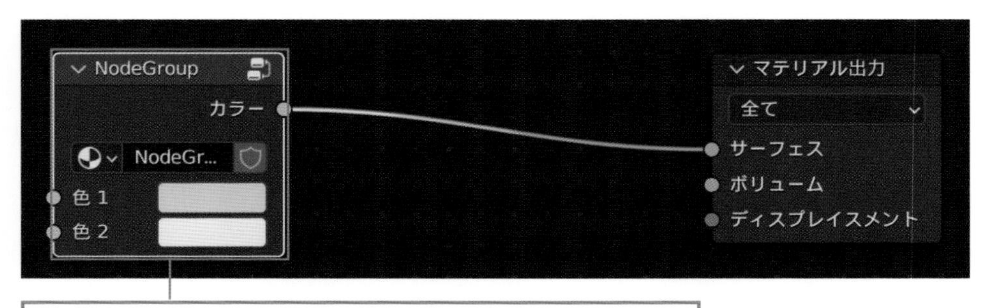

❷ Ctrl + Tab で外側に出て、「色 1」、「色 2」端子が作られていることを確認

ノードグループを呼び出す

前の手順で作成したノードグループを呼び出す方法について解説します。

1 髪用のマテリアルを選択してシェーダーエディターで**ディフューズ BSDF**、**シェーダーから RGB へ**、**カラーランプ**を削除します❶。

Shift+A から［グループ］＞［NodeGroup］を選択すると先程作成したノードグループを呼び出すことが出来ます❷。

❶「ディフューズ BSDF」、「シェーダーから RGB へ」、「カラーランプ」を削除

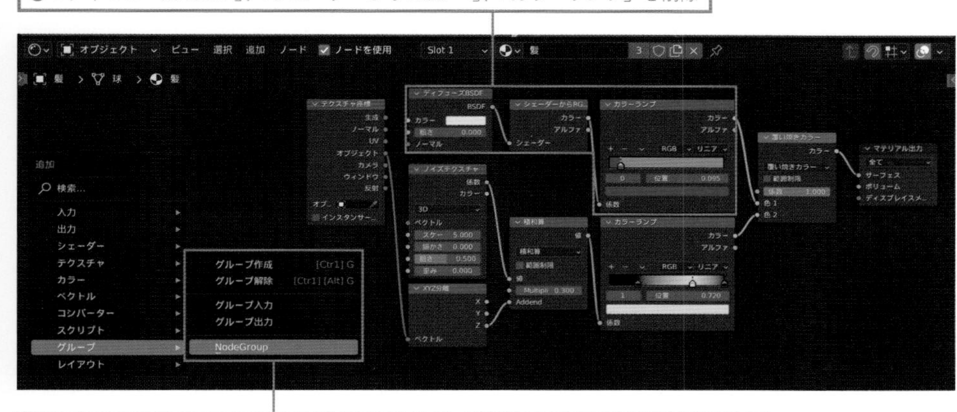

❷ Shift+A から［グループ］＞［NodeGroup］を選択しノードグループを呼び出す

2 この段階では、**NodeGroup** と書かれた欄に右側に「2」という数字が書かれていると思います。これは、先程の肌とこの髪との 2 箇所でこのノードグループが使用されているということを意味しています。

下の「色 1」「色 2」は肌用の色になっているので、これを髪の影色、地色に変更し出力を**覆い焼きカラー**の「色 1」に繋ぎます❶。

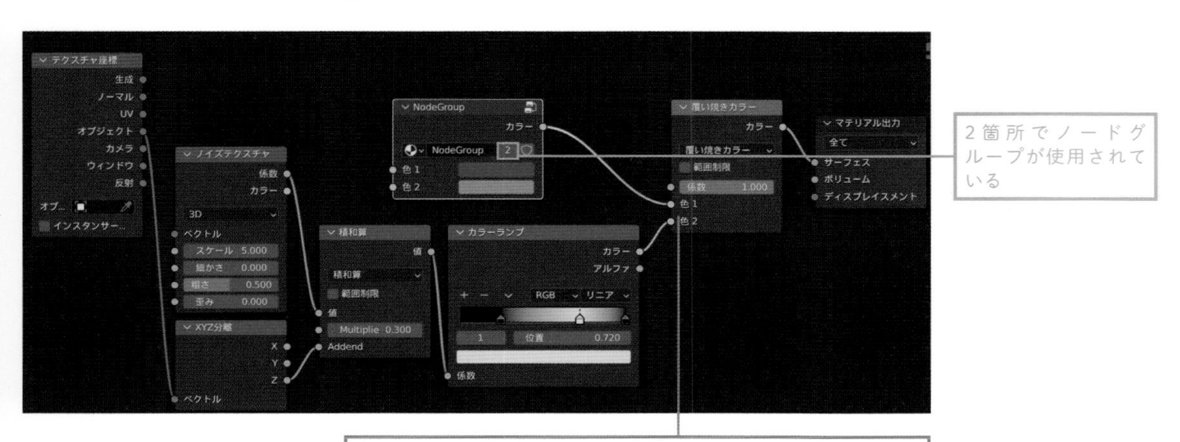

❶髪の影色、地色に変更し出力を覆い焼きカラーの「色 1」に繋ぐ

❸ **NodeGroup** と書かれている欄をクリックすると、ノードグループの名前を自由に変更できるようになるので、ここでは「**トゥーンシェーディング**」と名付けました❶。

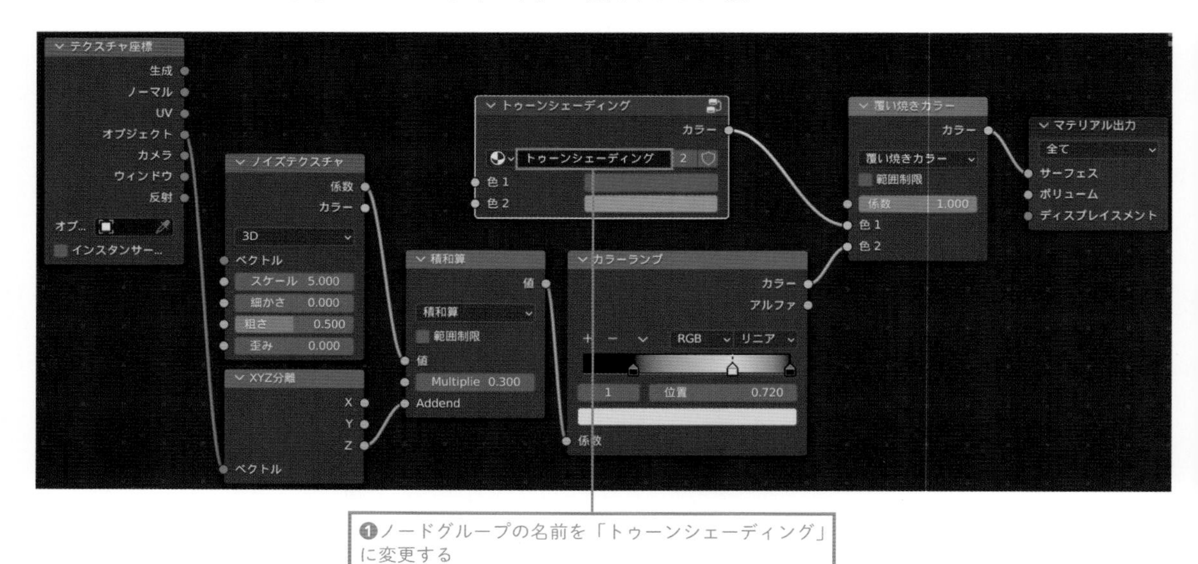

❶ノードグループの名前を「トゥーンシェーディング」に変更する

❹ 他のマテリアルでも同様に、**ディフューズ BSDF**、**シェーダーから RGB へ**、**カラーランプ**を削除し❶、**トゥーンシェーディング**ノードを呼び出してマテリアル出力に繋ぎ、「色 1」、「色 2」を舌用や口用や歯用の色に設定し直します❷。

瞳はテクスチャを使用しているため少し特殊ですが、以下の画像の左側のように繋げてください❸。

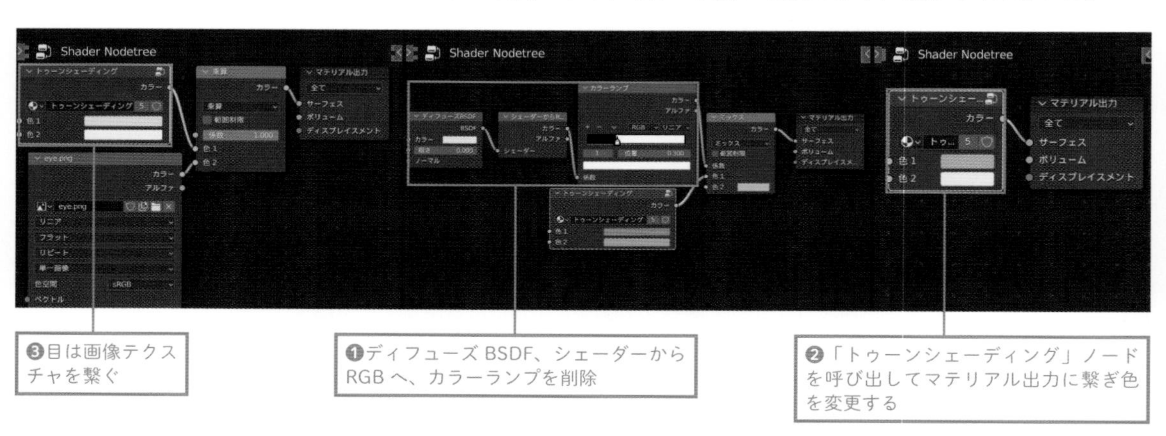

❸目は画像テクスチャを繋ぐ

❶ディフューズ BSDF、シェーダーから RGB へ、カラーランプを削除

❷「トゥーンシェーディング」ノードを呼び出してマテリアル出力に繋ぎ色を変更する

❺ あとはどのマテリアルでもいいので**トゥーンシェーディング**ノードを選択した状態で Tab を押してノードグループの中を開き、そこにあるカラーランプの［カラーストップ］の位置を調整することにより全てのマテリアルで同時に陰の境界線のグラデーション具合を変更することが出来ます❶。

　もちろんこのグラデーション具合の一括変更はあくまで一例であり、このノードグループを利用すれば様々な設定が一括で変更できるようになる仕組みを作ることが出来ます。

❶「トゥーンシェーディング」ノードを選択した状態で Tab を押しカラーランプの［カラーストップ］の位置を調整

影のグラデーション

　影をグラデーションさせた場合、影の方も併せてグラデーションさせた方がより自然になります。影については、シェーダーエディターではなくライトの設定の方を変更する必要があります。

　ランプオブジェクト（サン）を選択して、［オブジェクトデータプロパティ］の［ライト］タブにある［角度］の値を上げます。また、グラデーションをかけたい場合［レンダープロパティ］の［影］パネルで、［ソフトシャドウ］にチェックが入っている必要があります。

　これはデフォルトでオンになっていますが、逆に言えば2値化した影しか必要がない場合はこれをオフにすることで、若干計算負荷を下げることが出来ます。その上の［カスケードサイズ］で影の解像度を指定することが出来、大きいほうがグラデーションがなめらかになりますが、その分計算負荷が上がります。

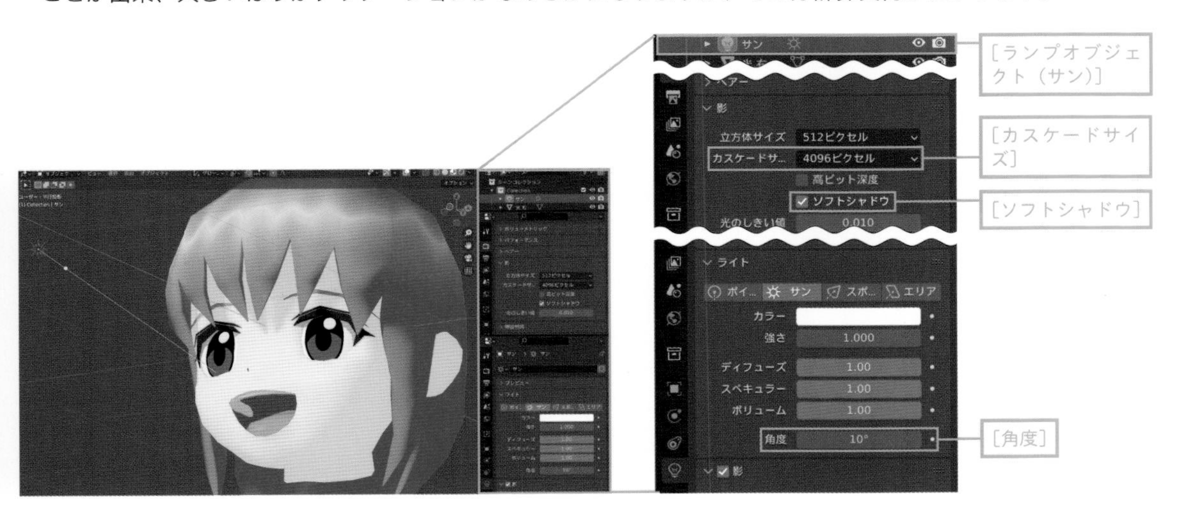

MEMO

少し上級者向けの話になりますが、シェーダーエディターでノードを組んでマテリアルを作成する際、**マテリアル出力**の直前のノードはシェーダータイプのノードにしておいた方が良い、というお約束があります。そうしておかないと、レンダリングした際に様々なジオメトリの情報（法線等）が出力されないという事態が発生します。本書では扱わない領域ですが、もし将来的に複雑なコンポジットを行う可能性がある場合は、**マテリアル出力**の直前に**放射**ノードを挟んでおいたほうが無難かもしれません。

サンプルファイル samplefile/Chapter6

身体のモデリング

頭部の作成ができたら次に身体のモデリングを行います。

身体のメッシュ作成

メッシュオブジェクトにより身体を作成します。

立方体メッシュを追加

立方体からの編集により形を作ります。

❶ ［オブジェクトモード］で Shift +A から立方体メッシュを追加します❶。

頭部の下の方にだいたい胴体の大きさになるように位置、サイズを調整します❷。

❶ Shift +A から［立方体］メッシュを追加

❷位置、サイズを調整

❷ 腕、脚を除いた胴体部分の形を想像して、正面から見た時は舟型のように、横から見た時は浅いS字になるように形を作ります❶。

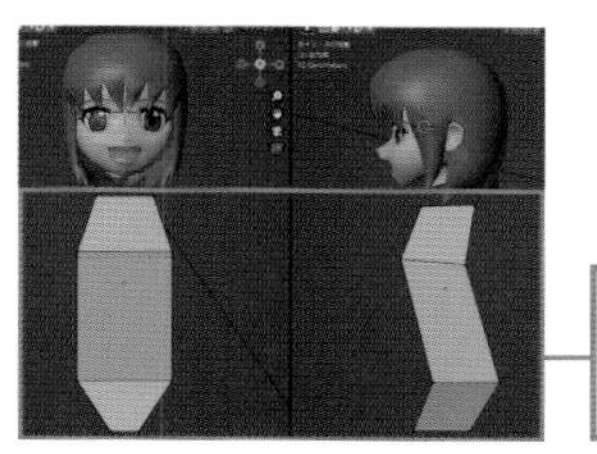

❶胴体の形のイメージでメッシュ画像のようにする

❸ Ctrl +R のループカットで正面から見た時の中心に縦に辺ループを追加し、左半分全ての頂点を削除します❶。

［オブジェクトモード］へ戻り Shift を押しながらこの身体オブジェクト、顔オブジェクトの順に選択して Ctrl +J を押すと、最後に選択したオブジェクトへ統合することが出来ます❷。

顔オブジェクトには［**ミラーモディファイアー**］が付加されているので、この身体メッシュの方も左右対称にコピーされ、顔用のマテリアルも身体メッシュに適用されます。

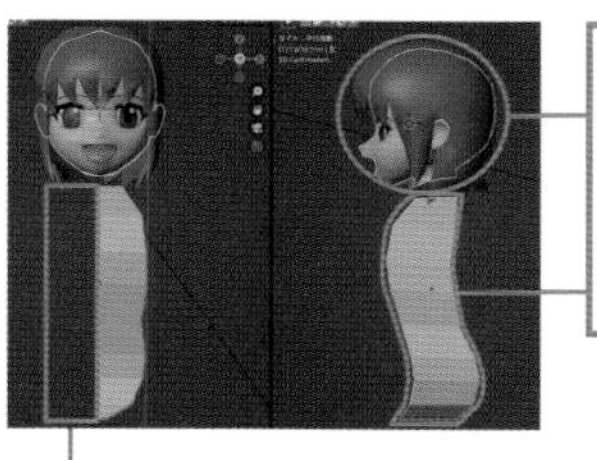

❷身体オブジェクト、顔オブジェクトの順に選択して Ctrl +J を押し最後に選択したオブジェクトへ統合

❶ Ctrl +R で中心に縦に辺ループを追加し左半分全ての頂点を削除

④ ただしスムーズシェードの設定は頂点ごとに独立しているため、右クリックから［スムーズシェード］を実行することで全てのメッシュをスムーズにしておきましょう❶。

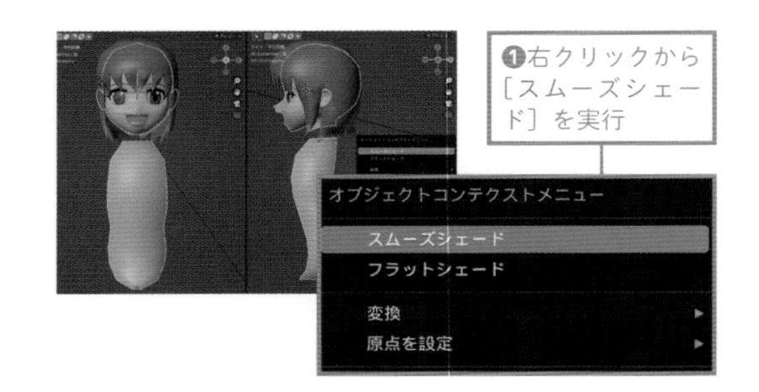

丸みをつける

全体の分割数を上げ角張った部分を減らしていきます。

① 首との接続を考え、胴体の一番上部の面にあたる面は削除して空けておきます❶。

もう少し胴体の丸みを出すために縦方向のみの分割数を上げたいとします。そういった場合は、まず辺選択モードで Ctrl + Alt + 左クリックで水平方向の辺を選択して、1列のみ連続辺を選択した状態にします❷。

その状態で、ヘッダーメニューの［選択］から［ループ選択］＞［辺ループ］を実行すると、選択中のすべての辺でループ選択することが出来、結果的に全ての水平方向の辺が選択された状態にできます❸。

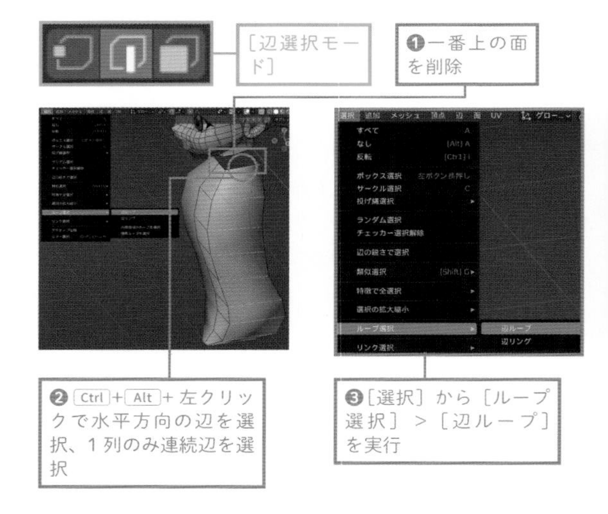

② そして右クリックから［細分化］を実行することで、メッシュ全体で縦方向のみの分割をすることが出来ました❶。

POINT
分割後、［スムーズ］の値を上げ丸みを作っておきます。

分割数が多い箇所を調整する

❶ 逆に、この列は分割が多すぎると感じる部分では、同じように Ctrl + Alt + 左クリックで水平方向の辺を選択して連続辺選択して、M から［束ねる］を実行します❶。

束ねたことにより縦１列の連続面を一度に詰めることができます。

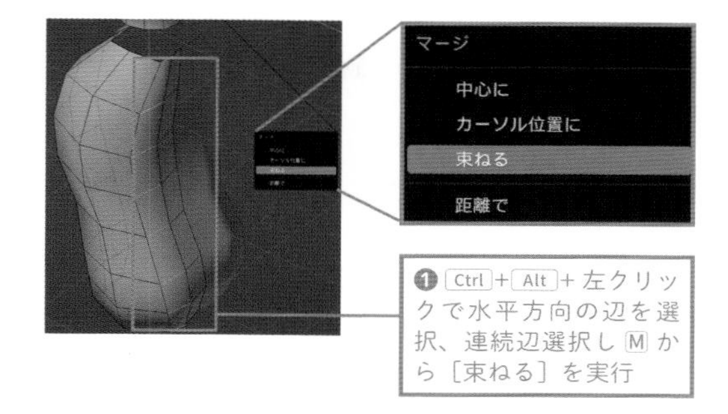

❶ Ctrl + Alt + 左クリックで水平方向の辺を選択、連続辺選択し M から［束ねる］を実行

❷ 首と胴体を繋げるには、首の縁の辺ループを Alt + 左クリックで選択、更に胴体側の縁を Shift + Alt + 左クリックで追加選択し、Ctrl + E の［辺ループのブリッジ］で接続します❶。

首側と胴体側の分割数は一致していることが理想ですが、必ずしもそうも行かない場合も多いので、無理に合わせる必要はありません。

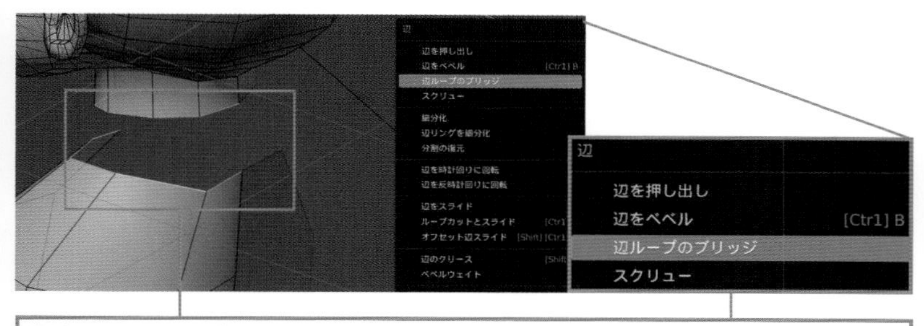

❶首の縁の辺ループを Alt + 左クリックで選択、胴体側の縁を Shift + Alt + 左クリックで追加選択、Ctrl + E の［辺ループのブリッジ］で選択箇所を接続

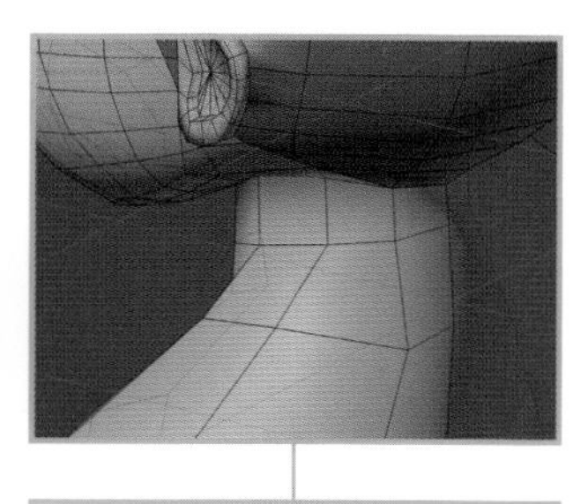

首の縁と胴体側の縁が接続された

腕を作成する

胴体から面を押し出して腕を作ります。

❶ 腕が生えそうな位置に、メッシュをうまく調整して肩付近の断面となりそうな形を作ります。そこから E によって横へ少し伸ばし、少し縮小します❶。

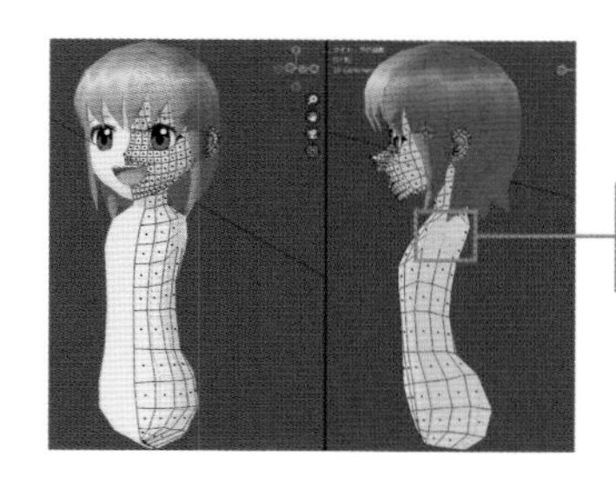

❶腕の付け根の面を E で押し出す

❷ X で先端の面は削除しておいて、断面は円形になるように頂点位置を調整します❶。

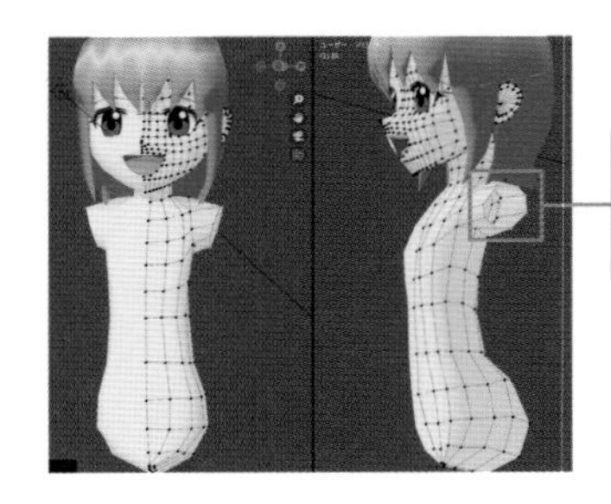

❶ X で先端の面は削除し断面を調整

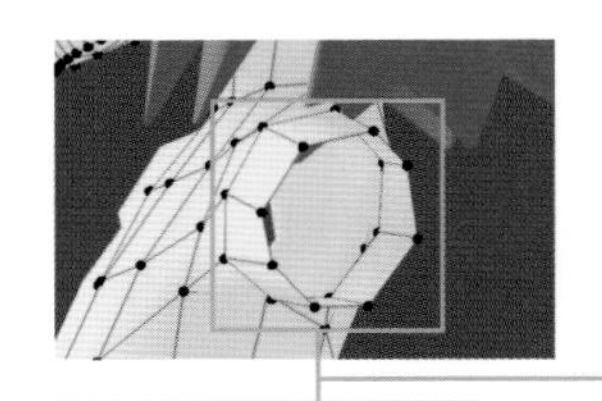

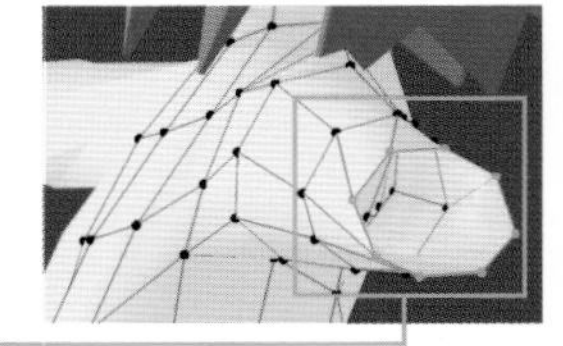

断面の頂点位置の調整

❸ 更にそこから E で横へ伸ばし、肘のあたりに来るよう調整します❶。

　実際に自分で同じポーズをとってみるとわかりますが、このポーズでは肘裏は正面を向くことになります。

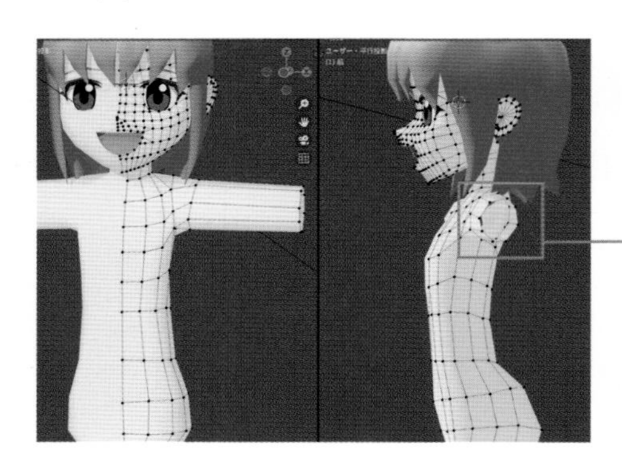

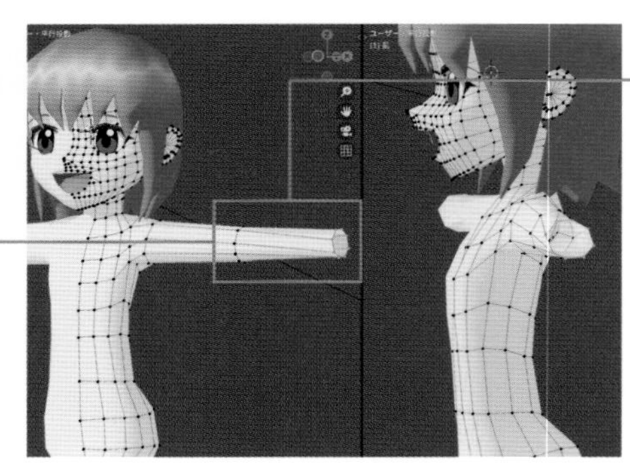

❶ E で横へ伸ばし、肘のあたりに来るよう調整

❹ そのため肘付近の断面はやや縦長の楕円とし、更にそこから E で伸ばした手首付近ではその楕円を 90° ほどひねった横長の楕円にします❶。

　掌はディティールが細かくなるため、全体のバランスを先に整えてから作り込んでいくことにします。現時点では大雑把な形にとどめます。

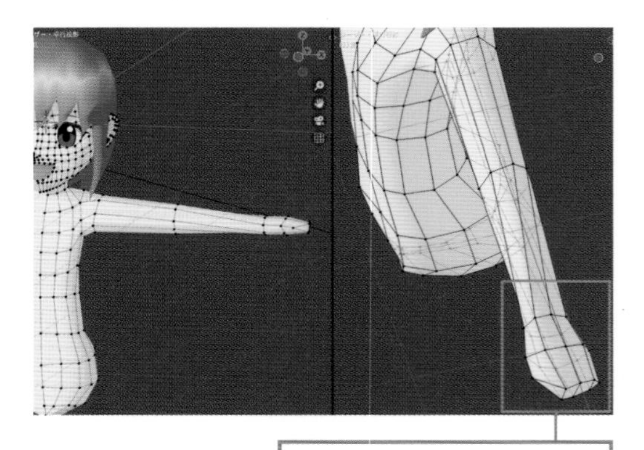

❶横長の楕円になるように調整

脚を作成する

腕と同様に、押し出しによって脚を作成します。

❶ 股の部分をV字に形成し、その側面の面から E により押し出し、ほぼ真下へ向かうように移動、回転、拡縮で操作します❶。

腕のときと同様徐々に下へ押し出していき、太もものあたりでは縦長の楕円、膝のあたりではわずかに横長、足首のあたりでは細い縦長といった感じを意識します❷。

足の部分はこの段階では大雑把な形に留めておくのも手のときと同様です。

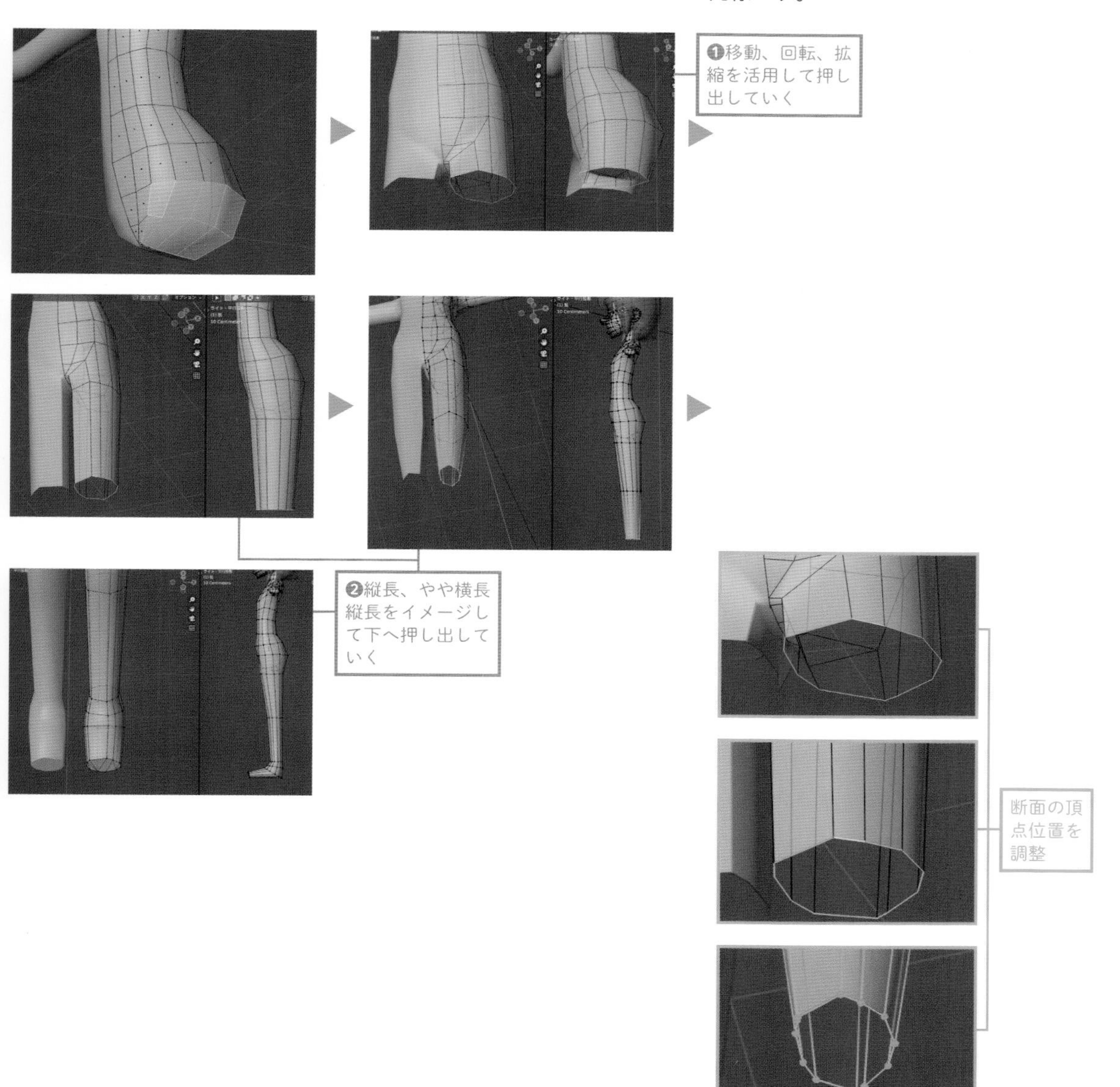

モデルのサイズ合わせと適用

モデル全体の大まかなバランスを見れるくらいにはパーツが揃いました。この段階で、2章ワイングラスの作成（P.71）の過程で行ったのと同じように、モデルのサイズをキャラクターの身長を正確に合わせておくという作業を行っておきましょう。

モデルのサイズを調整する

ガイドオブジェクトを利用してサイズを合わせます。

❶ ［オブジェクトモード］で、いつもの手順で正面を向かせた平面メッシュオブジェクトを追加します❶。

N のプロパティバーの［アイテム］タブで、このオブジェクトの［寸法］を直接、値で入力します❷。

例えば身長「150cm」にしたいのであれば、ここで縦の長さを「1.5m」にしておきます。

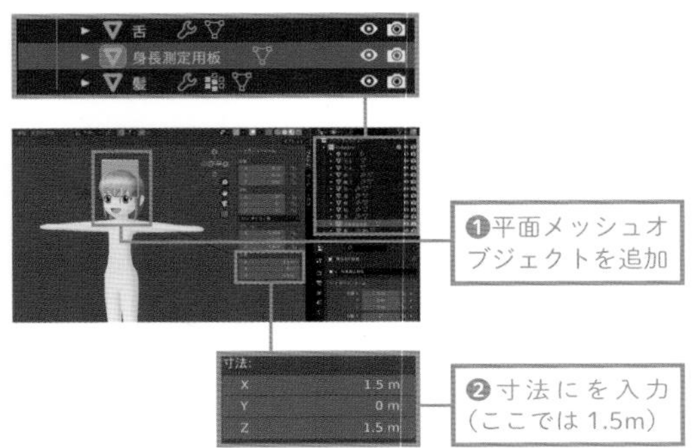

❷ そのオブジェクトを下限の位置が3D空間の中心になるように配置し、Shift+C で3Dカーソルを中心へ戻し、今設置したガイドオブジェクト以外の全てのモデルオブジェクトを選択した状態にします❶。

ピボットポイントを［3Dカーソル］にし、モデルの位置を G により足裏がしっかり「Z=0」の位置に来るように調整します❷。

その上で、S の縮小によりモデル全てを3Dカーソルに向かって縮小（拡大）することによってガイドとして置いたオブジェクトの上端とモデルの上端の高さが一致するように調整します❸。

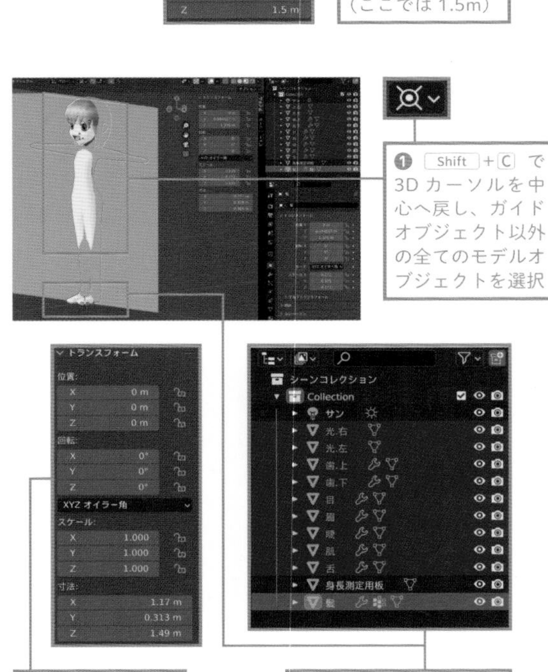

❸ 身体のオブジェクトを選択し、Ctrl+A から［全トランスフォーム］を実行することにより位置、角度、サイズを現在の状態がデフォルトになるように適用します❶。

ガイドとして設置したオブジェクトは消去してしまって構いません。

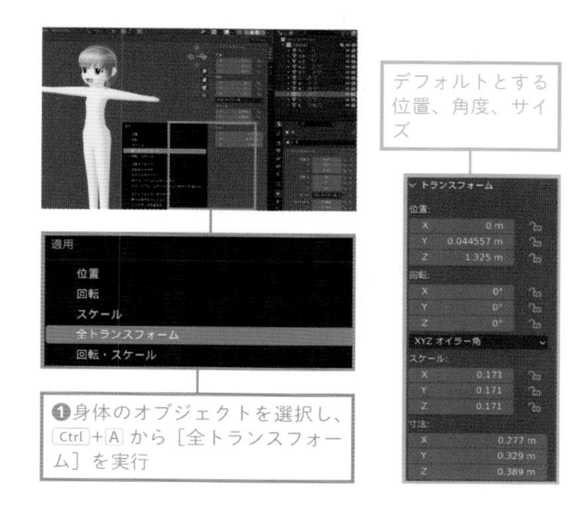

髪の毛オブジェクトのトランスフォーム適用

髪の毛オブジェクトのサイズ適用は、身体オブジェクトの方ほど単純には行きません。

❶ 髪の毛オブジェクトも、Ctrl+A から［全トランスフォーム］で適用します❶。

すると、おそらく髪の毛の厚みが変化してしまいます。

これは、髪の毛オブジェクトで使用した［**ソリッド化**モディファイアー］の［幅］がモデルサイズからの相対値ではなく絶対値で評価されるため起こります。改めて、［幅］の値は［モディファイアー］パネルで調整し直しましょう❷。

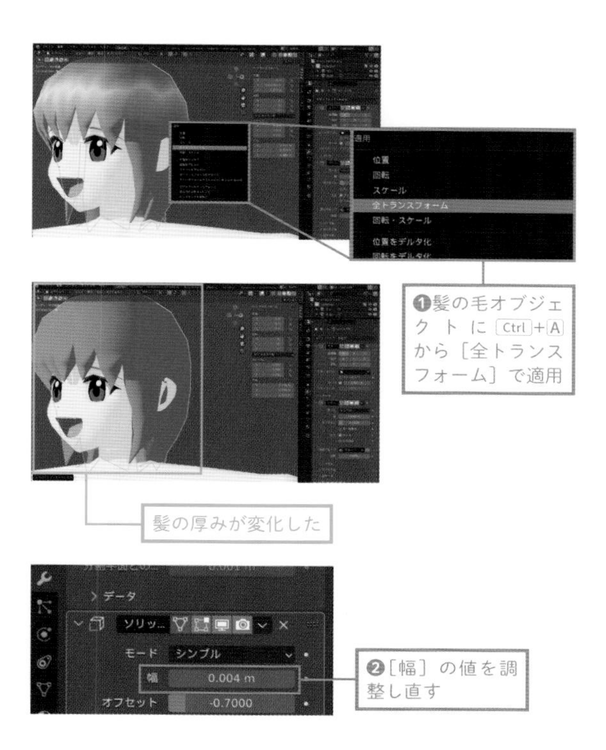

❷ また、シェーダーエディターで作成した髪の毛のキューティクルも正常に表示されなくなってしまうので、ここでも右画像のように細かく値を修正します❶。

新たに**積和算ノード**が加わっていますが、これは右の**積和算ノード**を Shift+D で複製して加えてください❷。

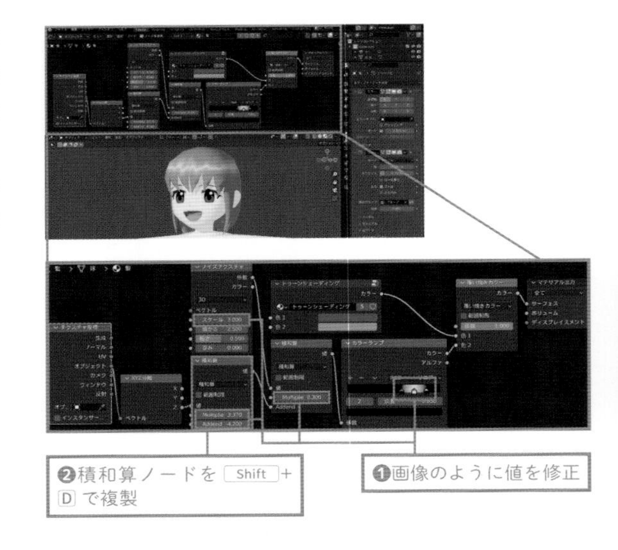

顔のパーツのトランスフォーム適用

眉、まつ毛、眼球、舌のオブジェクトにトランスフォームを適用します。

❶ 眉、まつ毛、眼球、舌のオブジェクトも Ctrl+A から［全トランスフォーム］で適用します❶。

これらは単純な作り方をしていたので特に問題が起こることはありません。

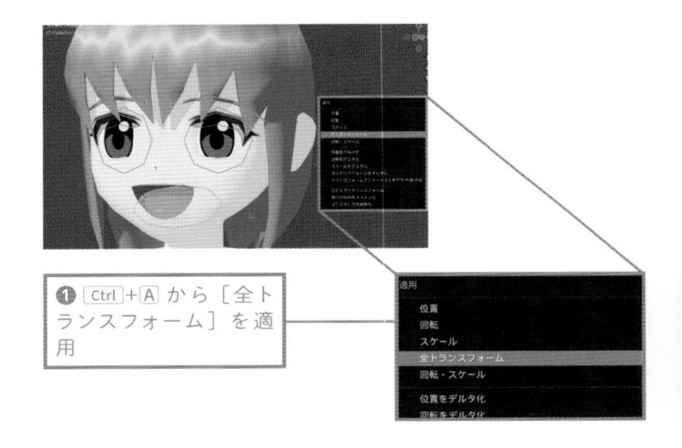

❷ ところが、目のハイライトのオブジェクトを適用しようとすると、エラーメッセージが出て上手くいきません❶。

このハイライトオブジェクトは、Alt+D により複製して左右のものを作っています。このように複数で同じオブジェクトデータをリンクしているものでは、適用ができないようになっています。

❸ ［オブジェクトデータプロパティ］を確認すると、メッシュデータ名の右に［2］という数字が書かれていて、メッシュデータがリンクされていることがわかります。

　この［2］のボタンをクリックして一旦データリンクを切り離してそれぞれ独立したメッシュにしてしまいます❶。

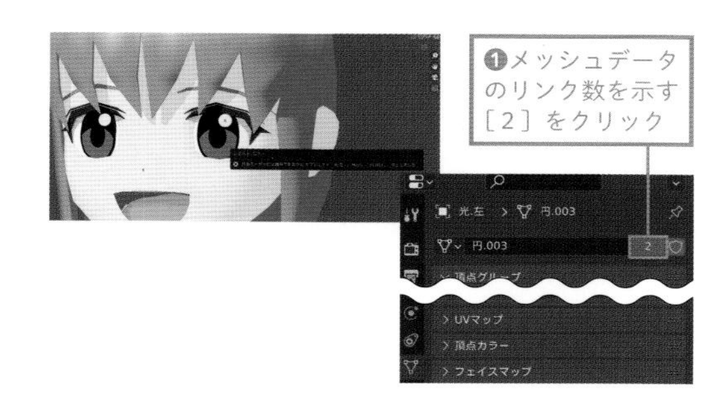

❹ この状態で左右のハイライトオブジェクト両方ともを Ctrl+A の［スケール］で適用します❶。

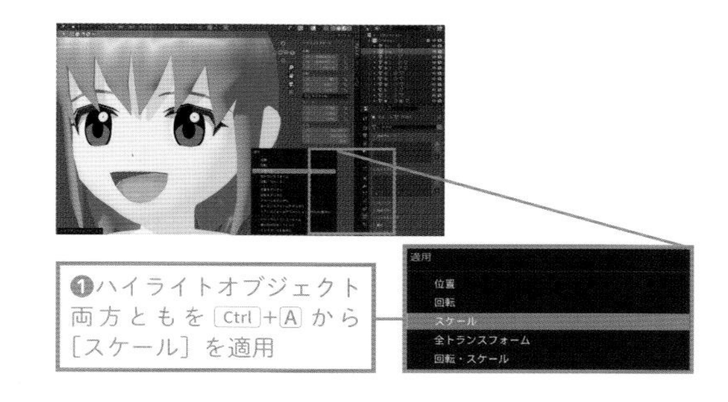

❺ ハイライトオブジェクトを両方選択した状態で Ctrl+L から［オブジェクトデータをリンク］を実行することにより再びメッシュリンク状態に戻します❶。

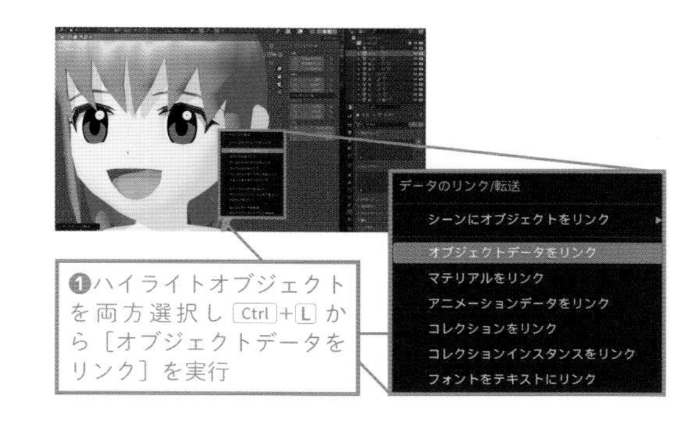

POINT

［全トランスフォーム］ではなく［スケール］のみにした理由は、このハイライトはオブジェクト単位での回転により角度を調整したほうが左右独立に角度を調整しやすいためです。これは、歯のオブジェクトの上下にも全く同じことが言えるので、やはり全く同じ手順で適用作業を行います。

下の歯もハイライトオブジェクトと同様の手順で作成する

ミラーモディファイアー時のサイズ調整

［ミラーモディファイアー］を付加しているメッシュのサイズ調整は少しコツが要ります。

頭部の大きさを調整する

例えば体全体に対して頭部が大きすぎるなと感じた場合は、以下の手順でバランスを整えます。

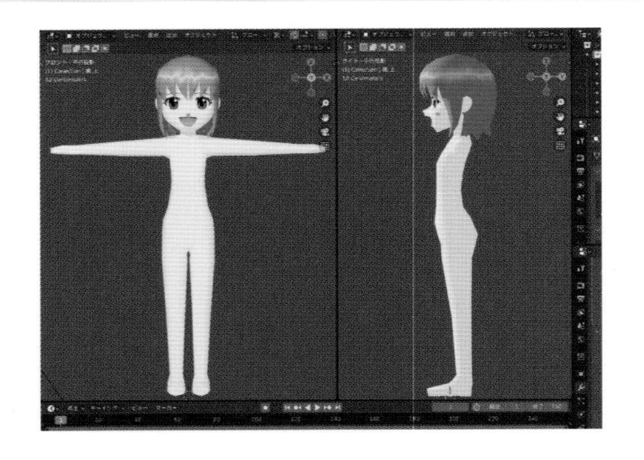

❶ まず頭部と首の境界の頂点の中で、「X=0」の位置にある２点を選択します❶。

そして Shift + S から［カーソル→選択物］を選択することにより 3D カーソルを頭部の付け根の「X=0」の位置に来るようにします❷。

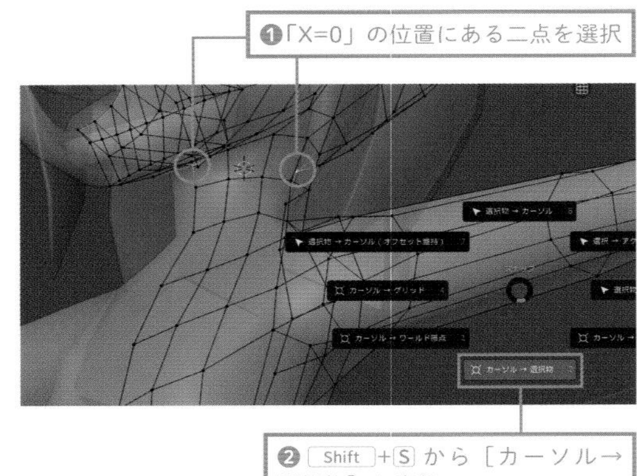

❷ あとは頭部にあるメッシュ全てを選択するのですが、それには［オブジェクトモード］で全オブジェクトを選択した状態で Tab を押し、全オブジェクトの全メッシュが表示された状態にします❶。

A → A で一旦すべての選択を解除してから髪の毛メッシュのうちのどれかひとつ頂点を選択して、 Ctrl + L により髪の毛の全メッシュが選択できます❷。

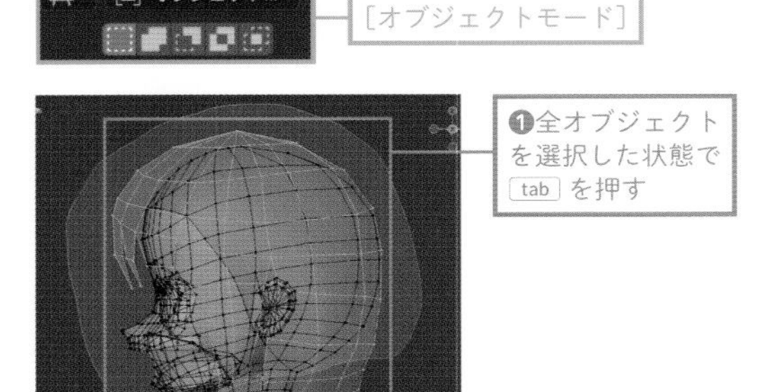

❹ それから、T のツールバーから一番上の［ボックス選択］ボタンを長押しして［投げ縄選択］に切り替え、その上の［選択モード］切り替えボタンから、左から 2 番目の［追加選択モード］に切り替え、頭部全体を投げ縄選択することにより、髪の毛オブジェクト選択状態から追加選択されます（あるいはいちいち［選択モード］切り替えしなくとも Shift を押しながら投げ縄選択でも追加選択できます）❶。

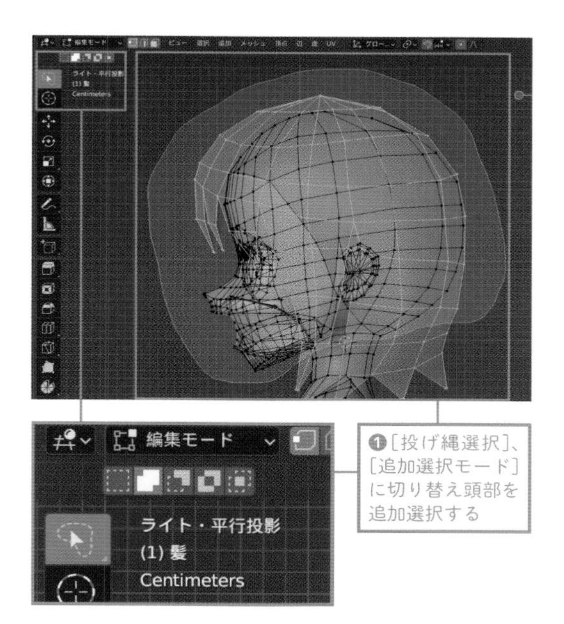

❶［投げ縄選択］、［追加選択モード］に切り替え頭部を追加選択する

❺ こうして頭部全体が選択できたら、ピボットポイントが［3D カーソル］の状態で S により縮小すれば、頭部のみが縮小されてくれます❶。

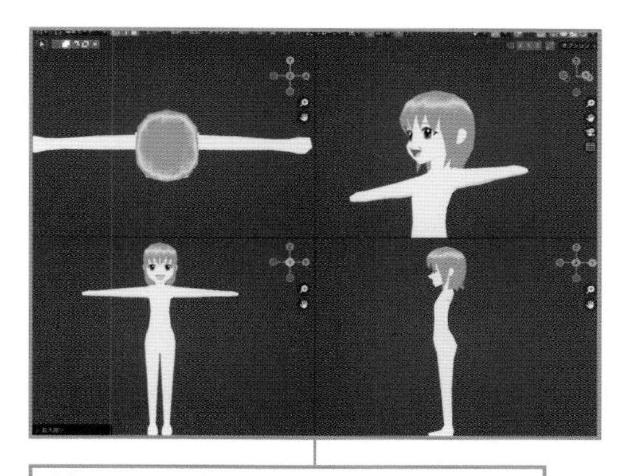

❶［3D カーソル］の状態で S により頭部のみ縮小

POINT

Ctrl + Alt + Q であらゆる角度から確認しながら、更に 3D ビューポートヘッダーの円と中塗り円が重なったようなアイコンのボタン（オーバーレイを表示）をオフにし、［マテリアルプレビュー］表示にした状態で S の拡縮をすれば、余計なものが一切表示されていないほぼ完成状態を確認しながらサイズ調整ができます。

モデルの細部を作成する

モデルのバランスが調整出来たら、モデルの細かい部位の作成を行っていきます。

手を作成する

後回しにしていた手の作成を行います。

❶ まず、シンプルに指以外の部分のみの形を作ります。上から見ると歪んだ五角形のような形をしており、指の側から見ると少しアーチ状になっていて、中心付近が少し上へへこんでいるような特徴を意識します❶。

　指五本が出る位置に面があるように全体の分割数の調整も同時に行っておきます❷。

❶指以外の部分のみの形を作る

❷指として押し出す面を調整する

❷ その面から指５本を押し出しにより作成します❶。

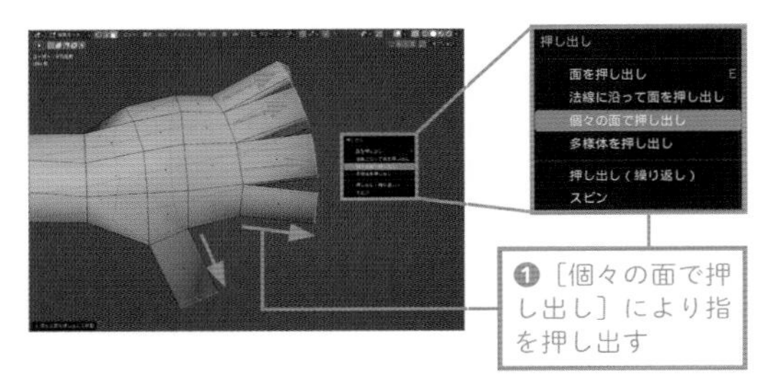

❸ 実物の関節がある位置にメッシュの分割線もあるように意識しながら、一つひとつ頂点を細かく調整して形を整えます❶。

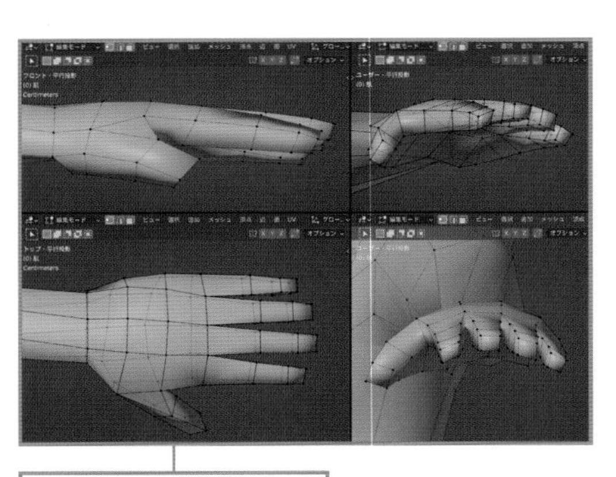

❶それぞれの指を細かく調整

足を作成する

足の方も作成します。足を作成する時は、［ミラーモディファイアー］で作られた右足が視界の邪魔になってしまうので、［ミラーモディファイアー］パネルで［編集モード］時表示のボタンをオフにしておきます。

❶ かかとの丸い感じを出しながら、徐々に足首で真下を向いている状態から正面へ向くように面を押し出していきます❶。

手と同じく指側から見るとアーチ状になっていて、横から見ても中央付近が一番上へへこんでいます。接地面はかかとが一番大きく丸く、親指の付け根でもやや縦長の楕円状に、小指の付け根側でもだいぶ縦長にと意識します。

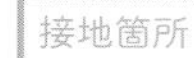

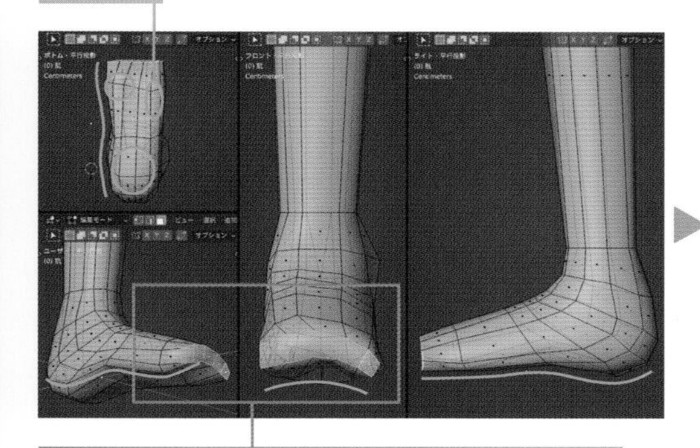

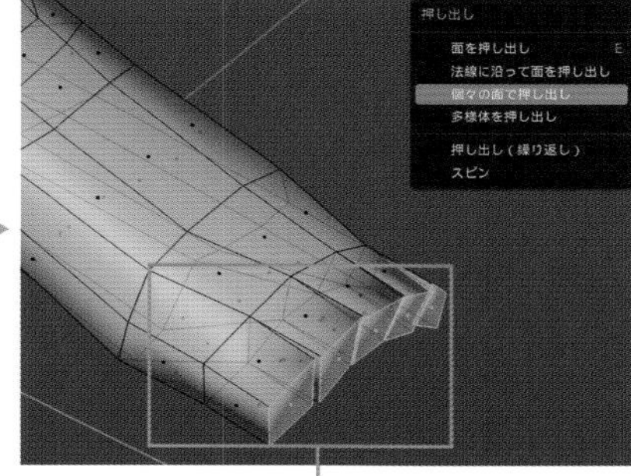

❶手同様に［個々の面で押し出し］で指を押し出す

❷ 裏側から見た時の左右側面は非対称になっており、内側は中央付近がだいぶへこむような形をしています。E により押し出した指は手と同様に関節の数だけ分割し、下から見たとき先端ほど中央に寄るような角度を付けておきます❶。

足の甲の少し盛り上がった曲線、外側におおきく膨らんだくるぶし等も意識するとよりそれらしくなります。

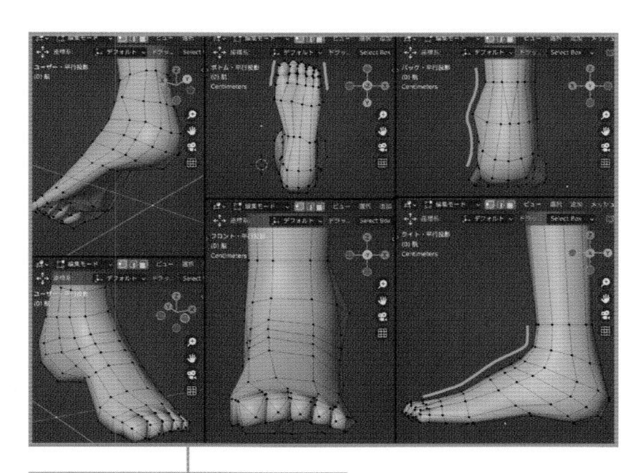

❶それぞれの指を細かく調整

お尻を作成する

お尻の丸みも細かく作っていきます。

❶ 足の付根とお尻の境界あたりでは急に角度が変わるため分割を細かめに追加し、縦の分割もお尻の割れ目付近で増やしておき深い谷を作ります❶。

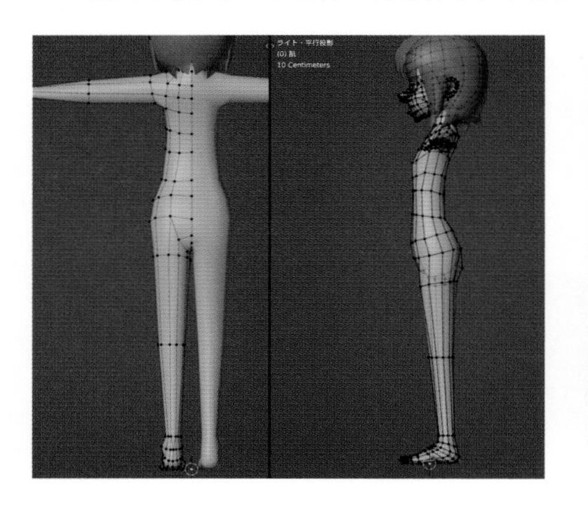

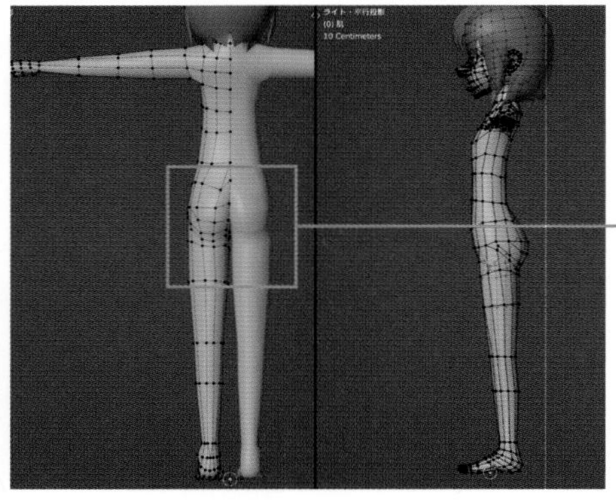

お尻は**「丸み」が重要**な部分なので、分割数はやや多めを意識したほうが良いかもしれません。

胸の膨らみを作成する

胸の膨らみを作ります。単純な格子状のメッシュよりも放射状の構造のほうが適しているため、メッシュの組み換えを行います。

❶ 胸の中央にあたる頂点を選択して X から［頂点を溶解］を選択します❶。

この**溶解**は、該当要素を消去しつつ、それに隣接する辺や面は消すこと無く結合してくれるという便利な機能です。

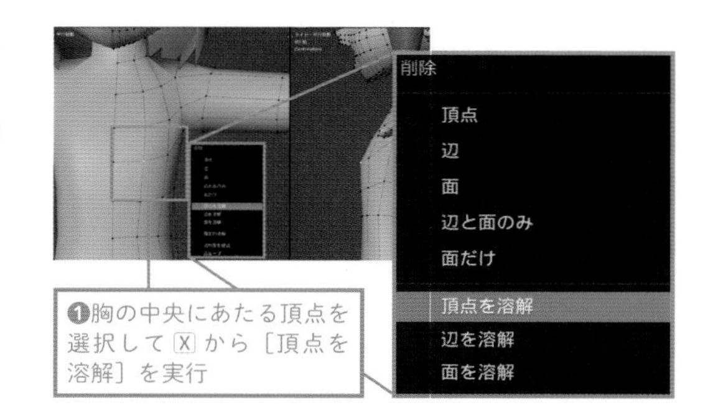

❷ そうして結合されて 1 つになった面を選択して、右クリックから［扇状に分割］を実行すると、放射状の辺で面が分割されます❶。

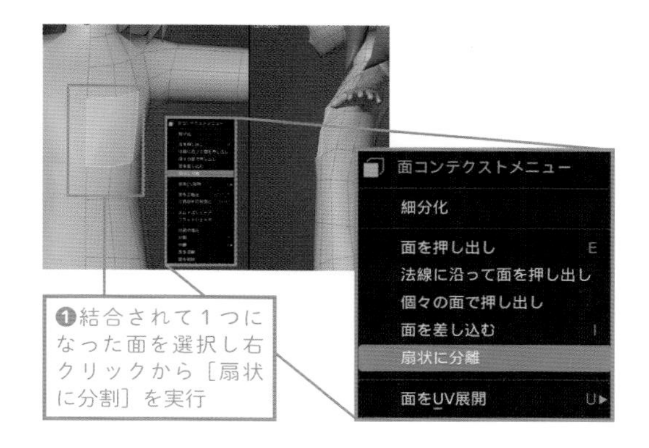

❸ さらに［辺選択モード］に切り替え、この放射状の辺全てを選択した状態で右クリックから［細分化］で分割します❶。

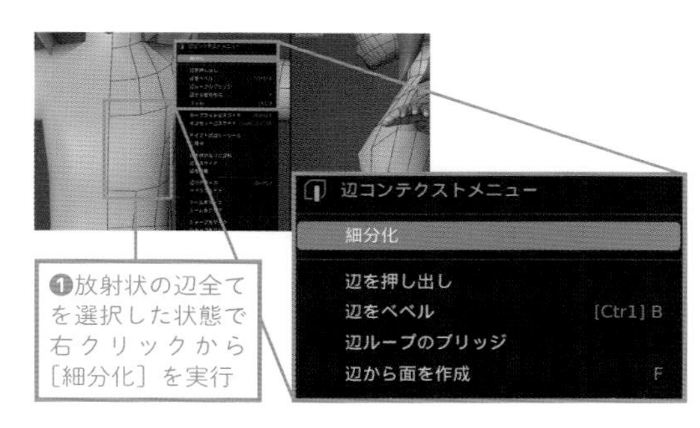

❹ その分割された辺全てを選択し Shift + Alt + S でマウスを動かして円状に変形させます❶。

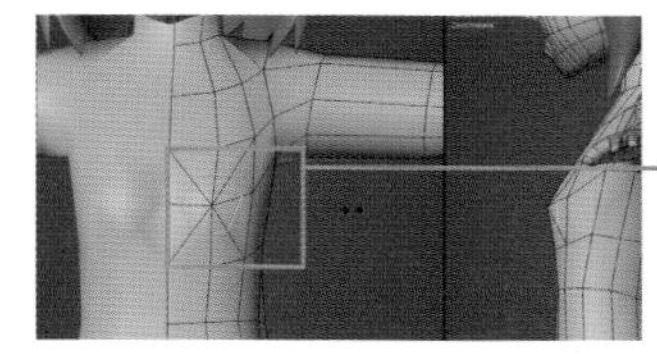

❶辺全てを選択し Shift + Alt + S でマウスを動かして円状に変形させる

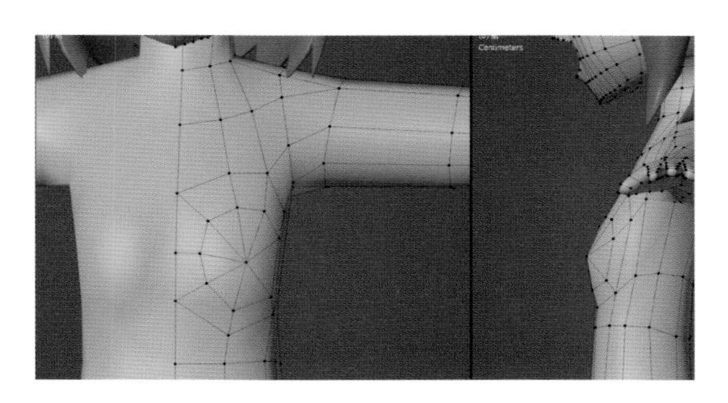

POINT

ただしこれらだけではおおまかな大体の形にするまでが精一杯なので、やはり最後は頂点一つひとつの移動によるちまちまとした修正により形を完成させるしかありません。

MEMO

お尻や胸など、微妙な膨らみ加減を正確に把握しなければならない場面が増えてきました。デフォルトの［ソリッド］表示の陰影は、なるべく多くの場面でメッシュのオウトツが見やすくなるよう設定されていますが、それでも角度によっては見づらいと感じることもあります。［ソリッド］表示時に、3D ビューポートヘッダーの一番右の アイコンから、球体が表示されている場所の左下にある地球儀のようなアイコン をオンにすると、視点と一緒に回転していた光源が固定されます。

　更に、その状態だとその右の［回転］の値で光源の角度を設定することが出来るようになります。また、球体の上にある［MatCap］ボタンをクリックし、球体をクリックすると、［ソリッド］表示時の質感を選択することが出来ます。ツルツルな光沢のある質感等は非常にオウトツがわかりやすいので、色々と切り替えてみて確認してみると良いかもしれません。元に戻すには［スタジオ］を選択します。

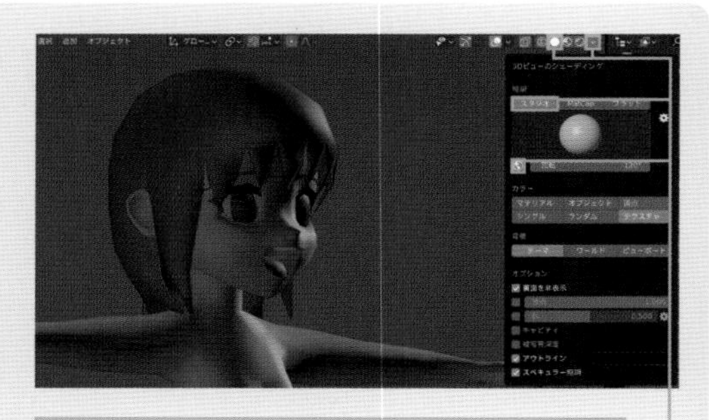

地球儀のようなアイコンをオン光源が固定される

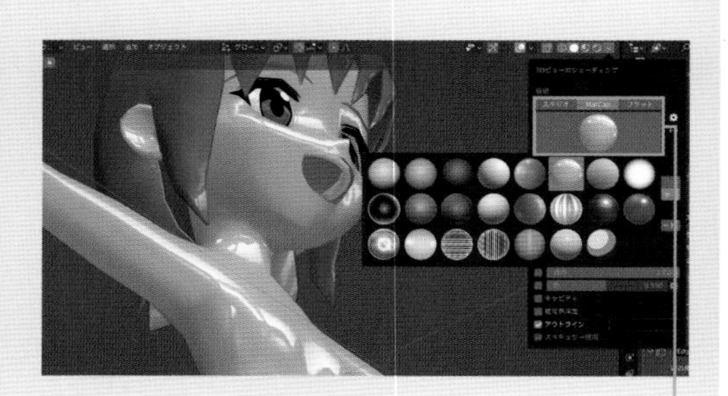

［MatCap］ボタンを押し球体をクリックすると、ソリッド表示時の質感を選択可能

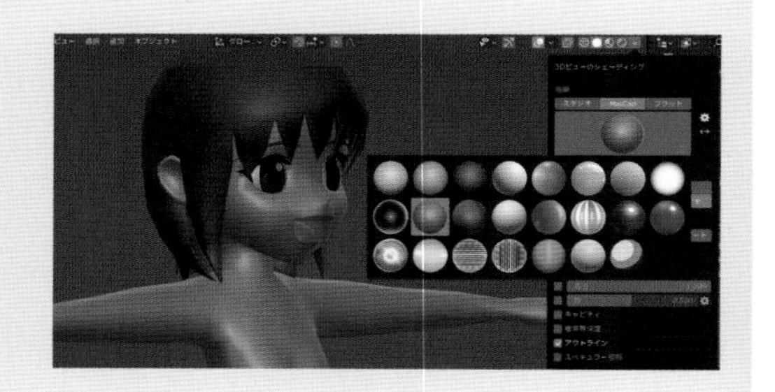

関節部分を調整する

主要な関節の部分で、分割数を上げておきます。これは形状を作るためではなく、この後に控えるアーマチュアによる動き付けのために必要になる措置です。

❶ 肘や膝の部分の辺ループを選択して Ctrl+B のベベルによりホイール UP で分割を 3 本に増やして適当な幅を付けておきます❶。

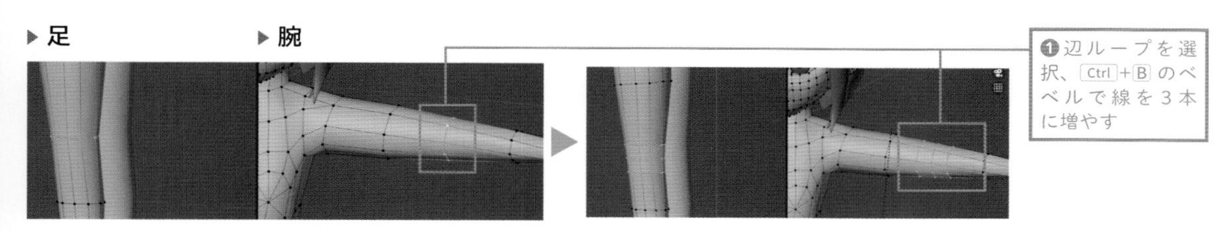

❷ その 3 本線の真ん中の、曲がる時の内側に当たる方の分割は X から［辺ループ］で削除します❶。

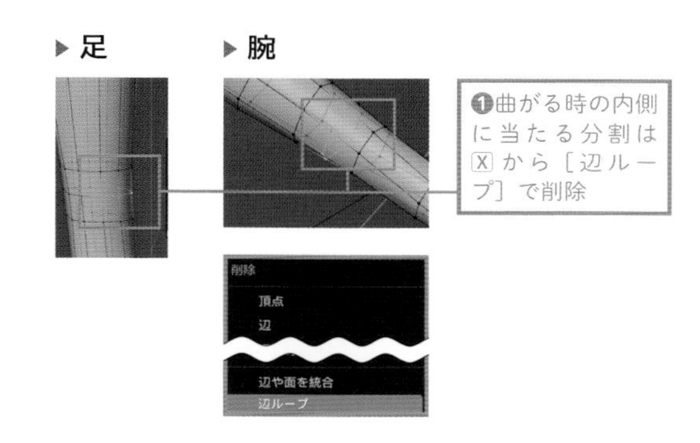

❸ 五角形面になってしまう面は右画像のように斜めに J で分割して、曲がる内側だけ 2 本線になるよう構造を作り直します❶。

これがどういう意味を持つのかはアーマチュアを入れて実際に動かしてみるまでは分かりづらいと思いますので、今のところはとりあえず右画像のような構造を作っておいてみてください。

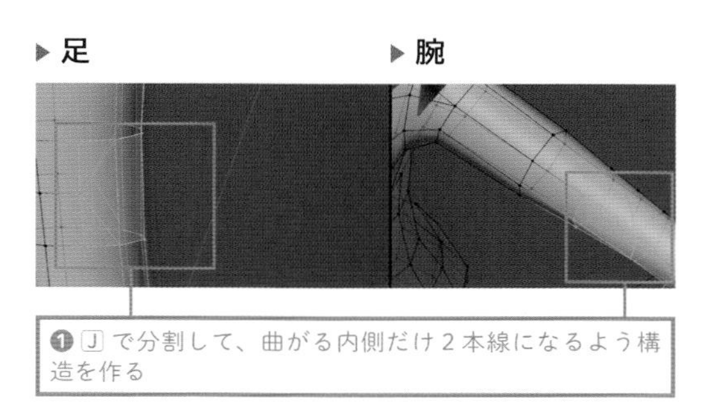

❹ 手首の部分も同様に構造を作り直しておきます❶。

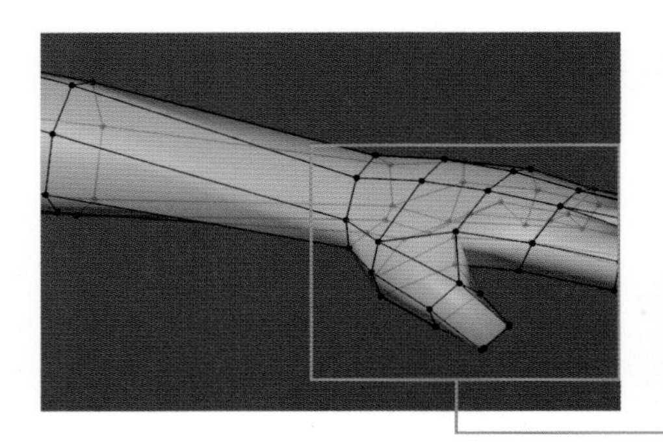

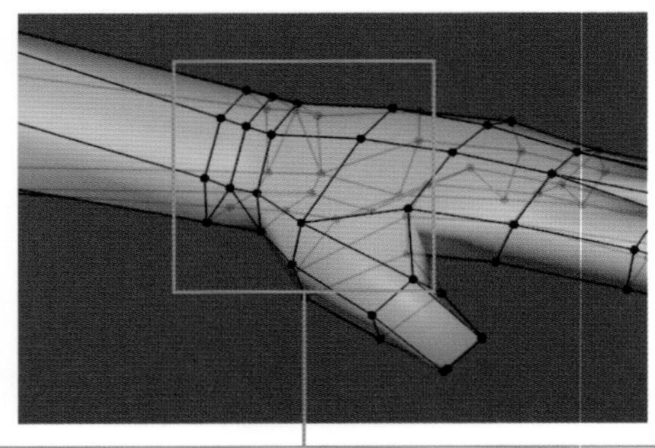

❶手首も前述の手順で同じ構造にする

メッシュオブジェクトをまとまる

メッシュオブジェクトを出来る限り１つにまとめてしまいます。目のハイライトや歯はメッシュデータリンクを使っていて、髪はソリッド化モディファイアーを使っているという特殊な作り方をしているのでこれらは除外し、それ以外の目、眉、まつ毛、舌のオブジェクトを身体本体のオブジェクトへ結合してしまいます。

❶ 結合したいオブジェクトを全て選択し、身体のオブジェクトをアクティブにした状態で Ctrl+J により結合します❶。

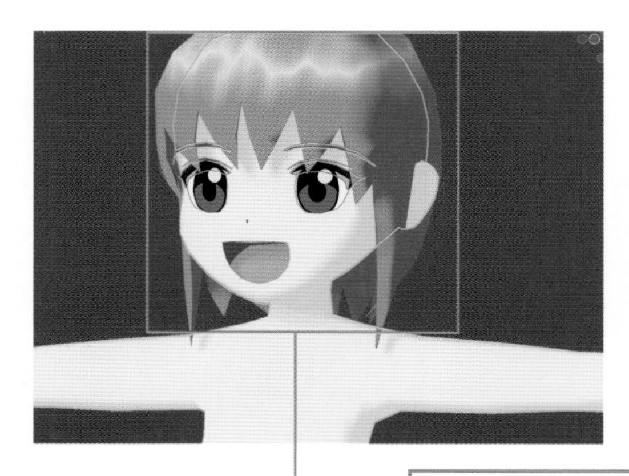

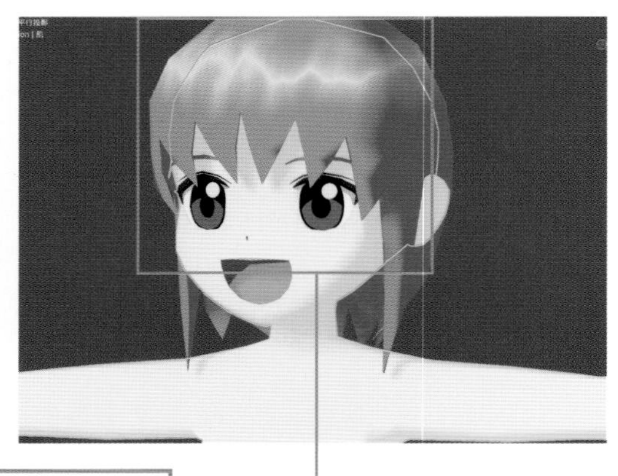

❶オブジェクトを Ctrl+J により結合

MEMO

モデリングに関する小ネタです。［編集モード］ではなく［オブジェクトモード］で回転させると、プロパティバーで現在のそのオブジェクトの回転角度が変わっていることがわかります。この状態で、3D ビューポートヘッダーのデフォルトでは［グローバル］と表示されている［トランスフォーム座標系］プルダウンメニューから［ローカル］を選択し、T のツールバーで［移動］マニピュレーターを出すと、そのオブジェクトの回転角度に沿った方向へ矢印が向かうよう表示されます。これにより、作例での目のハイライトや歯といったオブジェクト単位で回転させているものを正確に面が向いている方向へ移動させることが出来るようになります。

また、いちいちこのトランスフォーム座標系を切り替えずとも、例えばローカル座標の Z 方向へ動かしたいという場合、G → Z → Z といった具合に座標軸を 2 回押すことでローカル座標を基準にその軸にトランスフォームが固定されます。プリミティブに近い形状のものは、あえて［編集モード］ではなく［オブジェクトモード］で回転させるようにしておくことで、このローカル軸制御を行えるという利点があります。

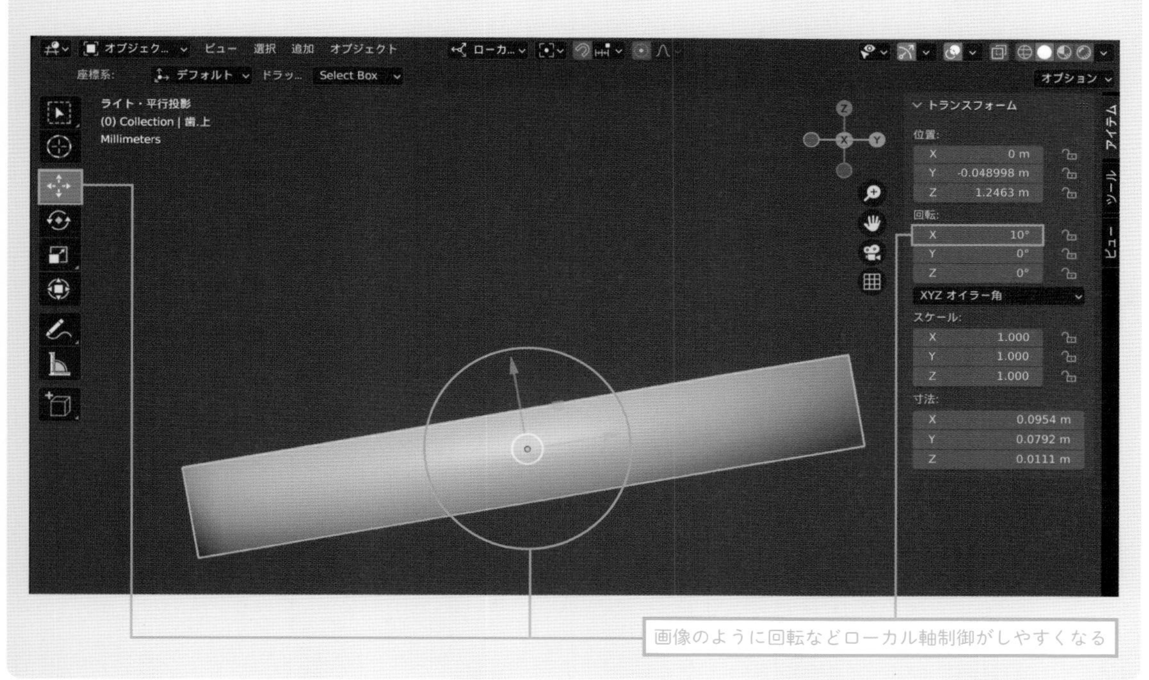

画像のように回転などローカル軸制御がしやすくなる

サンプルファイル　samplefile/Chapter6

リギング

セオリーで行けば、頭部、身体のモデリングが完成したら次は服のモデリングへ…が普通ですが、やはり実践を意識した高効率な手順で進めたいと思いますので、次はリギング（骨入れ）を行います。

リギングを行う

基本的な手順は4章アザラシのリギング（P.151）と同様、関節の数だけボーンを入れるイメージです。

身体全体のボーンを作る

大まかな身体用のボーンを作ります。

❶ ［オブジェクトモード］で Shift+C により3Dカーソルを中央に戻して Shift+A から［アーマチュア］を追加します❶。

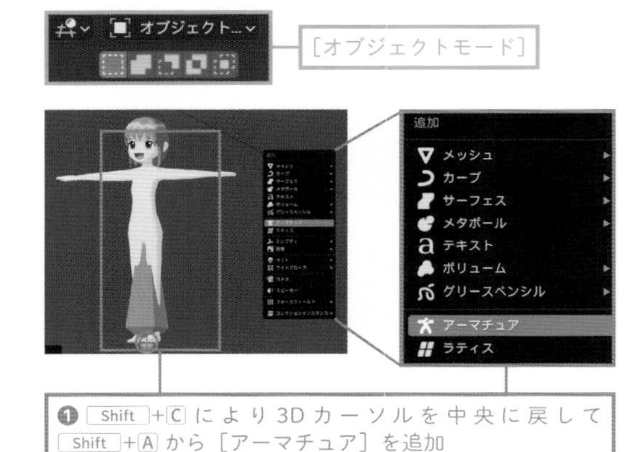

❷ アーマチュアがモデルの中に埋まってしまい見づらくなってしまうので、［オブジェクトデータプロパティ］の［ビューポート表示］パネルで［最前面］にチェックを入れておきます❶。

［編集モード］で先端から E により真上にある程度押し出して、その押し出したボーンを選択して Alt+P から［コネクト解除］で直接の接続を切り離し、切り離したボーンをキャラクターの上半身部分へ持っていきます❷。

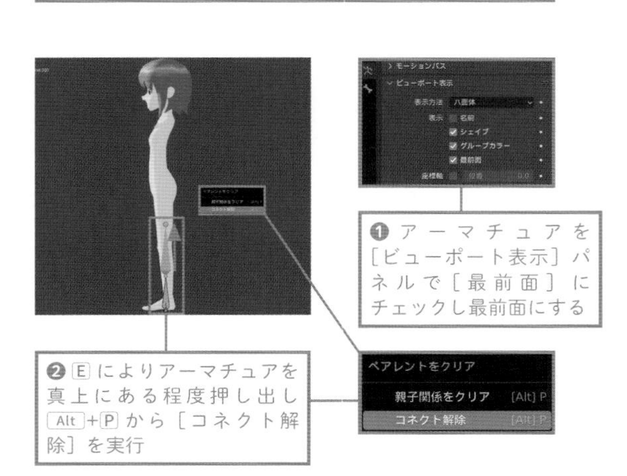

❸ ヘッドは腰のあたり、テールは首の付け根のあたりへそれぞれ移動させます❶。

この際、X 方向へは動かしたくないので、真横からの視点で操作するようにしましょう。

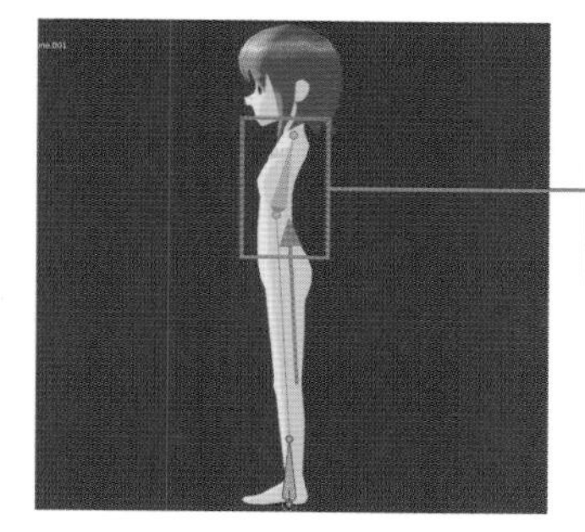

❶ヘッドは腰、テールは首の付け根のあたりへそれぞれ移動

❹ ヘッド側から E で押し出したテールは足の付け根のあたりへ配置します❶。

テール側から押し出した方は首用のボーンとして更に頭の上の方へ押し出します❷。

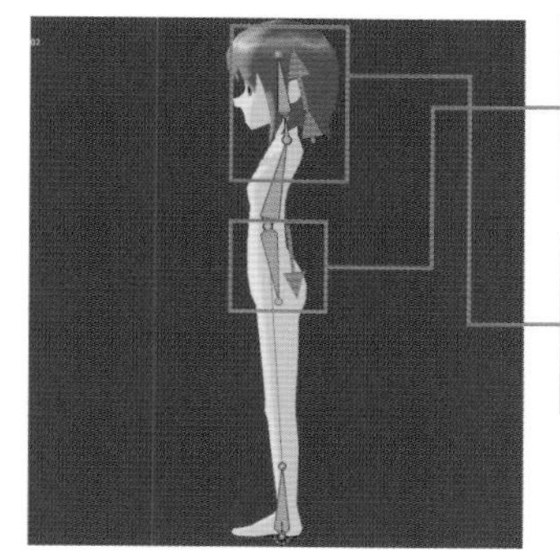

❶テールを足の付け根に配置するように E で押し出す

❷テール側から E で押し出しを行い頭部に配置する

❺ ここからは 3D ビューポート右上の方にある X ボタンをクリックして［左右対称編集モード］にして、正面からの視点に切り替えて Shift を押しながら上半身ボーンのテールから E で右へ押し出して肩用ボーンにします。

同じく Shift を押しながら下半身ボーンのテールから E で右へ押し出し股関節ボーンにします❶。

あとは E のみで腕と足のボーンを関節ごとに押し出します❷。

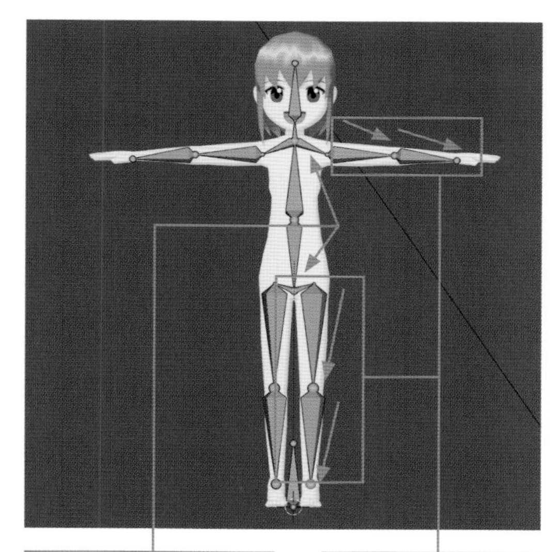

❶上半身、下半身ボーンのテールから Shift + E で右へ伸ばす

❷ E のみで腕と足のボーンを関節ごとに押し出す

手のボーンを作成する

手（掌と指）を動かすためのボーンを作成します。

❶ 手の甲はある程度柔軟に動かせるように３本ほど（高解像度なモデルなら５本）で構成し、それぞれの先から近い指用のボーンをコネクトを切り離した状態で作成します。

各指用ボーンは、他の指からの Shift ＋D による複製で一気に作ってしまっても構いませんが、その場合接続先を切り替えなければいけないので、子となるボーン全てを選択して最後に親となるボーンを選択し、Ctrl ＋P で接続し直すことが出来ます❶。

その際、［オフセットを保持］で接続すると、コネクト解除の状態を維持したまま接続してくれます。

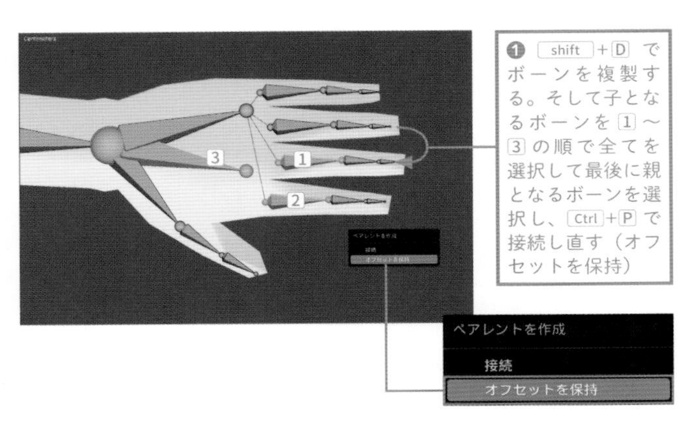

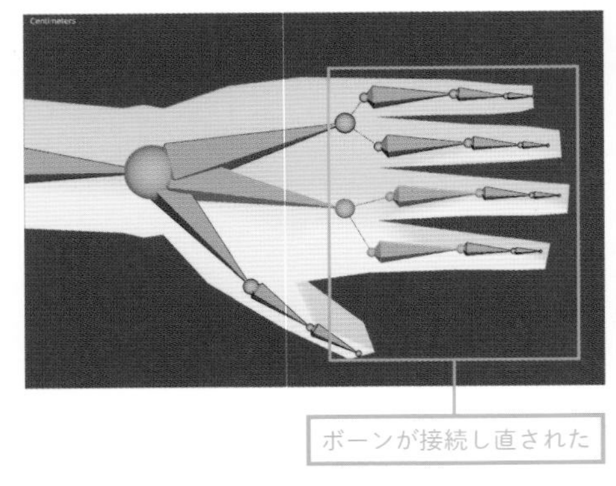

足のボーンを作成する

足を動かすためのボーンも作成します。

❶ 足の柔軟さは横方向よりも縦方向にあるので、横は１列で縦に２分割したボーンで構成します。指のコネクト解除接続については手の場合と同様です❶。

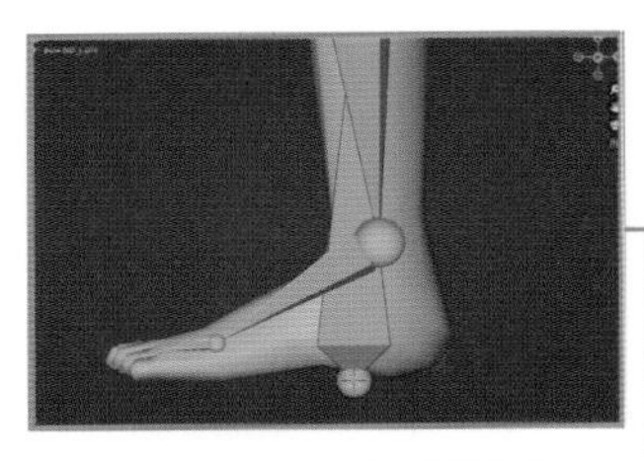

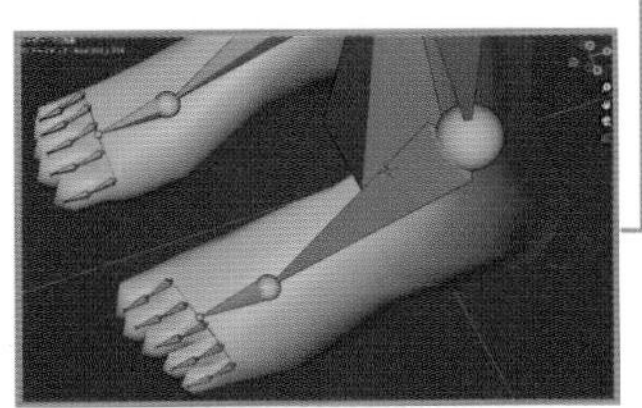

❶手と同様の手順で足の指もボーンを接続し直す

❷ 足本体に２本で構成したボーンの、それぞれのヘッドから E により真下に押し出し、それぞれのテールの高さを同じにしておきます❶。

　この２本のボーンが何に使うものなのかは、後述します。

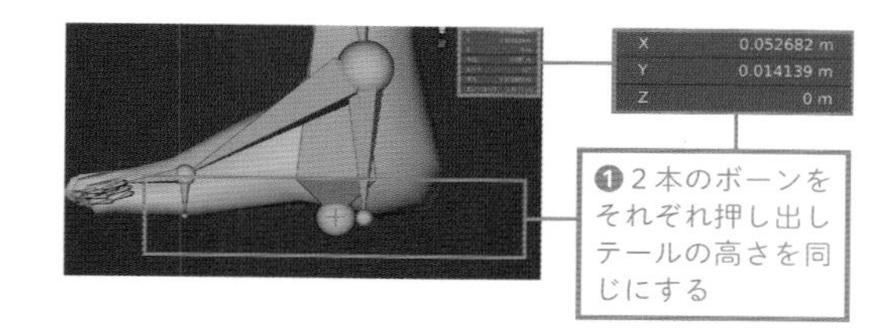

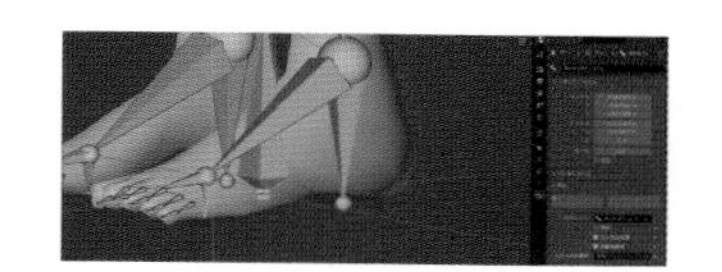

頭部のボーンを作成する

アゴや眼球など頭部で稼働するパーツにボーンを入れます。

❶ 頭部に入れたボーンのテールからもう１本押し出しコネクト解除したボーンを、下アゴ用のボーンにします❶。

　そのボーンのテールから更に押し出し、コネクト解除したものを舌のボーンとし、舌も柔軟に動かしたいため２本に分割します（テールからの押し出しか、選択して右クリックからの［細分化］のどちらでもかまいません）❷。

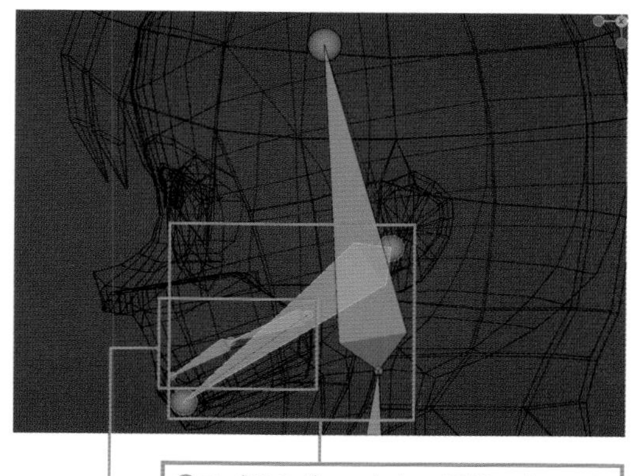

❶アゴ用のボーンとして頭部のボーンを押し出しコネクト解除する

❷アゴ用のボーンから舌用のボーンを押し出２本に分割する

POINT

下アゴは頭部の動きに連動して動いてほしく、舌は下アゴの動きに連動して動いてほしいので、このように舌→下アゴ→頭部の順にコネクト解除状態で接続しておきます。

この作業もすべてのボーンで「X=0」の位置を維持したいので、真横視点での作業が適しています。

❷ やや正面からの視点で、頭部ボーンのテールから Shift +E で左右へ伸ばしたものをコネクト解除し、これを眼球を動かすためのボーンとします❶。

テールは黒目の中心へ、ヘッドはもしこの眼球が完全な球体だった場合その球の中心はこのあたりかな、というあたりへ置きます❷。

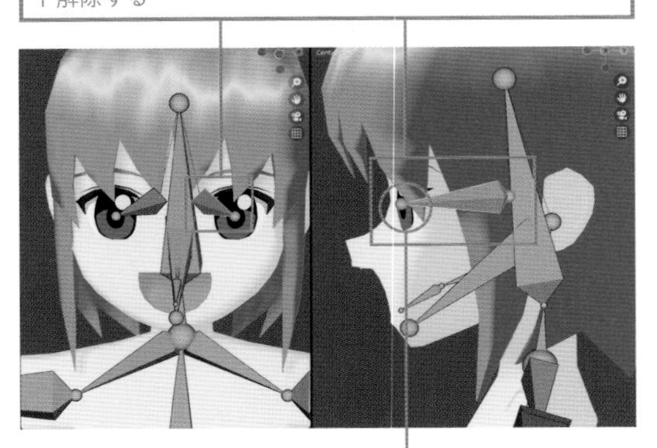

❸ 同じように左右対称コネクト解除ボーンを頭部ボーンの子として作り、眉、まぶたの上下用として配置します❶。

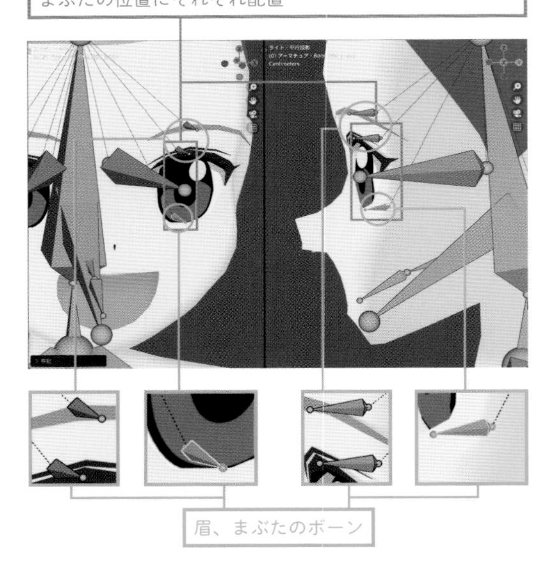

ボーンを命名する

絶対に必要な措置というわけではありませんが、大規模なプロジェクトになればなるほど、雑な名前では後々困ることになる場面が増えてきますので、相当小規模に適当に済ませるモデルというわけでもない限りは、しっかり分かりやすい名前を付けておくに越したことはありません。

❶ アーマチュアオブジェクトを選択した状態で［オブジェクトデータプロパティ］の［ビューポート表示］パネル内にある［表示］の［名前］にチェックを入れると、アーマチュア内のそれぞれのボーンの名前が［オーバーレイ］表示されるようになります❶。

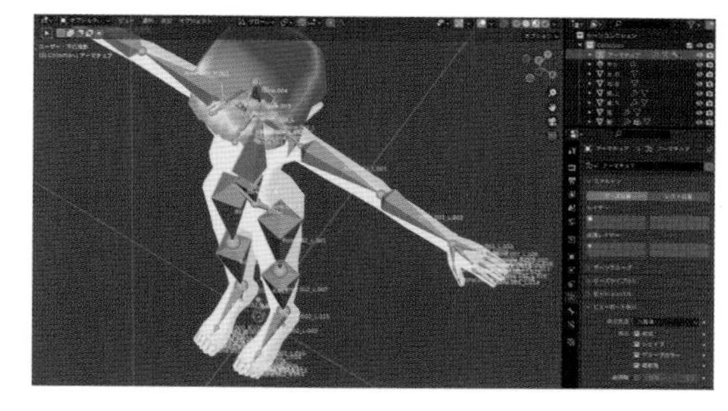

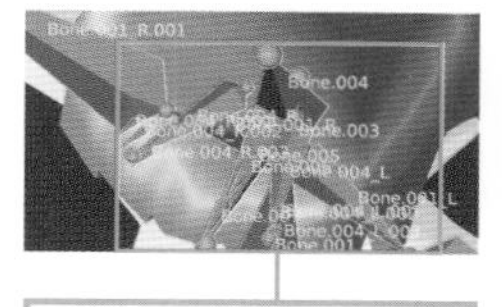

ボーンの名前が表示される

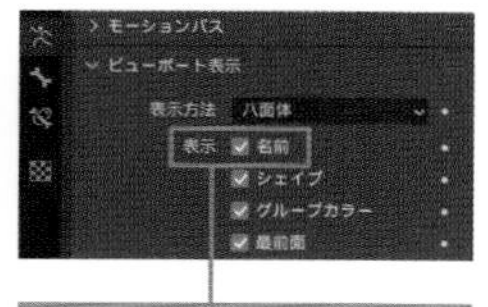

❶［ビューポート表示］パネル内にある［表示］の［名前］にチェックを入れる

❷［編集モード］では、［ボーンプロパティ］の一番上に選択中のボーンの名前が表示されており、ここで名前を変更することが出来ます。一番最初に設置した足元にある全てのボーンの親となるボーンは、一般的にルート（根本の）ボーンと呼ばれます。ここでは、このボーンを**「root」**と名付けました❶。

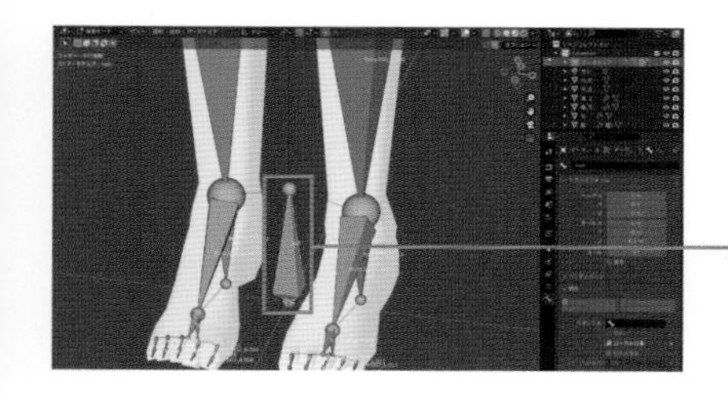

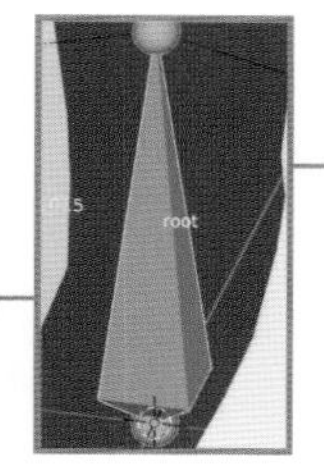

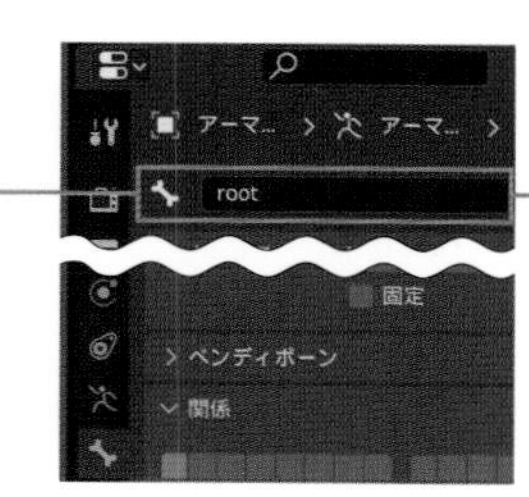

❶親のボーンに「root」という名前を付ける

● ボーンの命名規則

もちろんボーンの名前はこうでなければならないという事はなく、自分で把握しやすければ何でも構いません。

ですが、１つだけルールが有り、左右対称としたいボーンの場合は「○○○_L」「○○○_R」といった具合に、同じ名前で末尾に _L、_R（または .L、.R）を付けておかなくてはなりません。例えば肩用のボーンでは左肩用を「shoulder_L」、右肩用を「shoulder_R」と名付けます。この点のみに気をつけて、全てのボーンの名前を付けていってみてください。指用ボーン等はかなり大変な作業ですが、こういった類の大変な作業は今後どんどん増えていきます。

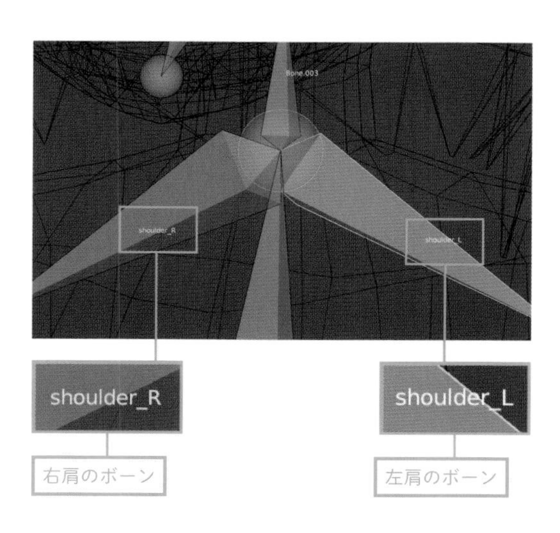

右肩のボーン

左肩のボーン

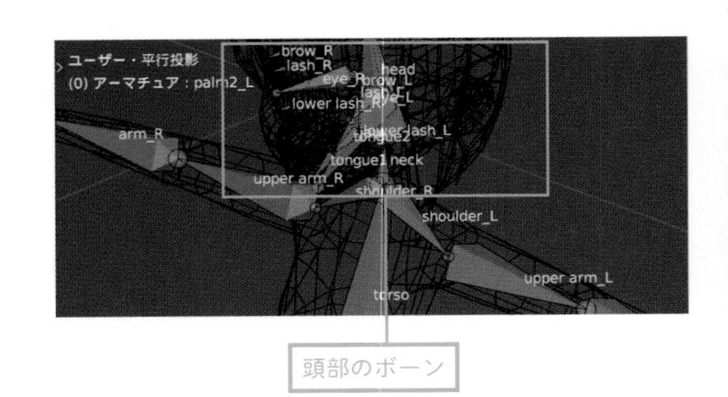
頭部のボーン

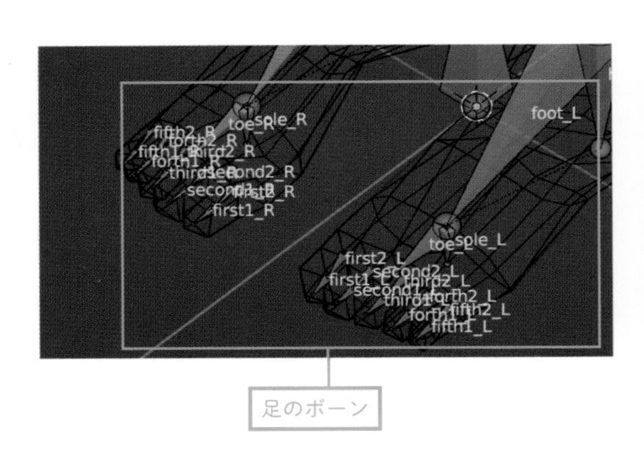
足のボーン

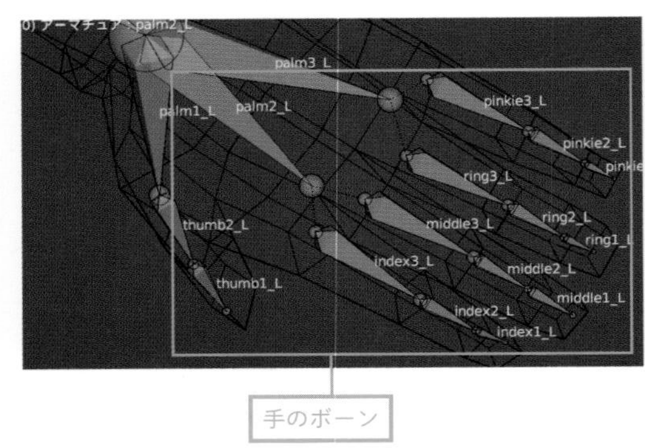
手のボーン

目の周りのボーンの作成

まつ毛、眉毛を動かすためのボーンを作成します。

POINT

わかりやすさのため、身体メッシュオブジェクト選択時に［オブジェクトプロパティ］の［ビューポート表示］パネルにある［ワイヤーフレーム］にチェックを入れ［オブジェクトモード］時にもメッシュが表示されるようにしています。

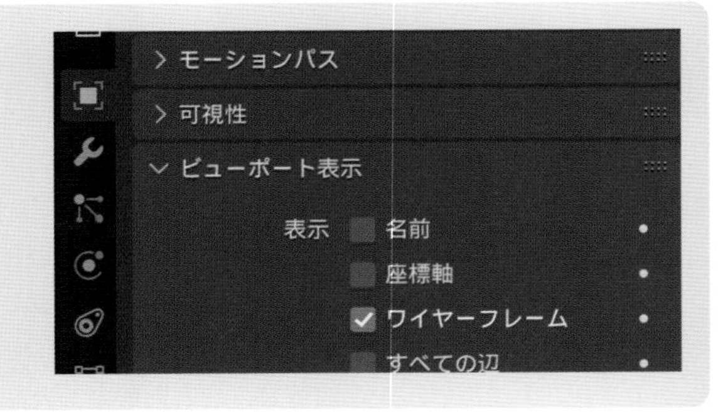

❶ 眉、まぶた上下用に作ったボーンはそれぞれ１本ずつのみでしたが、それぞれの先から更に E で押し出していき、眉やまぶたを細かく動かせるようにメッシュ分割線ごとにボーンが１本が割り当てられるように配置します❶。

押し出したボーンは、親ボーンの名前に「.001」というような数字を追加した名前になります。

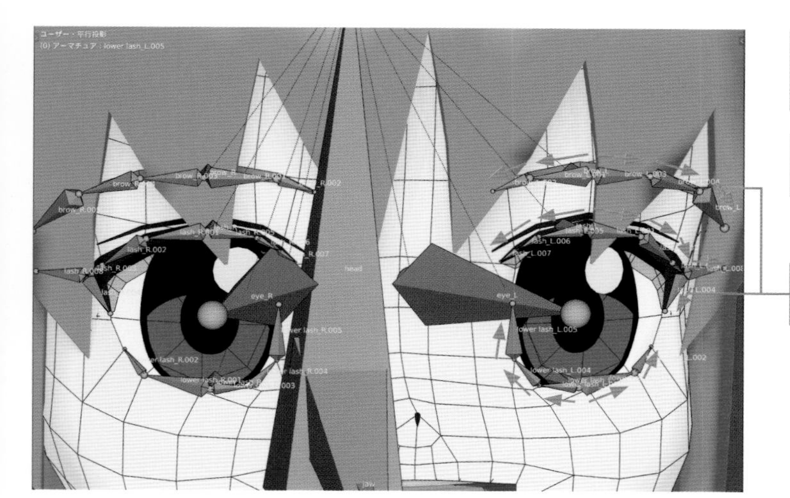

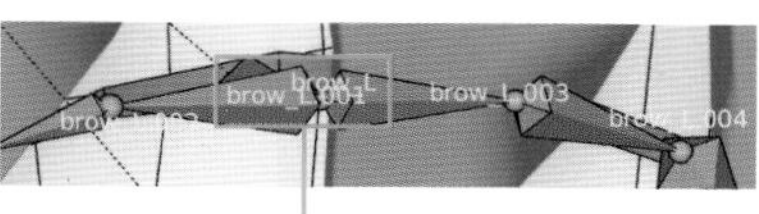

「brow_.001」、「brow_.002」〜というように名称に番号が採番されていく

❶ E で眉、まぶたに沿ってボーンを押し出す

POINT

直前に親ボーンの命名はしっかりやってあったので、たとえば眉用ボーンの親が brow という名前であれば眉全体を構成する子ボーンも全て「brow.○○○」という名前になるため都合がよく、逆に親の命名が雑なままこれらの子ボーンを作っていたら、後になってちゃんとした名前に変更しようにも大量の子ボーンも一つひとつ命名し直す事になってしまいます。ボーンが密集しすぎて見づらくなってきたので、［オブジェクトデータプロパティ］の［ビューポート表示］から［表示方法］を［スティック］へ切り替えておいたほうが良いかもしれません。

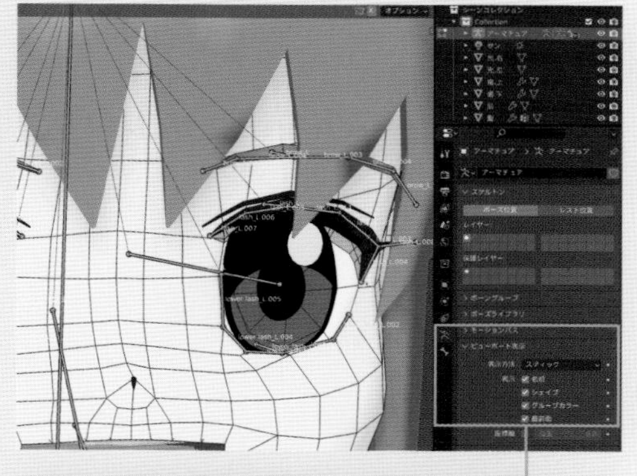

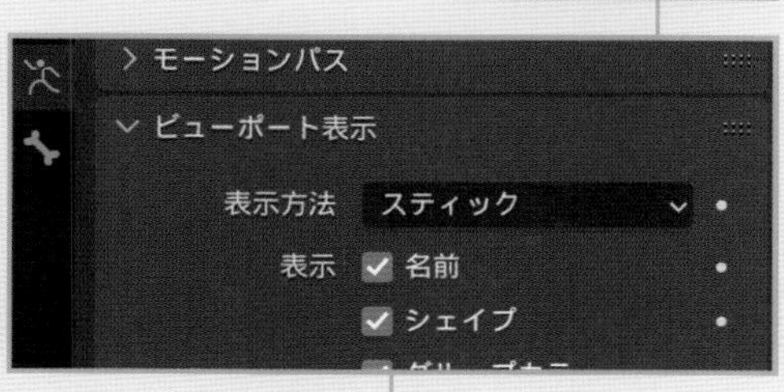

見やすいようにボーンの表示方法を［スティック］にする

唇のボーンを作成する

唇用のボーンを作ります。

❶ 頭部用ボーンから Shift+E で押し出してコネクト解除し、まずは上唇の中心にヘッドを持っていき、唇に沿って１つ右の頂点の位置へテールを持っていきます❶。

それを Shift+D で複製して下唇の中心へ同じように配置します❷。

この時点で、このボーンに名前を付けておきましょう（作例では「lip_L」「lip_R」と名付けました）。

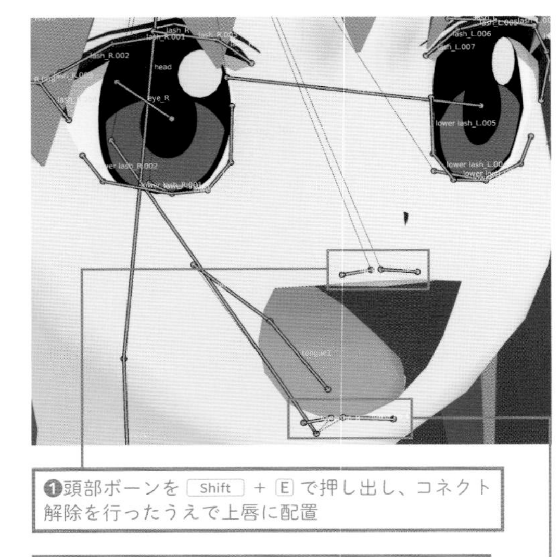

❶頭部ボーンを Shift + E で押し出し、コネクト解除を行ったうえで上唇に配置

❷上唇のボーンを Shift+D で複製し下唇に配置

❷ それらのテールから E による押し出しにより唇を全て囲うように分割の数だけボーンを配置します❶。

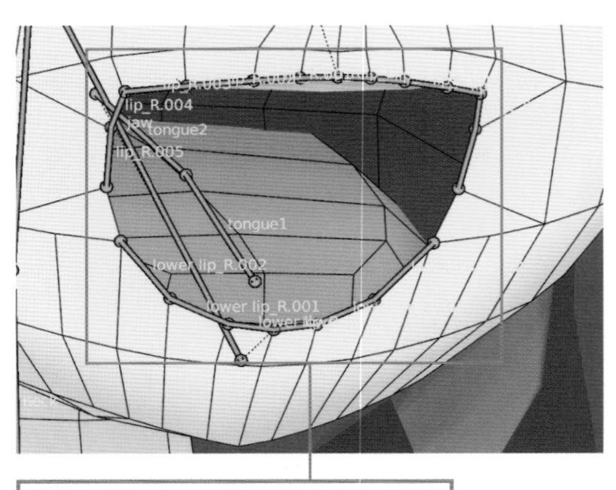

❶ E で押し出して全体を覆うように配置

髪の毛のボーンを作成する

髪を動かすためのボーンを作ります。髪の毛は、すべての場所が動くわけではなく毛先が一番激しく動き、付け根に近いほど動きづらくなっていきます。ということは、頭部に完全にくっついているような位置にはボーンを配置する必要がありません。このあたりからの毛を動かせるようにしたい、という箇所を決め、そこから先の部分にのみボーンを配置していきます。

❶ これまでと同じように、頭部用ボーンから Shift +E で押し出しコネクト解除したものをリネーム（「hair_L」「hair_R」としました）します❶。

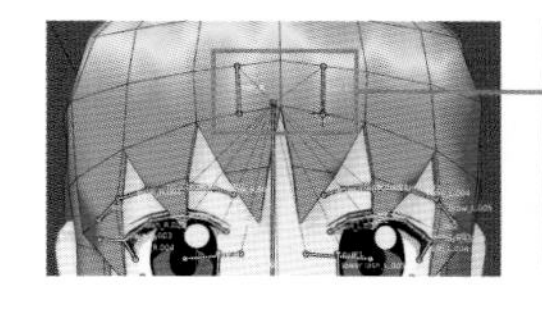
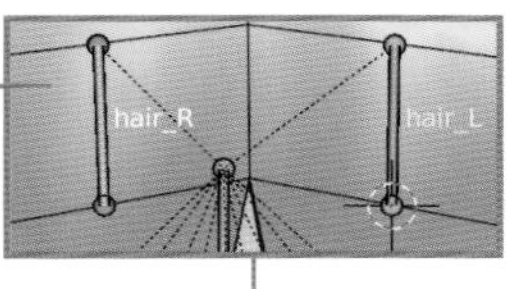

❶頭部ボーンを Shift + E で押し出し、コネクト解除を行ったうえで髪の毛に配置、リネーム

❷ 作成したボーンを E の押し出しや Shift +D の複製を繰り返し、毛束ごとに1列ずつ配置します❶。

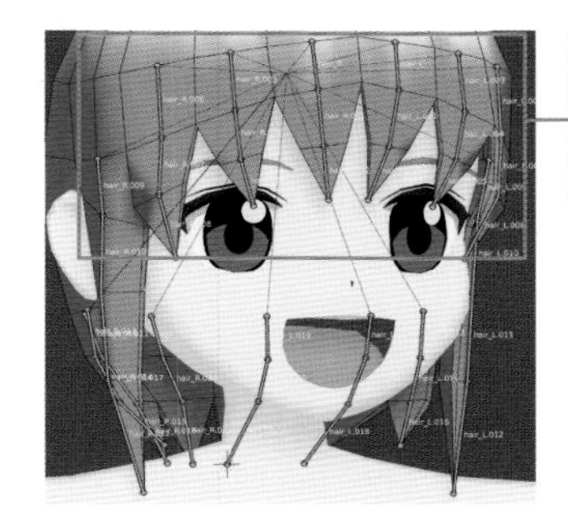

❶ ボーンを Shift +D で複製して毛束ごとに配置していく

MEMO

ボーンの位置をきっちり頂点の位置に合わせるには、メッシュ編集モードで頂点（または複数頂点）を選択して Shift +S から［カーソル→選択物］で3Dカーソルを頂点の位置に移動させ、アーマチュア編集モードでヘッドやテールを選択して Shift +S から［選択物→カーソル］を実行します。

全てのボーンでこのようなメッシュ編集モードとボーン編集モードを行き来する作業をやるのはかなり骨が折れますが、やはり殆どの場合頂点とボーンのヘッドやテールの位置が完全に一致していることが理想です。ただしそうとも限らない場所ももちろん存在します。これぱかりは次項スキニングを実際に行ってみないと正解がわからないことなので、現時点ではあまり厳密に考えずに、スキニングを行ってみてから不具合が発生した場合にこの件に立ち戻って改めて考え直してみることとして、頭の片隅にとどめておいてください。

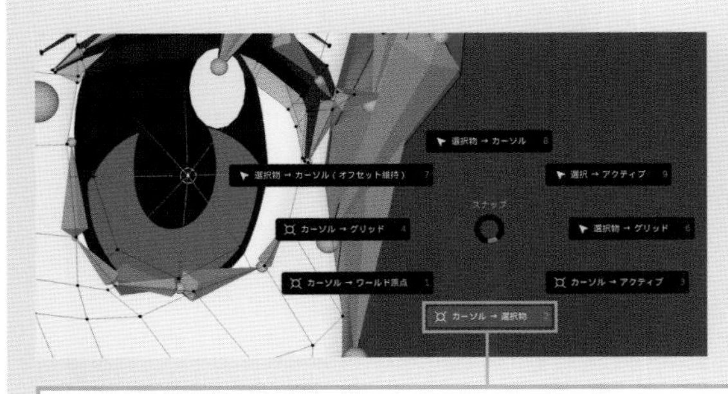

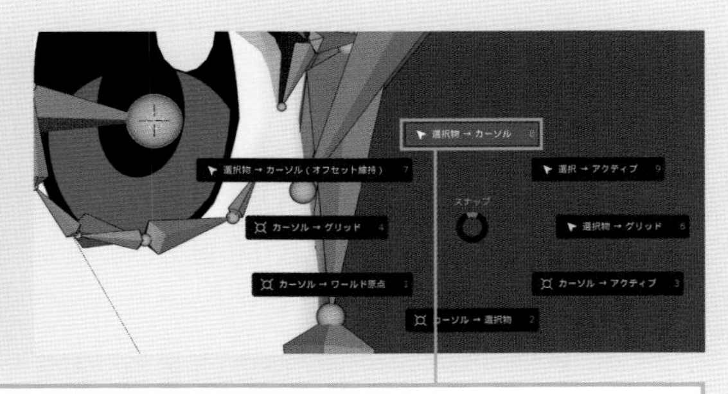

［カーソル→選択物］で3Dカーソルを頂点に位置に移動させたり［選択物→カーソル］で選択物をカーソル位置に移動させることでボーンの位置を正確に頂点に合わせる

サンプルファイル　samplefile/Chapter6

スキニング

前節で作成したアーマチュアを、モデル本体へ関連付けるスキニングを行います。

キャラクターへのスキニング

基本は４章アザラシのモデル（P.155）で行ったことと同じですが、そちらでは簡易的に済ませてしまった部分を、こちらではより実践的な手順で行います。

アーマチュアのペアレント

メッシュオブジェクトを、アーマチュアで動かす対象として定義づける操作を行います。

❶ Shift を押しながらキャラクターのオブジェクト（最初は肌の部分に当たるオブジェクトを扱います）→アーマチュアオブジェクトの順に選択します❶。

選択状態で Ctrl+P から［アーマチュア変形］を実行します❷。

❷ Ctrl+P から［アーマチュア変形］を実行

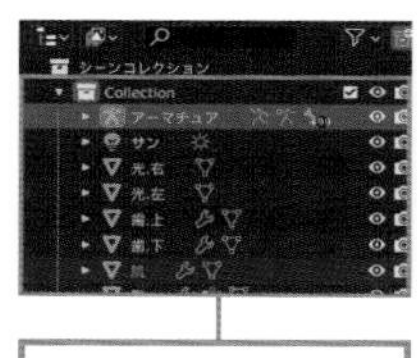

❶肌オブジェクト→アーマチュアオブジェクトの順で選択

アーマチュア変形

アザラシモデルの時はここで **［自動のウェイトで］** を選択したため、各ボーンがモデルメッシュのどの部分に対応して動くかは自動的に設定されました。ですがこの機能は万能ではないため、本来動かしたい部分が動いてくれなかったり、余計な部分が動いてしまったりすることが起こり得るもので、大雑把な形のアザラシでは起きなかった問題が、人体モデルのような複雑なメッシュでは頻発してしまいます。

そこでマニュアルで全て関連付けを行いたい場

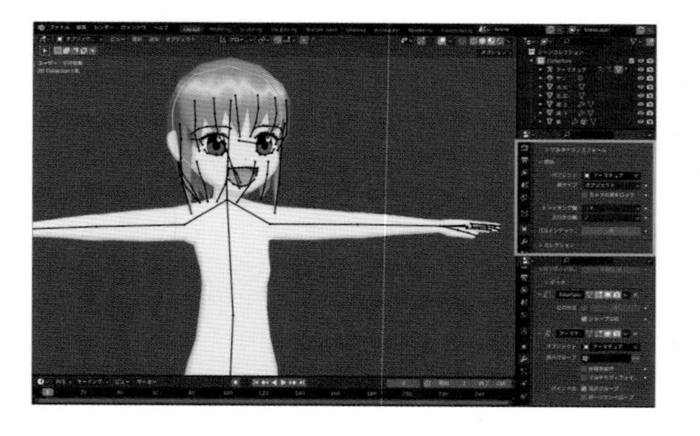

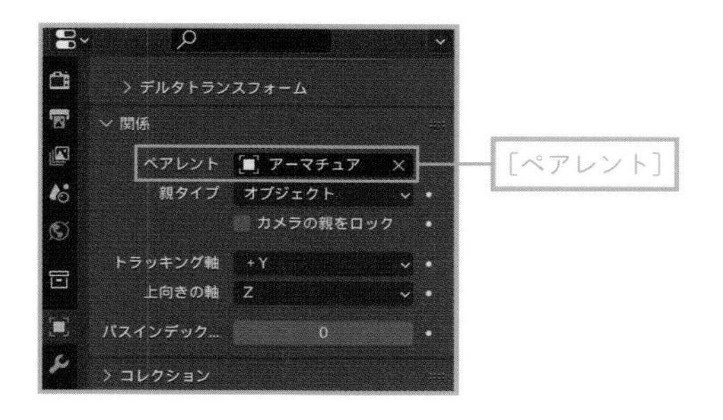

合、こちらの［アーマチュア変形］を選択します。この Ctrl+P からの［アーマチュア変形］コマンドは、最初に選択したメッシュオブジェクトに対して２つの効果をもたらします。１つはメッシュオブジェクトのペアレントを最後に選択したアーマチュアオブジェクトにすること。これはメッシュオブジェクトの［オブジェクトプロパティ］の［関係］パネルにある［ペアレント］で確認できます。もう１つはメッシュオブジェクトに最後に選択したアーマチュアオブジェクトをターゲットとするアーマチュアモディファイアーを付加することです。これは［モディファイアープロパティ］で確認することが出来ます。仕組みを先に理解しようとしても難しいので、先に動かせるところまで進めましょう。

❷ アーマチュアオブジェクトを選択して❶、Ctrl+Tab を押して［ポーズモード］に入ります（ボーンが水色になります）❷。

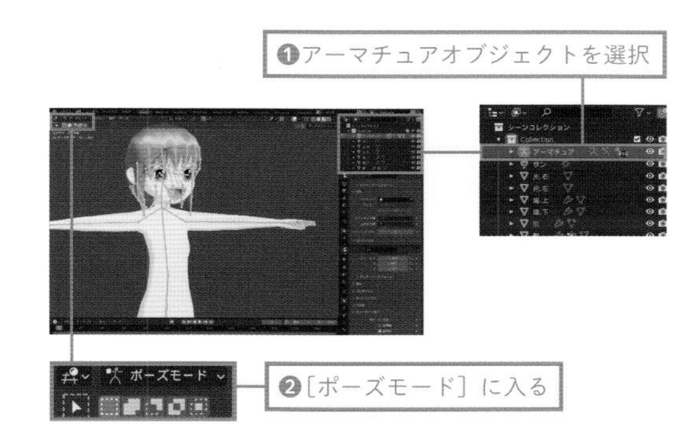

❸ Blender のヘッダーメニューの［編集］で、［オブジェクトモードをロック］のチェックを外します❶。

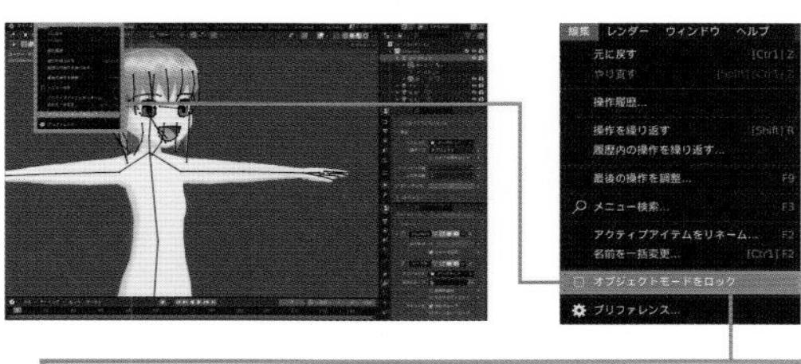

POINT

このチェックを外しておかないと、［ポーズモード］時に 3D ビューポート上で他のオブジェクトを選択することが出来ません。

④ そして肌オブジェクトを選択し、Ctrl+Tab から［ウェイトペイント］を選択します❶。

すると選択中のメッシュオブジェクトの色が青（場合によってはピンク）に変化します。

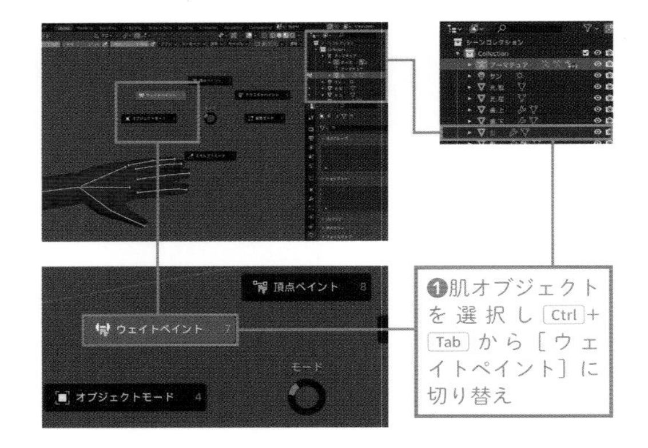

⑤ メッシュオブジェクトの色が青（場合によってはピンク）に変化した状態でアーマチュアのボーンのどれかを Ctrl を押しながら左クリックで選択します❶。

そのボーンが水色で強調表示されたら、左クリックでそのボーンで動いてほしいメッシュオブジェクトの頂点の位置をなぞります❷。

すると、その頂点位置の色が変化し、［オブジェクトデータプロパティ］の［頂点グループ］パネルで、強調表示されたボーンの名前で項目が作られたことが確認できます。

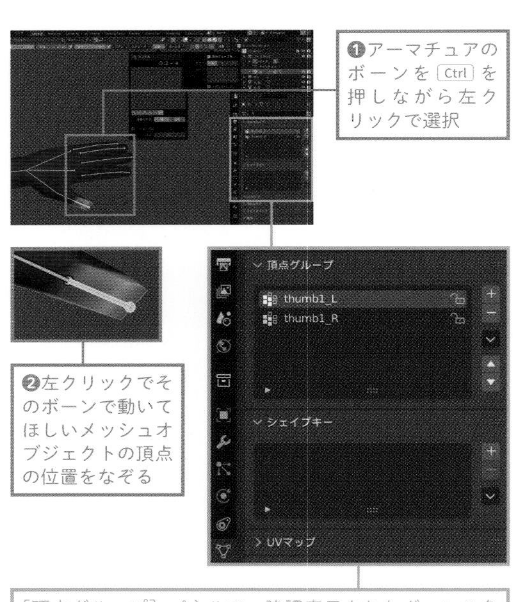

● ウェイトペイント

この［ウェイトペイント］モードは、画像エディターの［ペイント］モードと同じように、ブラシによって「**ウェイト**」を塗ることが出来ます。ボーンと同じ名前の**頂点グループ**に対して赤くウェイトが塗られた部分が、そのボーンに追随して動くようになります。

3D ビューポートヘッダー下のツール設定バーにある［減衰］で、ブラシ中心から外側へ向かってウェイトの大きさが減衰する度合いを、グラフで設定できるメニューを開くことが出来ます。このグラフの下にはグラフと形を定義する 6 つのプリセットが並んでいますので、一番右の平らな形のアイコンを押します。

今回の作例のような、頂点数が比較的少ないモデルではこの平らな減衰グラフ（一定）で塗ることをおすすめします。更に、ツール設定バーのもう少し右にあるボタンをクリックし、その右のボタンから［頂点グループをミラー反転］にチェックを入れます。この状態で再び親指のあたりをブラシでなぞると、［頂点グループ］のパネルで末尾が「_R」のものも追加されることが確認できます。この「_R」側の頂点グループは、選択中のボーンのちょうど反対側のボーンに対応する形でこちら側と同じようにウェイトを自動的に塗ってくれています。

左右対称なモデルで、且つアーマチュアも完全に左右対称であれば、この**頂点グループをミラー反転機能**によってスキニングは片方側だけの作業で済ませることが出来るというわけです。

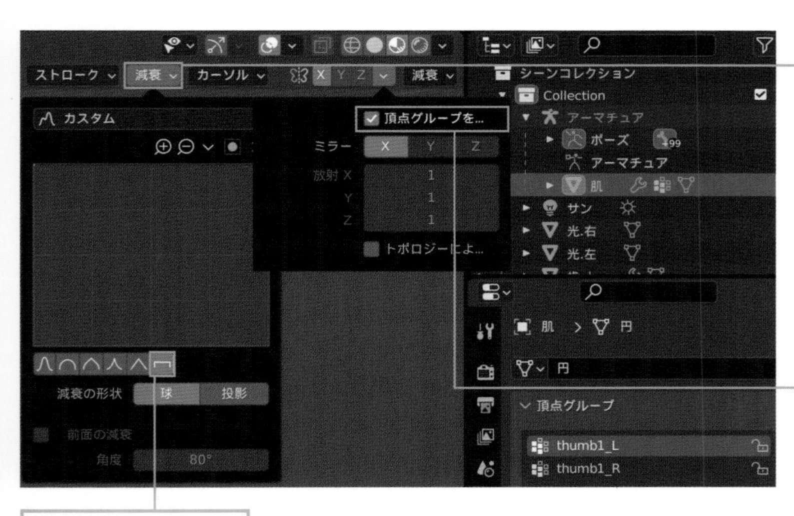

・［減衰］
ブラシ中心から外側へ向かってウェイトの大きさが減衰する度合いを、グラフで設定できるメニューを開くことが出来る

・頂点グループをミラー反転
ブラシでなぞると［頂点グループ］のパネルで末尾が「_R」のものも追加され、選択中のボーンのちょうど反対側のボーンに対応する形でこちら側と同じようにウェイトを自動的に塗ってくれる

平らな減衰グラフを定義

POINT

この**頂点グループをミラー反転**は、Blender の全作業の中で最もチェックし忘れることの多いものだと個人的に思います。スキニング作業を何体もこなしていると、どんどんウェイトを塗っていってしまい、ある程度の本数のボーンを塗り終わってからチェックし忘れていることに気づき、左側のウェイト塗りが全然塗れていないので結構な本数やり直しなんてことが頻繁にあります。みなさんもお気をつけください。

ウェイト塗り

これでウェイト塗りの準備は整いました。

❶ 親指のボーンを選択した状態で、モデル本体の親指の部分をしっかり赤に塗ってください❶。

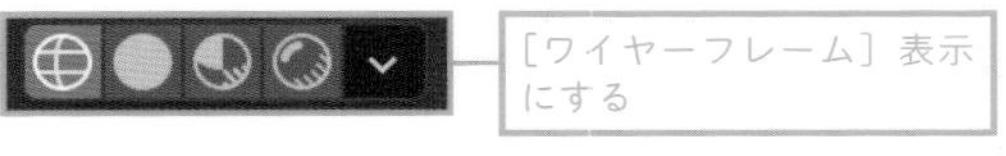

［ワイヤーフレーム］表示にする

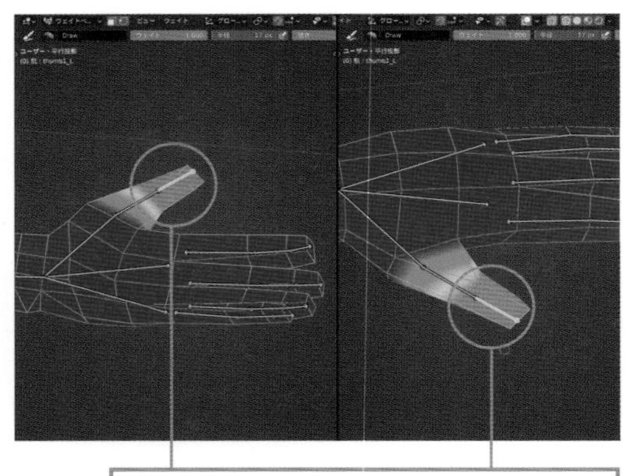

❶モデル本体の親指の部分をしっかり赤に塗る

POINT

Z や 3D ビューポート右上のアイコン⊕で［ワイヤーフレーム］表示にしておくと、メッシュの線が表示されるようになるのでこちらの方が塗りやすいかもしれません。ウェイトは、頂点に対して塗られるものなので頂点の上をなぞるようにすると上手く塗れます。視点を回転させて裏側からもきちんと塗れているかどうか確認しながら作業していきます。

❷ 塗れたら、R を押してボーンを回転させてみてください❶。

すると今塗った頂点がボーンの動きに追従するようになっています。このようにウェイトを塗ってはボーンの回転によりちゃんと塗れているかどうか確認する、という作業を全てのボーンで繰り返します（ボーン角度は Alt+R でリセットできます）。

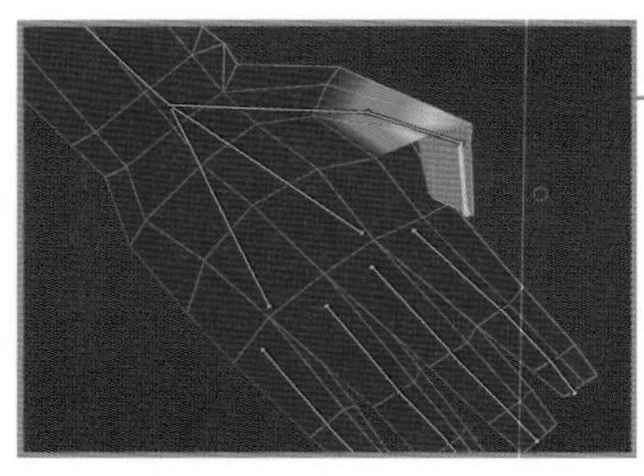

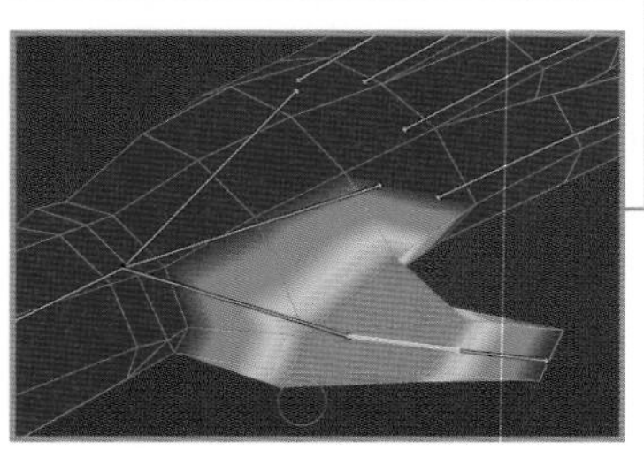

❶ R を押してボーンを回転させる

❸ 手、腕、足、脚、胴体を同じ手順で塗っていってみてください（向かって右側だけの身体で大丈夫です）❶。

POINT

腕のウェイトは、肘側だけ3本の分割線にしていたうちの真ん中の線だけ、両方のボーンのウェイトが乗るように塗っておきます。この塗り方の法則は、膝や手首など、この特殊な分割をしていた関節部分全てで共通です。

❶それぞれの部位も赤く塗る

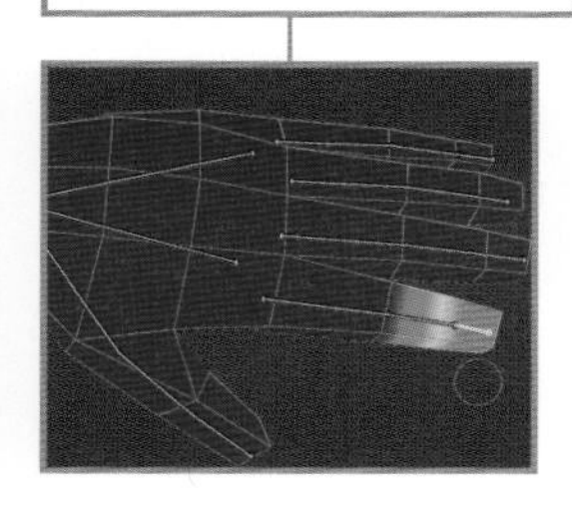

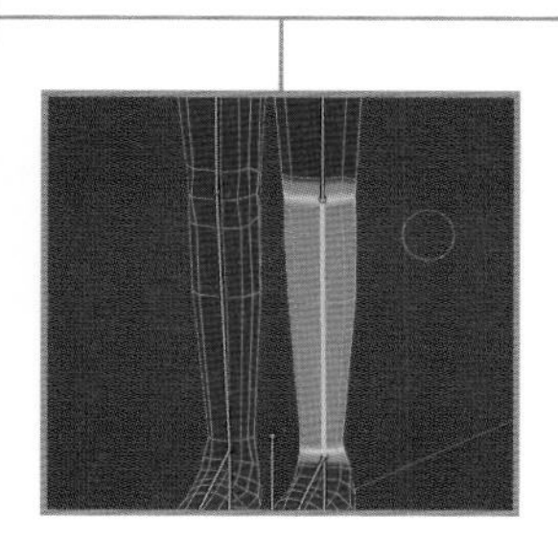

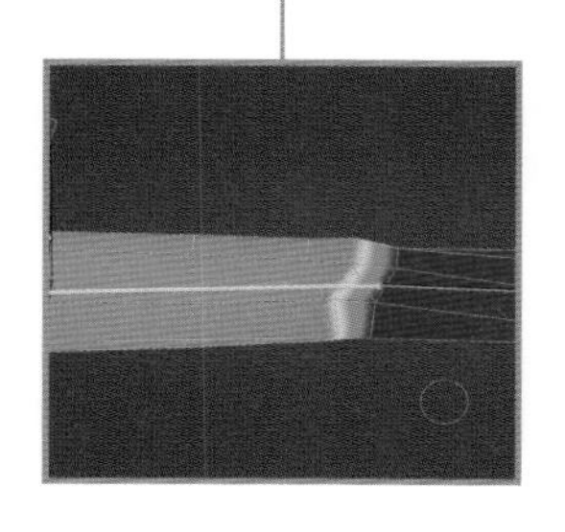

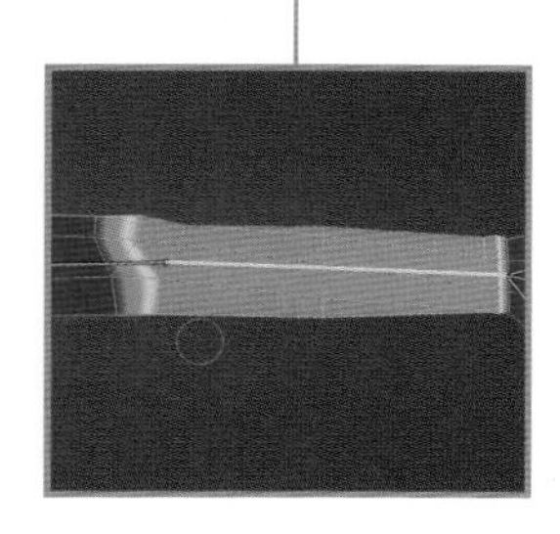

塗り残しの頂点を効率的に塗る

例えば手のひらのあたりで塗り残しをしてしまっていた場合、その根元の方のボーンである二の腕のボーンを R で大きく回転させれば、その塗り残しの頂点だけ追随しないため引き伸ばされたようにメッシュが歪みその場にとどまります。

ですがボーンの回転をその状態のままにしておけば、塗り残しの部分だけ大きく突き出てくれるので、他の塗りたくない頂点に干渉しないように塗るのが楽になります。このように、塗り残し頂点をあえて突き出させて塗る、という方法は非常に素早くウェイト作業を進めるコツになります。

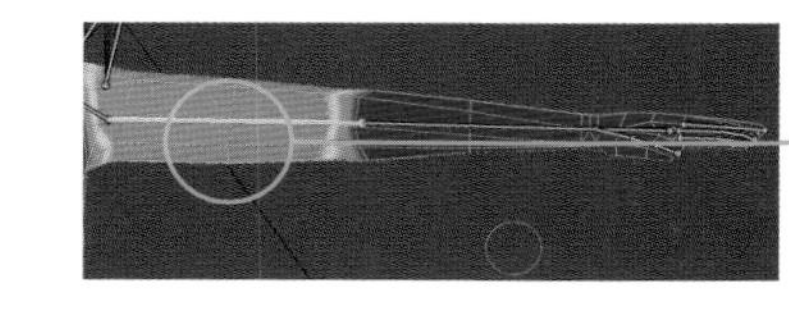
二の腕のボーンを R で大きく回転させる

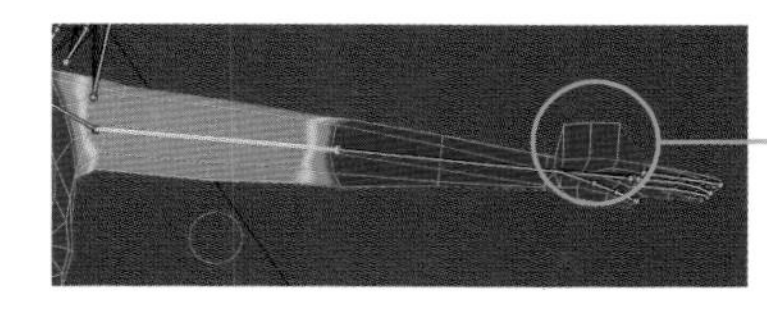
塗り残しの頂点だけが歪む

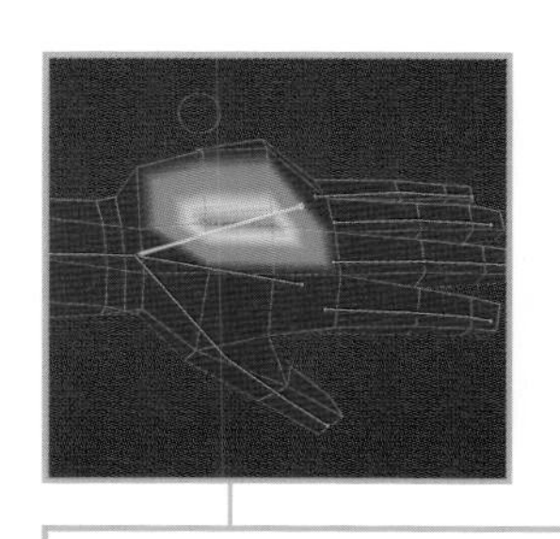

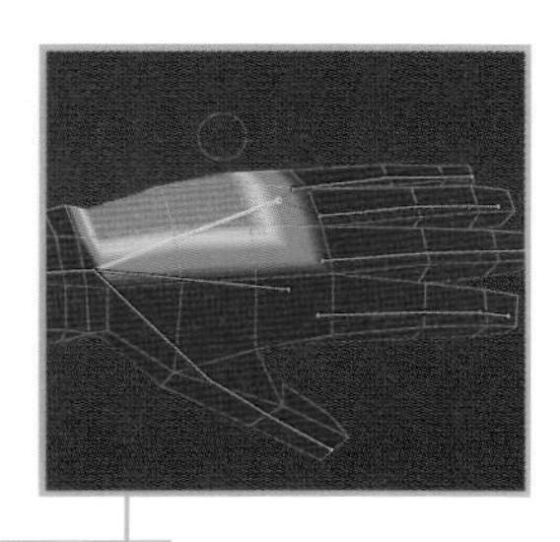
塗り残した頂点をピンポイントで塗れる

頂点グループとウェイトペイント

ボーン選択時にメッシュがピンク色になるのは、そのボーン名の頂点グループがまだ存在していないことを示しています。

1箇所でもウェイトを塗ると、選択中のボーン名で頂点グループが作られるため青く表示されます。

また、非常に広い範囲を塗らなければいけなかったり、入り組んでブラシでは塗りにくい箇所があったりした場合、Tab で［編集モード］に入り塗りたかった頂点を選択した状態で、［頂点グループ］パネルの一番下の「ウェイト」の値が「1」になっていることを確認して［割り当て］をクリックします。

Tab で再び［ウェイトペイント］モードに戻ると、［割り当て］を行った頂点が全て赤に変化しています。このように［編集モード］での頂点選択と割り当てによってもウェイトペイントと同じ事ができるので、どうしても塗りにくい箇所が出てきた場合はこちらも試してみましょう。

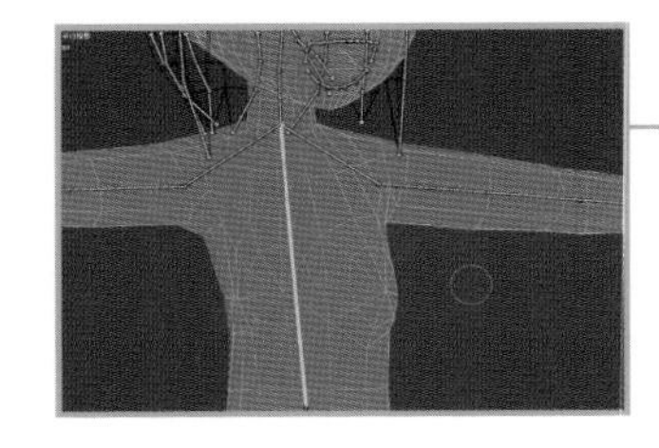

ボーン名の頂点グループがまだ存在していないためピンクになる

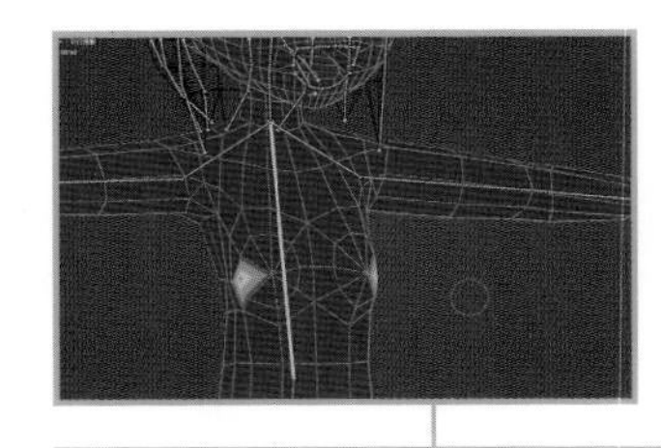

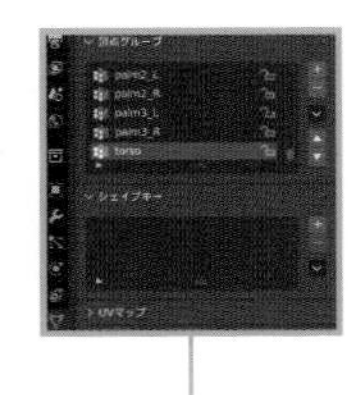

1箇所でもウェイトを塗ると選択中のボーン名で頂点グループが作られるため青く表示される

［編集モード］

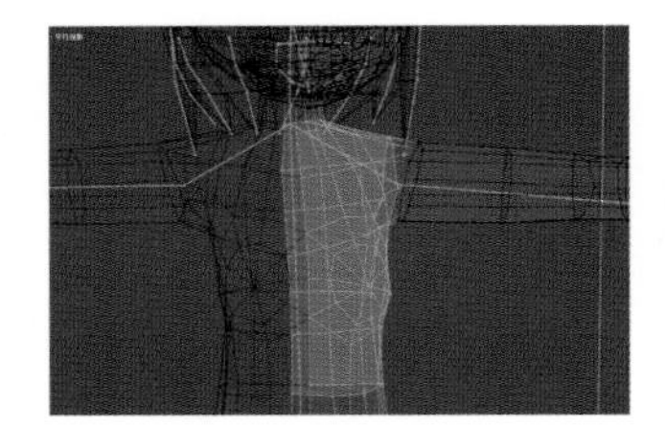

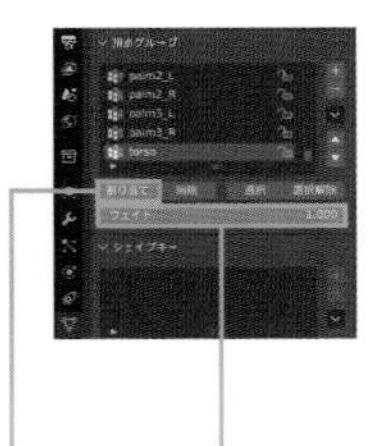

［ウェイト］の値が「1」になっていることを確認して［割り当て］をクリック

［ウェイトペイントモード］

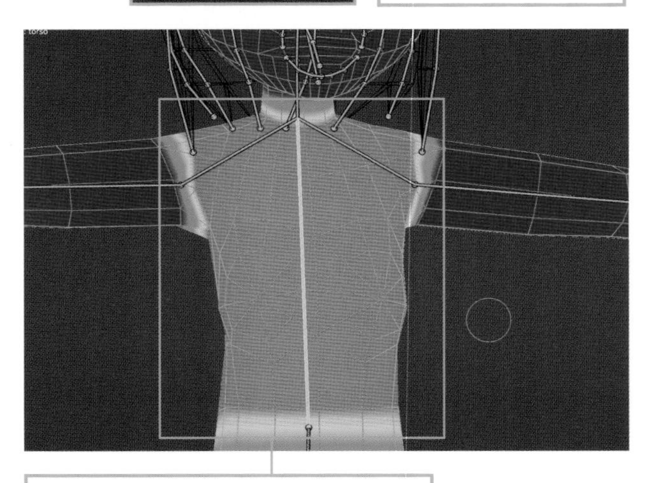

［割り当て］を行った頂点が全て赤に変化する

誤って塗った部分の修正

右画像のように、下半身用のボーンを選択しているのに腕の頂点を赤く塗ってしまったというような、塗りたくない部分を塗ってしまうミスはよく起こります。

こういった場合 3D ビューポート上のツール設定バーにある［ウェイト］の値を「0」にして、その該当箇所をなぞることによって青く塗ると修正することが出来ます。

また、Tab で［編集モード］に入って該当箇所の頂点を選択し、［頂点グループ］パネルの下にある［削除］ボタンをクリックすることでもこの部分のウェイトを消すことが出来ます。再び Tab を押して［ウェイトペイント］モードに戻って確認してみてください。

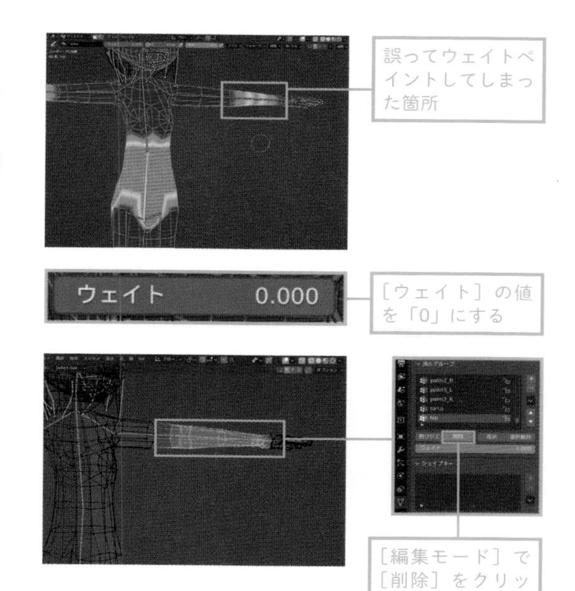

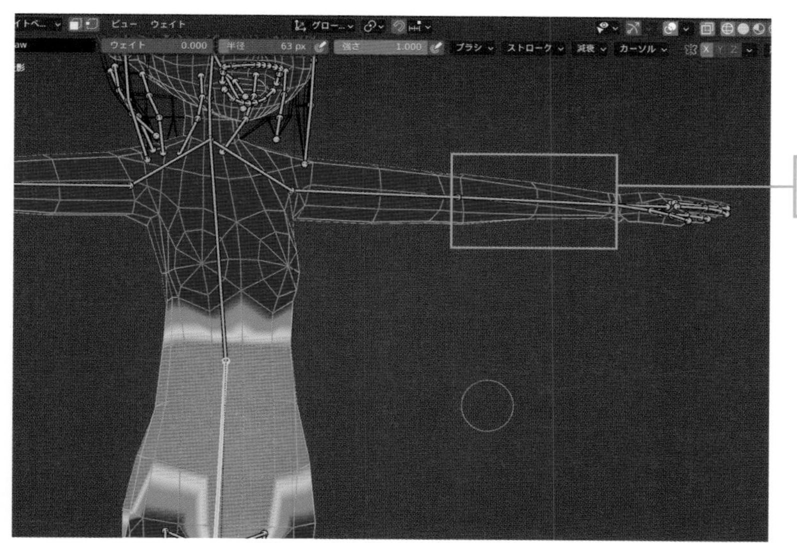

POINT

少し特殊な注意をしなければいけないボーンとしては、足の下に２本、垂直に作っていたボーンには、頂点グループを作らずにピンク色のままにしておいてください。また、頭部用のボーンは、眉や眼球、まつ毛や舌を塗るのは避け、更に眼孔のふち、口のふち、下アゴの部分は青いままにしておきます。

そして下アゴ用のボーンを選択して下アゴを塗りますが、舌は塗らないように注意してください。とはいっても非常に難しいので、前述の［編集モード］での**頂点選択→割り当て**による方法を採ってみてください。眉、まつ毛、まぶた、口、眼球も同様に、それぞれのために用意したボーンに対してウェイト付けをしておきます。口の内側は、頭部用のボーンで上半分、下アゴ用のボーンで下半分を塗っておきます。

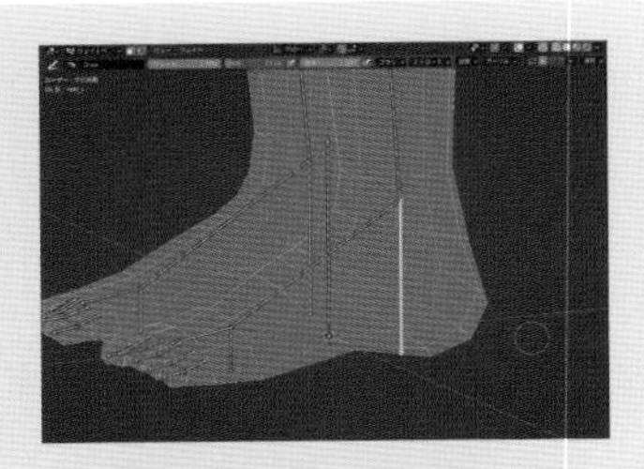

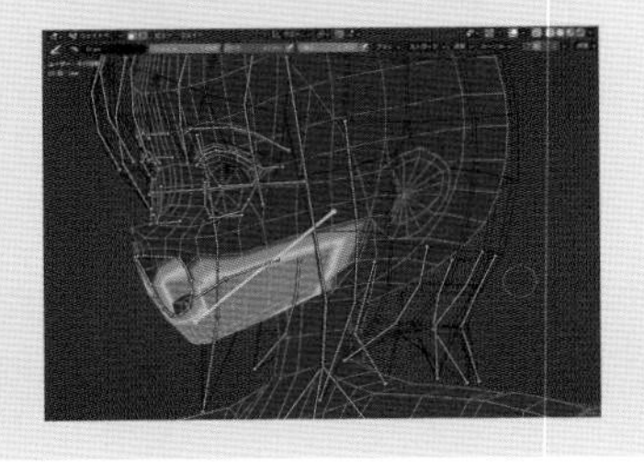

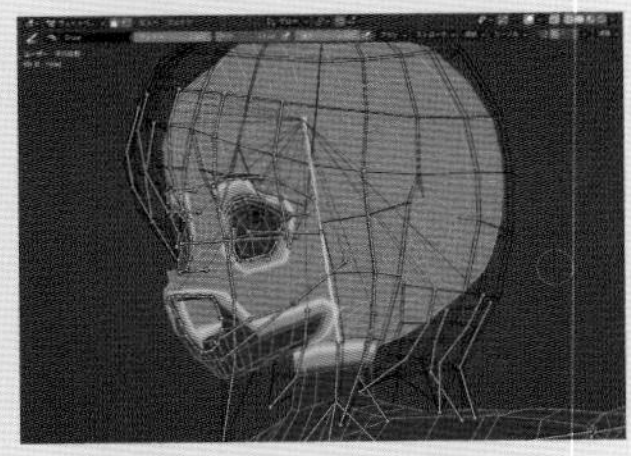

ウェイトのグラデーション

ウェイトは今のところ赤か青かだけを気にしていれば良いのですが、赤と青の間にはグラデーションがあり、赤を「1.0」、青を「0.0」として、中間の色はそのまま中間の値を表しています。

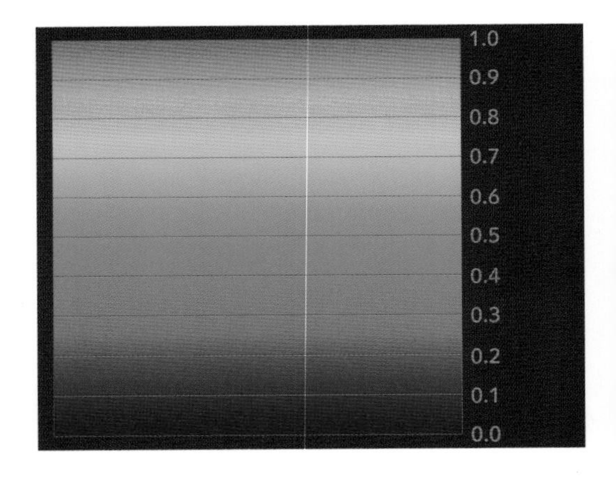

ウェイトの値が「1.0」（赤）で塗られた箇所はボーンの動きに完全に追従する動きをしますが、ウェイトの値が「0.5」（緑）で塗られた部分では、ボーンの動きの約半分の量しか追随しないような動きになります。頂点数が多いモデルや、入り組んで複雑になっている箇所、微妙な補正を入れたい部分等で、このような中間の値が必要になる場面があります。

メッシュの構成の仕方によるのですが、この作例では下アゴの部分で分割が少なかったために、「1.0」（赤）と「0.0」（青）の塗り分けだけでは上手く斜めに境界を作ることが出来ず、ギザギザになってしまいました。このような箇所では中間のウェイト値を上手く使って境界近くを塗ることで、綺麗に斜めに塗り分けることが出来るようになります。

ブラシのウェイト値は 3D ビューポート上のツール設定バーの［ウェイト］の値で決定します。

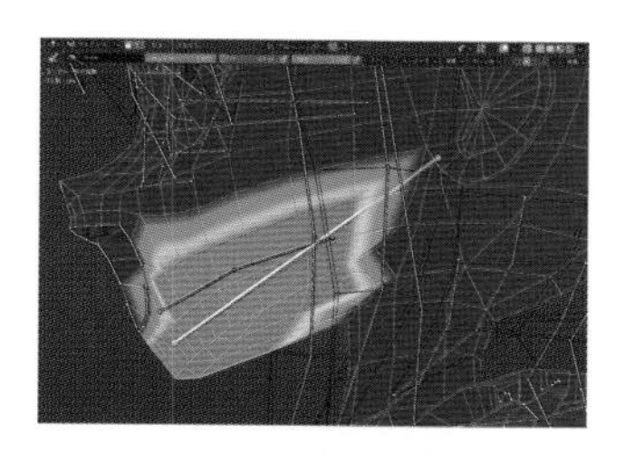

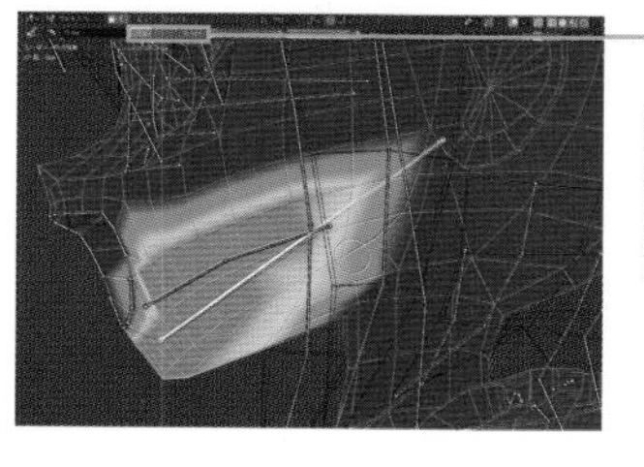

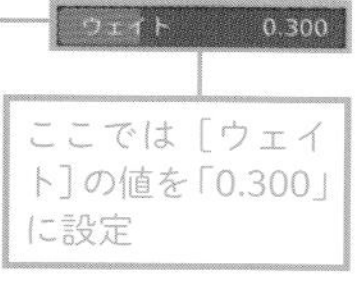

髪の毛のウェイト塗り

髪の毛の方もウェイト塗りを行います。

❶ 髪の毛は別オブジェクトになっているので、改めて髪の毛オブジェクト→アーマチュアの順に選択して Ctrl+P の［アーマチュア変形］という作業をやっておく必要があります❶。

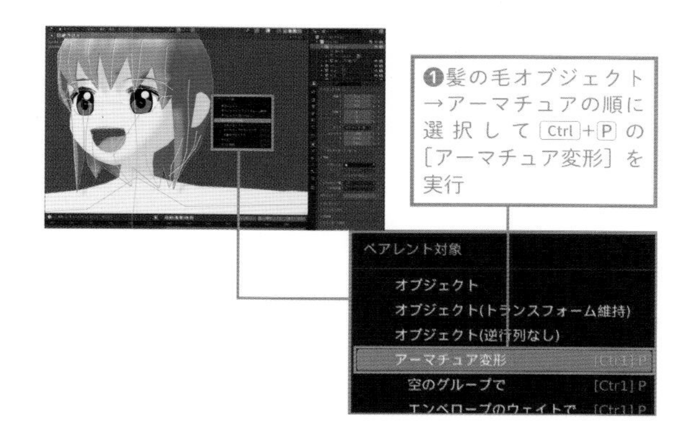

❷ 頭部に完全に追随する、揺れさせる必要のない箇所は、頭部ボーンで全て赤で塗ってしまいます❶。

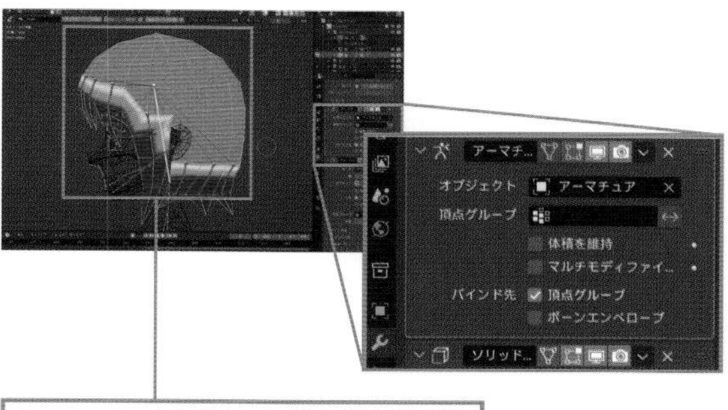

❶頭部の動きを出さない箇所を赤く塗る

❸ それ以外の箇所はそれぞれのボーンで今までと同じように塗っていくのですが、ここで先程の［頂点グループをミラー反転］のチェックを入れておく作業を忘れないでください❶。

オブジェクトが変わればこの設定も変わってしまいます。

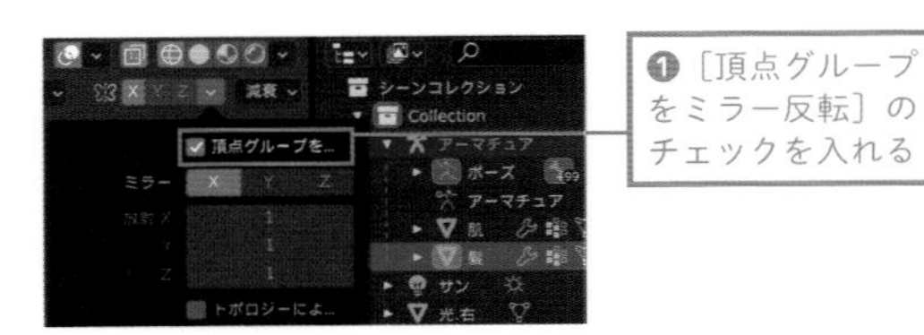

❹ 髪の毛のウェイト塗りが終わる頃には、［頂点グループ］パネル内の頂点グループのリストの数が非常に多くなり、順序がばらばらになってきてしまいます。

リスト右の☑から、［名前でソート］を実行すると、このリストを名前順に並べ替えることが出来ます❶。

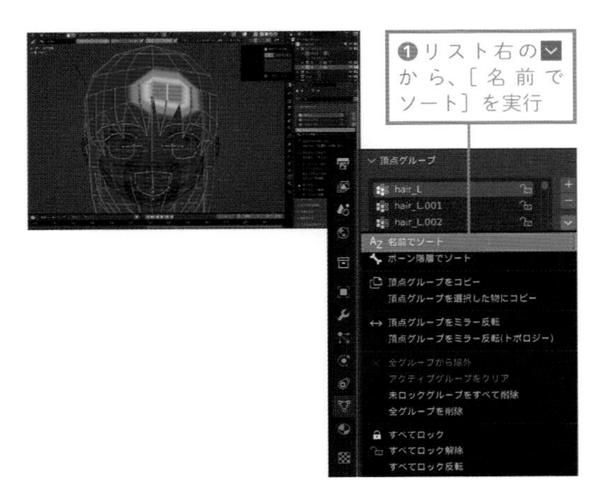

POINT

Blenderのかつてのバージョンでは、この頂点グループリストの順序次第では上手く［頂点グループをミラー反転］によるウェイト塗りが出来ない状態になってしまい、［名前でソート］すると治るというバグが存在しました。曖昧な情報で申し訳ありませんが、もしかしたら今のバージョンでもこのバグは存在するかもしれません。なので、リスト順に特にこだわりがなければとりあえず［名前でソート］しておけば無難なのではないかと思われます。もし［頂点グループをミラー反転］が上手く機能しない事態に遭遇したら、この件を思い出し［名前でソート］を試してみてください。

歯のボーン設定

歯をボーンに追従させる設定を行います。

❶ 歯は1つのオブジェクト内で頂点によって別々に動いてほしい箇所がなく、オブジェクトごと動かしてしまっても良いパーツなので、[オブジェクトモード]で上歯オブジェクト→頭部用ボーンの順に選択し、Ctrl+Pから[ボーン]を実行します❶。
すると、これだけで上歯が頭部用ボーンに追従するようになります。

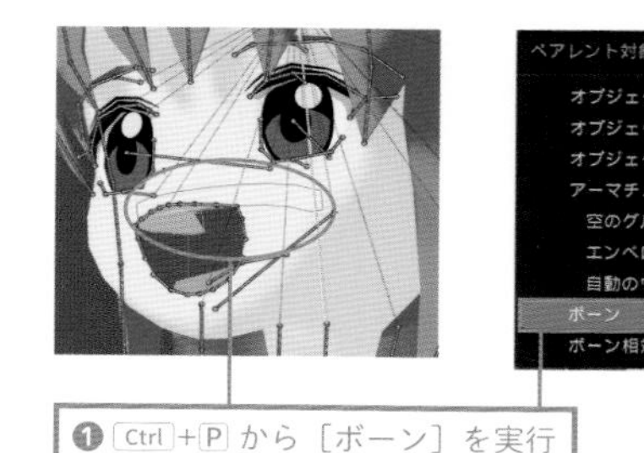

❶ Ctrl+Pから[ボーン]を実行

❷ 同じように、下歯→下アゴ用ボーンの順に選択してCtrl+Pから[ボーン]を実行します❶。

❶ Ctrl+Pから[ボーン]を実行

❸ 右目ハイライト、左目ハイライトも全く同じで、それぞれ右眼球用、左眼球用ボーンと[ペアレント]します❶。

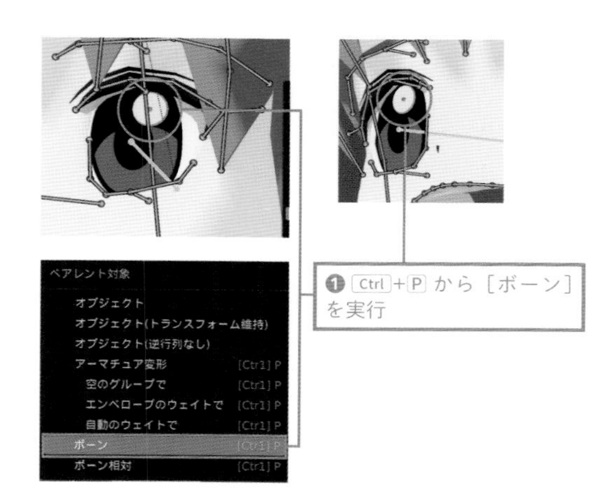

❶ Ctrl+Pから[ボーン]を実行

ポーズを取って破綻した箇所を修正する

これで全てのボーンのウェイトを塗り終えました。様々なポーズを取らせてみて、破綻がないか確認してください。

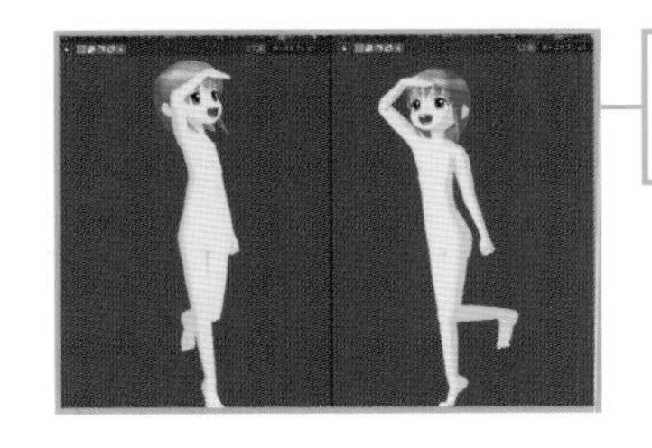

❶ 肘を曲げたときに肘の内側がおかしなへこみ方をしてしまうという場合、アーマチュアを選択します❶。そして Tab で［編集モード］へ入ります❷。

そしてボーンの肘関節に相当するヘッドを選択してきちんと肘の中心に来るように移動させます❸。再び Tab でポーズモードに戻り肘を曲げてみてください❹。

このように、ボーンの位置の改善によって破綻が解消される場合もあります。

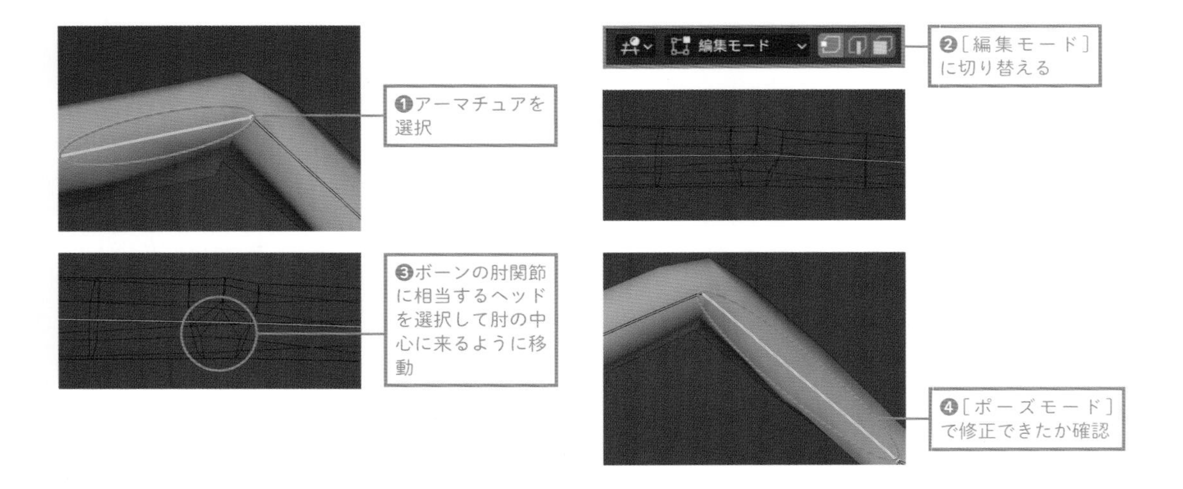

❷ 足のももを上げたとき、股関節あたりで頂点がへこみすぎてしまう場合もよくあります。こういった場合、股関節付近の頂点はもも用のボーンではなく股関節用のボーンのウェイトを乗せることで改善することがあります❶。

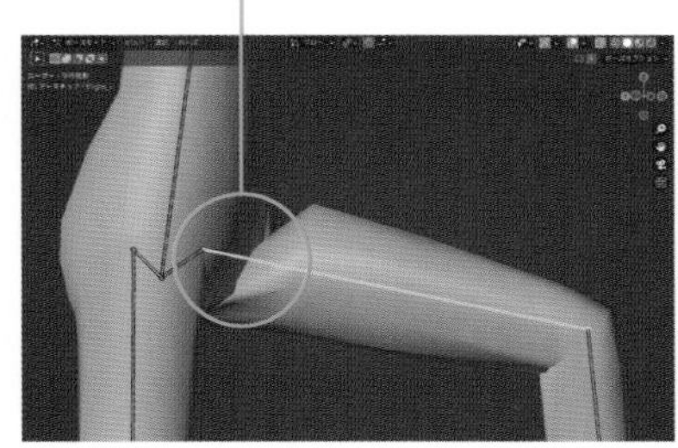

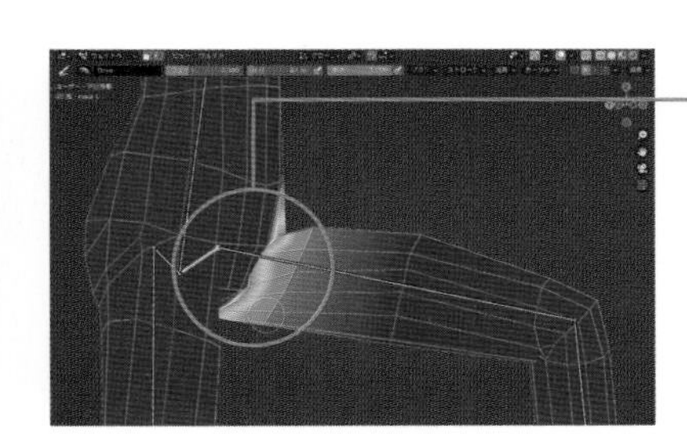

❸ 膝を曲げてみたときに、膝の裏側がおかしなへこみ方をしていたら、身体メッシュオブジェクトの［編集モード］で膝の裏側の頂点を Z 方向に離したりすると改善される場合があります❶。

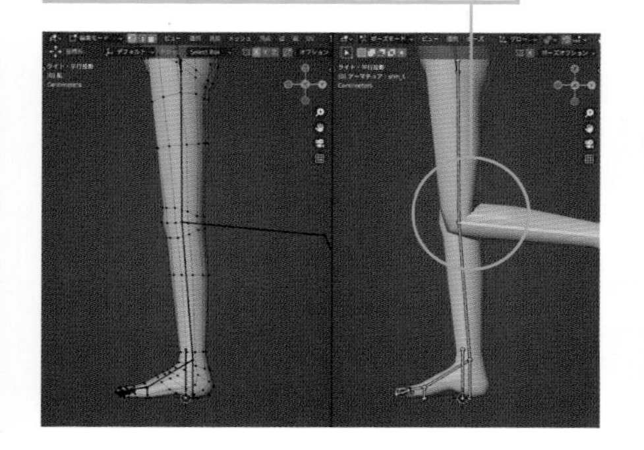

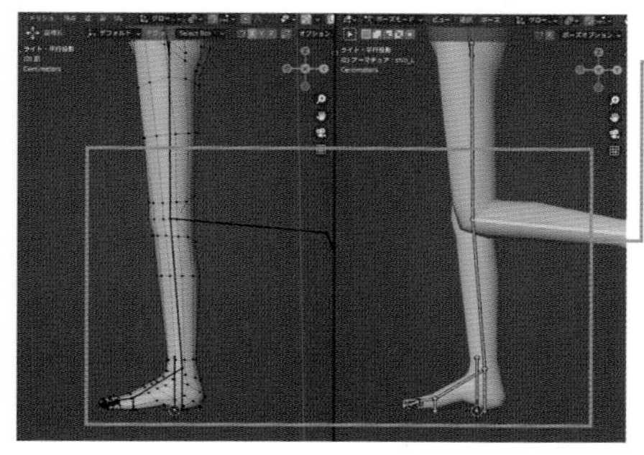

POINT

ポーズ付けに破綻があった場合、上記の**「ボーンの位置の改善」**、**「ウェイト値の改善」**、**「メッシュの改善」**の 3 つのどれが適しているか見極め、修正していきましょう。

❹ 眼球を回転させたとき、眼球が眼孔の内側へ入りすぎたり外側へはみ出してしまったりといったような破綻があった場合は、眼球用ボーンのヘッド（奥側）の位置を調節すると改善される場合があります❶。

IKによる脚の制御

インバースキネマティクス（IK）という、脚の制御に適したボーン制御を構築します。

❶ Shift を押しながら足のかかとの下に垂直に配置したボーン、すね用のボーンの順に選択し、Shift+I の［アクティブボーン］を選択します❶。

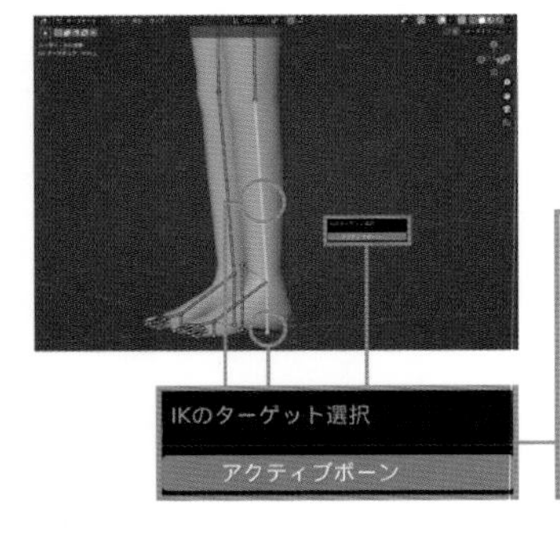

❶足のかかとの下に垂直に配置したボーン、すね用のボーンの順に選択し、Shift+I の［アクティブボーン］を選択

❷ プロパティエリアの［ボーンコンストレイントプロパティ］タブ を開くと、［IK］という名前のパネルが作られています。このパネル内の［チェーンの長さ］の値を「2」にしておきます❶。

❷［ボーンコンストレイントプロパティ］の［チェーンの長さ］の値を「2」にする

❸ 続いて、先端側の垂直のボーン→足のメインのボーンの順に選択して、同じく Shift+I の［アクティブボーン］を選択し❶、今度はチェーンの長さを「1」としておきます❷。

すると、［ポーズモード］でかかと側の垂直ボーンを選択して G で動かしてみると、すね、もも用のボーンがそれに対応するように動いてくれるようになります（うまく膝が正常な方向に曲がってくれない場合は、［編集モード］で膝関節にあたるヘッドの位置をより膝側へ移動させてみてください）。先端側の垂直ボーンを動かせば、足の向く方向を動かすことが出来ます。

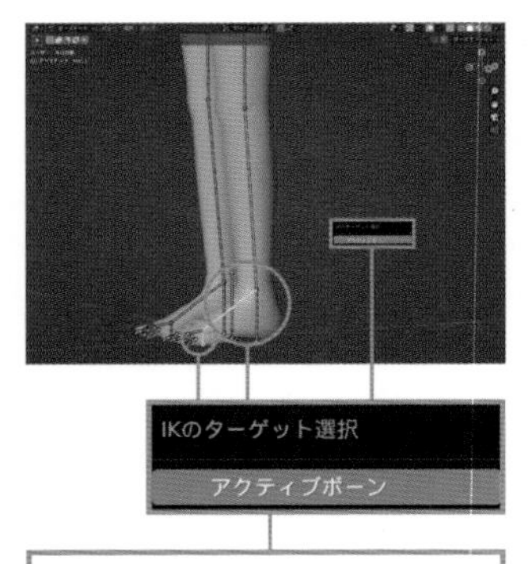

❶先端側の垂直のボーン、足のメインのボーンの順に選択、同じく Shift+I の［アクティブボーン］を選択

❷［ボーンコンストレイントプロパティ］の［チェーンの長さ］の値を「1」にする

インバースキネマティクス（IK）

通常のボーンでは動きがペアレントの親から子へ伝わるようになっていますが、この［IK］という機能はそれを逆方向にし、子側のボーンが動けばそれに親側が追従するような動きを作ることが出来ます。通常のボーンのみで全てを作ってしまうと、例えば地面の上を歩くような動きを付けようとしたとき、きちんと足が地面に接地するような動きをつけるのが非常に困難になります（これは実際に挑戦してみないと分かりづらいかもしれません）。この［IK］を使えば、足が地面にぴたっと付いたまま上の身体を自由に動かす、というようなことが容易になります。

MEMO

ボーン位置、ウェイト値、メッシュを改善してみてもどうしても関節部分が上手くいかない場合、関節部分に関節用ボーンを追加してしまうという手もあります。ただし、ボーンが増えてしまう分、色々な場面で管理の大変さも増えてしまいます。特にポーズ付けではそれだけ多くの箇所を動かさなければいけなくなるので、その大変さを解消するための更に複雑なリギングの知識を要したりもします。本書は初心者向けですので最も単純なアーマチュア構造に留めますが、もっと本格的なものを作りたくなった際に、こういう方法もあることを思い出してみてください。

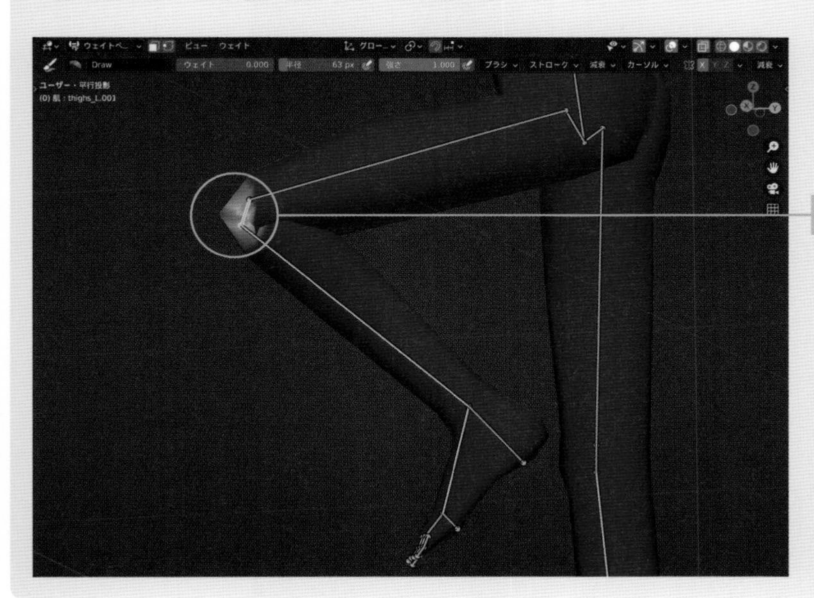

サンプルファイル samplefile/Chapter6

6-7 衣装作成

ここからはキャラクターの衣服や手に持っている鎌などのアイテムの作成を行っていきます。

衣服を作成する

ここまで裸でお付き合いいただき申し訳ありません。いよいよ、服を作成します。

上着を作成する

まずは上着のベースとなるメッシュオブジェクトの作成を行っていきます。

❶ 身体メッシュオブジェクトの［編集モード］に入り、腰から上半身、首の付け根までと、腕の肘付近までの面を選択した状態で、Shift+Dにより面を複製します（複製後の移動は右クリックでキャンセルしてください）❶。

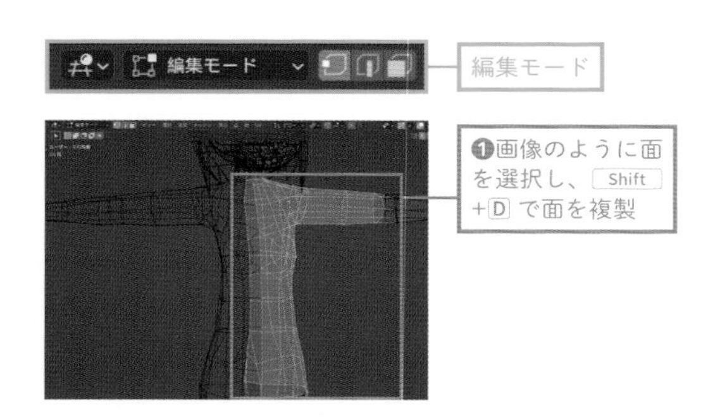

❷ その選択状態のまま、Pから［選択］を実行して、今複製した面を他オブジェクトへ分離します❶。

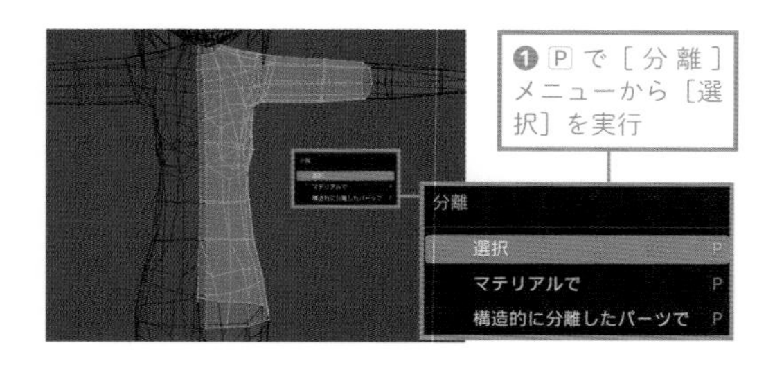

❸［オブジェクトモード］へ戻ると、上半身部分のみのオブジェクトが作られていることがわかります（画像ではわかりやすさのため移動させていますが、移動させないでください）❶。

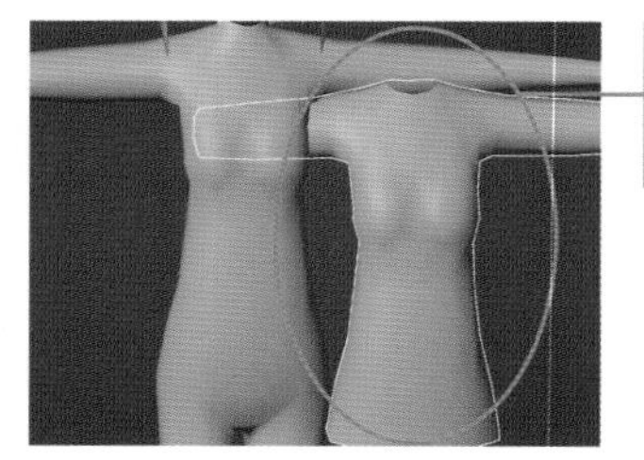

❹ 複製した方のオブジェクトを選択して、[マテリアルプロパティ] で ボタンによってマテリアルが1つだけになるまで減らしてしまいます❶。

残ったマテリアルで、マテリアル名欄の右にある数字のアイコンをクリックしてマテリアルリンクを解除し、服用のマテリアルであることをわかりやすくする名前を付けて、[サーフェスパネル] 内の「色1」「色2」の欄で服の影色、服の地色を設定します❷。

このオブジェクトの [編集モード] で全部の面を選択した状態で Alt+S を押した後、マウスをわずかに動かすことで、すべての面を肌から少し浮かせるように膨らませることが出来ます❸。

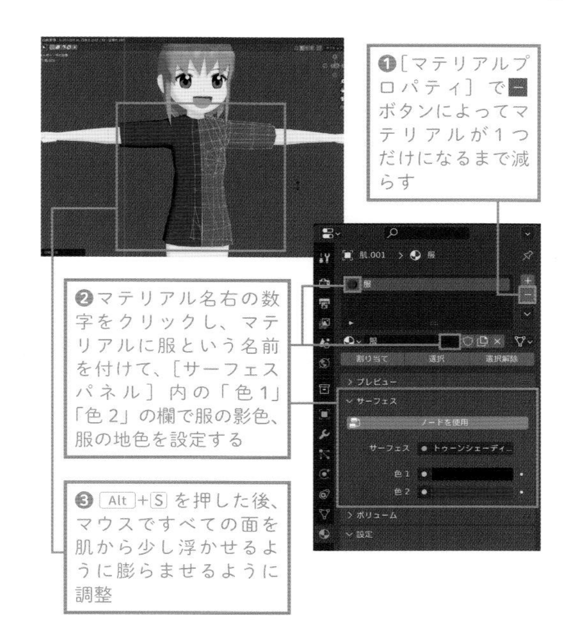

POINT

上記の手順ではマテリアルリンクが解除されていますが、マテリアルリンクの状態の場合、以下の画像のようにマテリアル名の右に数字のアイコンが表示されます。

❺ そこからは頂点一つひとつの移動によりシャツのような形を作ります❶。

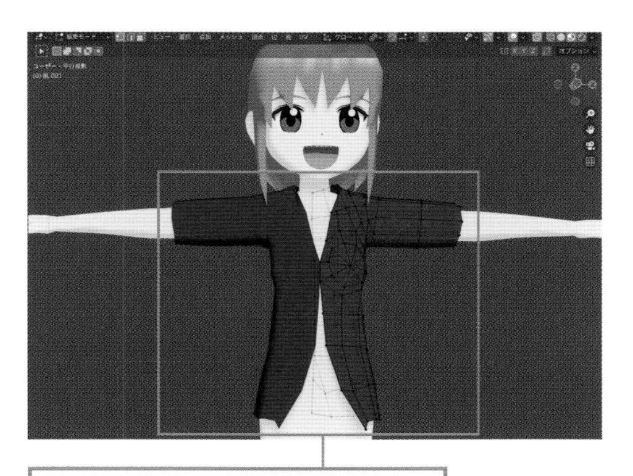

❸ ある程度出来たら、上半身あたりのボーンを［ポーズモード］で動かしてみてください❶。

今作成した服も、ボーンに追従してくれるのではないでしょうか。

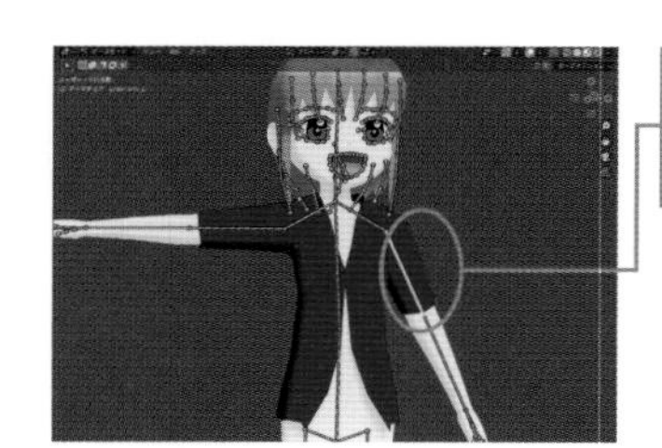

❶［ポーズモード］で上半身のボーンを動かす

POINT

本書で、まず裸をモデリングしてリギングとスキニングを行ってから服の作成という少し不思議な順序で作成を行った理由はまさにここにあります。既にスキニング（ウェイト塗り）済みの肌のメッシュをコピーして持ってきてしまえば、服の方でまたスキニングを行う手間が最小限に抑えられます。また、肌と服とでメッシュ構造がほとんど同じというのも大きなメリットです。特にピタッと肌に密着したような服ほど顕著で、ポーズを付けたときに肌が服を突き抜けてしまうという事態を自然に抑えることができます。

フードを作成する

前項と同じ手法でフードを作成します。

❶ 髪の毛オブジェクトの［編集モード］で、フードに該当しそうな面をすべて選択して、先ほどと同じ手順の Shift + D と P による複製と別オブジェクト化を行います❶。

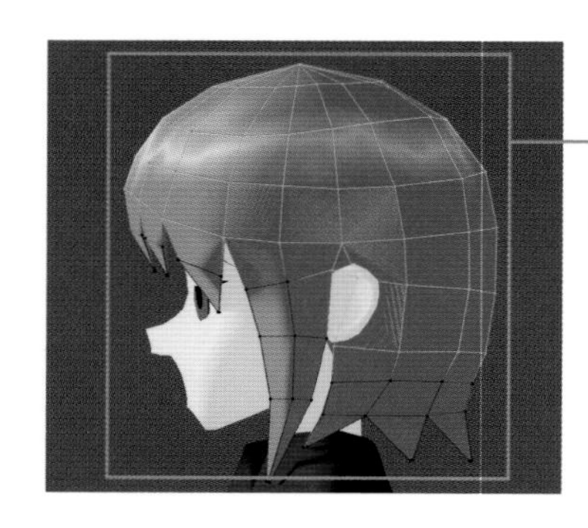

❶髪の毛メッシュから Shift + D による面複製、P による別オブジェクト化をする

POINT

［マテリアルプロパティ］で、このオブジェクトのマテリアルスロットは全て削除しておきます。

❷ **ソリッド化モディファイアー**が付いたままですが気にせず、［オブジェクトモード］でこのオブジェクト→服のオブジェクトの順に選択して Ctrl + J で統合します❶。

❶［オブジェクトモード］で分離したオブジェクト、服のオブジェクトの順に選択して Ctrl + J で統合

POINT

マテリアルやモディファイアーの付加状態は統合先のオブジェクトのものとなりますので、フード側のオブジェクトがマテリアルなし、［ソリッド化モディファイアー］付きだったとしても統合前にわざわざ服オブジェクトと同じように設定しておく必要はありません。

③ 服とフードの間の隙間を通常の地道なメッシュ貼り作業で繋げます❶。

❶服とフードの間に面を貼っていく

MEMO

［モディファイアープロパティ］の、［モディファイアー］パネルの上段にあるアイコンは、［編集モード］時でもそのモディファイアーの効果を表示するかを切り替えることが出来ます。

またその左のアイコンは、［編集モード］時の頂点や辺や面も、モディファイアー付加状態のまま表示することが出来ます。

［アーマチュアモディファイアー］パネルでこれらのボタンを有効にしておけば、ポーズを取った状態での頂点を弄ることが出来ます。

ポーズをとると破綻するような箇所はこの機能を使えばリアルタイムで結果を見ながら修正することが出来非常に便利です。

ただし、頂点を移動させるとその移動方向はモディファイアー非付加時の状態に依存するので、修正作業は少し慣れが必要です。

モディファイアーの表示 / 非表示を切り替える

［編集モード］時の頂点や辺や面も、モディファイアー付加状態のまま表示することが出来る

ポーズを取った状態での頂点を調整できる

ポーズを取りながら頂点を修正

下半身の服を作成する

パンツ、ブーツ、マントも同じように作成します。

❶ パンツ、ブーツも前項と同様に肌メッシュからのコピーで作成します（手順は前述と同様なので割愛します）。パンツの方はもう少し面積を少なくしたほうがかっこよくなるように感じたので、K によるナイフでぐるっと一周切り込みを入れ、外縁を削除することで調整を行いました❶。

　ブーツの方は、足をそのままコピーしただけでは指が存在してしまうので、指と指の間の面を削除して隙間を埋めるように面貼りを行います❷。

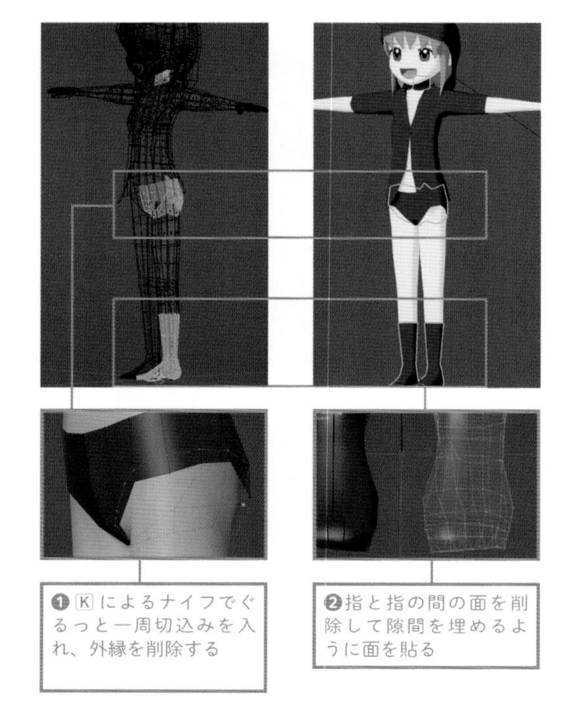

❷ 服の裾から E による押し出しによりマント状にし、形を整えてから Ctrl+R のループカットによりだいたい格子状になるようにメッシュを構成します❶。

　袖の部分も少しギザギザになるように加工しました。タイツの方は単純に肌メッシュの方でこの部分だけ紺色のマテリアルを適用することで再現しています。

❶服の裾から E 押し出しでマント状にし、形を整えてから Ctrl+R のループカットで格子状にする

大鎌を作成する

衣服の作成が出来たら、キャラクターに持たせる大鎌を作成します。

大鎌のモデル作成

❶ ［オブジェクトモード］で Shift + A から立方体メッシュを追加します❶。

❷ 真横から見て横長の長方形の平面に加工します。その内、片方の縦の辺の両頂点を選択し、S → Z → 0 → Enter の入力により頂点を1箇所にまとめて、全体を三角形になるようにします❶。

❸ この両頂点をマージしないままでいたので、Ctrl + R のループカットにより縦に分割線を入れることが出来ます❶。

ホイールアップにより多数の分割線を追加した後、一番長い縦線の中心に3Dカーソルを持っていき、頂点をすべて選択した状態で、マウスカーソルを三角の先端付近に持っていき Shift + W を押しマウスを動かすと、3Dカーソルを中心にメッシュ全体を曲げる事ができます❷。

上手く鎌の刃の曲がり方になるように調整し左クリックで確定します。

❹ 棒の方は単純に Shift + A から円柱を追加して加工します❶。

❶円柱メッシュからの加工で棒を作成

❺ あとは厚みを付けて、鋭い部分は薄くする等の加工を経て形を完成させます❶。

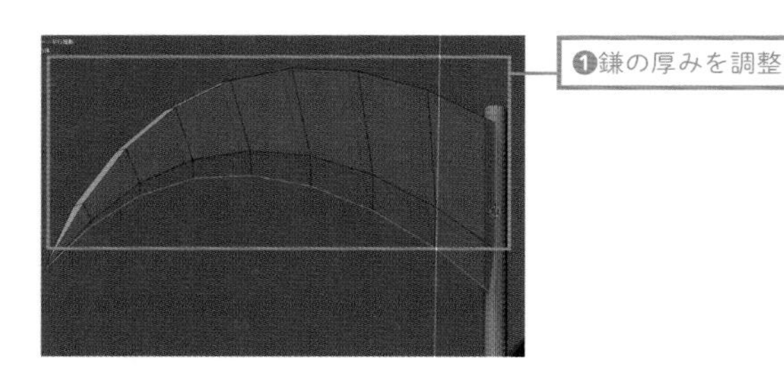

❻ 鎌もミラーモディファイアーを付加するときの手順と同じように左半分の頂点を消去します❶。

POINT

ちょうど中心（X=0）の位置にも分割線がないと左側の頂点を消したときに中心の面も一緒に消えてしまうので、ループカット等で中心に分割線を入れた上で左側頂点を全て消去します。

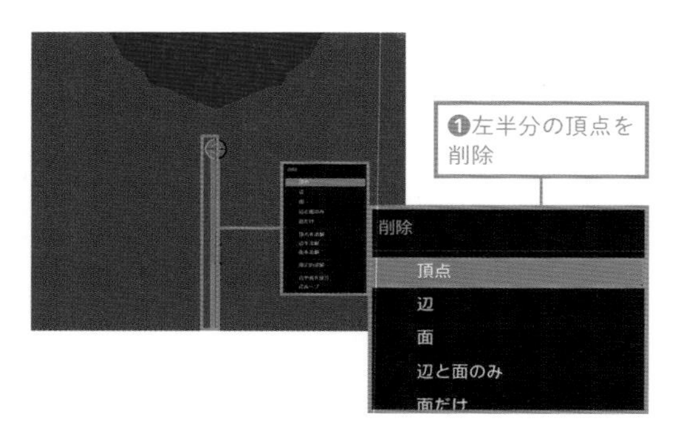

❼ あとはわざわざミラーモディファイアーを付けずとも、このまま［オブジェクトモード］で鎌→服オブジェクトの順に選択して Ctrl + J で統合してしまえば、服の方に付いていたミラー化が鎌のメッシュにも適用されます❶。

❶オブジェクトモードで鎌→服オブジェクトの順に選択して Ctrl + J で統合

服や鎌を完成させる

服や鎌のマテリアルやボーンを作成します。

服と鎌にマテリアルを設定する

服と鎌のモデルが完成したら、それぞれにマテリアルを設定していきます。

❶ 服のマテリアルを選択してシェーダーエディターで、Shift+A から［入力］＞［ジオメトリ］、［シェーダー］＞［シェーダーミックス］、［グループ］＞［トゥーンシェーディング（自作したノードグループ）］を追加して、以下の画像のように繋げてください❶。

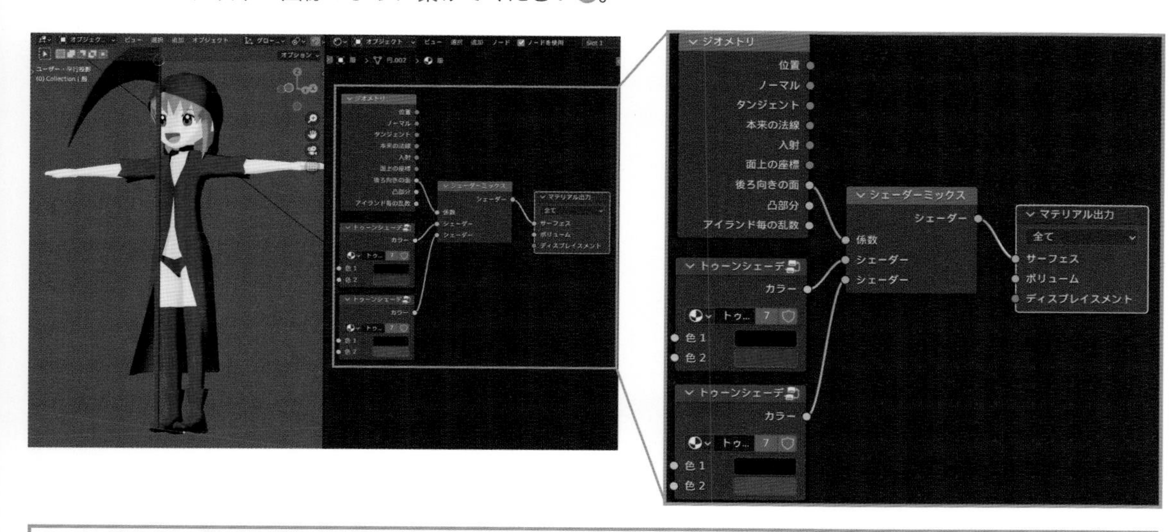

❶［入力］＞［ジオメトリ］、［シェーダー］＞［シェーダーミックス］、［グループ］＞［トゥーンシェーディング］を追加し繋げる

裏表別色指定

シェーダーミックスノードの上側のシェーダー入力端子に繋いだものが服の表側、下側に繋いだものが裏側に適用されます。この**ジオメトリ**ノードの［後ろ向きの面］出力端子を利用すれば、このように裏表で別々の色を設定することが出来ます。

② 棒の方のマテリアルを設定します。こちらは、木製のような質感を再現したいと思います。シェーダーノードで Shift +A から、［入力］＞［テクスチャ座標コンバーター］＞［ベクトル演算テクスチャ］＞［ノイズテクスチャコンバーター］＞［カラーランプカラー］＞［RGB ミックス］を追加して、以下の画像のように繋いでください❶。

ベクトル演算ノードはプルダウンから［乗算］に切り替えて、RGB ミックスノードも同じく［乗算］に切り替えます。ノイズテクスチャノードの［スケール］を大きくするほど木目のサイズが小さくなり、ベクトル演算（乗算）の下のベクトルの 3 つの欄で、それぞれ X、Y、Z の大きさを決定できます。Z の値を小さくすることで、縦長の模様が再現できます。カラーランプの各カラーストップを中心へ絞ることで、模様のメリハリが立ち、RGB ミックス（乗算）ノードの［係数］で木目の色の濃さを調節します。

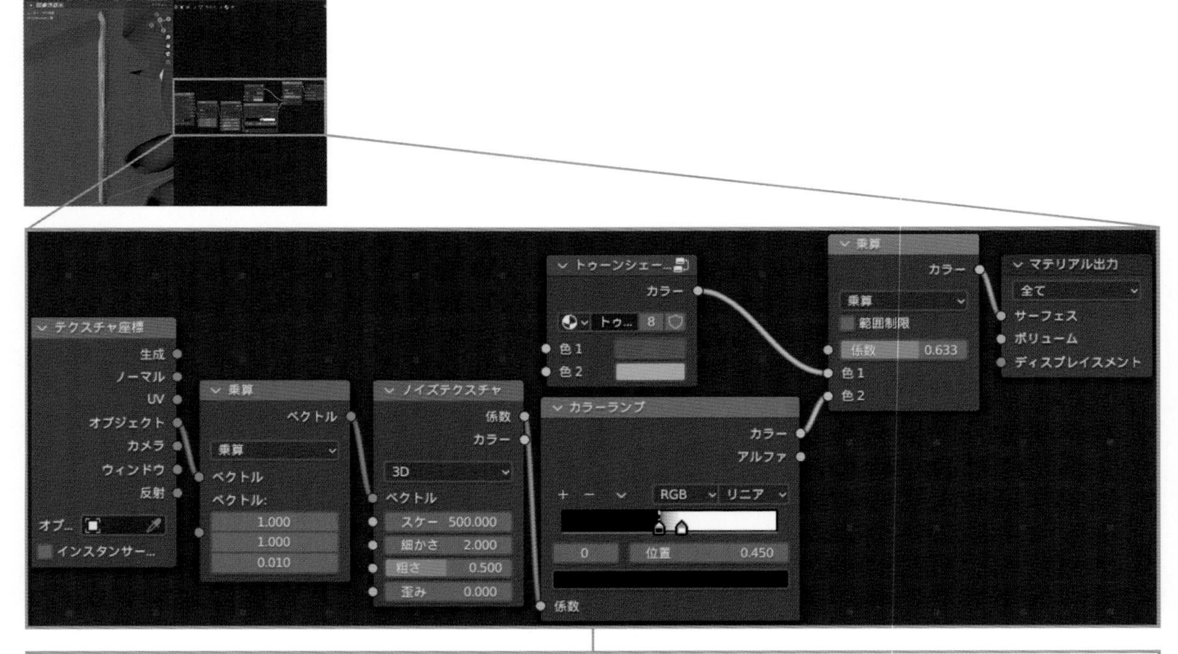

❶［入力］＞［テクスチャ座標コンバーター］＞［ベクトル演算 テクスチャ］＞［ノイズテクスチャコンバーター］＞［カラーランプカラー］＞［RGB ミックス］を追加し繋げる

POINT

全てのマテリアルをしっかり作ったところで、全体を見渡すと少しデザインがあっさりしすぎているように感じたので、服のそれぞれのフチの部分で分割線を足し金色なマテリアルを設定したり、胸のあたりに金色の留め具を作るなどして装飾を増やしました。

アンビエントオクルージョンを使う

この段階でもまだ少しのっぺり感があるので、ここで**[アンビエントオクルージョン]**を利用してみます。

❶ シェーダーエディターで肌のマテリアルを選択した状態で表示される［トゥーンシェーディング］グループノードを選択して Tab によりこのグループノードの内側を表示します❶。

❶「トゥーンシェーディング」グループノードを選択して Tab でグループノードの内側を表示

❷［レンダープロパティ］の［アンビエントオクルージョン（AO)］にチェックを入れてこのパネルを開き、［距離］を「1m」にしておきます❶。

シェーダーエディターで Shift + A により［入力］＞［アンビエントオクルージョン（AO）コンバーター］＞［カラーランプカラー］＞［RGB ミックス］を追加して以下の画像のように繋ぎます❷。

カラーランプノードの各［カラーストップ］を中心へ絞り、左側の［カラーストップ］の色を赤方面へ変更します❸。

すると、キャラクターの面が入り組んだ場所で赤みがかったグラデーションが入り、血の気を帯びたようになったのではないでしょうか。

RGB ミックス（乗算）ノードの［係数］の値でこの赤みの強さを調整します❹。

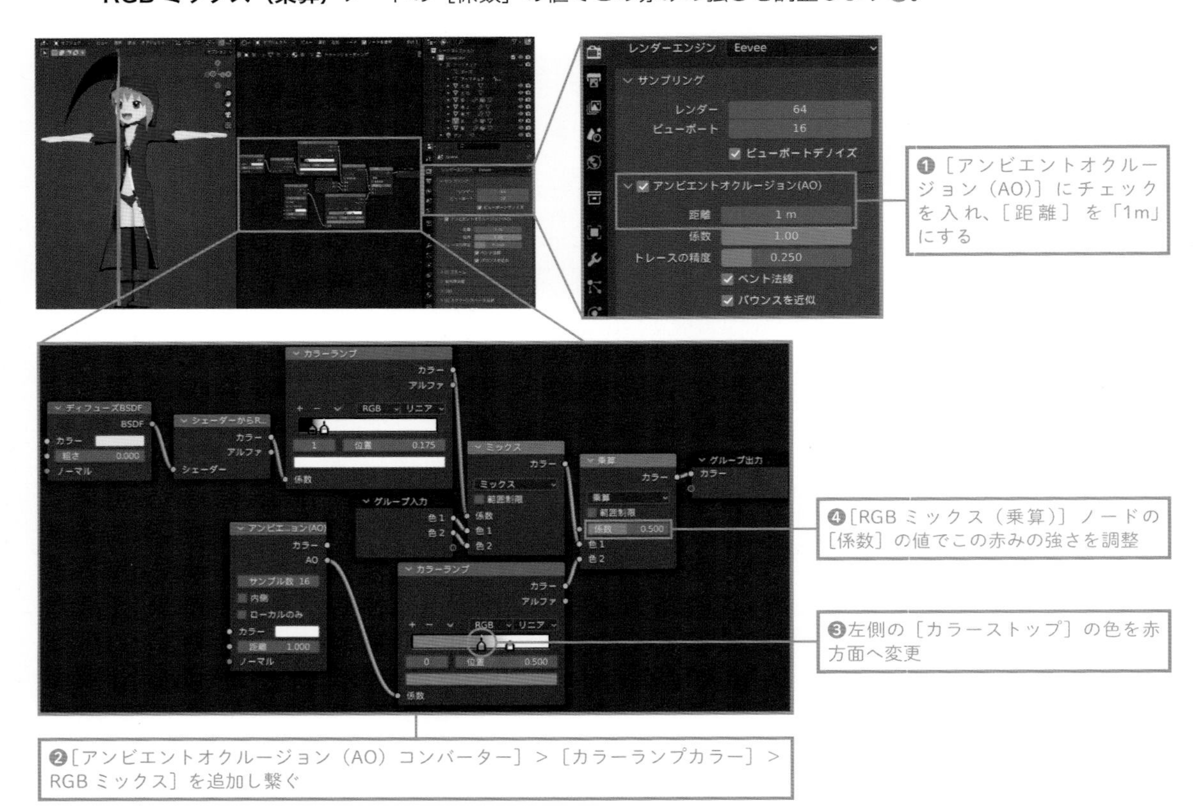

❶［アンビエントオクルージョン（AO)］にチェックを入れ、［距離］を「1m」にする

❹［RGB ミックス（乗算）］ノードの［係数］の値でこの赤みの強さを調整

❸左側の［カラーストップ］の色を赤方面へ変更

❷［アンビエントオクルージョン（AO）コンバーター］＞［カラーランプカラー］＞ RGB ミックス］を追加し繋ぐ

アンビエントオクルージョン（AO）

この**アンビエントオクルージョン（AO）**は、空間の“狭さ”を判定して、狭いほど暗くなるような効果を出すことが出来る機能です。定義によっては**「間接照明」**や**「環境照明」**と呼ばれることもあり、光源から光が何度も周囲の物質に反射してできたやわらかな影を擬似的に再現することが出来ます。

服と鎌にボーンを設定する

あとは、服や鎌にもボーンを入れておきます。

❶ アーマチュアオブジェクトの［編集モード］で、マントの揺れそうな面に対して何本かボーンを入れ、ある程度細分化して縦方向の解像度も上げておきます（それらのボーンは下半身用のボーンを親としてください）❶。

鎌は硬い物質なのでボーン１本で構いません。

このキャラを右利きとするならば、鎌のボーン→右手中央のボーンの順に選択して、Ctrl+P の**［オフセットを保持］**接続を行うことで、右手を動かすと鎌も追随して動いてくれるようになり、鎌を右手で握っている状態の動きを簡単に取らせることが出来るようになります❷。

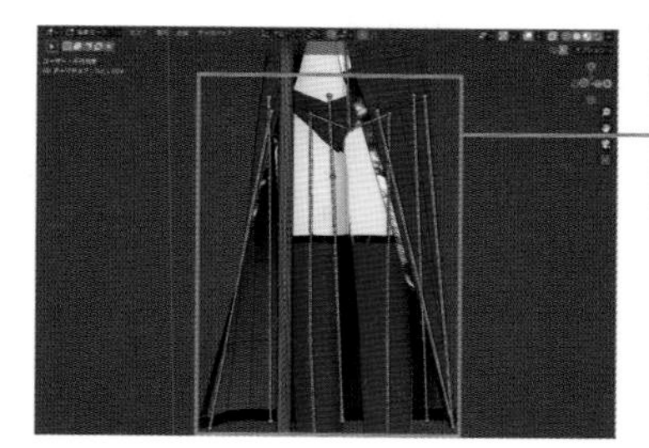

❶マントの揺れ部分に何本かと、鎌に１本ボーンを配置

POINT

ただし、状況によってはこの鎌がずっと右手に追随し続ける状態は邪魔になってしまう場合もあるので、このペアレント処置が必要かは用途によって判断してください。

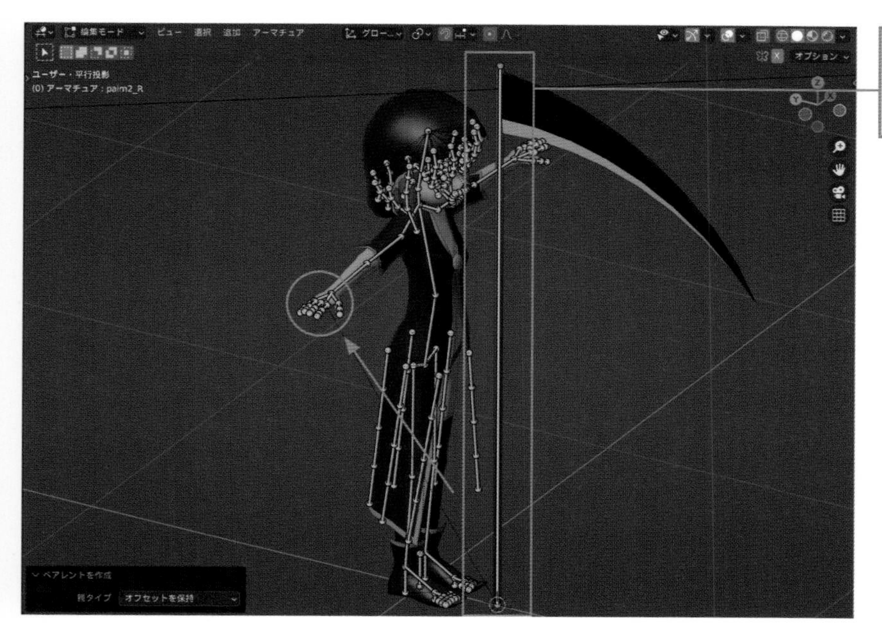

❷キャラが右利きの場合、鎌のボーン→右手中央のボーンの順に選択して、Ctrl+P のオフセット保持接続を行う

サンプルファイル　samplefile/Chapter6

6-8 モーション作成

キャラクターのモーション作成及び、それに付随する便利な機能のご紹介をします。

ボーンに関わる機能

ここではモーション作成を行うにあたって押さえておきたい機能について紹介します。

ボーンレイヤーを変更

3D ビューポート上で、アーマチュアの［ポーズモード］か［編集モード］でボーンを選択時に M を押すと［ボーンレイヤーを変更］メニューが現れ、ここで 32 個のボタンのうちクリックしたボタンの位置の［レイヤー］に選択ボーンを移動させることが出来ます。

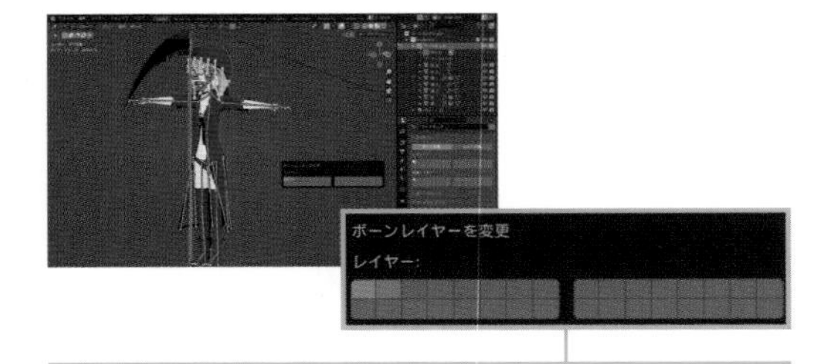

［ボーンレイヤーを変更］メニュー
32 個のボタンのうち押したボタンの位置の［レイヤー］に選択ボーンを移動させることが出来る

アーマチュアを選択時の［オブジェクトデータプロパティ］の［スケルトン］パネルには、［レイヤー：］と書かれた 32 個のボタンが有る項目が存在し、これらのボタンはレイヤーを表しています。現在ボーンが存在するレイヤーにはボタンの中にまたはマークが描かれるようになり、現在表示中のレイヤーは背景が青く表示されます。

をクリックすることで表示レイヤーを切り替えることが出来、Shift を押しながらクリックすることで複数のレイヤーを同時に表示することが出来ます。アクティブなボーンが存在するレイヤーでは、そうでないボーンが存在するレイヤーではとなります。ボーンが密集してくると見えづらくなったり選択しづらくなったりするので、この機能を利用して例えば体全体用のボーン、髪の毛用のボーン、顔用のボーン、手足用のボーンというような区分けでレイヤーを分けてしまえば、スッキリ整理することが出来ます。

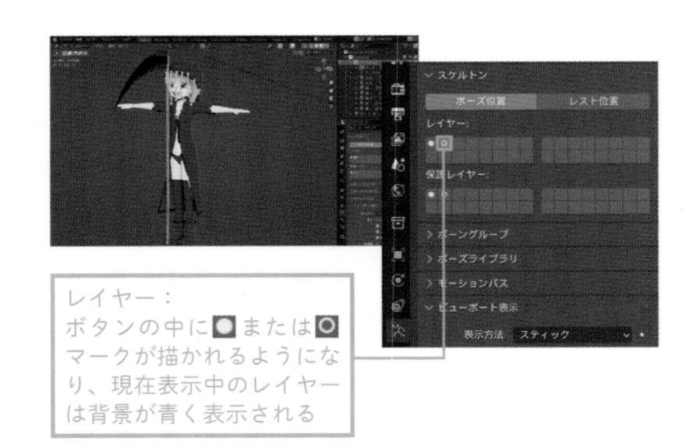

レイヤー：
ボタンの中にまたはマークが描かれるようになり、現在表示中のレイヤーは背景が青く表示される

アクティブではないボーンが存在するレイヤー

アクティブなボーンが存在するレイヤー

ボーングループ

更にもう１つ、多すぎるボーンを整理する方法として、**ボーングループ**があります。アーマチュア選択時の［オブジェクトデータプロパティ］で［ボーングループ］パネルを開くと、頂点グループと同じような見た目のインターフェイスが現れます。アーマチュアの［ポーズモード］で、例えば眉毛用のボーンをすべて選択して、［ボーングループ］パネル右上の＋マークで新たなボーングループを作成、**割り当て**を行います。

［色セット：］のプルダウンメニューから、適当なものを選択すると、眉毛用ボーンが選択した色セットの色で表示されるようになります。これを利用し、密集しがちな顔用のボーンを上まつ毛用、下まつ毛用、唇用というような分け方でボーングループを設定すれば、見やすさが向上します。更に、リストでボーングループを選択して下の［選択］ボタンをクリックすると、そのボーングループに属しているボーンを選択状態にすることが出来ます。［選択解除］でそのボーングループに属しているボーンを選択解除します。

ボーングループ
ボーングループパネル右上の＋マークで新たなボーングループを作成、［割り当て］を行うことができる

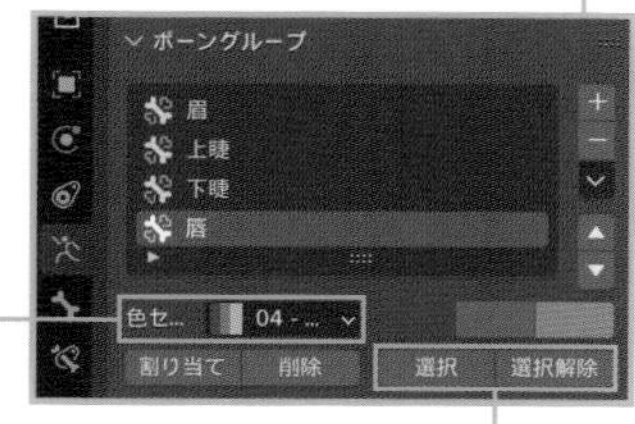

［色セット］
ボーングループを選択した色セットの色で表示できる

［選択］／［選択解除］
ボーングループのボーンの選択／選択解除ができる

左右対称のポーズを付ける

ポーズは Ctrl+C でコピー、Ctrl+V で貼り付けすることが出来ます。

❶ 右半分のみ、または左半分のみでポーズを付けて、ポーズを付けた方のボーンを選択して Ctrl+C でコピーします❶。

❶ポーズを付けたボーンを選択して Ctrl+C でコピー

ポーズをバッファにコピーしました

コピーをすると［ポーズをバッファにコピーしました］と表示される

❷ Shift+Ctrl+V を押すと、反対側のボーンへポーズを反転コピーすることが出来ます❶。

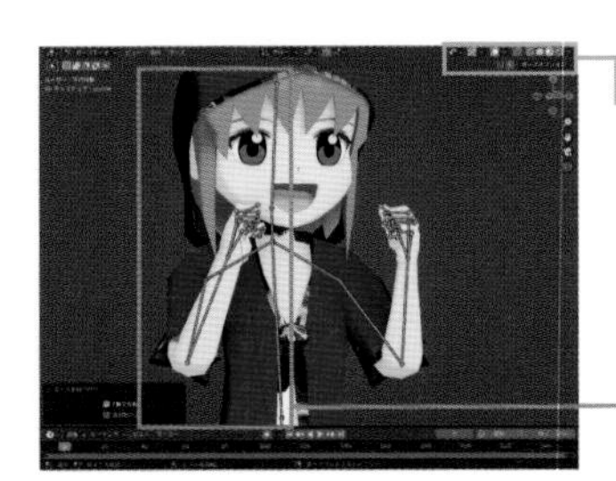

❶ Shift+Ctrl+V で反対側のボーンへポーズを反転コピー

POINT

これは、左右できちんと末尾に「_R」「_L」を付ける命名規則でボーン名を付けている場合のみに有効です。

また、ツール設定バーの X ボタンを有効にしていると、リアルタイムに左右対称の動きをしてくれます。

ポーズライブラリ

ポーズに関連する機能として［ポーズライブラリ］についても解説します。

❶ アーマチュアの［ポーズモード］で、ポーズを付けた状態で、そのポーズのうち保存したいポーズのボーン（例えば右画像では握りこぶしの部分）を選択します❶。

そして［オブジェクトデータプロパティ］ の［ポーズライブラリ］のパネルを開いて［+ 新規］ボタンをクリックし、右上の + ボタンをクリックして［新規作成］します❷。

すると、リストに新たに **Pose** という項目が作成されます。

❶ポーズを付けた状態で、保存したいポーズのボーンを選択

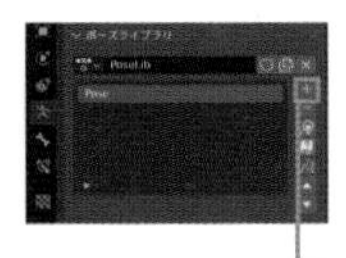

❷右上の + ボタンをクリックする

❷ 一旦全ボーンを選択して Alt+R、Alt+G でポーズをリセットします❶。

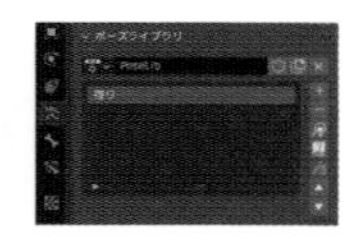

❶全ボーンを選択して Alt+R、Alt+G でポーズをリセット

> **POINT**
> このポーズライブラリ機能は Blender バージョン 3.2 で非推奨化、3.3 で完全削除され、**アセット**という仕組みで置き換えられます。

❸ その後、[ポーズライブラリ] パネルの虫眼鏡のようなアイコン をクリックしてみてください❶。

　すると、先程選択していたボーンのポーズ（握りこぶし）が再現されます。この［ポーズライブラリ］は選択中のボーンのポーズを保存、呼び出しを行うことが出来ます。

　2回目以降＋ボタンをクリックした時は、既存のもとの置き換えることも出来るメニューが開きます。

❶虫眼鏡 のようなアイコンをクリックする

中間ポーズを取らせる

ここでは先ほど設定した手を握った状態と開いた状態の間のポーズを取らせる方法について解説します。

❶ ポーズを付けたボーンを選択して I から[位置]、[回転] 等を選択して一旦キーフレームを打ちます❶。

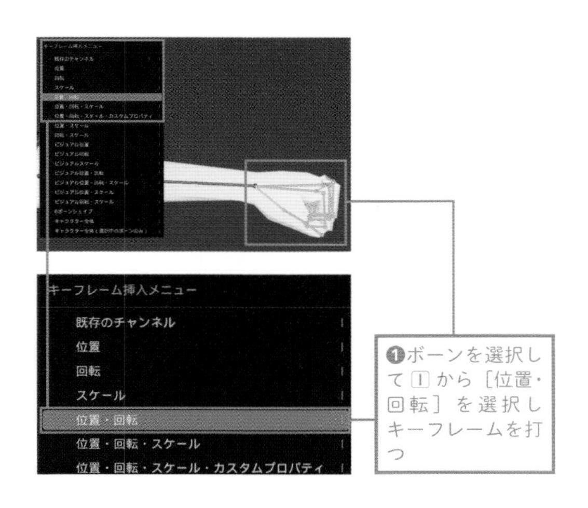

❷ そして3Dビューポートヘッダーの［ポーズ］から［中間ポーズ］＞［レストポーズ］にポーズをリラックスを実行します❶。

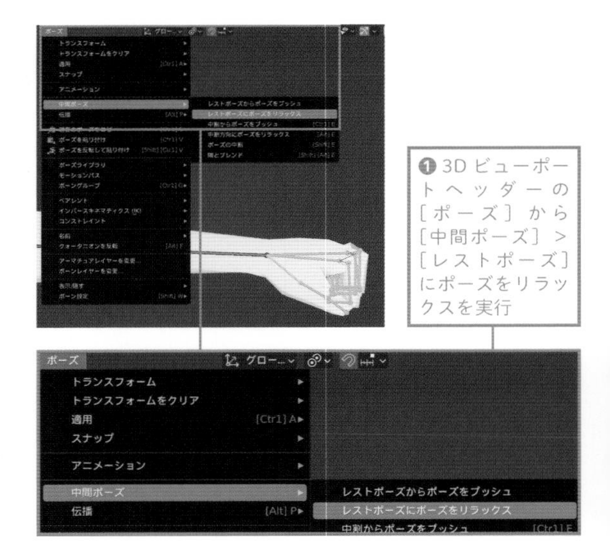

❸ ヘッダーがスライドに置き換わり、このスライドを操作することによりその割合で中間のポーズを取らせることができます❶。

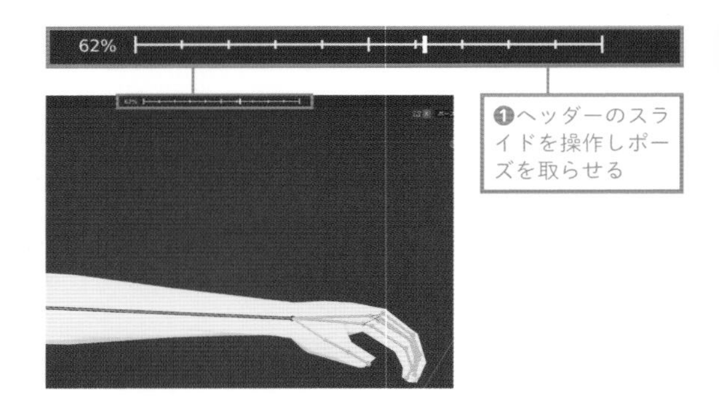

アニメーションを作成する

アニメーションの練習として、キャラクターを歩かせる動きをさせてみましょう。

キャラクターを歩かせる

両手は握りこぶし状にし、大鎌を右手に持っている状態とします。

❶ 肩、二の腕を回転させて下におろした状態にします❶。

このとき、両肩両腕は左右で全く同じポーズとしてください。

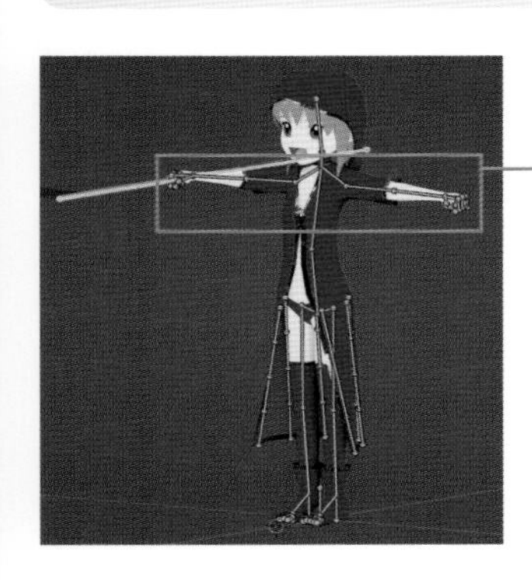

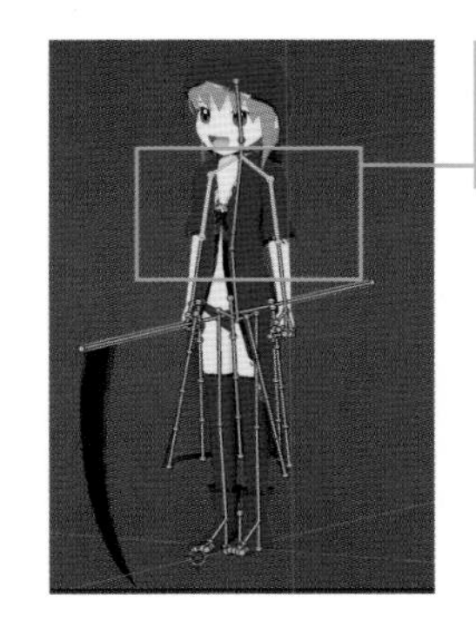

❷ 胴体や首、頭に少しひねりを入れます。下半身を R → Y → Y でローカル Y 軸に左回りにひねりを入れます❶。

上半身は反対に右回りに同じ角度だけひねりを入れます❷。

首と頭は下半身と同じ方向にひねりを入れますが、角度は首と頭を併せた角度が下半身のひねりの角度と同じになるようにします❸。

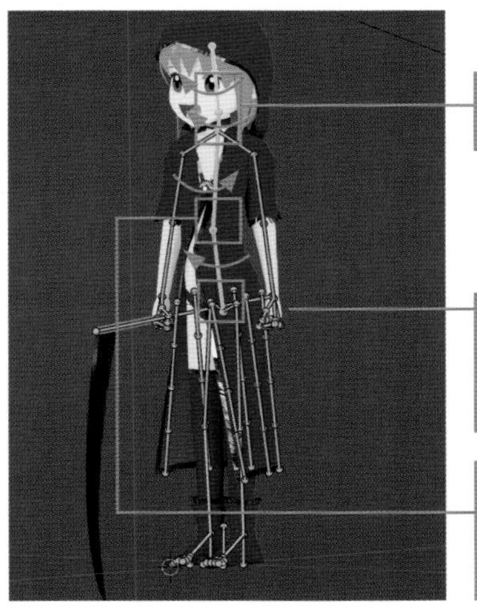

❸ 真横からの視点に切り替え、上半身と下半身のボーンを同時に選択して少し下へ下げ、両足のかかとのボーンを前後に開き（開く方向は下半身のひねりに逆らわないように）、前側の方はつま先を上げるように回転させます❶。

正面から確認したときに足が開きすぎているようでしたら、かかとボーンを中央へ寄せたり、ももボーンの角度を調整します。マントが突き抜けるようでしたらマント用のボーンも角度を変え、突き抜ける部分を修正します。肩、腕は足と反対方向へ開くよう角度を変えます。これらのポーズを付けた上で正面からも確認し、おかしなところがあれば修正し、歩いているようなポーズを作り上げてください。特に、上半身や頭が左右に傾いている場合はまっすぐになるように修正します❷。

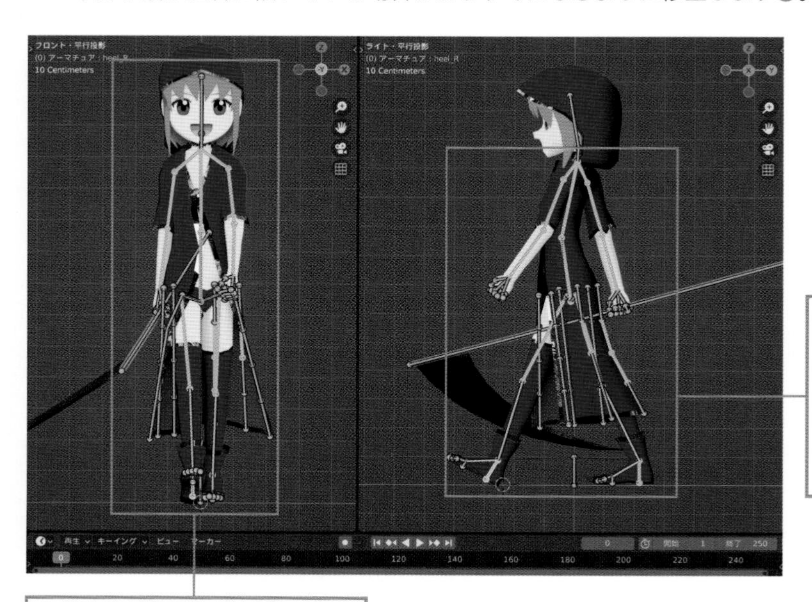

❶上半身と下半身のボーンを同時に選択して少し下へ下げ、両足のかかとのボーンを前後に開き前側の方はつま先を上げるように回転させる

❷正面から確認して細部の修正を行う

❹ もしかかとボーンを前へ出したとき、膝が逆方向へ曲がってしまうようなことがあれば、アーマチュアの［編集モード］で膝に当たるヘッドを少し前へ（膝側へ）移動させてみてください❶。

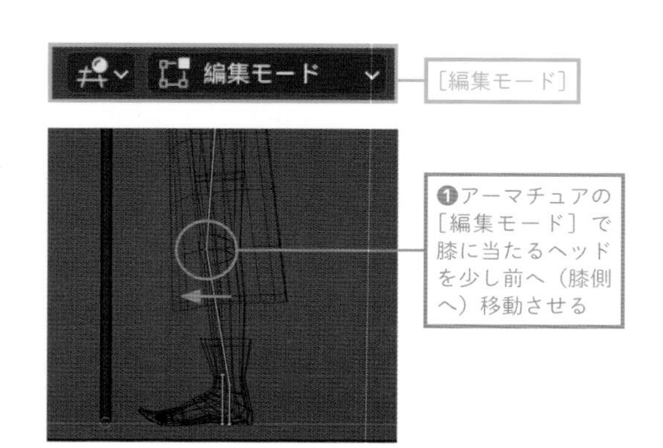

❺ タイムラインで現在フレーム数が「0」になっていることを確認します❶。
全体のボーンを選択して I から［位置・回転］を選択してキーフレームを打ちます❷。

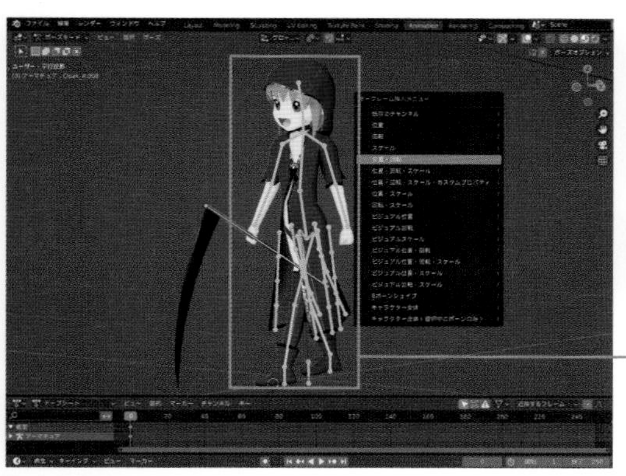

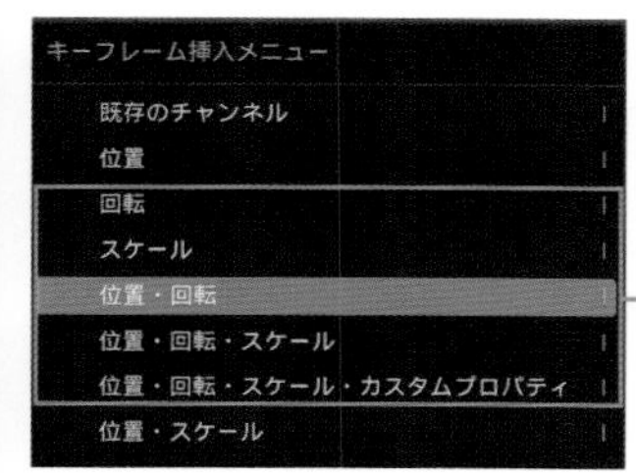

❷全ボーンを選択し I から［位置・回転］を選択してキーフレームを打つ

❶フレーム数が「0」になっていることを確認

❻ 次に 20 フレーム目へ移動して、大鎌用のボーンを除いた全ボーンを選択してします❶。
Ctrl + C でポーズをコピーして Shift + Ctrl + V でポーズを反転貼り付けします❷。
その状態で、I から［位置・回転］を選択してキーフレームを打ちます❸。

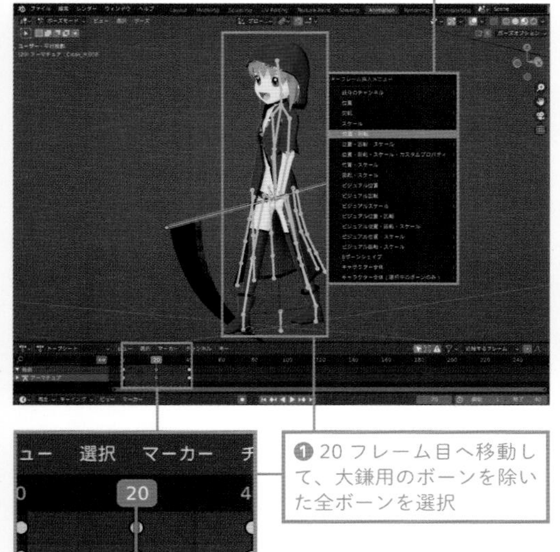

❶20 フレーム目へ移動して、大鎌用のボーンを除いた全ボーンを選択

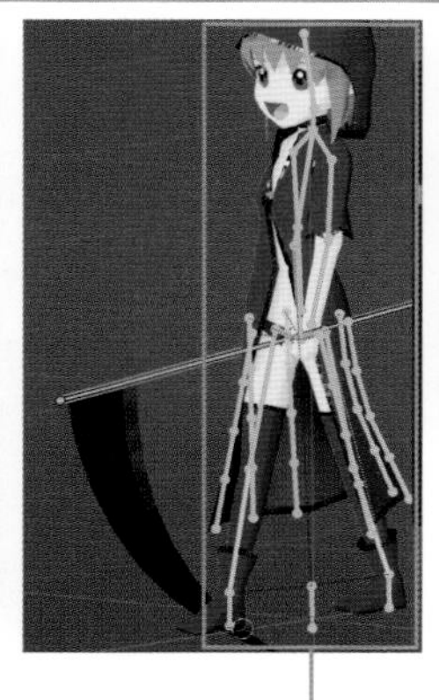

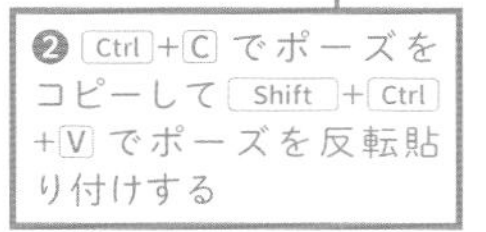

❷ Ctrl + C でポーズをコピーして Shift + Ctrl + V でポーズを反転貼り付けする

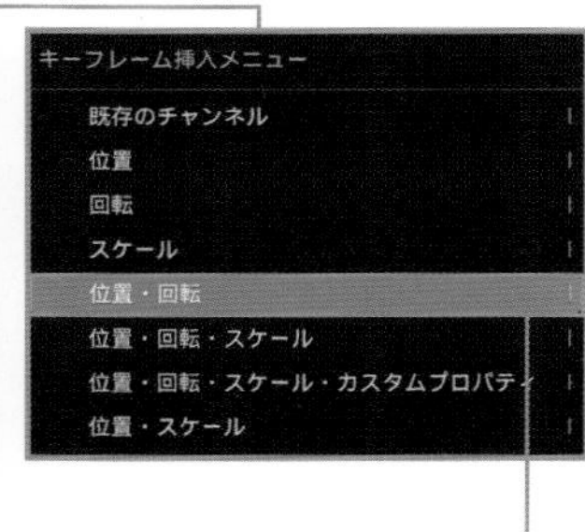

❸ I から［位置・回転］を選択してキーフレームを打つ

❼ タイムラインウィンドウで［終了］の値を「40」にしておきます❶。

その上で０フレーム目のキーフレーム（菱形のアイコン◆）を選択して Shift + D で複製し40フレーム目へ持っていきます❷。

試しにこの段階で Space による再生を行ってみると、歩いているような感じではなく、すり足になってしまっています。

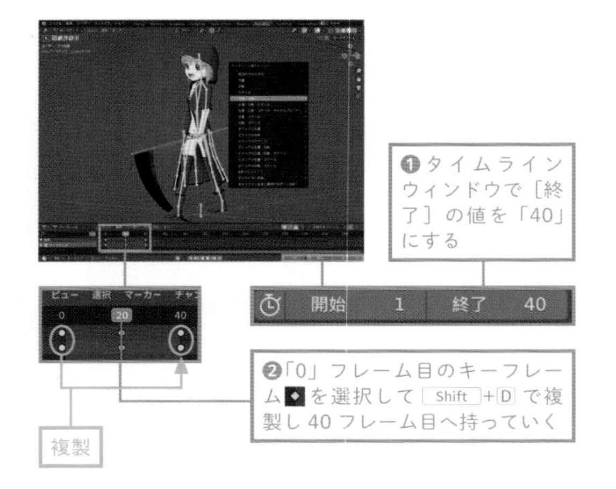

❽ そこで、10フレーム目へ移動して上半身下半身両方のボーンを選択して少し上へ上げ、膝が真っ直ぐ伸びるようにします❶。

0フレーム目から20フレーム目にかけて後ろから前へ移動する側の足のかかとボーンを選択し、上へ上げて膝が曲がるようにし、つま先を下ろすように回転させます。もう片方の足もしっかり地面に接地するようにかかとボーンの角度を調整します❷。

腕が身体にめり込むようなら回転で修正しておきます❸。

正面から見て、腕が身体にめり込むようなら回転で修正しておきます。いまこの段階で動かしたボーン（両かかと、両腕、上半身下半身）をすべて選択して、I から［位置・回転］を選択してキーフレームを打ちます❹。

この状態で Ctrl + C によりポーズをコピーしておきます❺。

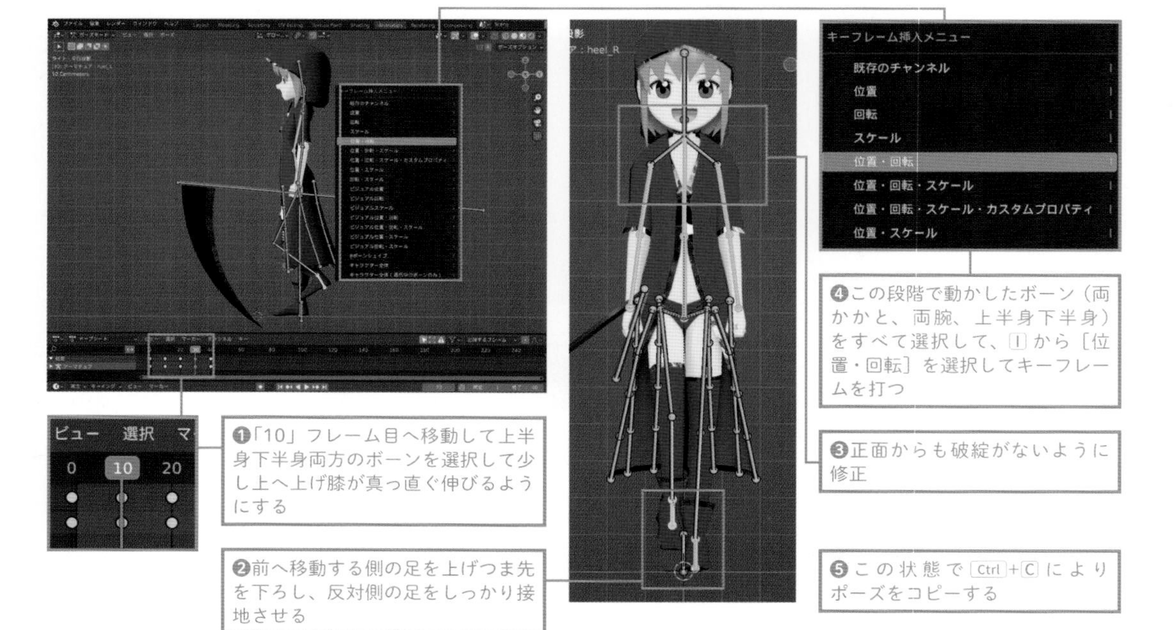

❾ 「30」フレーム目へ移動し、Shift+Ctrl+V により反転貼り付けし、I から［位置・回転］を選択してキーフレームを打ちます❶。

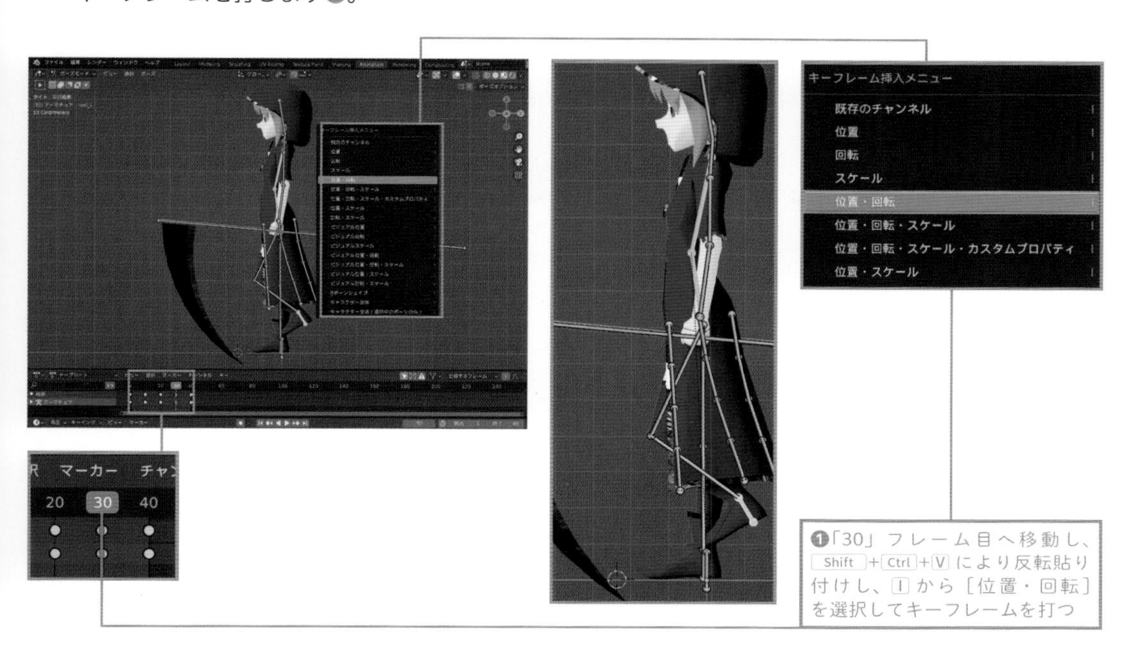

できた !!

これで歩行モーションが完成しました。Space で再生して確認してみてください。

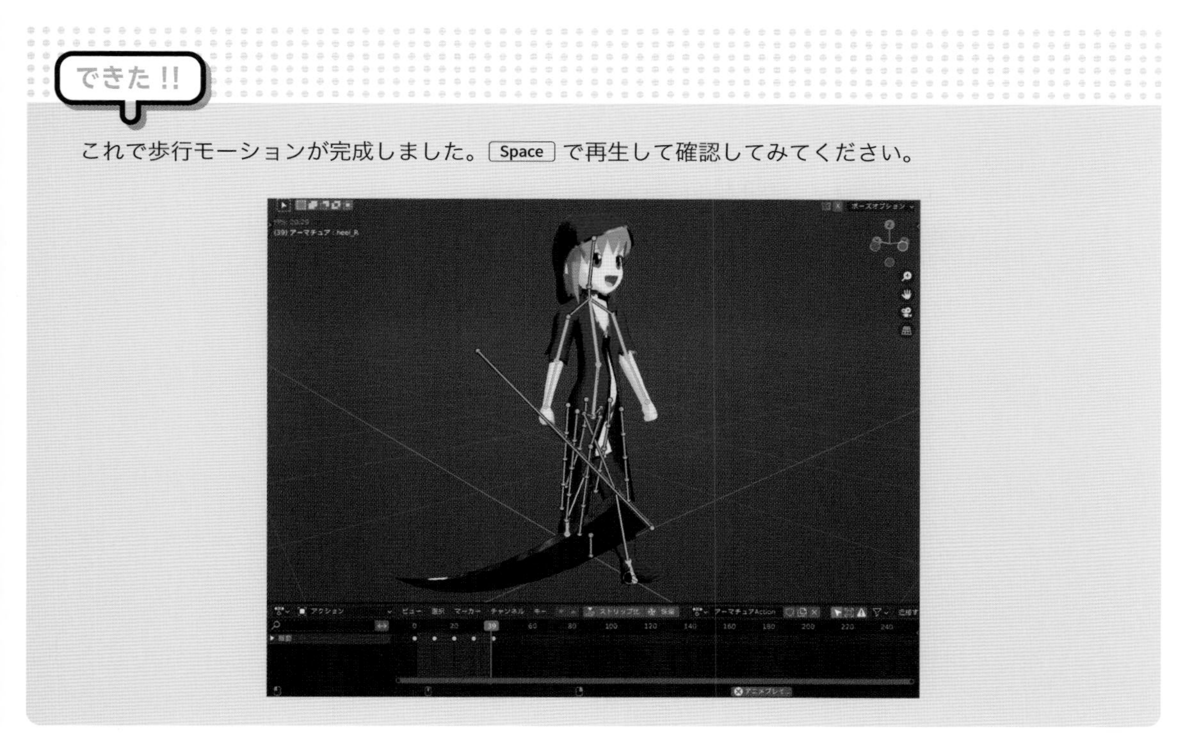

POINT

アニメーション再生時、お使いの環境によっては動きがカクついてしまうかもしれません。そういった場合は、タイムラインヘッダーの［再生］プルダウンメニューにある［シンク］プルダウンメニューから［コマ落とし］に切り替えてみましょう。

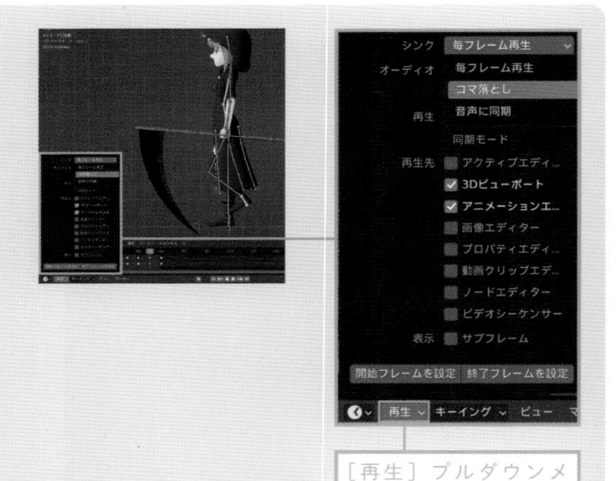

［再生］プルダウンメニュー

MEMO

作成したアニメーションはデータブロック**「アクション」**として管理されます。その「アクション」データを編集するには、タイムラインエリアをヘッダーの一番左のプルダウンメニューから［ドープシート］に切り替え、モードプルダウンメニューから［アクション］に切り替えます。

モードプルダウンメニューが［アクション］の時、ヘッダーにある［アーマチュア Action］となっているものが現在アーマチュアに付けたアニメーションの名前となっています。付けたアニメーションを丸ごと消してしまいたい場合はこの欄の右の☒ボタンをクリックします。

別のアニメーションを付けたいものの、今現在のアニメーションは消さずに取っておきたい場合は、名前欄右の盾のようなアイコン🛡を押しておくと、右の☒ボタンをクリックして Blender を終了しても消されずに残されます。

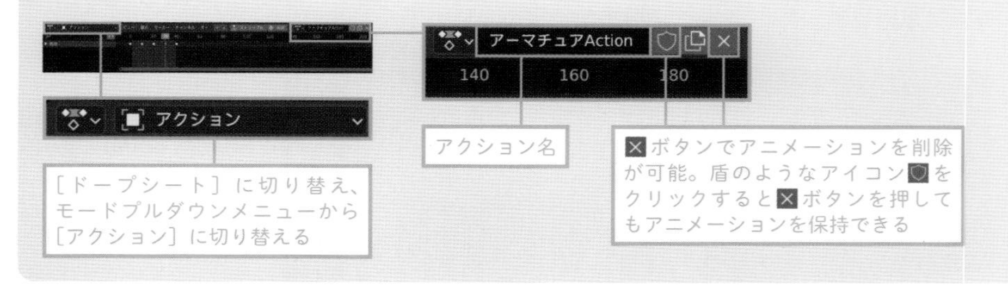

［ドープシート］に切り替え、モードプルダウンメニューから［アクション］に切り替える

アクション名

☒ボタンでアニメーションを削除が可能。盾のようなアイコン🛡をクリックすると☒ボタンを押してもアニメーションを保持できる

サンプルファイル samplefile/Chapter6

6-9 エッジ（輪郭線）出し

アニメ調の質感に不可欠なエッジ（輪郭線）出しの方法を複数ご紹介します。

FreeStyle

Blender に標準でエッジ出しの為の機能として用意されている **FreeStyle** を使用します。

Freestyle の設定

FreeStyle の使用手順について解説します。

❶ ［レンダープロパティ］の［Freestyle］にチェックを入れてパネルを開き、［ライン幅モード］を［相対］にしておきます❶。

これは、レンダリング解像度に比例してエッジの太さを変える設定です。FreeStyle によるエッジは、F12 でレンダリングしてみないと結果がわかりません。

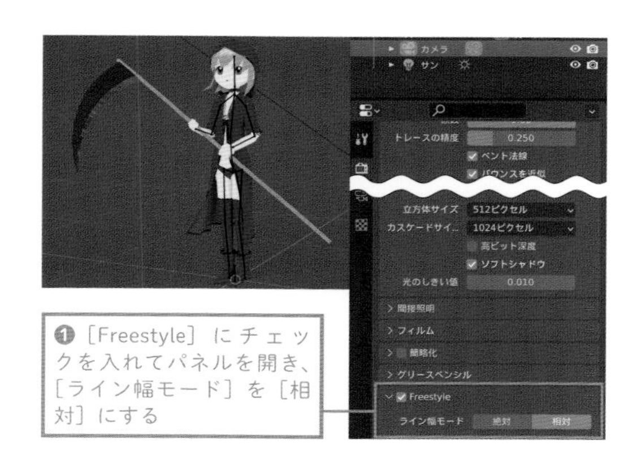

❶［Freestyle］にチェックを入れてパネルを開き、［ライン幅モード］を［相対］にする

❷ FreeStyle の詳細な設定は［ビューレイヤープロパティ］タブにあります。その中の［Freestyle］パネルで、［クリース角度］の値を「80°」程度にしておきます❶。

これはどれくらいの角度で曲がっている部分でエッジを出すかの設定で、値を大きくするほど緩やかな曲面でもエッジが出やすくなります。今回の作例は解像度が低めなので、角度を小さくしておきます（結果を見て調整してみてください）。

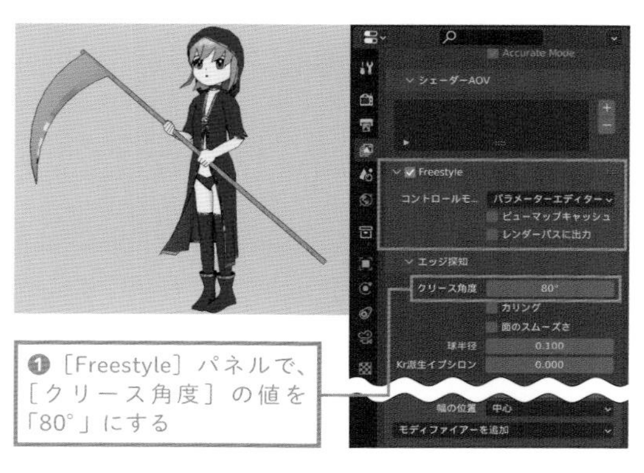

❶［Freestyle］パネルで、［クリース角度］の値を「80°」にする

❸ ［Freestyle 幅］パネル内の［ベース幅］で、エッジの太さを設定することが出来ます❶。

また、下の［モディファイアーを追加］プルダウンメニューから［ストローク追従］を追加し、［マッピング］を［カーブ］に、出現したカーブ編集領域で右上の制御点を一番右下へ、カーブの中央付近でクリックすることにより新たな制御点を作り、その制御点は横軸中央、縦軸一番上に移動させます❷。

このグラフの横軸がエッジのストロークの開始から終了までを、縦軸がエッジの太さを表すため、このようなグラフを描くとエッジにまるでペン入れの**「入り」「抜き」を再現**したような効果を与えることが出来ます。

❶［Freestyle 幅］パネル内の［ベース幅］で、エッジの太さを設定する

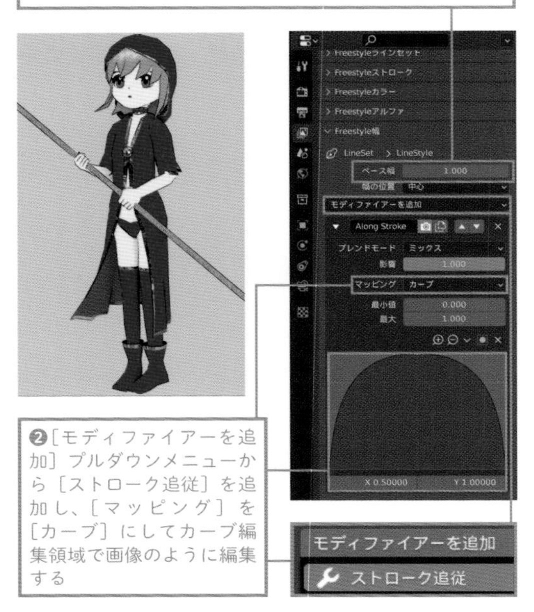

❷［モディファイアーを追加］プルダウンメニューから［ストローク追従］を追加し、［マッピング］を［カーブ］にしてカーブ編集領域で画像のように編集する

MEMO

FreeStyle によるエッジ出しは、線が出てほしくない部分に出てしまう場合もあります。そういう場合は、［編集モード］で線が出てほしくない部分の面を選択し、Ctrl + F から［面データ］>［Freestyle 面をマーク］を選択します。［Freestyle ラインセット］パネルにある［面マーク］にチェックを入れて開き、［否定］を［排他］にします。

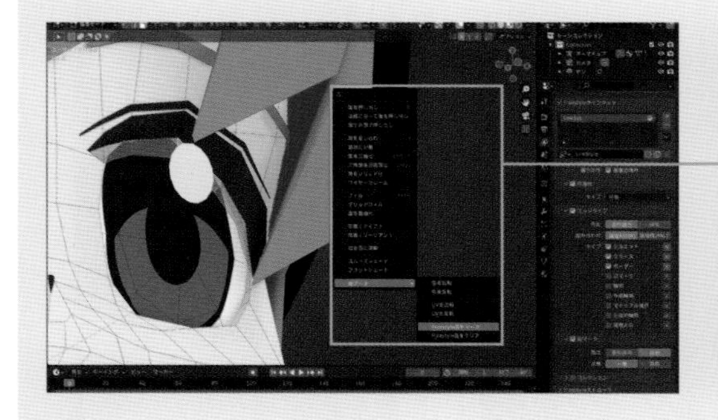

Ctrl + F から［面データ > Freestyle 面をマーク］を選択し［Freestyle ラインセット］パネルにある［面マーク］にチェックする

コンポジター

次に、**コンポジター**を使用したエッジ出しの方法を説明します。

「深度」を利用したエッジ出し

3D モデルの深度情報をもとに、エッジを作ります。

❶ まず下準備として、［ビューレイヤープロパティ］タブ の［パス］パネル内にある［データ］項目で、［Z］と［ノーマル］にチェックを入れておきます❶。

❶［ビューレイヤープロパティ］タブの［パス］パネルの［データ］項目で、［Z］と［ノーマル］にチェックを入れる

❷ エリアのうち 1 つを**コンポジター**に切り替え、ヘッダーの［ノードを使用］にチェックを入れます。すると中央に、［レンダーレイヤー］と［コンポジット］という名のノードが現れます❶。

F12 で一度でもレンダリングを行えば、［レンダーレイヤー］ノードにレンダリング結果の画像が表示されます。

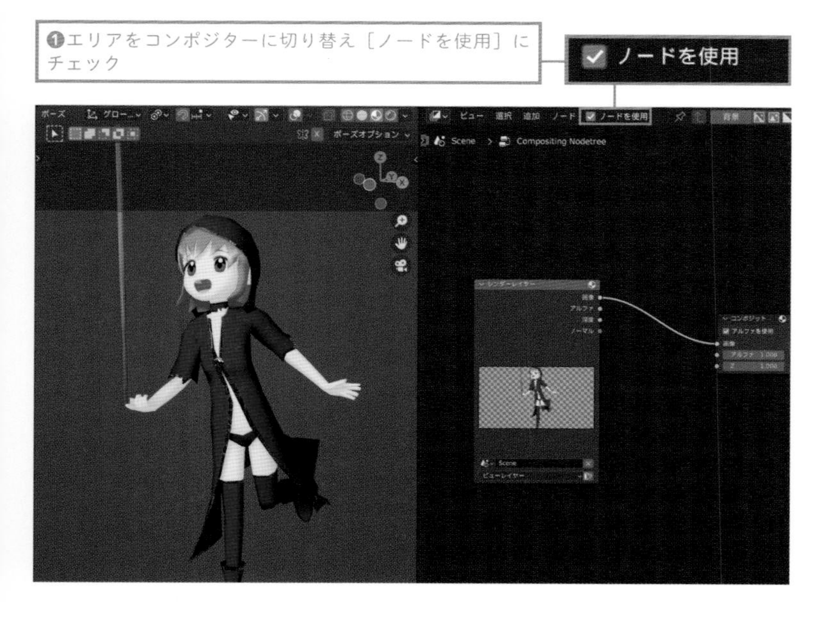

❶エリアをコンポジターに切り替え［ノードを使用］にチェック

POINT

少し脇道に逸れますが、［レンダープロパティ］タブの［フィルム］パネルを開き［透過］にチェックを入れておき、［コンポジター］で Shift +A から［カラー］＞［アルファオーバーノード］を追加し以下の画像のように繋ぎ、この状態でレンダリングを行うと、［アルファオーバー］ノードの［画像］端子の上側に設定した色で背景を置き換えることが出来ます。更に、この［画像］端子に画像テクスチャ等を繋げると、自由に任意の画像で背景を置き換えることが出来ます。

3 本題へ戻って、［コンポジター］で Shift +A から［フィルター］＞［フィルター］ノードを追加してプルダウンメニューから［ラプラス］を選択し、右画像のように繋げます（［アルファオーバー］は脇へ置いておいてください）❶。

その状態でレンダリングすると、キャラクターのエッジが白く出た画像ができあがります（エリアの１つを［画像エディター］にしておけば［コンポジター］の変更がリアルタイムに反映されます）❷。

これは、レンダリング画像の深度情報を元にラプラシアンフィルタを用いてエッジを抽出しています。

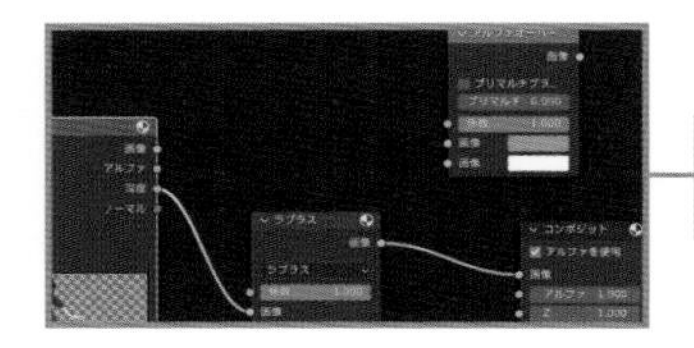

❶［フィルター］＞［フィルター］（ラプラスに切り替え）を追加して画像のように繋ぐ

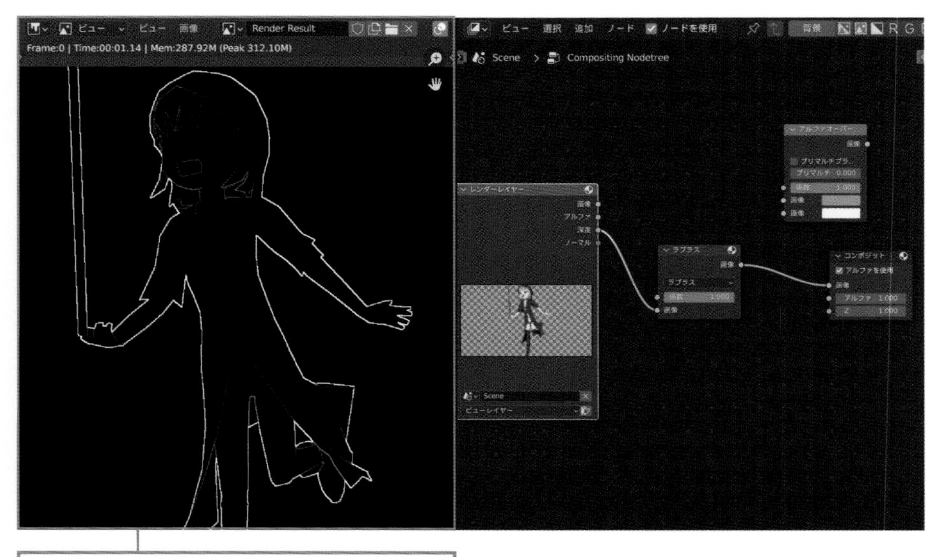

❷エリアの１つを［画像エディター］にしておく

ノーマルを利用したエッジ出し

もう 1 つの方法として、レンダーレイヤーから**ノーマル**の方の出力端子でラプラシアンフィルタをかけても、理想に近いエッジが出てくれます。

❶ 今度は、［レンダーレイヤー］ノードの［ノーマル］端子から［ラプラス］ノードへ繋げます❶。

これを使用する際は、モデル表面のノーマル（法線）情報を必要とするため、P.307 のシェーダーエディター上でマテリアル出力直前に**放射**ノードを挟んでおくという処置をしておかなければなりません❷。

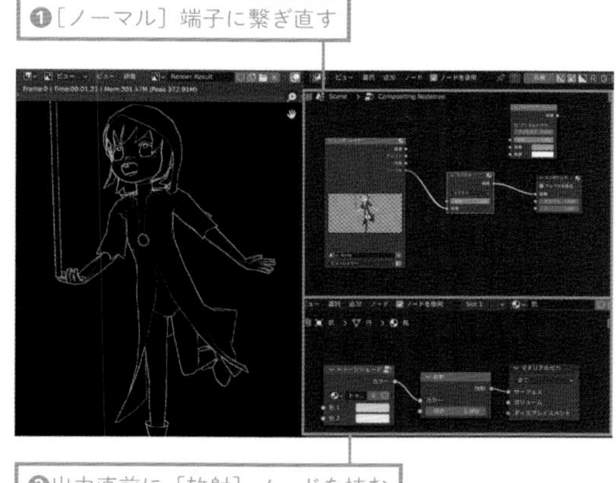

両方のエッジを合成する

この 2 種類のラプラシアンフィルタのいいとこ取りが出来るようにノードを組みます。

❶ Shift +A から［コンバーター］＞［カラーランプカラー］＞［ミックス（［乗算］へ切り替え）フィルター］＞［アンチエイリアス］を追加して以下の画像のように繋いでください❶。

カラーランプの状態はレンダリング結果を見ながら調整してみてください❷。

もちろん、服のマテリアルでも**放射ノード**を挟む処置は必要なので、以下の画像を参考に修正してください（他のすべてのマテリアルも同様です）❸。

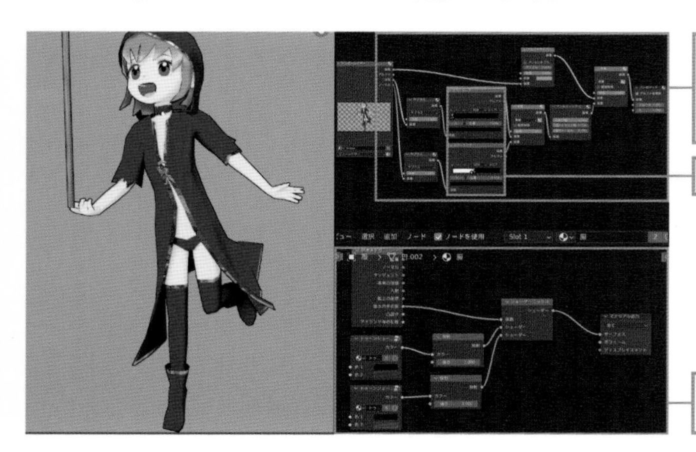

ソリッド化モディファイアーによるエッジ出し

ソリッド化モディファイアーを利用したエッジ出しの方法を解説します。

ソリッド化モディファイアーの設定

エッジ出し専用のオブジェクト作成とモディファイアー付加を行います。

❶ まずは肌のオブジェクトを選択し Alt+D によりリンク複製します（右画像ではわかりやすさのため移動させていますが右クリックでその場に留めてください）❶。

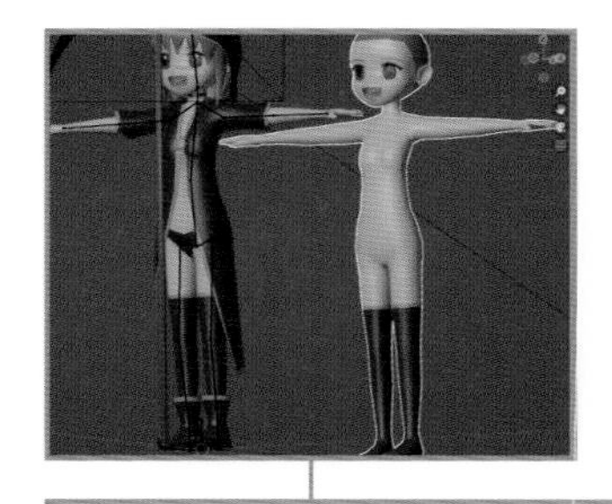

❶肌のオブジェクトを選択し Alt+D によりリンク複製する

❷ 作業をやりやすくするため、Shift+H を押して今リンク複製したオブジェクト以外の全てを非表示にしておきます❶。

そして［マテリアルプロパティ］で右の［マテリアルリンク］プルダウンメニューから［オブジェクト］へ切り替えます❷。

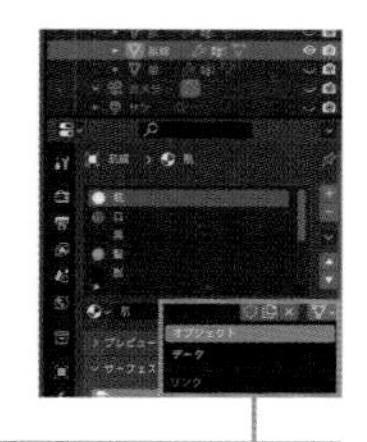

❶ Shift+H を押してリンク複製したオブジェクト以外の全てを非表示にする

❷［マテリアルプロパティ］で右の［マテリアルリンク］プルダウンメニューから［オブジェクト］へ切り替える

❸ ［+ 新規］でマテリアルを新規作成し、シェーダーエディターで Shift + A から［入力］＞［ジオメトリシェーダー］＞［透過 BSDF 入力］＞［RGB シェーダー］＞［シェーダーミックス］を追加して以下の画像のように繋ぎます❶。

［マテリアルプロパティ］の［設定］パネルで、［ブレンドモード］を［アルファクリップ］にしておきます❷。

これは、面の表側だけ透過するようなマテリアルを作っています。

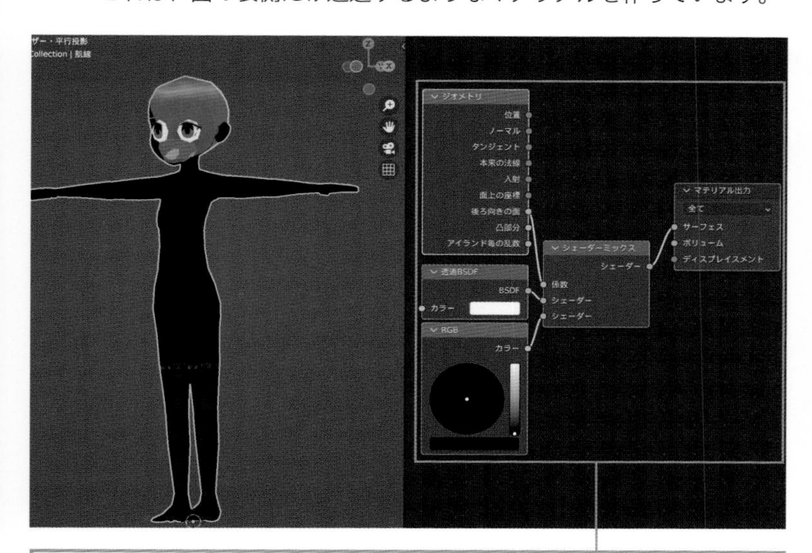

❶［+ 新規］でマテリアルを新規作成し、シェーダーエディターで Shift + A から［入力］＞［ジオメトリシェーダー］＞［透過 BSDF 入力］＞［RGB シェーダー］＞［シェーダーミックス］を追加して画像のように繋ぐ

❷［マテリアルプロパティ］の［設定］パネルで、［ブレンドモード］を［アルファクリップ］にする

❹ このマテリアルをここでは「線」と名付けました❶。

このリンク複製したオブジェクトには多数のマテリアルスロットが設定されているので、この全てで右の［マテリアルリンク］プルダウンメニューから［オブジェクト］に切り替えて「線」マテリアルに切り替えるという作業を行います。これで、このオブジェクトは全ての面で表が透過する黒いマテリアルが設定されることになります❷。

❶マテリアルを「線」と名付ける

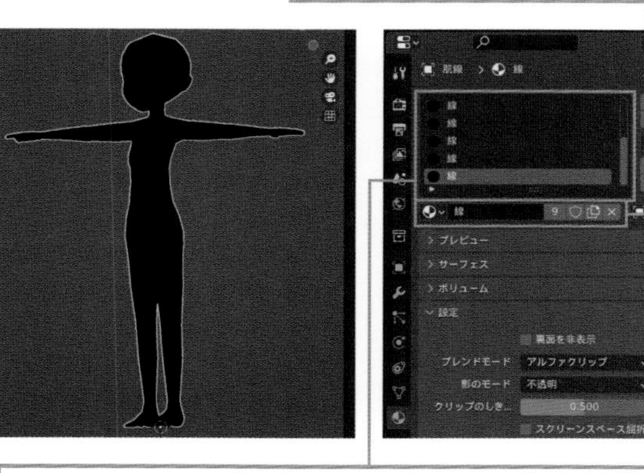

❷全てのマテリアルスロットで［オブジェクト］への切り替えと「線」マテリアルの切り替えを行う。

❺ そして［モディファイアープロパティ］ でソリッド化モディファイアーを追加し、パネルで［幅］か「0.01m」程度と小さく、［オフセット］を「0」に設定します。非表示にしていたオブジェクトを Alt +H で再表示するとエッジが出来上がっていることが確認できたでしょうか❶。

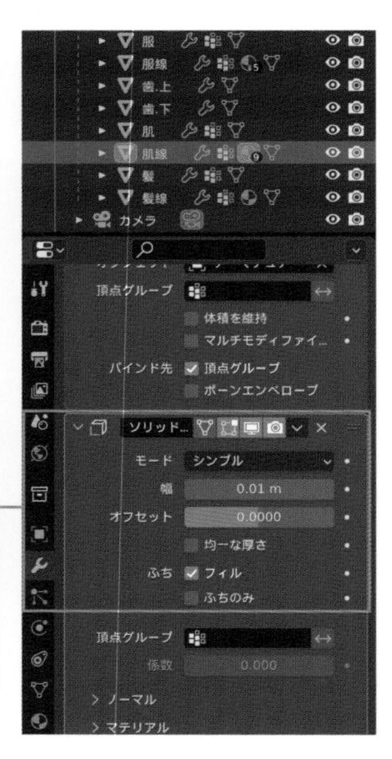

❶モディファイアープロパティでソリッド化モディファイアーを追加し、パネルで［幅］を「0.01m」程度と小さく、［オフセット］を「0」に設定し Alt +H でオブジェクトを再表示する

POINT

ソリッド化モディファイアーの［幅］の値でエッジの太さを調節することが出来ます。だいぶ手順がややこしいですが、こちらだとレンダリングしなくともリアルタイムでエッジを表示させせることが出来ます。ただし髪オブジェクトや服オブジェクト等他のエッジが必要な全てのオブジェクトでも同じ手順でエッジ用オブジェクトを作成する必要があります。

MEMO

何らかの事情があってエッジ用マテリアルを表側ではなく裏側を透明にしたいという場合、シェーダーエディターで**RGB ノード**と**透過 BSDF ノード**を逆に繋ぎ、［モディファイアープロパティ］で［ソリッド化モディファイアー］パネルの［ノーマル］項目内の［反転］にチェックを入れます。

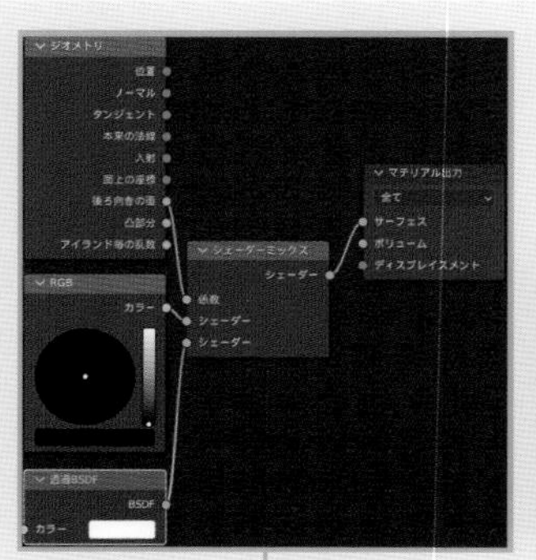

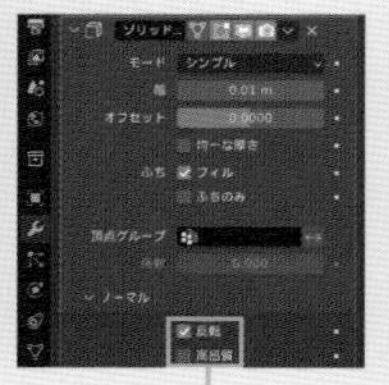

RGB ノードと透過 BSDF ノードを逆に繋ぎ、モディファイアープロパティでソリッド化モディファイアーパネルの［ノーマル］項目内の［反転］にチェックを入れる

ジオメトリノードによるエッジ出し

最後に、ジオメトリノードを使用した方法を説明します。前項のソリッド化モディファイアーを使用したエッジがある場合は、そのエッジ用のオブジェクトは全て非表示にしておいてください。

ジオメトリノードを使用したエッジの出し方

ジオメトリノードという本書では初出の機能を利用します。

1. 肌のオブジェクトを選択している状態で、モディファイアーによるエッジ出しの時と同じように Alt + D でオブジェクトをリンク複製し、エリアの１つを［ジオメトリノードエディター］に切り替え、ヘッダーの［+ 新規］ボタンをクリックします❶。
   すると、中央に［グループ入力］［グループ出力］というノードが現れ、［モディファイアープロパティ］に新規に **Geometry Nodes** モディファイアーが追加されます❷。

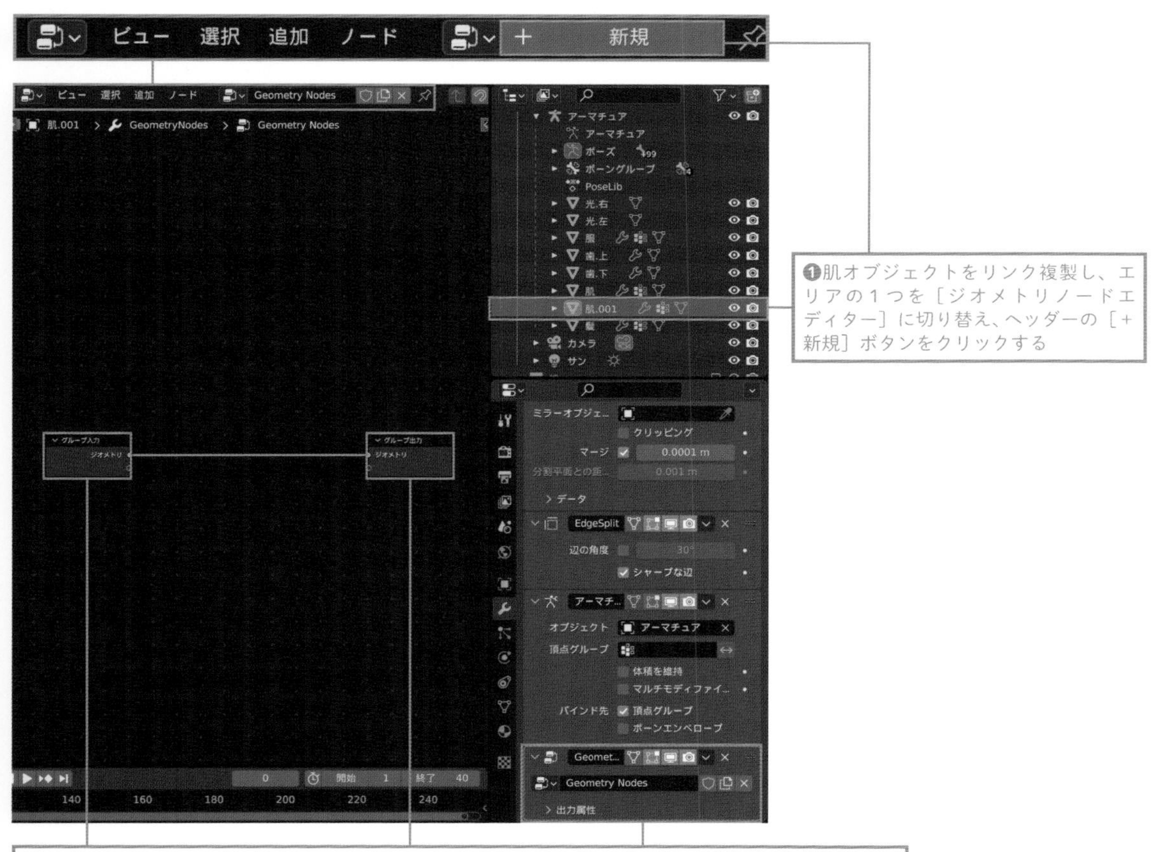

❶肌オブジェクトをリンク複製し、エリアの１つを［ジオメトリノードエディター］に切り替え、ヘッダーの［+ 新規］ボタンをクリックする

❷［グループ入力］、［グループ出力］ノードが現れ［Geometry Nodes］モディファイアーが追加される

❷ Shift+A から、[入力] > [ノーマルベクトル] > [ベクトル演算（乗算に切り替え）ジオメトリ] > [位置設定マテリアル] > [マテリアル設定] ノードを追加し、以下の画像のように繋ぎます❶。

ベクトル演算（乗算）ノードの下端子の [ベクトル：] の値は、3 つとも「0.002」程度の小さい値にし（この値でエッジの太さが決まります）、[マテリアル設定] ノードのプルダウンメニューで、前項で作った [線] マテリアルを選択します❷。

❶ Shift+A から、[入力] > [ノーマルベクトル] > [ベクトル演算（乗算に切り替え）ジオメトリ] > [位置設定マテリアル] > [マテリアル設定ノード] を追加し、画像のように繋ぐ

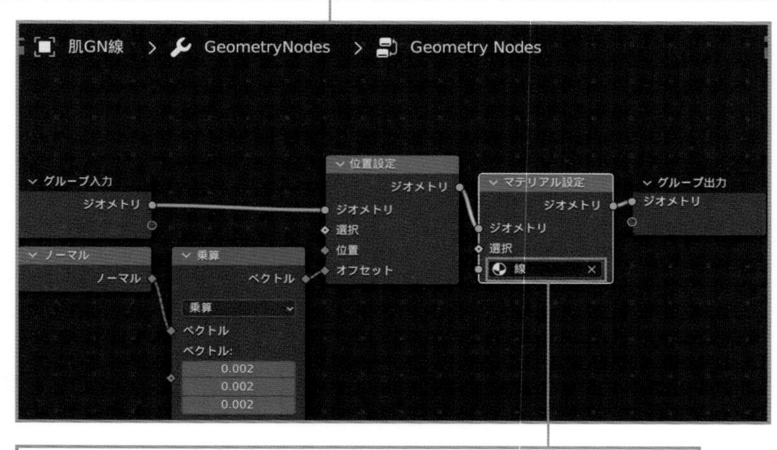

❷ [マテリアル設定] ノードのプルダウンメニューで [線] マテリアルを選択

POINT

他の髪や服のオブジェクトでは、Alt+D でリンク複製オブジェクトを作った後に [モディファイアープロパティ] で [ジオメトリノード] モディファイアーを追加し、プルダウンメニューから今作った [Geometry Nodes] を選択するだけで同じものが付加できます。こちらの方法のほうがソリッド化モディファイアーを使ったものより手順が簡単で拡張性もありますが、このジオメトリノードは最近新しく Blender に追加された機能であるためまだ処理が重い可能性があります。

以上でキャラクターの作成は一通り完了です！　かっこいいポーズやアニメーションを付けてレンダリングしてみましょう！

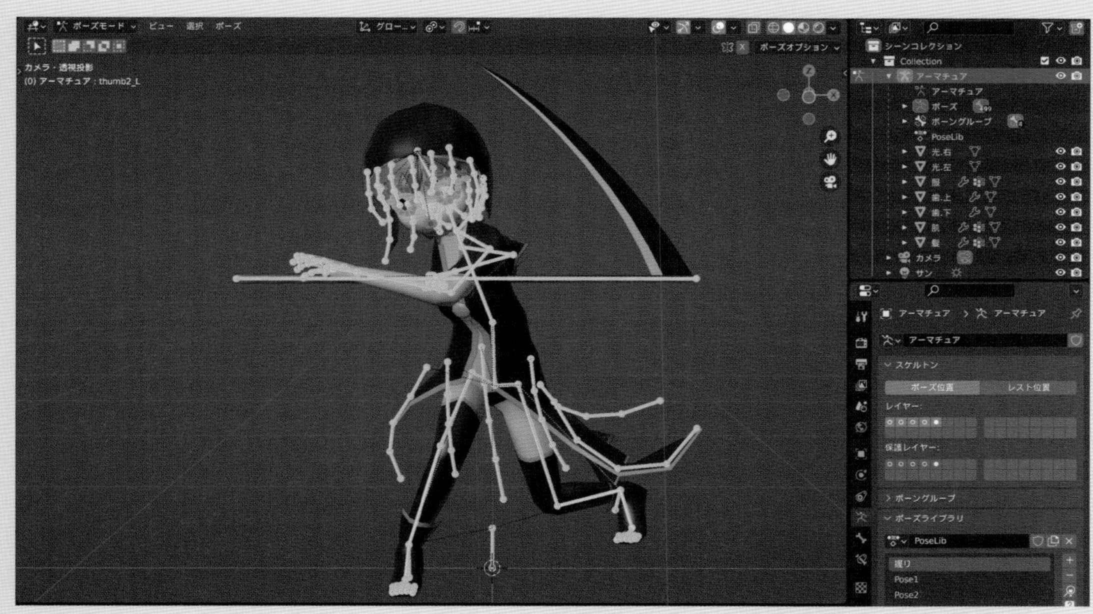

サンプルファイル samplefile/Chapter6

その他高度な機能

この節では、初心者をちょっぴり逸脱してもう少し高度な表現を実現するテクニックをいくつか紹介します。少し理解しづらかったり作業が大変なものもありますが、腕に自身のある方はチャレンジしてみてください。

キャラクターにメリハリをつける

キャラクターはかなり面数の少ない状態で作ったので（ローポリ）、大きくレンダリングするとカクつきが目立ってしまいます。そこで２章のアザラシのモデリングで行ったように［サブディビジョンサーフェス］モディファイアーを付加したいとなったとき、ローポリ前提で作っていたメッシュではメリハリのほしい部分で分割線を増やさなくてはいけないというお話は２章でもしました（P.47）。そこでこの節では、キャラクターをもう少しリッチな表現にしたいという場合の小ネタをご紹介します。

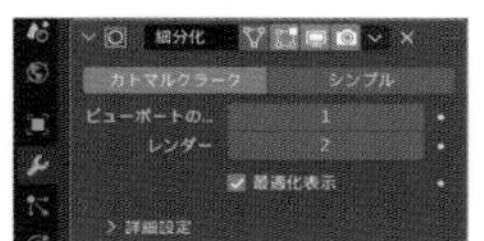

大鎌の棒部分で先端が細く尖ったり髪の毛の毛束の股が丸くなってしまう

クリースで鎌や髪の毛を調整する

例えばこのモデルで顕著に出るのは、大鎌の棒部分で先端が細く尖ったようになってしまう、髪の毛の毛束の股が丸くなってしまう点です。この問題のもう１つの解決策として、［クリース］を使う方法があります。

❶ 作業をしやすくするため一旦ポーズをデフォルトに戻します。［スケルトン］パネルで、［レスト位置］に切り替えるとデフォルトポーズに戻り、［ポーズモード］でボーンは動かせなくなります❶。
元に戻すには［ポーズ位置］に切り替えます。

❶［スケルトン］パネルで［レスト位置］に切り替える

❷ ［編集モード］で大鎌の棒の先端の頂点を全て選択し、3D ビューポート上で N を押してプロパティバーを表示させ、［アイテム］タブにある［辺データ］の［平均クリース］の値を「1」に上げます❶。
または、ショートカットキーでは Shift + E → 1 → Enter でも可能です。すると分割線を増やすこと無く、折り目をつけることが出来ます。

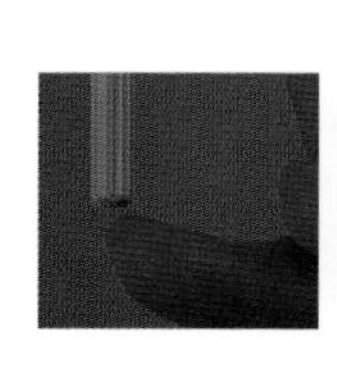

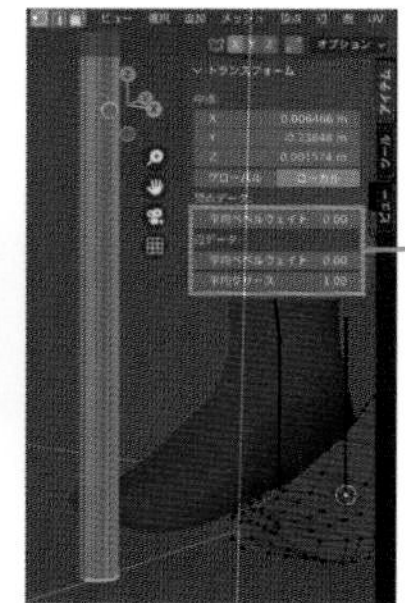

❶［アイテム］タブにある［辺データ］の［平均クリース］の値を「1」にする

❸ 髪の毛オブジェクトの方でも、毛束の股の垂直方向の辺全てを選択し、同じようにクリースを上げることでしっかりとギザギザな輪郭を取り戻すことが出来ます❶。

❶髪オブジェクトの毛束の股の垂直方向の辺全てを選択しクリースを値を「1」にする

大鎌と髪の毛が修正された

リッチな髪の毛の表現

本書の作例では、髪の毛は考えうる限り最も簡単な作り方をしました。当然得られる結果も少しチープなものになってしまいますので、もっとリッチなものを作りたいと思う方もいるかもしれません。ここでは、**カーブオブジェクト**を使用した髪の毛の作り方をご説明します。ただし結構大変な作業になるので、ちょっぴり覚悟を持ってお臨みください。

髪の毛にカーブオブジェクトを利用する

髪の毛用カーブオブジェクトの設定を行います。

❶ 全オブジェクトを一旦非表示にしておいて、［オブジェクトモード］で Shift + A から［カーブ］>［ベジエ］を追加します❶。

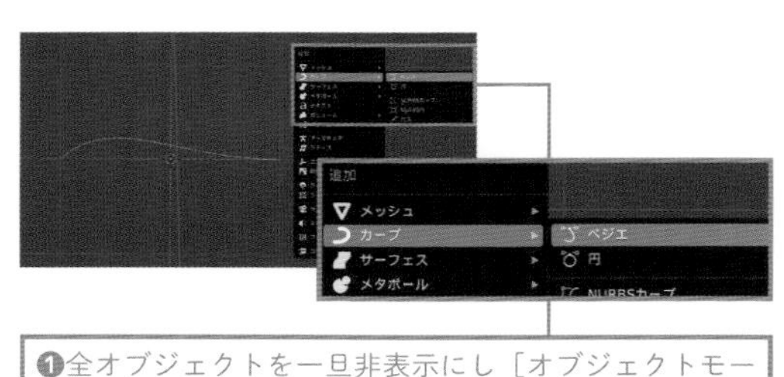

❶全オブジェクトを一旦非表示にし［オブジェクトモード］で Shift + A から［カーブ］>［ベジエ］を追加

❷ ［オブジェクトデータプロパティ］で［ジオメトリ］パネルの［深度］を少し上げると、このカーブに厚みが付き、円筒状になります❶。

カーブに2つある制御点のうち片方を選択して、N のプロパティバーで［アイテム］タブの［半径］の値をほぼ「0」にします❷。

または、ショートカットキーでは Alt + S → 0 → Enter でも同じことが出来ます。するとカーブの片方側が尖った形状になり、少し毛束のような形になりました。

❶［オブジェクトデータプロパティ］で［ジオメトリ］パネルの［深度］を少し上げる

❷制御点を選択し N のプロパティバーで［アイテム］タブの［半径］の値をほぼ「0」にする

❸ A で両制御点を選択し、右クリックから［細分化］を実行すると中間に新たな制御点が作られます❶。

この中間の制御点を選択し、Alt + S により少し膨らませることで、より毛束らしい形になります❷。

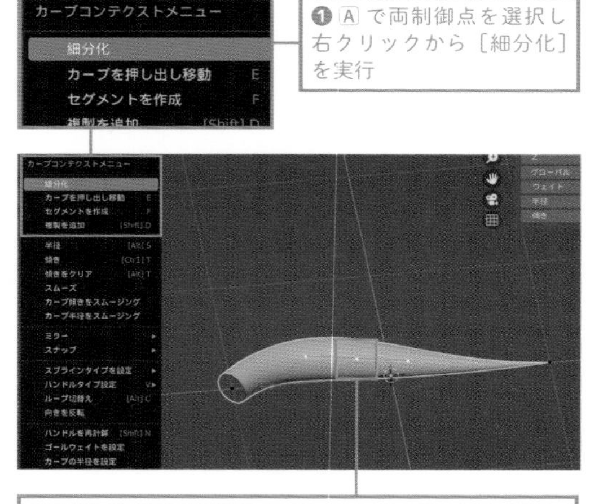

❹ Alt+H で非表示にしていたオブジェクトを再表示し、この毛束を［編集モード］で移動させて髪の毛の位置に配置します❶。

全体が太すぎたり細すぎたりした場合は［深度］の値を調節してください。

この毛束を Shift+D で複製して移動、を繰り返すことで毛束を何本も頭皮に埋め込み発毛させていきます。

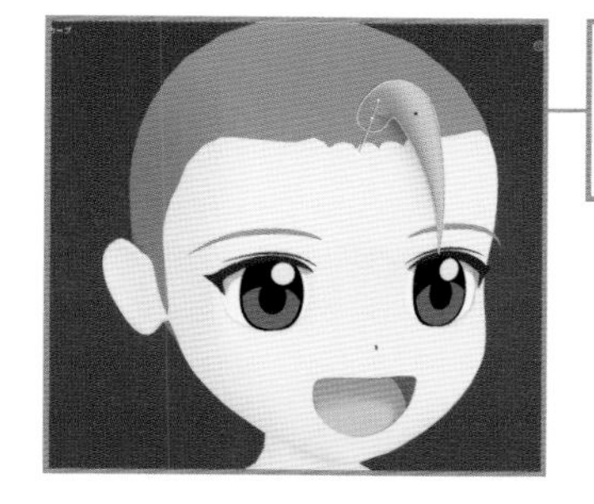

❶毛束を［編集モード］で移動させて髪の毛の位置に配置する

POINT

カーブの操作方法は4章アニメーションのカーブの操作方法とほぼ同じです（P.165）。ミラーモディファイアーを使って右半分のみの配置で済ませることも可能です。

❺ 毛束の配置が終わったら、［ジオメトリ］パネルの［ベベル］タイプを［断面］に切り替え、下のグラフ編集で左上から右下へかけてオウトツになるようにカーブを作ると、カーブオブジェクトにヘアライン加工を施したように溝を作ることが出来ます❶。

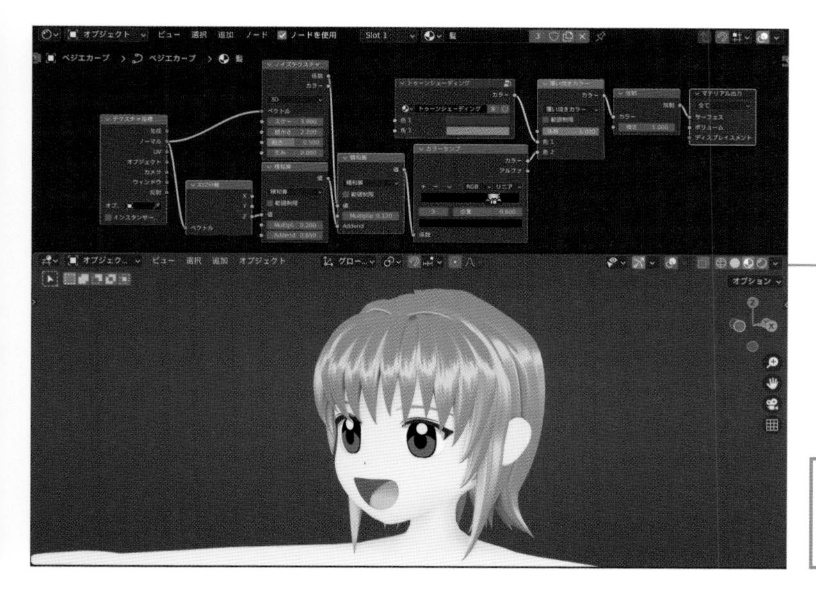

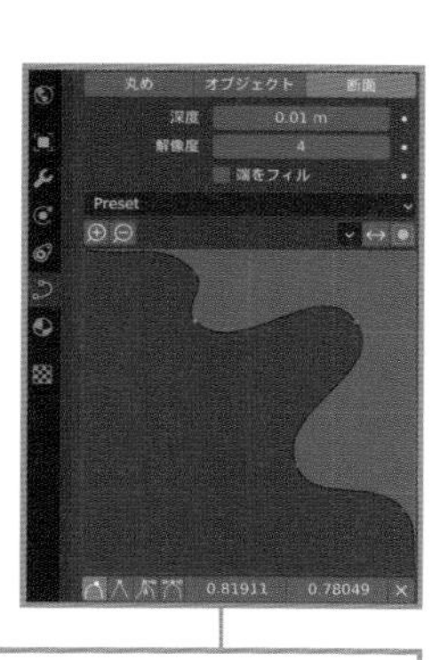

❶［ジオメトリ］パネルの［ベベル］タイプを［断面］に切り替え、下のグラフ編集で左上から右下へかけてオウトツになるようにカーブを作る

POINT

マテリアルは上記の画像を参考に、テクスチャ座標ノードからの出力を［ノーマル］に切り替えて構成した作り方に修正します。こちらの方法ではキューティクルのギザギザがヘアラインの溝によって作られるため、よりリアルになります。

MEMO

デフォルトでは、カーブの太さの補間は直線的で、折り目が目立ってしまいます。中間の制御点を選択し、[アクティブスプライン] パネルの [半径] を [カーディナル] や [イーズ] に切り替えることでこれを低減できます。

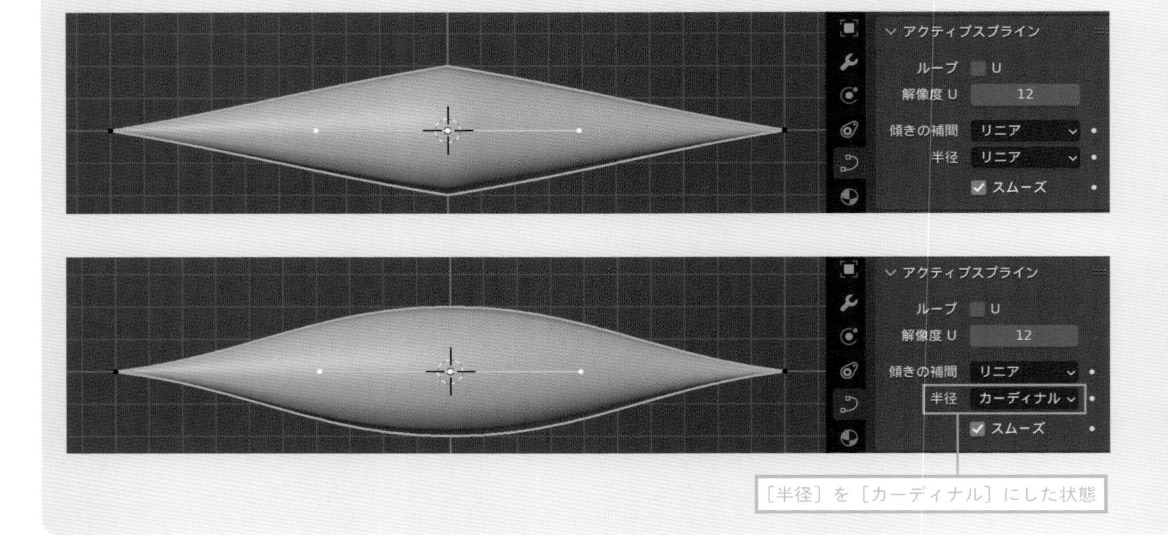

[半径] を [カーディナル] にした状態

髪の毛にボーンを入れる

カーブにより作成した髪を動かすことが出来るように、リギング、スキニングに相当する作業を行います。

❶ まず、ミラーモディファイアーによって作っていた場合は、[ミラーモディファイアー] パネルの右上の☒ボタンによりこのモディファイアーを削除してしまってください❶。

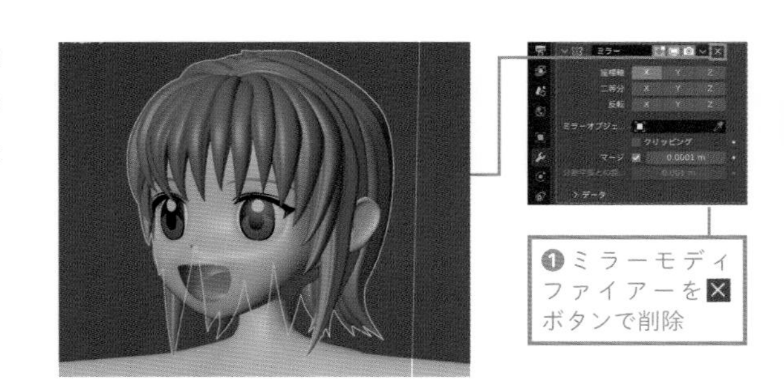
❶ミラーモディファイアーを☒ボタンで削除

❷ カーブオブジェクトはモディファイアーを［適用］することが出来ないので、手動で反転コピーをする必要があります。Shift+C により 3D カーソルを中央に置き、ピボットポイントを［3D カーソル］にした上で、カーブ髪の［編集モード］で A により全選択して Shift+D で複製して移動を右クリックでキャンセル、S → X → -1 → Enter により反転コピーと同じことをします❶。

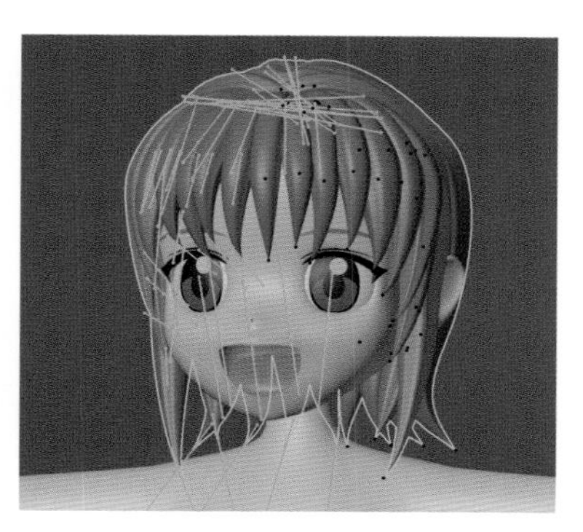

❶ Shift+C で 3D カーソルを中央に置き、ピボットポイントを［3D カーソル］にしカーブ髪の［編集モード］で A で全選択して Shift+D で複製・移動を右クリックでキャンセル、S → X → -1 → Enter により反転コピー

❸ 次に、カーブ髪用のボーンを作成します。前髪あたりの制御点を選択して Shift+S の［カーソル→選択物］を実行して 3D カーソルを制御点の位置へ移動させます❶。

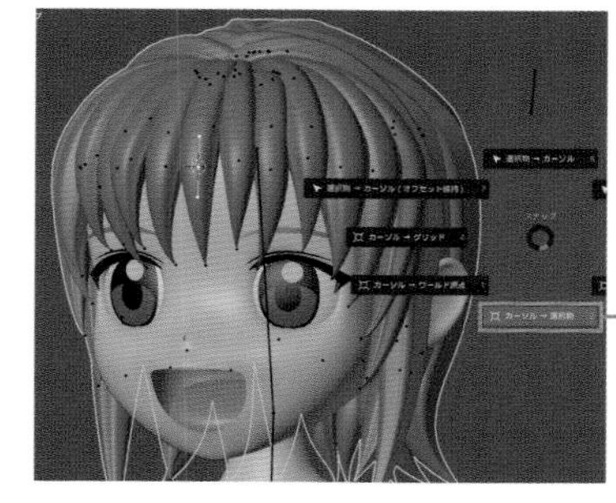

カーソル → 選択物 2

❶ Shift+S の［カーソル→選択物］を実行

❹ 眼球等のボーンと同じように頭部用ボーンから Shift+E で押し出しコネクト解除したボーンのヘッドを選択して Shift+S から［選択物→カーソル］で 3D カーソル位置へ移動させます。

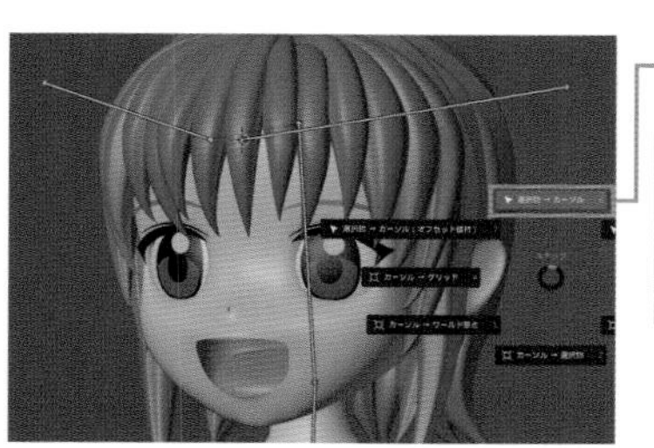

選択物 → カーソル 8

❶ Shift+S から［選択物→カーソル］で 3D カーソル位置へ移動

❺ 今度はその制御点の下側のハンドルを選択してここへ 3D カーソルを移動、ボーンのテールを移動します❶。

❶制御点の下側のハンドルの箇所に 3D カーソルを移動、ボーンのテールを移動

❻ カーブ髪の全ての揺らしたい制御点で同じ作業を繰り返し、制御点とその下のハンドルの位置へボーンのヘッドとテールを配置します❶。

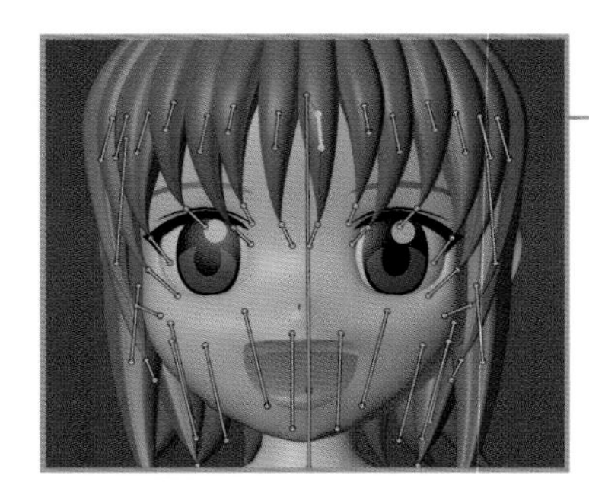

❶カーブ髪の全ての揺らしたい制御点で同じ作業を繰り返す

❼ すべての配置が終わったら、［ポーズモード］でそれらのボーンのうち 1 つを選択し、Shift を押しながらカーブ髪オブジェクトを選択して Tab で［編集モード］へ入りそのボーンと同じ位置にある制御点を選択し、Ctrl+H から［選択オブジェクトボーンにフック］を実行します❶。

フック
新規オブジェクトにフック
選択オブジェクトにフック
選択オブジェクトボーンにフック

❶ Ctrl+H から［選択オブジェクトボーンにフック］を実行

POINT

上記の手順を行うことでようやく、そのボーンを［ポーズモード］で動かしたときにその髪の制御点の部分が連動して動いてくれるようになります。この作業をカーブ髪用ボーン全てで行います。非常に根気のいる作業ですが、更にここではミラーリングが使えないため、右半分だけでなく左半分も全部やる必要があります。

❽ 最後に、頭部用ボーンで揺らす必要のない制御点全てをこの［選択オブジェクトボーンにフック］をして完了です❶。

❶揺らす必要のない制御点全てを頭部用ボーンにフック

POINT

カーブオブジェクトには頂点グループという概念が無いため、通常のメッシュオブジェクトと同じようなスキニングが出来ず、［フック］という機能を利用してボーンに関連付けを行っています。本来このように使う機能ではないため、親切なスキニング補助機能は備わっていません。

できた!!

これで髪の毛をリッチな表現に置き換えることが出来ました。

MEMO

お使いの環境によっては、［サブディビジョンサーフェス］モディファイアーによって頂点数が大幅に増えた状態だと表示が重くなり、ポーズ付けがやり辛くなる可能性があります。

［レンダープロパティ］タブ の［簡略化］にチェックを入れこのパネルを開いて［最大細分化数］を小さい値にすると、［サブディビジョンサーフェス］モディファイアーを設定した全てのオブジェクトで一律に細分化数をその数値に抑えることが出来ます。

［ビューポート］［レンダー］それぞれ独立に設定することが出来るので、ポーズ付け作業中のみ表示を軽くしておき、レンダリングはフルの細分化で行うといったことが可能です。カーブオブジェクトの方は、［オブジェクトデータプロパティ］ の［シェイプ］パネルにある［プレビュー解像度 U］で長辺方向の解像度を決定します。下の［レンダー U］で、レンダリング時の解像度を独立に設定できるほか、「0」にしておけば［プレビュー解像度 U］の数値と同じ解像度に設定されます。

また、［ジオメトリ］パネルにある［ベベル］項目内の［解像度］で外周方向の解像度を決定します。

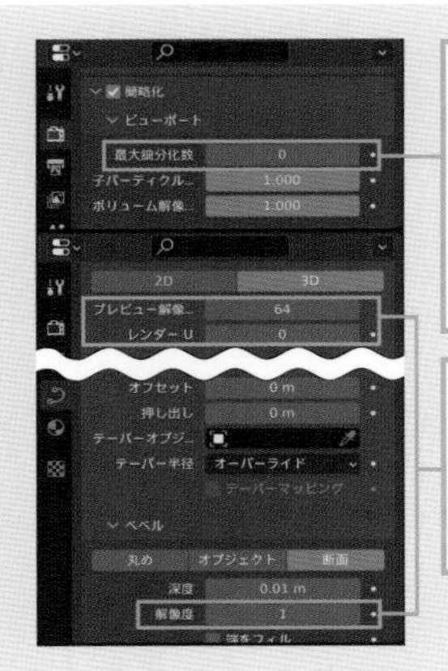

・最大細分化数
小さい値にすると、［サブディビジョン］モディファイアーを設定した全てのオブジェクトで一律に細分化数をその数値に抑えることが出来る

カーブオブジェクトの解像度は［プレビュー解像度 U］、［レンダー U］、［ベベル］パネルの［解像度］で決定する

シェーダーエディターの補足説明

髪の毛のキューティクル等で使ったシェーダーエディターの機能の仕組みについて説明します。

テクスチャ座標の原理

テクスチャ座標の仕組みを紐解くことが、シェーダーノード理解の第一歩となります。

❶ Blender を起動して最初にデフォルトで置いてある立方体オブジェクトに対して、シェーダーエディターで Shift ＋A から［入力］＞［テクスチャ座標］を追加し以下の画像のように［オブジェクト］端子からマテリアル出力へ繋いでみてください❶。

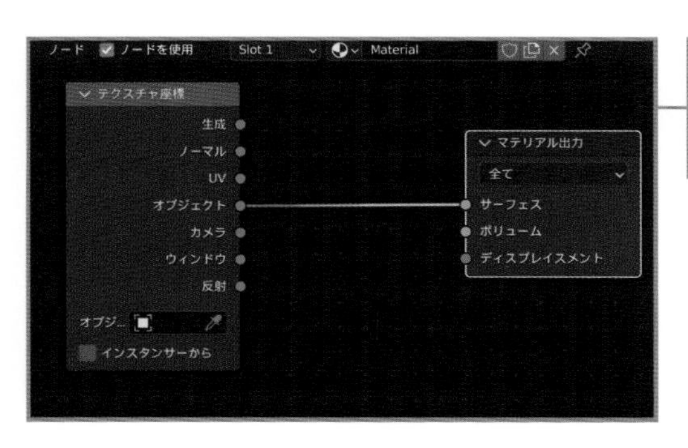

❶［シェーダーエディター］で Shift ＋A から［入力］＞［テクスチャ座標］を追加

3D ビューポートでは［マテリアルプレビュー］表示にして結果を確認できるようにしておきます❷。すると、立方体オブジェクトがとてもカラフルな感じに着色されたのではないでしょうか。

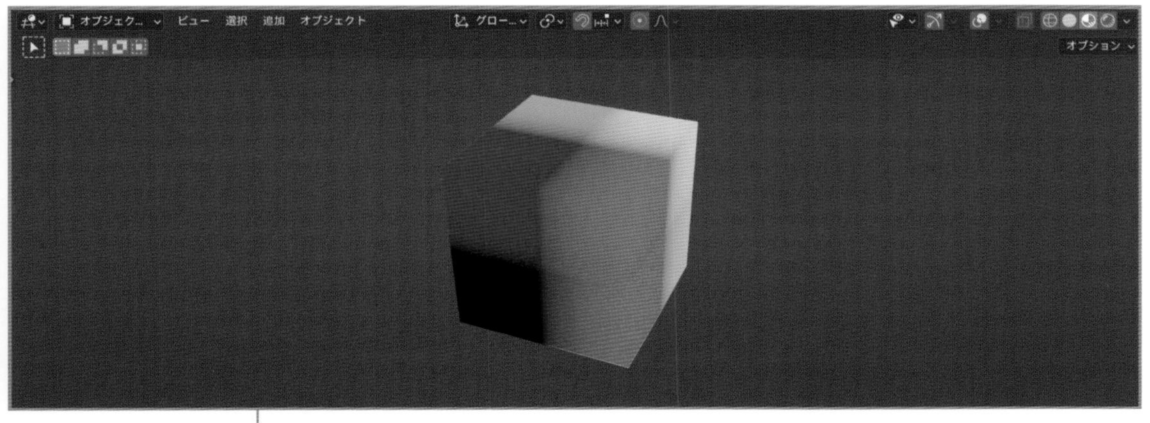

❷ 3D ビューポートで［マテリアルプレビュー］にする

POINT

Blender では、X、Y、Z の軸をそれぞれ赤（R）、緑（G）、青（B）で表現されるように作られています。それを踏まえた上でこのカラフルな色を見てみると、右に行くほど赤く、奥へ行くほど緑色に、上へ行くほど青くなっていることにお気づきでしょうか。そんなこと言ったって水色や紫や黄色もあるじゃないかとお思いかもしれませんが、水色（シアン）や紫（マゼンタ）や黄色（イエロー）は、赤、緑、青のうちの 2 色で作られる混色です。赤も緑も青も 3 つとも強くなる部分では白、3 つとも弱くなる部分では黒で表示されています。

❷ これをもう少しわかりやすくするために Shift + A から［コンバーター］＞［XYZ 分離］を追加し❶、［テクスチャ座標］ノードの［オブジェクト］端子から［XYZ 分離］ノードの［ベクトル］に繋いだ上で、［XYZ 分離］ノードの X や Y や Z を［マテリアル出力］ノードの［サーフェス］端子に繋いでみてます。
そして XYZ それぞれの違いを観察してみてください。

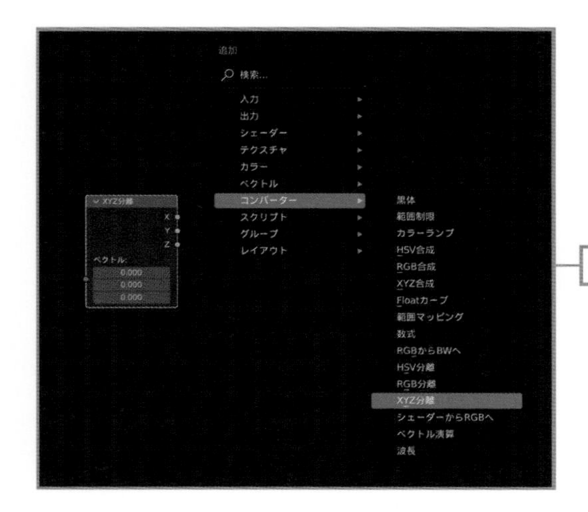

❶［コンバーター］＞［XYZ 分離］を追加する

▶ X に繋ぐ

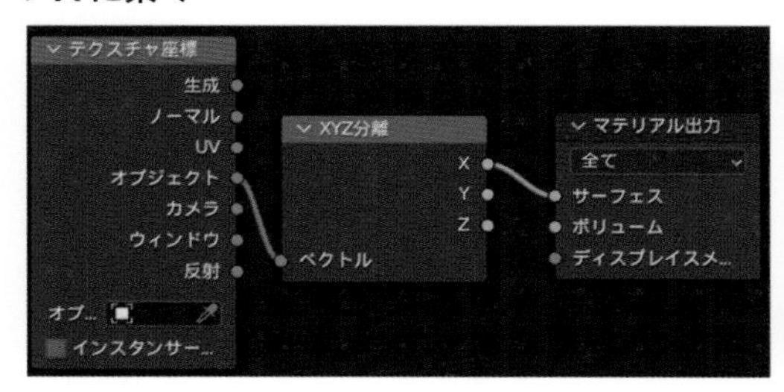

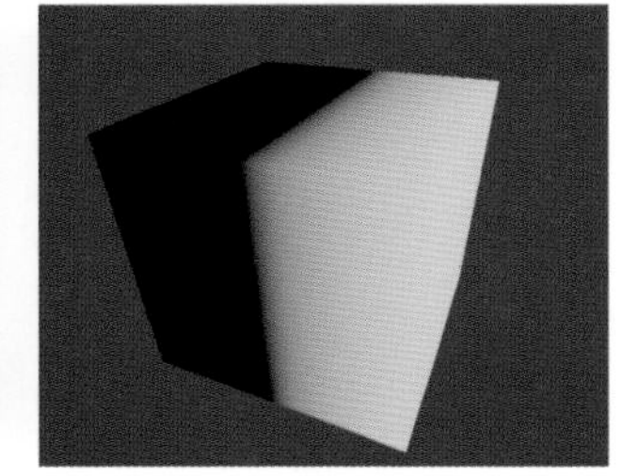

▶ Y に繋ぐ

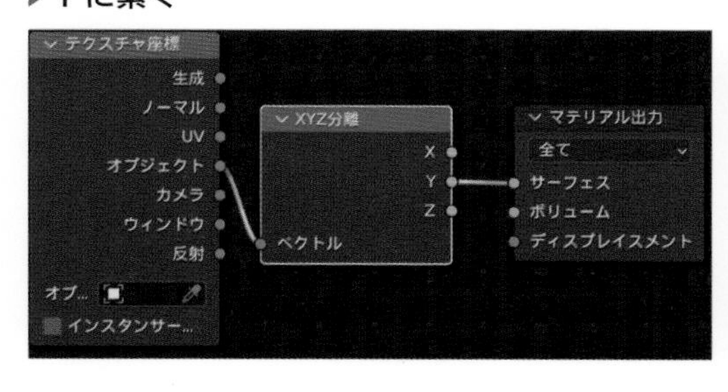

▶ Z に繋ぐ

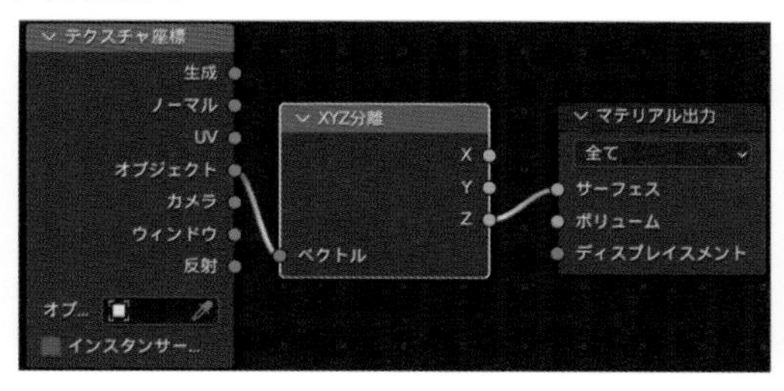

POINT

Xで繋いだ時は、左側が黒、右側が白となるグラデーションで立方体オブジェクトが塗られます。これは、中心を「0」とし、立方体の一番右端が「1」、一番左端が「-1」の値をとったグラデーションとなっています。

我々人間の目には「0」以下の色はすべて真っ黒に見えてしまうので、向かって左半分は真っ黒に表示されます。「0」である中心から「1」である左端にかけてのグラデーションは確認できますが、我々人間の目には「1」以上の色はすべて真っ白に見えてしまうので、「1」を超えた領域では全て真っ白に表示されます。

試しにこの立方体を［編集モード］で S により拡大してみると、この「1」以上の値の領域を見ることが出来ます。他の軸のY、Zについても奥行き、縦に軸が変わるのみで他の特徴は同じです。この、目では見えないものの、空間内はグラデーションで満たされているという感覚を理解できると、シェーダーエディターで実現できることの自由度が大幅に上がります。キャラクターの髪のキューティクルは、これに少し応用を利かせたにすぎないものです。

キューティクル作成の考え方

テクスチャ座標の仕組みを応用し、キューティクルを作成する流れを解説します。

❶ Shift+A により［コンバーター］＞［カラーランプ］を追加し、以下の画像のように繋げてください❶。

［カラーストップ］は黒白黒になるようにし、それぞれの位置を近づけるように狭めます❷。

すると立方体オブジェクトでは細く白い線のような状態になります。これは、縦に「0」から「1」へグラデーションがかかっている部分をカラーランプによって定義されたマッピングで変換しているということになります。

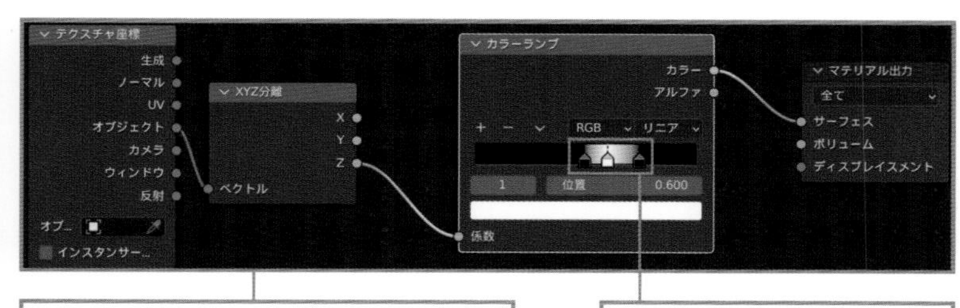

❶ Shift+A により［コンバーター］＞［カラーランプ］を追加し、画像のように繋ぐ

❷［カラーストップ］は黒白黒に位置を近づけるように狭める

❷ そして一旦別のお話になりますが、Shift+A から［テクスチャ］＞［ノイズテクスチャ］を追加して以下の画像のように繋いでみてください❶。
　立方体はもやもやとしたランダムなノイズの模様になりました。

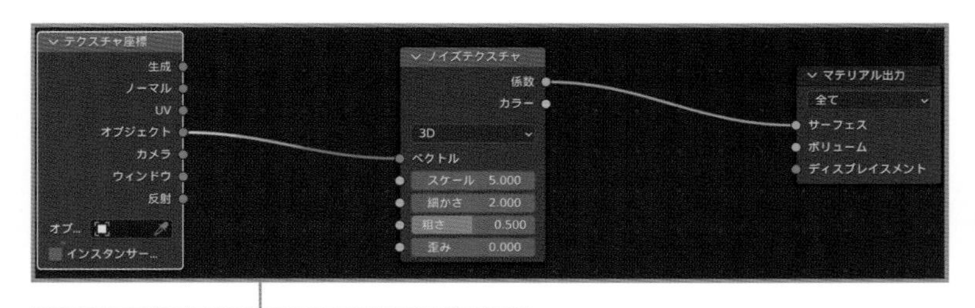

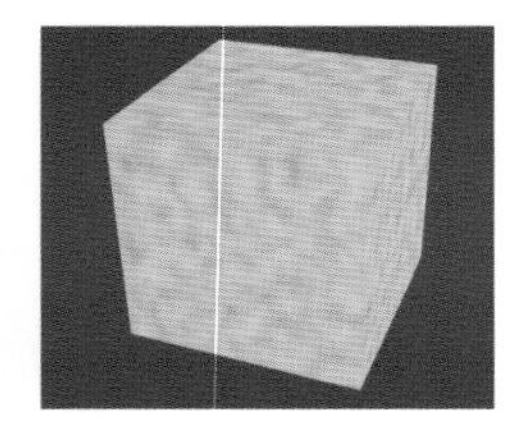

❶ Shift+A から［テクスチャ］＞［ノイズテクスチャ］を追加して画像のように繋ぐ

❸ ここへ、Shift+A から［コンバーター］＞［ベクトル演算］を追加して［乗算］へ切り替え、以下の画像のように繋ぎます。下の［ベクトル］の値を「1」、「1」、「1」と、全て「1」にすると普通のノイズのままとなりますが、どれか1つだけ値を小さくして「1」、「1」、「0.05」のようにするとノイズはひどく縦に伸びたような状態になります❶。

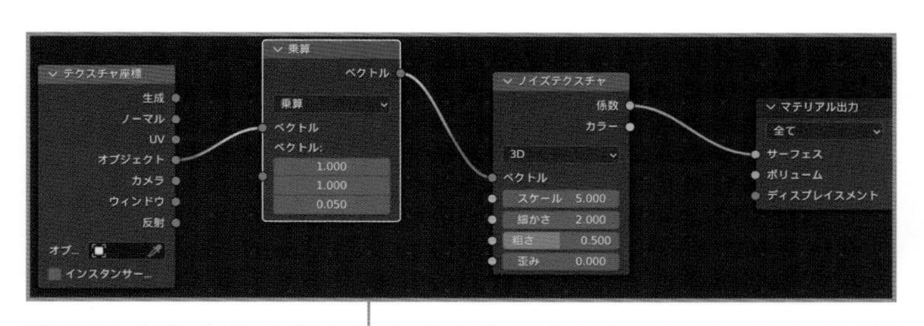

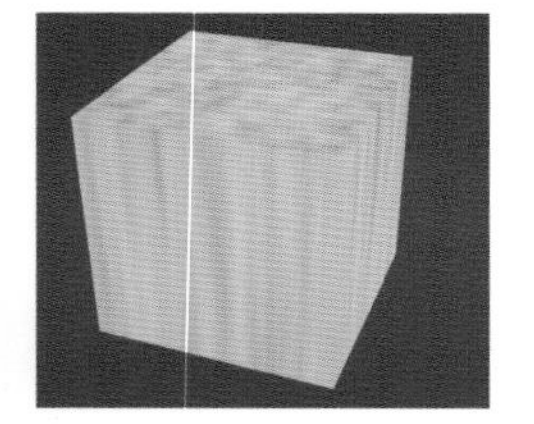

❶ Shift+A から［コンバーター］＞［ベクトル演算］を追加して［乗算］へ切り替え、画像のように繋ぐ

POINT

　ノイズテクスチャをはじめとする［テクスチャ］タイプのノードは、［ベクトル］端子から入力された情報によって、そのテクスチャが空間上のどの位置に置かれるかが定義されます。
　この定義を、計算式によって歪めてしまおうというのがこの一連のノードの狙いとなります。
　例えば先程のように［オブジェクト］端子から出力されたものに「1」、「1」、「0.05」を乗算するとX、Yには「1」を掛けただけなので何も変わりませんが、Zだけは「0.05」を掛けているので、通常では中心から最上部へかけて「0」から「1」のグラデーションだったものが、「0」から「0.05」へのグラデーションとなってしまいます。
　この定義をもとにノイズテクスチャがマッピングされると、このようにZ軸方向でのみ異常に引き伸ばされたノイズとなります。

❹ 更に、マッピングの定義であるこのオブジェクトローカル座標そのものをノイズテクスチャにより歪ませるということも出来ます。Shift+A により再び［コンバーター］＞［ベクトル演算］を追加し、今度は［追加］に切り替えて以下の画像のように繋ぎます❶。

　すると例のカラフルな模様が、ノイズテクスチャにより歪められた状態となります。

　Z 軸のみ引き伸ばされたノイズによって歪まされているので、このカラフル画像も Z 軸のみ長い歪み方をしています。

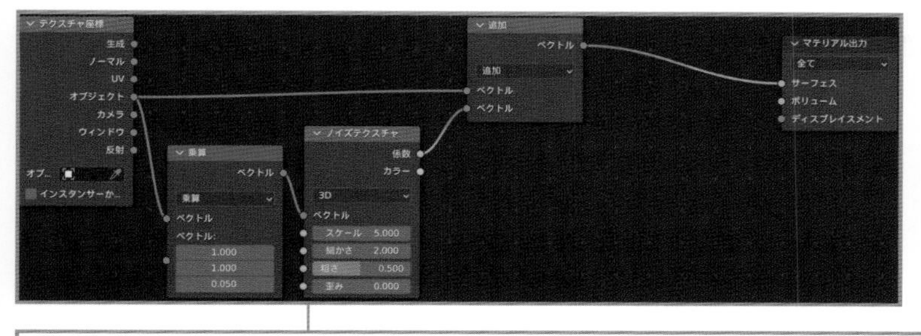

❶［コンバーター］＞［ベクトル演算］を追加し、［追加］に切り替えて画像のように繋ぐ

❺ このうち、［XYZ 分離］ノードにより Z 軸のみ取り出して、そのグラデーションを［カラーランプ］ノードにより細く白い線へ変換したものが、キューティクルのハイライトの係数として利用できるというわけです。

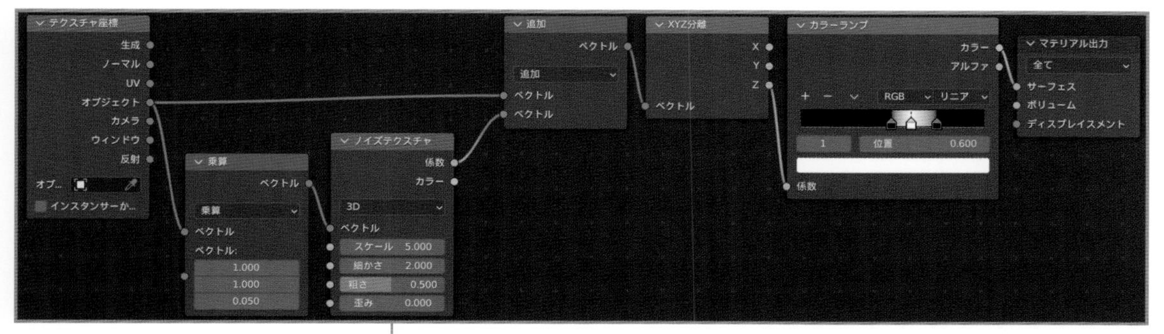

❶［XYZ 分離］ノードにより Z 軸を取り出したものを［カラーランプ］で細い線に変換

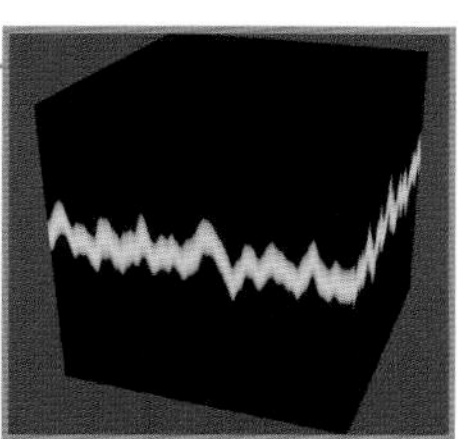

その他のテクスチャタイプのノード

テクスチャタイプのノードは他にもあります。

❶ 例えば Shift+A から［テクスチャ］＞［グラデーションテクスチャ］を追加し、先程のベクトル演算（追加）も使用して以下の画像のように繋ぎます❶。

［グラデーションテクスチャ］を［球状］へ切り替えると球状のテクスチャが作られます。ですが、このままでは表示は何も変化しません。

［ベクトル演算（追加）］の方でZ軸を「-1」としてみると、Z軸の本来の「1」の位置に「0」が持ってこられるため、［球状］がZ軸「1」の位置へ移動しこの球状の断面を観察することが出来るようになります❷。

ですがこのように、いちいち四則演算によって位置の調整を行うのは直感的ではないため、他のオブジェクトのローカル座標を取得する方法を利用します。

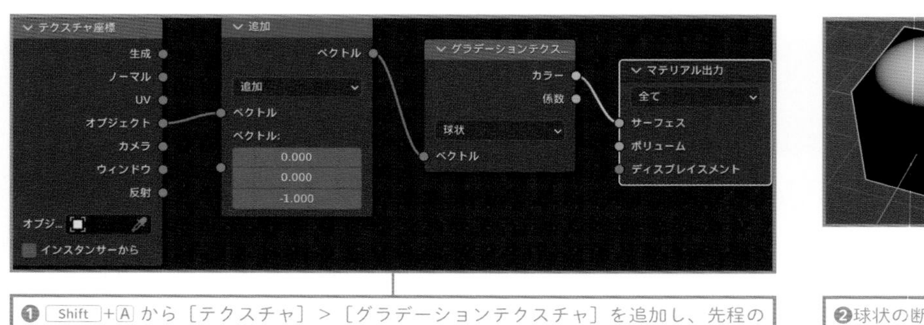

❶ Shift+A から［テクスチャ］＞［グラデーションテクスチャ］を追加し、先程の［ベクトル演算（追加）］も使用して画像のように繋ぐ

❷球状の断面が観察できる

❷［ベクトル演算（追加）］ノードは Ctrl+X により削除します❶。

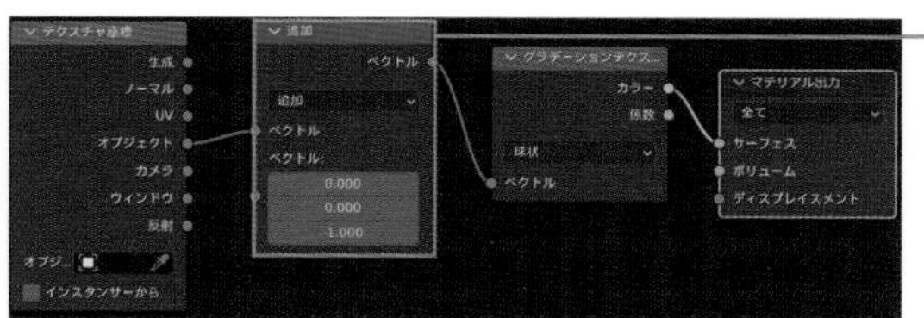

❶［ベクトル演算（追加）］ノードは Ctrl+X により削除

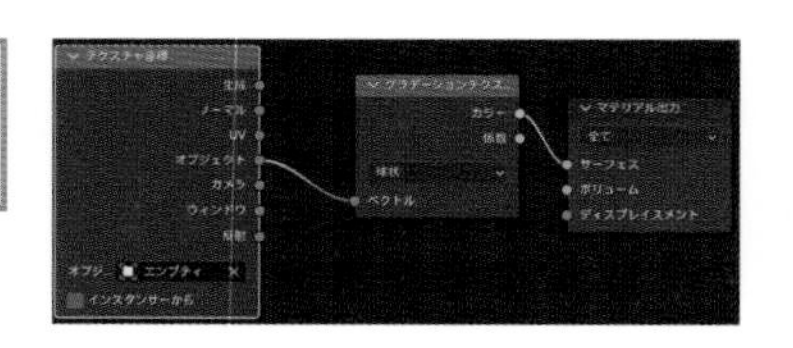

❸ 3Dビューポートの方で Shift+A から［エンプティ］＞［十字］を追加します❶。

❶ 3Dビューポートの方で Shift+A から［エンプティ］＞［十字］を追加

❹［テクスチャ座標］ノードの下から二段目の［オブジェクト：］の欄で、今追加したエンプティの名前を選択します（または右のスポイトマークをクリックして 3D ビューポート上でエンプティをクリック）❶。

その状態で、3D ビューポート上でエンプティを選択して G で移動させてみてください❷。

立方体オブジェクトの表面で、［球状］のテクスチャが移動することによる球状の断面が確認できます。

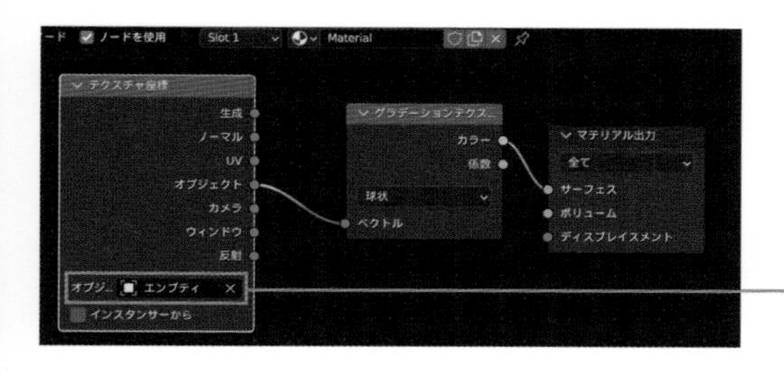

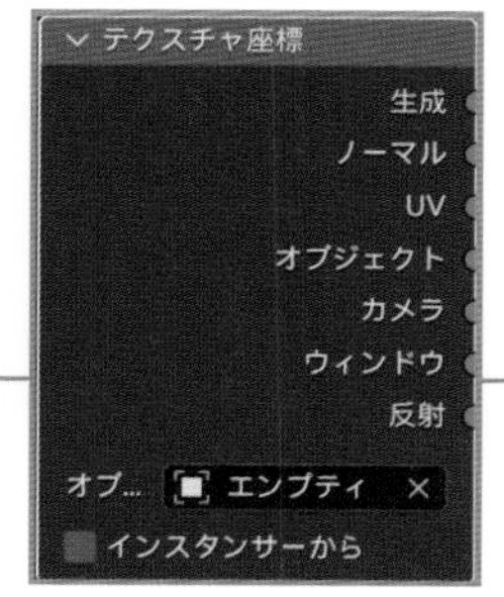

❶［オブジェクト：］の欄で、今追加したエンプティの名前を選択

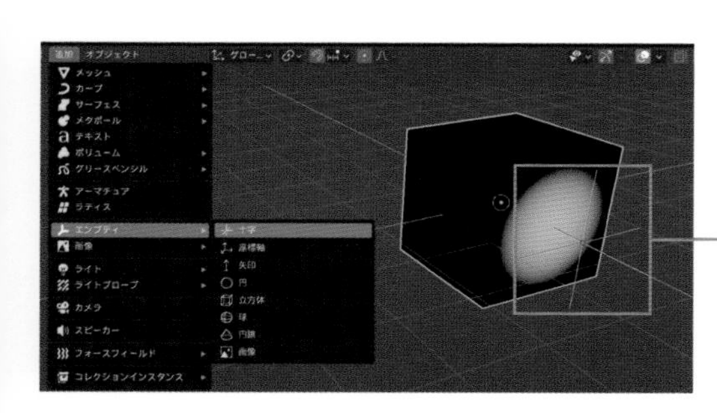

❷エンプティを選択して G で移動させる

テクスチャ座標を応用して頬を染める

上記の手順を利用し、キャラクターの頬染めなんかを表現できたりもします。

❶ エンプティを２つ用意し、両方とも頭部用ボーンにペアレントしておき、以下の画像のように２つの［グラデーションテクスチャ（球状）］ノードを各エンプティのオブジェクトローカル座標をもとに設置します❶。

そして［カラーランプ］ノードである程度球状のグラデーション具合を調整してその２つを［RGB ミックス］ノードにより合成したものを係数として、ピンク色を肌マテリアルに追加します❷。

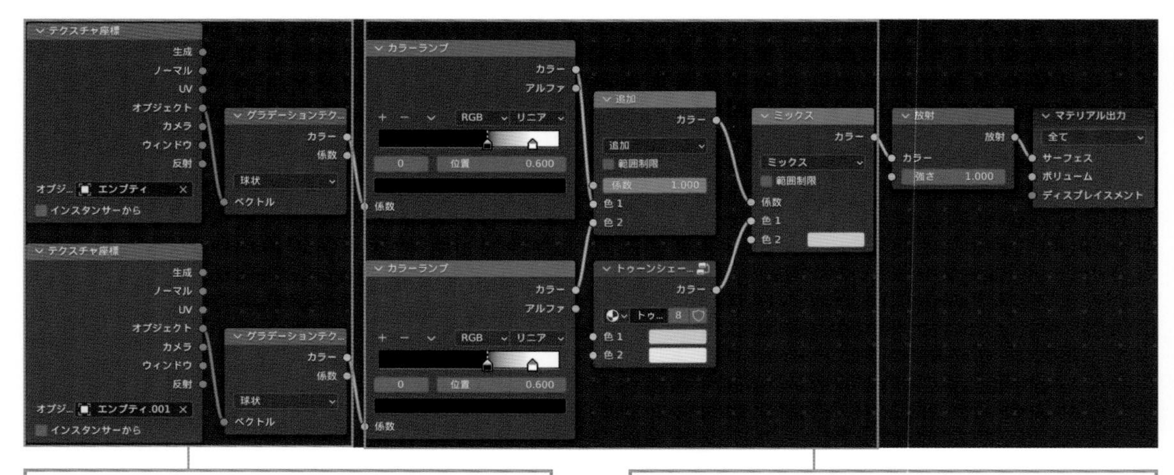

❶画像のように2つの［グラデーションテクスチャ（球状）］ノードを各エンプティのオブジェクトローカル座標をもとに設置

❷［カラーランプ］ノードでグラデーションを調整してその2つを［RGBミックス］ノードにより合成したものを係数としてピンク色を肌マテリアルに追加

上記の手順でキャラクターの頬染めを表現することができました！　この方法でキャラクターの様々な表情の再現に挑戦してみてください！

おわりに

さぁ、ここまで読み進められました皆様におかれましては、Blenderを完膚なきまでに完全マスターされた頃かと思います。3DCG業界の最先端でバリバリと活躍されておられますでしょうか。

…とまぁそれはもちろん冗談ですが、ご安心ください。筆者とて完全マスターなど出来ておりません。Blenderは1人の人間が全てを使いこなすにはあまりにも機能が多く、必要なセンスの種類のようなものも多岐にわたります。おまけに、Blenderは毎日のように新しい機能の追加や変更が行われ、開発が非常に活発です。完全に全てを把握しきれている人間が居るとすれば、Blender開発監督者くらいでしょうか。

話はだいぶ変わりますが、世の中にこの手のソフトウェア指南書は大きく分けて2種類あると思っています。ひとつは、本書のようにチュートリアル的に道筋立てて一つひとつ順を追って機能を使ってみていただき、結果的に必要な機能を一通り使いこなせるようになっていただくもの。まるでカーナビのようにファーストパーソンビューでここの角は右へ、左へと案内して目的地にたどり着くようなものです。もうひとつは、搭載している機能を網羅的に辞書のように掲載し、あなたに必要な機能はこの中から探し出して使ってくださいといったようなもの（正直自分ではこっちの方が好きです）。カーナビの例に対比させると、こちらは俯瞰ビューの地図でしょうか。先程も言ったようにBlenderの機能はあまりにも膨大で、後者の本を作ろうとするとそれこそ辞書な分厚さになってしまいます。それにそういったものは実はBlenderが公式に素晴らしいものを用意してくれています（https://docs.blender.org/manual/ja/latest/）。後者の本を作ろうにもこの素晴らしい公式マニュアルの劣化コピーにしかならないんじゃないか…との懸念により、本書は思いっきり前者の書き方に傾けた本とすることに致しました。当カーナビで無事目的地に辿り着けましたでしょうか。

本書の内容を全て把握しきれるくらいになっていれば、Blenderをモノにした（自分の手足として使いこなせるようになった）と言えると思います。Blenderは日々新機能が追加されると聞いて、「それって覚えなきゃいけないことも日々増え続けるってことじゃん…」とお嘆きの方も居るかと思います。ですが、一旦Blenderをモノにしてしまえば、Blenderに新機能が増える＝自分に出来る事が増えると直結するようになります。それってワクワクしませんか？　口を開けて待っているだけで日々どんどん自分に出来ることが増えていくんです。Blenderは寄付歓迎ソフトなので、口を開けて待っているだけでは忍びないという方は、何をすればいいかわかりますね？

直接の寄付はハードルが高い、とお感じ場合でも、Blender Store（https://store.blender.org/）でちょっとお買い物するだけでも貢献できるようです。かっこいいTシャツやら帽子やらもあるのでちょっと覗いてみてください。また、金銭的な貢献ではなくとも、例えば身の回りにBlenderの操作がわからない人が居たら助言してあげてみたり、自分で引っかかった箇所についてネット上で解決法を掲載してみたりと他のBlender使いの方に役立つ情報の共有等も立派な貢献です（当然ですが本書内容の掲載は法律に引っかかりますのでやめてくださいね）。何か自分に出来ることを見つけて、Blenderに恩返ししてあげてください（もちろん強要ではありません）。

本文では技術的な解説に終始しましたので、ここで3DCGが上達するたの精神論的なアドバイスをひとつだけ。上達に一番必要になるものは、**“スクラップアンドビルドを行う勇気”**なのだと常々思っています。3DCGで1つのものを完成させるには、2Dの絵に比べて多くの時間がかかります。それに加えて、3DCGでは過去に作ったパーツをある程度流用して利用できるという利点があります。この2点により何が起こるのかといいますと、「せっかくこんなに時間を掛けて作ったのだから」という意識が働いてしまい、大胆な改変が出来なくなったり、それまでの間違いが認められず捨て去る選択を採りづらくなってしまいます。また、古いパーツを秘伝のタレのように使い続けてしまい、現在の自分の能力に見合わない低レベルのものになってしまっていることに気づかなくなるという現象が発生します。それに気づき過去のものを破棄したとき、あなたは確実に成長しています。破棄した瞬間にそれまでかけた時間が全て無駄になるなんてことは決して無く、作り直した時は一度目に作ったときよりも何倍も早く上手く作れるようになっています。…とまぁマッチョなことを言ってしまいましたが、流用できるという利点を活かさなければ3DCGである意味も無いとも思いますので、そこら辺はほどほどに。

少し宣伝ぽくなってしまいますが、筆者Twitterアカウント（@tomo_）では、Blenderの新バージョンでの過去との差分（新機能や変更点）や、思いついたBlenderのテクニック等をよく呟いています。書籍というものは、出版から時間が経てば内容が古くなってしまいます。特にBlenderは開発が早く、この本をお手に取っていただいた時点での最新Blenderでは本書の内容が陳腐化している可能性もございます（バージョンが3.X代であるうちは大丈夫だとは思いますが）。その差を少しでも埋めようと、またこの本を買っていただいた方へのお礼の気持も込めながら、日々呟いております。もちろんこれは完全に個人的にやっていることで、出版社様とは全く無関係のことですのでそちらにご迷惑はかからぬよう、よろしくお願い致します。

最後に、編集の荻原さまを始めとして本書の制作に携わって頂いた全ての皆様、そして何よりこの本を手に取っていただいたみなさま、本当にありがとうございました！

2022年5月　友

index

■本書のサポートページ
https://isbn2.sbcr.jp/11910/

● 本書をお読みいただいたご感想を上記URLからお寄せください。
● 上記URLに正誤情報、本書の関連情報を掲載しておりますので、あわせてご利用ください。
● 本書の内容の実行については、すべて自己責任のもとで行ってください。内容の実行により発生した、直接・間接的被害について、著者およびSBクリエイティブ株式会社、製品メーカー、購入された書店、ショップはその責を負いません。

■著者紹介

友（とも）
Blenderのことなら全方位をカバーするジェネラリスト&エバンジェリスト。Blenderの技術書を多く執筆している他、動画作成、ホビー原型用モデル作成、ゲームやアプリ用モデル作成、TVアニメ制作補助など幅広く活動している。
Twitter：@tomo_
mail：tomo.asks@gmail.com

今日（きょう）からはじめる　Blender（ぶれんだー） 3入門講座（にゅうもんこうざ）

2022年　6月30日　　初版第1刷発行

著　者 ……………… 友
発行者 ……………… 小川 淳
発行所 ……………… SBクリエイティブ株式会社
〒106-0032　東京都港区六本木2-4-5
https://www.sbcr.jp/
印　刷 ……………… 株式会社シナノ
装丁デザイン ……… 西垂水 敦・市川 さつき（krran）
本文デザイン・組版 … クニメディア株式会社
編　集 ……………… 荻原 尚人

落丁本、乱丁本は小社営業部（03-5549-1201）にてお取り替えいたします。
定価はカバーに記載されております。

Printed in Japan　ISBN 978-4-8156-1191-0